A L'EST, LA MÉMOIRE RETROUVÉE

Sous la direction de
Alain Brossat, Sonia Combe,
Jean-Yves Potel, Jean-Charles Szurek

A l'Est,
la mémoire retrouvée

Préface de Jacques Le Goff

*ouvrage publié avec le concours
du Centre national des lettres*

ÉDITIONS LA DÉCOUVERTE
1, place Paul-Painlevé
PARIS Ve
1990

Remerciements

Cet ouvrage, conçu par le groupe de recherche « La mémoire grise à l'Est », a été réalisé grâce à l'aide des institutions et personnes suivantes :
Bibliothèque de documentation internationale contemporaine — Musée d'Histoire contemporaine (BDIC) ;
Observatoire sociologique de l'Europe de l'Est et de l'Union soviétique (OSEEUS), CNRS ;
Hélène Kaplan, conservateur en chef du département des pays de l'Est de la BDIC ; Denise Avenas, Sarolta Benezra, Noël Favrelière, Véronique Garros, Marie Kheraskoff, Roland Lew, Igor et Natacha Livant, Frances Nethercott, Klaus Schuffels, Janina Sochaczewska, Ivan Vejvoda.

Les auteurs tiennent à remercier l'Association pour la Communauté culturelle européenne du soutien qu'elle a apporté à la réalisation de ce livre.

PRÉSENTATION DES AUTEURS

Alain BROSSAT, enseignant de philosophie à l'université de Paris-VIII.

Alexis BERELOWITCH, enseignant de littérature à l'université de Paris-IV.

Sonia COMBE, chargée de recherche documentaire au secteur allemand de la Bibliothèque de documentation internationale contemporaine (BDIC).

Anne DURUFLÉ-LOZINSKI, attachée culturelle à l'ambassade de France à Varsovie de 1982 à 1986.

Maria FERRETTI, historienne, auteur d'un ouvrage sur *La mémoire mutilée en URSS*, à paraître aux éd. La Manufacture.

Catherine GOUSSEFF, historienne, boursière auprès de l'Institut des Archives Historiques, Moscou.

Susan GREENBERG, journaliste, Londres.

Zoran KASAREVIC, politologue, Bruxelles.

Élisabeth KIDERLEN, journaliste à *Pflasterstrand*, Francfort/Main.

Evgueni KOJOKINE, historien, chercheur à l'Institut d'histoire universelle, Moscou.

Annette LEO, historienne, journaliste indépendante à Berlin (RDA).

Hubert PADIOU, bibliothécaire à la BDIC.

Denis PAILLARD, linguiste, chercheur au CNRS, Paris.

Jean-Louis PANNÉ, historien, ingénieur CNRS, Paris.

Valentin PELOSSE, sociologue, chercheur au CNRS, Nanterre.

Marta PIWINSKA, chercheur à l'Institut de recherche littéraire de l'Académie des sciences de Pologne, Varsovie.

Jean-Yves POTEL, écrivain, auteur de plusieurs ouvrages sur l'Europe de l'Est.

Mikhaïl ROJANSKI, historien, chercheur à l'Institut de philosophie de l'Académie des sciences de l'URSS, Irkoutsk.

Anna SIANKO, sociologue, Institut de philosophie et de sociologie de l'Académie des sciences de Pologne, Varsovie.

Paul SIMIONESCU, historien à l'Institut d'ethnologie de Bucarest jusqu'en 1983.

Véronique SOULÉ, journaliste à *Libération*, Paris.

Jean-Charles SZUREK, sociologue, chercheur au CNRS, Nanterre.

Berthold UNFRIED, chercheur auprès de l'Institut für Geschichte der Arbeiterbewegung, Vienne.

Paul ZAWADZKI, prépare une thèse de doctorat sur les relations judéo-polonaises au XIXᵉ siècle.

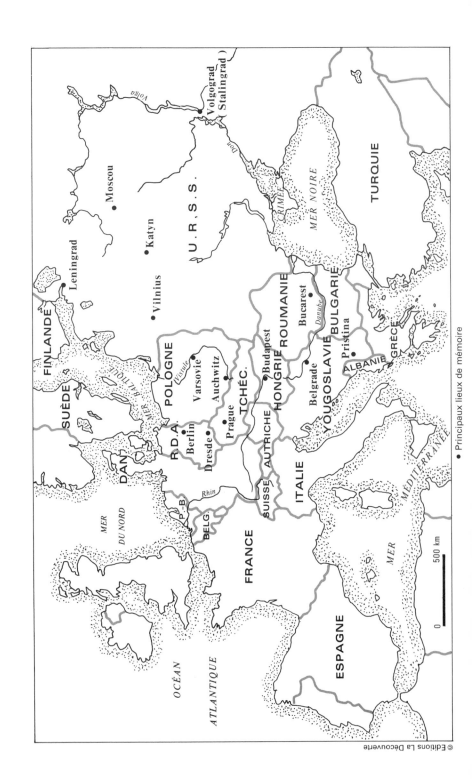

• Principaux lieux de mémoire

© Editions La Découverte

Préface

par Jacques Le Goff

Parmi le complexe d'événements qui, à une allure haletante, bouleversent l'Europe de l'Est, il en est un qui ne fait pas en général la une des médias mais qui en constitue pourtant un des éléments les plus significatifs : la révolution dans les expressions de la mémoire collective.

Il conjugue un aspect important du dégel des nations et des sociétés de l'Est européen avec une des orientations majeures de la pensée historique actuelle : le rôle de la mémoire collective et les rapports entre histoire et mémoire.

Il y a peu, Pierre Nora publiait une série d'études sur Les Lieux de mémoire *de l'histoire de France, qui marquait une date dans l'historiographie contemporaine. Un collectif d'historiens analysait les lieux où s'était formée la conscience commune des Français et où s'était forgée l'identité française. Ainsi, le symbolique et l'imaginaire révélaient leur poids dans l'histoire politique, culturelle, sociale, mentale d'une nation. Des « lieux » aussi différents que des archives, des dictionnaires, des musées, des fêtes, des emblèmes, des monuments, des paysages, des œuvres, des institutions, des discours, des phrases, des mots livraient leur contribution à l'élaboration d'un personnage historique : la France et ces études montraient les enjeux, les conflits, les passions à l'œuvre autour de ces lieux. Une géographie historique sortait de l'imaginaire national.*

D'autres lieux, analogues et différents, sont aujourd'hui reliés à un passé plus ou moins profond, des révélateurs encore plus éloquents du grand chambardement, car souvent habités par une charge explosive plus forte. Le régime communiste à l'Est, en Russie depuis au moins les années trente, dans les pays satellites depuis la période 1945-1948, a imposé un tel refoulement de la mémoire, a tellement bâillonné ou martyrisé l'histoire que, dès le dégel, la mémoire collective s'est réveillée souvent avec des cris, parfois avec des chuchotements qui ne cessent de s'amplifier.

La mémoire retrouvée, c'est un aspect majeur de la libération de l'Europe de l'Est ; c'est aussi un des enjeux et un des terrains d'affrontement de l'histoire qui s'y réalise.

Un collectif de journalistes et d'historiens présente ici à chaud un ensemble important de ces « lieux de mémoire » où le passé se révèle toujours vivant, toujours actif, toujours en évolution. Des journalistes bien informés et qui réfléchissent s'y montrent les égaux des historiens du monde contemporain car, sur le front de l'histoire immé-

7

diate, le bon journaliste doit se faire historien et l'historien dégourdi journaliste. Il en résulte ce beau livre où la hâte, la lacune parfois ne sont que la rançon de la rapidité même de l'histoire qui s'emballe sans prendre le temps de réfléchir ou de couvrir tout le terrain.

Les organisateurs de cet ensemble l'ont judicieusement réparti en trois groupes centrés autour de trois des principaux caractères de ces tribulations de la mémoire collective — sans qu'on puisse bien sûr confiner ces lieux de mémoire dans un seul des territoires découpés. Mémoire effacée, mémoire manipulée, mémoire disputée, toute mémoire historique, et celle de l'Europe de l'Est plus que toute autre, n'est-elle pas à la fois oubli et volonté d'oubli, manipulation et objet de luttes ? Un monument est aussi banalisation et objet de fixation de la mémoire, les commémorations sont souvent des enterrements : le lecteur pourra longuement réfléchir sur les avatars en pleine évolution des retours de mémoire à l'Est. Les conséquences du souvenir et de l'oubli sont si imprévues, si ambiguës, que les hésitations des groupes et des nations de l'Est face à un rappel ou à un effacement de mémoire ne sont pas seulement l'expression de la complexité des situations mais aussi signes de sagesse.

Le passé n'est pas en soi une valeur totalement positive et les comportements des adhérents à Pamiat par exemple en Union soviétique peuvent donner à réfléchir sur la mémoire à double tranchant. Si l'on comprend qu'un nombre croissant de Soviétiques souhaitent que la libération de la mémoire ne s'arrête pas à Staline et n'épargne pas Lénine (qui dans la conscience collective ne coïncide pas exactement avec le marxisme-léninisme, on peut souhaiter liquider celui-ci sans se débarrasser entièrement de celui-là), on comprend aussi que le mouvement hésite devant le déboulonnage de Lénine, non seulement parmi les conservateurs anxieux de s'accrocher à une bouée de sauvetage, mais aussi parmi de larges milieux favorables à la perestroïka *mais pris de vertige devant un possible vide de la mémoire soviétique depuis 1917.*

Qu'on me permette de rappeler des souvenirs personnels. Bien que familier de la société polonaise depuis plus de vingt ans et habitué en tant qu'historien à accorder une grande attention à la mémoire collective, j'avais été frappé en 1980 par la hâte de Solidarnosc à agir sur ce front de la mémoire historique : face à l'incertitude du lendemain, construire des monuments commémoratifs de la liberté, de la résistance, des combats victorieux de la société — des monuments qu'il serait sans doute au Parti plus difficile de détruire que par le passé, même en cas de réaction —, afin de laisser des souvenirs qui seraient autant de jalons vers la libération complète, autant de tremplins d'où repartir pour de nouveaux combats, et, plus tard, dans la lutte quotidienne contre l'état de siège/état de guerre, le souci d'édifier au moins ces monuments éphémères de croix de fleurs, facilement détruites par la police et la nature, mais faciles à reconstruire pour manifester l'opiniâtreté d'une mémoire sans cesse renouvelée et nourrie de plus d'espoir encore que de nostalgie. Et combien m'avait aussi frappé la revendication, très tôt, parmi les plus importantes, les plus urgentes, les plus urgentes, de corriger les mensonges, les silences, les manipulations de l'histoire officielle de la période précédente, notamment par une révision des manuels scolaires d'histoire. Oui, il n'y a pas de peuple, de nation, d'identité, sans mémoire, et pas de démocratie sans mémoire libre. Il faut comprendre que l'histoire que ce livre nous propose est un grand chapitre, un chapitre essentiel, de l'histoire pleine d'espérances et déjà de bonheurs qui se fait à l'Est. Le combat pour la mémoire éclaire tout.

Mémoire effacée : le système communiste (et il faudrait le confronter sur ce plan aussi avec les actions parallèles des systèmes fascistes et nazi) a considérablement « amélioré » le système de condamnation à l'oubli et de fabrication d'une fausse mémoire qui existe depuis l'Antiquité, depuis la damnatio memoriae *qui faisait marteler le nom des puissants déchus au fronton des temples antiques, détruire les monuments, les inscriptions et les livres, rebaptiser les statues... Peccadilles auprès des techniques staliniennes de silence et de mensonge. Oui, il faut dire la vérité peu à peu arrachée (car, malgré la rapidité de la révolution à l'Est, la mémoire semble un des domaines où la libération soit la plus lente, la plus progressive, la plus marquée par une succession de demi-aveux et de concessions lentement obtenues) sur le charnier de Katyn, dire la vérité sur les articles secrets du pacte germano-soviétique qui lui donnent un tout autre sens. Il faut réfléchir sur la succession des noms de baptême de villes, emblèmes symboliques s'il en est.*

J'ai beaucoup apprécié qu'un article montre comment une institution socio-économique comme le manoir a longtemps joué un rôle de « lieu de mémoire » dans la conscience collective polonaise, tout comme Georges Duby avait montré pour la France médiévale et d'Ancien Régime que la généalogie avait été un territoire de mémoire. Ce qui explique, sous des apparences qui semblent surannées, la signification de la guerre des blasons dans la Hongrie contemporaine. Et puis il y a les monuments d'expiation, la mémoire qui sans effacer rachète : les funérailles nationales d'Imre Nagy.

Je ne vais pas prendre l'un après l'autre les excellents exemples de « mémoire manipulée » et de « mémoire disputée » qui suivent le groupe d'articles sur la « mémoire effacée ». Je veux seulement souligner la pertinence de ces expressions qui évoquent la complexité des opérations autour de la mémoire collective, qu'il s'agisse de la perversité avec laquelle les régimes oppressifs montent leurs pièges à mémoire (dans tel musée ou tel mémorial) ou des difficultés politiques, matérielles ou psychologiques qu'éprouvent les restaurateurs et les rénovateurs de la mémoire face aux statues, à la reconstruction des monuments, au choix des dates commémoratives, face à leurs propres souvenirs. Ce sont des pièces à l'intrigue compliquée qui se jouent dans les théâtres de la mémoire. Les textes que vous allez lire vont vous aider à ne pas simplifier des événements embrouillés et à les déchiffrer dans leur complexité.

L'expression enfin de « mémoire disputée », que l'on pourrait étendre à presque tous les lieux de mémoire, rappelle que ces objets historiques se construisent, reçoivent un sens et souvent plusieurs sens simultanés ou successifs au milieu des combats des hommes et des peuples. La mémoire est une conquête, elle doit chercher et conserver ce qui lui permettra de s'édifier dans la perspective de la vérité. Elle doit dissiper les légendes fausses, noires ou dorées, autour de tel épisode du passé, recueillir le maximum de documents et confronter les mémoires contradictoires, faire s'ouvrir les archives et empêcher leur destruction, savoir aller chercher dans la littérature ou dans l'art la mémoire refusée à certaines époques dans certains systèmes aux tabous de l'histoire, reconnaître la pluralité des mémoires légitimes. A Wilno, Vilné, Vilnius, il y a, face à l'impérialisme soviétique communiste, une mémoire lituanienne, une mémoire polonaise, une mémoire juive. La libération d'aujourd'hui doit respecter les mémoires du passé, si ceux qui en sont les héritiers savent la débarrasser de son agressivité et de sa tendance à soutenir des revendications devenues illégitimes.

9

Ce n'est pas le lieu de traiter ici des rapports entre histoire et mémoire, mais ce livre aidera par ses analyses à mieux les comprendre. Elles se nourrissent l'une l'autre, mais ne se confondent pas. L'histoire est une mémoire ordonnée. Elle peut l'être de deux façons. Par un pouvoir, politique, idéologique, économique qui ne songe qu'à s'en servir, et donc l'asservit, la manipule à ses fins. La manipulation communiste à l'est de l'Europe a été une des pires de l'histoire. Contre cette histoire manipulée, ce livre aussi le montre, la mémoire peut avoir un rôle de résistance et, comme on le voit dans la Russie d'aujourd'hui, des « archives populaires » peuvent servir à corriger des « archives officielles » même si celles-ci cachent et donc peuvent révéler certaines vérités tenues secrètes. Mais la mémoire, le plus souvent orale, discontinue, est très vulnérable à la déformation de l'imagination, à l'oubli, aux manipulations intéressées. Nous n'avons plus la naïveté des romantiques qui croyaient les masses incorruptibles, tels les fleuves que ne pourraient empoisonner les mensonges de quelques-uns.

A côté de l'histoire manipulée par les pouvoirs, il faut continuer à édifier un savoir historique fondé sur la recherche de la vérité. Je n'ai pas cette autre naïveté du XIX⁰ siècle, celle du scientisme croyant à l'innocence de la science et des savants. Les historiens sont non seulement capables de se tromper, mais de se laisser manipuler et de manipuler. Mais il y a dans le métier d'historien une exigence de vérité qu'il faut servir et renforcer.

Si nous nous penchons sur notre mémoire collective, à nous, peuples et nations d'Occident, nous y voyons aussi beaucoup de mensonges, de silences, de blancs. Les Français, sans être les pires, n'ont pas encore mis au propre, pour ne parler que du passé récent, leur mémoire de la colonisation, de la guerre et de l'Occupation, de la guerre d'Algérie. Et les efforts de leurs historiens sont encore insuffisants, quoique méritoires.

Il ne s'agit donc pas de donner des leçons aux Européens de l'Est. Leur courage devrait suffire à nous inspirer de la modestie.

Mais nous devons ensemble, à l'Est comme à l'Ouest, faire un grand effort de mémoire et d'histoire, compléter, corriger au besoin le travail du retour de la mémoire par un travail de progrès de l'histoire.

Le pire, c'est l'oubli. Qu'aux oublis des bourreaux ne succède pas un oubli des victimes. La mémoire et l'histoire ont des objectifs voisins, liés, mais non identiques. La mémoire est un travail existentiel, l'histoire doit aussi informer la vie et la vie collective, mais à travers l'impératif prioritaire de la vérité scientifique, autant que l'histoire peut être science, science sociale, mais science aussi.

Comme le ressentent beaucoup d'acteurs de la mémoire retrouvée à l'Est, cet effort essentiel doit être un effort éthique. Celui des historiens doit être scientifique et moral à la fois. Le grand mouvement de la mémoire à l'Est nous propose à tous un grand rendez-vous de vérité avec l'histoire. Pour ne pas le manquer, il nous faut suivre attentivement ce qui se passe à l'Est. Ainsi le livre que j'ai l'honneur de présenter est essentiel pour la compréhension non seulement des événements de l'Europe de l'Est, mais de notre temps et du couple mémoire/histoire. Il faut le lire et le méditer.

Introduction

*par Alain Brossat, Sonia Combe,
Jean-Yves Potel, Jean-Charles Szurek*

« Le passé n'est jamais mort, il n'est même pas passé »,
disait Faulkner. Les intenses mouvements et soubresauts de
mémoire qui font cortège, en Union soviétique et en Europe
centrale et orientale, aux bouleversements en cours en font
la démonstration chaque jour. S'il est un sol sur lequel le
passé n'est pas passé, ne passe pas et ne passera pas, c'est
bien celui du post-stalinisme et du socialisme réel. Les
grands prêtres du reconditionnement et du *mankurt*, ce supplice oriental décrit par l'écrivain kirghize Tchinghiz Aït-
matov et dont la victime survit — au mieux — sans passé
ni mémoire, ont eu beau faire : l'Est européen se présente
à nous, aujourd'hui, comme une terre élective de la
mémoire collective[1]. Dans ce paysage en proie aux con-
vulsions les moins attendues et à un formidable mouvement
d'accélération de l'histoire, tout devient terreau pour la
mobilisation du passé sous la houlette des enjeux présents ;
le passé — proche ou lointain — devient champ de bataille,
le « murmure mémoriel » qu'évoque Pierre Nora[2] devient
vacarme ; la mémoire collective, faisant flèche de tout bois,
se cristallise en tous lieux. Bien loin de se présenter comme
des buttes-témoins d'un autre âge, des « rescapés » d'un

---

1. *Une journée plus longue qu'un siècle*, Messidor, 1982. La victime de ce supplice allégorique est exposée au soleil avec une peau de chameau sur le crâne.
La peau rétrécit, le supplicié devient fou de douleur ou amnésique. Dans le dernier cas, il devient un esclave modèle.
2. *Les Lieux de mémoire*, tome I, *La République*, présentation (Gallimard, 1984).

11

Statue de Lénine déboulonnée à Budapest en juin 1989.

temps où la mémoire sociale battait son plein, ces lieux apparaissent dans cet espace comme des pôles autour desquels se recompose et se déploie une mémoire vivante, active, si ce n'est activiste, fébrile et trépidante — intimement liée au mouvement du présent ; une mémoire sertie dans la conscience historique des acteurs des mutations en cours.

Dans ce monde envahi par la mémoire et comme possédé par le passé, habité par le déferlement des symboles et la mobilisation de l'imaginaire collectif, tout ou presque devient lieu de concrétion ou d'agglutination de l'émotion mémorielle : on se mobilise autour du moindre emblème, des drapeaux, des blasons, des monuments, des statues ; on s'empoigne à propos de noms de rues, de places, de villes, d'usines, de chantiers, à propos de timbres, d'effigies sur les billets de banque, de batailles anciennes, d'anniversaires, de commémorations, d'églises, de manuels d'histoire, de tombes, de fosses communes, d'hymnes, de traités, de musées, de héros et de traîtres, d'idiomes et de traditions locales, de traités et de tracés de frontières, de romans et de films... Saturé de mémoire et constellé de lieux de mémoire, ce monde affronte le présent, imagine ou rêve l'avenir le regard tourné vers le passé — avec une ferveur et un sentiment d'urgence croissant au fur et à mesure qu'il entre dans la danse... Le temps de l'Est européen que nombre d'observateurs occidentaux considéraient naguère comme intrinsèquement voué à l'immobilité semble, brusquement, s'arracher à la fatale attraction totalitaire, comme la plus perfectionnée des fusées soviétiques s'arrache à l'attraction terrestre. Tout tend, dans ce monde en fusion, à « s'écraser sur le plan de la contemporanéité et de la simultanéité [3] » ; des batailles millénaires se présentent comme l'enjeu de débats et d'affrontements aussi actuels et fiévreux que les contentieux surgis la veille. Vécu et éprouvé tout autant sur un plan « horizontal » que « vertical », le

---

3. Gianni VATTIMO, « Modernité, par ici la sortie », in *Libération* du 12 août 1987. Également : *La Fin de la modernité*, Seuil, 1987.

passé s'incorpore à la pâte du présent et, sur cette scène, les protagonistes s'installent dans une étrange Histoire, à la jointure impossible du « passé-présent » et du « présent-passé ». Dans ce monde incandescent, le paysage de la vérité naguère gouverné par l'omniprésence du « grand récit » stalinien ou post-stalinien et l'omnipotence du dit du pouvoir se fractionne comme en une image kaléidoscopique, et des mémoires éclatées s'activent à légitimer une infinie variété de points de vue, de credo dressés sur leurs ergots, les uns à côté des autres, les uns contre les autres, le plus souvent. Libérés des mailles du dogme, de l'histoire officielle, l'héritage et la tradition reviennent en force ; autant qu'ils rétablissent dans ses droits la connaissance historique, le « désir de savoir », ils érigent le mythe contre le mythe, la légende apologétique contre le mensonge ou la légende d'État. Ce ne sont plus désormais — mais fut-ce jamais le cas ? — l'État d'un côté et la société de l'autre qui gèrent leurs vérités antagoniques de l'histoire, c'est la vérité elle-même qui se dissémine irrémédiablement au fur et à mesure que se redessinent les innombrables différences et lignes de fracture qui traversent les sociétés de l'Est européen.

Après la fin de l'Histoire

Est-il besoin d'y insister ? Bien avant que le « bloc » soviétique entre en transe, il était possible d'y discerner — pour peu que l'on considérât la ou les *bonnes scènes* — une activité intense et protéiforme de la mémoire sociale ; c'était là, déjà, l'indice sûr de ce que ce monde, loin d'être voué à la « post-histoire » ou à la tétanie d'un interminable *1984*, se trouvait en pleine mutation — alors même que des gérontes à la triste figure présidaient encore sans craintes ni états d'âme à ses destinées. Partout, des romans, des nouvelles, nullement clandestins ou dissidents, dessinaient des thèmes, agitaient des paraboles, maniaient des allusions ou proposaient des associations attestant l'existence de ces flux et foyers vivaces, quels qu'aient pu être les efforts de la théologie du pouvoir et des différentes polices de la pensée pour organiser la méconnaissance du passé, refouler, nier, combattre, travestir des pans entiers de l'héritage et récrire l'histoire comme sur une page blanche.

Dans la plupart des pays du « bloc », des films, souvent voués au placard pour de longues années (*La Commissaire* d'A. Askoldov, *Repentir* de T. Abouladze, *La Vérification* d'A. Guerman...), parfois admis à franchir les barrages de la censure (*L'homme de marbre* d'A. Wajda, *Papa est en voyage d'affaires* d'E. Kusturica), prennent à rebours l'histoire officielle, dessinent parfois les lignes de force d'une autre histoire-mémoire voire, dit Marc Ferro, d'une véritable « contre-histoire »... Partout aussi, perdure, discrète et opiniâtre, cette « petite mémoire » non institutionnelle de l'espace familial, privé, des microréseaux de sociabilité qui, à mi-voix, transmet un bagage du passé, dispersé, certes, en lambeaux, souvent, un souvenir latent, rampant, incertain, diffus — mais qui n'en constitue pas moins un formidable réservoir sans lequel jamais, par exemple, l'histoire soviétique n'aurait pu, depuis 1985, se trouver si rapidement « repeuplée ».

En ces années plus ou moins somnolentes ou apeurées de la « stagnation » de l'URSS et de son glacis, l'Occident a eu trop souvent tendance à oublier que la religion du peuple y était sans doute beaucoup moins ce sépulcral « marxisme-léninisme » qu'apprenaient par cœur les enfants des écoles et dont les savants constellaient leurs ouvrages que le *chveïkisme*[4] — ce recours de toujours du faible confronté à l'*hybris* du pouvoir, cette stratégie de l'esquive et de la patience de celui qui *en sait plus long* qu'il ne le donne à penser oppose l'ironie à la force et s'en remet au temps là où il ne peut rien espérer de la violence. En un temps où

---

4. Partout où triomphent l'oppression et l'injustice, l'esprit de résistance dissimulé sous les oripeaux de la naïveté voire de la débilité et du respect de l'autorité, tel que l'incarne « le brave soldat Chveik » de Jaroslav HAŠEK, demeure le recours du faible ou du vaincu. B. BRECHT a repris ce thème dans sa pièce *Schweyk dans la Deuxième Guerre mondiale*.

15

les Havel (et les Sakharov) sont rares, les Chveik sont nombreux. Mais ces Chveik-là, qui abandonnent bien volontiers aux dissidents et opposants la posture héroïque, ne sont pas, contrairement à ce que pensait Alexandre Zinoviev, des rats suradaptés et conformes au système mortifère : ils *n'en pensent pas moins* comme on ne tarda pas à s'en aviser en Occident dès que l'étau commença à se desserrer, ils ont la mémoire beaucoup plus longue que l'imaginent ceux d'en haut, adeptes plus ou moins maniaques de la formule : « Du passé faisons table rase », devenue terrifiante à l'usage.

Les interminables années du regel et du marasme à l'Est furent donc aussi celles du développement d'une mémoire « grise », ni officielle ni clandestine, circulant entre les eaux du prêche du pouvoir et celles du réquisitoire de la dissidence ou de l'opposition. Ici, cette mémoire se trouvait solidement étayée et sans cesse ravivée par l'existence de solides institutions incarnant culture et tradition nationales antagoniques à celles de l'État (l'Église polonaise en est l'exemple le plus notoire) ; là, c'est le souvenir collectif d'une scène primitive intensément vécue — comme le printemps de Prague et son écrasement — qui l'alimente ; ailleurs, c'est la naissance de nouvelles attitudes, la résurgence d'anciennes, la croissance de mouvements sociaux (mouvement pacifiste en RDA, renaissance des sentiments nationalistes en URSS...). Partout, la circulation de cette mémoire — de ces mémoires plutôt — organisée en réseaux capillaires toujours plus denses dévoile une société beaucoup moins en proie à l'anomie qu'on ne le pensait souvent. A l'évidence, si ces sociétés ont bien été — soit après la Première Guerre mondiale, soit après la Seconde — en un sens *arrachées* à leur sol natif, elles n'en ont pas pour autant été plongées dans l'amnésie. Un rapport *déchiré* mais intense au passé s'y met en place, une dialectique singulière du souvenir et de l'oubli, du refoulement et de l'anamnèse, du mensonge d'État et du mythe social ; dans cette étrange topographie infiniment accidentée, le temps est, comme chez Walter

Benjamin, rien moins qu'« homogène et vide » et « l'ange de l'histoire [...] a le visage tourné vers le passé [5] ».

« PAGES BLANCHES » ET « TROUS NOIRS »

On n'aurait garde, pourtant, d'opposer le paysage d'une Europe de l'Est en proie à une mémoire collective obsessionnelle, éclatée, tourmentée et en déficit permanent d'une sobre *connaissance* de l'histoire à celui d'une « autre Europe » — la nôtre — vivant, elle, à l'heure de la conscience historiographique sereine ou de l'histoire assumée sans déchirements ni états d'âme. Nous le savons bien : notre espace (défini par la géopolitique, mais aussi par certains référents culturels, historiques) est, lui aussi, passablement habité par les fantômes du passé, traversé par ses guerres de mémoire toujours prêtes à se rallumer — comme, par exemple, tout ce qui touche à la Résistance et l'Occupation en France, mais aussi bien la guerre civile en Espagne, le passé nazi en RFA ou en Autriche. Il connaît, lui aussi, ses jeux de miroir et vertiges mémoriels récurrents, lorsque les étudiants en colère crient « CRS-SS ! », lorsque l'État d'Israël est accusé de... génocide, lorsque le président du Bundestag se prend les pieds dans le tapis de la mémoire à propos de la « nuit de Cristal », lorsqu'un écrivain français en renom s'écrie : « Les avorteurs sont les fils et les petits-fils des monstres d'Auschwitz. Je voudrais rétablir la peine de mort pour ces gens-là [6] »...

Dans cet espace où, en effet, le discours historiographique a conquis son espace d'autonomie et affirmé sa légitimité face aux intérêts politiques et patrimoniaux de l'État, les stratégies de l'oubli, les « pages blanches », les tabous, les plaies de mémoire toujours à vif, les amnisties bâclées, les transactions douteuses sur le passé n'en continuent pas

---

5. Walter BENJAMIN, « Sur le concept d'histoire » in Auguste BLANQUI, *Instructions pour une prise d'armes*, Éd. de la Tête de feuilles, 1972.
6. Michel TOURNIER in *Le Monde* du 1er novembre 1989.

moins à être monnaie courante. En France notamment, ce n'est pas seulement l'État, mais pour une bonne part la société qui n'aime pas que l'on agite le souvenir des camps où séjournèrent de force plus que de gré militants antifascistes allemands, combattants des Brigades internationales, juifs étrangers — ou, tout aussi bien, celui des mutineries de 1917 sans oublier, plus proche de nous, celui de la guerre d'Algérie ; ce ne sont pas seulement les dirigeants de l'ORTF qui, au début des années soixante-dix, ont été « choqués » par *Le Chagrin et la Pitié* de Marcel Ophüls et la méticuleuse iconoclastie de mémoire qu'il pratiquait. Aux États-Unis, c'est le livre de David Wyman, *L'Abandon des juifs, les Américains et la solution finale*[7], évoquant les silences, tactiques ou autres, de Roosevelt devant le génocide perpétré par les nazis qui a fait grincer bien des dents. En Grande-Bretagne, le rappel du rapatriement forcé d'unités cosaques (en URSS) par l'armée britannique en 1945 donne lieu en... 1989 à un procès où il est davantage question d'« honneur » que d'évidence historique. En Allemagne fédérale, le travail du deuil et de la contrition quant à l'extermination des juifs est conduit par l'État, et dans la société — mais qu'un petit livre vienne présenter les milliers de déserteurs de la Wehrmacht pendant la guerre exécutés par les nazis comme, *eux aussi*, des victimes du fascisme, et le seuil de tolérance mémoriel est déjà franchi[8]... Dans tout le cône sud latino-américain, la décision d'oubli (des exactions et tortures commises par les militaires), sanctionnée par des lois opportunément désignées comme « point final », constitue un enjeu politique de premier ordre et met en lumière avec beaucoup de force combien l'oubli n'est pas l'antonyme mais bien une *forme* de la mémoire. En Extrême-Orient, une interminable guerre des manuels scolaires oppose la Chine au Japon à propos de la présentation de l'invasion japonaise de 1937-1938 et des exactions qui l'accompagnèrent...

---

7. David WYMAN, *L'Abandon des juifs, les Américains et la solution finale*, Flammarion, 1987.
8. Norbert HAASE, *Deutsche Deserteure*, Rotbuch Verlag, 1987.

LA SURVEILLANCE DE L'ÉTAT

Dans le monde réputé libre aussi, l'historien, souvent pris
dans les tirs croisés des groupes sociaux et des institutions
en charge de l'héritage, exerce un métier à risques, intellectuels et parfois davantage. En France, les spécialistes de
l'histoire du PCF, en Allemagne fédérale, ceux du IIIe
Reich le savent bien. Dans ce paysage, l'historiographie
s'est bien constituée comme un récit relevant d'autres codes
que ceux des mouvements et de l'intérêt mémoriel, mais les
contaminations de la rhétorique historiographique par les
effets de mémoire, les intersections entre histoire et mémoire
n'en sont pas moins innombrables : lorsque, en France, la
« communauté » des historiens se montre rétive à aborder
la question « douloureuse » du rôle de l'Union générale des
israélites de France pendant la Seconde Guerre mondiale,
c'est un « homme-mémoire » qui porta l'étoile et dont les
parents ne sont pas revenus des camps d'extermination qui
s'improvise, avec tous les risques intérieurs à l'entreprise,
historien et supplée à leurs inhibitions [9]. En d'autres circonstances, c'est le cinéma qui vient remplir des pages blanches, faire sauter des tabous, ébranler les légendes les mieux
assises (*Les Sentiers de la gloire* de S. Kubrick, *La Colline des
hommes perdus* de S. Lumet, *Lacombe Lucien* de L. Malle) ou
au contraire mettre en relief des consensus ou des transactions de mémoire tacites qui s'explicitent rarement dans le
discours historiographique ou politique (*L'Armée des ombres*
de J.-P. Melville, *Rome ville ouverte* de R. Rossellini).

Plus souvent qu'à son tour, le discours historiographique
se trouve ressaisi, contaminé et rattrapé au tournant par les
effets de mémoire qui tissent le passé-présent dont est faite
bien souvent l'actualité politique : du « rappel » de l'affaire
Manouchian en 1985, au procès Barbie, à l'affaire Touvier,
au livre de Daniel Cordier sur Jean Moulin [10], l'historien

---

9. Voir Maurice RAJSFUS, *Des juifs dans la collaboration, l'UGIF 1941-1944*,
EDI, 1980 ; et *Une terre promise ?* L'Harmattan, 1989.
10. Daniel CORDIER, *Jean Moulin*, Jean-Claude Lattès, 1989 (1er volume).
Six volumes à paraître.

français de la Seconde Guerre mondiale est sans cesse aspiré hors de la scène historiographique sur le terrain des jeux, enjeux et rejeux de mémoire. Ce n'est pas seulement qu'il travaille sous la *surveillance* protéiforme de l'État (accès aux archives, manuels scolaires...), comme le rappelle Marc Ferro lorsqu'il s'agit d'histoire contemporaine [11], mais c'est aussi qu'il vit parmi des hommes du présent qui, souvent, le somment de s'engager, en sa qualité de logographe, dans leurs débats où aujourd'hui se déchiffre dans le miroir d'hier.

Dans notre espace *aussi*, l'expansion continue de la mémoire et la permanence — voire une certaine intensification — des effets de mémoire manifestées par le développement d'une véritable « obsession commémorative » sont, comme l'a montré Pierre Nora [12], signes d'un sentiment d'arrachement au passé et d'une bien réelle érosion de la légitimation par la tradition, d'un bien réel brouillage du sens de l'héritage, d'une perplexité croissante face à l'affaiblissement de certains repères identitaires, des codes normatifs et axiologiques. Une histoire inquiète et mal assurée dans ses fondements nourrit une mémoire plus ou moins convulsive et obsessionnelle [13]. Dans un contexte où monte le sentiment d'éclatement de l'histoire, le recours au passé prend un relief particulier, comme l'ont bien montré les pompes et une certaine cacophonie commémorative autour du bicentenaire de la Révolution française. La sensation du gonflement démesuré de la « bulle de l'actualité », la nostalgie des origines, l'inquiétude téléologique habitent un temps et un espace désertés par le « sens de l'histoire » ; aujourd'hui ne s'y présente plus comme accomplissement et dépassement d'hier, et demain (l'an 2000, l'horizon communiste...) ne s'y présente plus comme la réalisation d'une quelconque annonciation, la vérification d'un quelconque

11. Marc FERRO, *L'Histoire sous surveillance*, Calmann-Lévy, 1983.

12. Pierre NORA, *op. cit.*

13. Gérard NAMER, *Batailles pour la mémoire, la commémoration en France de 1945 à nos jours*, Papyrus, 1983.

principe transcendantal. En panne de mémoire générative, nous sommes, nous aussi, à notre manière, orphelins de l'histoire *éclairée*, bien orientée, et cultivons de ce fait, faute de mieux, une mémoire antiquaire installée dans les traces, les vestiges et la perplexité, ou une mémoire collectionneuse plus ou moins ludique et esthétisée à la manière du Georges Perec de *Je me souviens*. La mémoire se fait de plus en plus *photographique*, installée dans la dispersion des « instantanés » et résignée à ce désordre. Les souvenirs qui, comme dit Walter Benjamin, « brillent à l'instant du péril » ne tendent plus à « se tourner vers le soleil en train de se lever dans le ciel de l'histoire » car l'« à-présent » n'est plus « la porte étroite par laquelle peut passer le Messie [14] ». A l'Ouest aussi, le temps de la mémoire survient dans les ruines de la philosophie de l'histoire.

LE PRINCIPE ESPÉRANCE

Dans un livre récent [15], Philippe Pons, le correspondant du *Monde* au Japon, invite les Européens à ne pas voir la modernité japonaise comme un pur décalque de celle de l'Occident, une simple imitation. « Il est né sur l'archipel, dit-il, une modernité à la fois émule et rivale de celle de l'Occident », un « double » dont la topographie se distingue notamment de notre modernité par la configuration très singulière de sa mémoire collective. L'existence de ce double, dit Pons, rend vaine l'illusion de l'Europe « d'être toujours le centre culturel du monde moderne ».

Dans le même esprit, on ne saurait trop exhorter actuellement les Européens de l'Ouest à ne pas considérer l'Europe de l'Est aujourd'hui en proie à une crise d'effondrement comme pur « négatif » de notre modernité, pure altérité de notre monde. Assurément, la « divine surprise »

---

14. Walter BENJAMIN, *op. cit.*
15. Philippe PONS, *D'Edo à Tokyo, mémoires et modernités*, Gallimard, Bibliothèque des sciences humaines, 1989. Introduction.

que constitue pour l'Occident la chute du « socialisme réel »
s'accompagne d'un puissant mouvement de relégitimation
(sans frais) des fondements culturels, normatifs, politiques
de notre part de l'espace européen et souligne la divergence
des trajectoires de l'une et l'autre Europe — depuis 1945
notamment.

Pour autant, on n'aurait garde d'oublier que cet « autre
côté » dont les soubresauts se livrent à notre regard comme
dans un film accéléré relève moins d'une *autre Histoire* qu'il
représente un autre volet, un *double* de notre modernité.
Ceux qui, dans les années soixante, se sont faits les théori-
ciens de la *convergence* des sociétés industrielles d'Est et
d'Ouest étaient bien, d'une certaine façon, contaminés par
l'euphorie khrouchtchévienne et ils ont assurément sures-
timé les performances économiques et culturelles à venir du
« socialisme réel ». Pour autant, leur vision trop « esthétique » n'en était pas dépourvue de tout fondement ; deux
décennies plus tard, l'URSS de Gorbatchev devait bel et
bien admettre, après des années de dénégation brejnévienne
et de fuite dans l'imaginaire, qu'elle était, elle aussi, en
proie aux difficultés et aux maux que connaissent les sociétés
capitalistes développées depuis les années soixante : problème du *lien social* et du tissu culturel dans des ensembles
sans cesse plus différenciés et complexes, érosion des fondements du consensus social, impasses du productivisme,
crise de la culture industrialiste, etc. C'est bien dans ce contexte que la formule gorbatchévienne de la « maison européenne commune » a pu rencontrer en Europe occidentale
un réel écho.

Il en va de même du rapport au passé. Tout a été dit sur
la mainmise brutale sur le récit du passé qu'opère le pouvoir à l'Est, sur l'empêchement du développement d'un
champ historiographique autonome sous la juridiction du
« socialisme réel », etc. Et pourtant : ce n'est pas seulement
que, comme le relèvent Pons et d'autres, de tels penchants
« orwelliens » se retrouvent *aussi* chez le « double » capitaliste japonais ; c'est surtout que *notre* et *l'autre* Europe n'en

22

partagent pas moins cet aspect fondamental de la crise de la modernité qu'est l'effondrement de l'histoire homogène et des formes dominantes de la téléologie messianique ou prométhéenne, l'érosion de l'utopie voire l'effondrement des « grands récits » (J.-F. Lyotard).

On ne saurait oublier que, dans les années soixante-dix encore, la critique adressée par de larges secteurs de la gauche ouest-européenne à l'endroit du « socialisme réel » et de ceux qui président à ses destinées relève du même « héritage », des mêmes prémisses idéologiques, du même fonds de culture que ceux du système et des personnes incriminés. La philosophie de l'histoire qui constitue le tronc commun des prêtres décérébrés du *Diamat* et des barricadeurs ouest-européens du tournant des années 1960-1970 n'a alors pas encore achevé sa course ni épuisé son aptitude à *agréger*; elle s'entoure ou s'orne toujours des mêmes drapeaux, des mêmes hymnes, emblèmes et symboles, réclame les mêmes héros — à défaut de relever de la même sensation de l'histoire.

L'écroulement du « socialisme réel » n'est pas seulement le signe majeur d'une faillite systémique, mais aussi et surtout, peut-être, de la crise mortelle d'une culture de l'espérance et de l'annonciation dans l'espace européen tout entier. A l'Est comme à l'Ouest, l'héritage a cessé d'être cette *promesse* d'un avenir meilleur, plus beau, plus rationnel qu'il était encore largement dans les années 1960-1970 — pas seulement selon les canons de l'eschatologie marxiste, mais aussi selon ceux de la foi en la technoscience. L'actualisation (ou la redécouverte) de l'héritage ne renvoie plus à une histoire *en progrès*, mais bien davantage à la réassertion passablement sécularisée, désacralisée d'une norme (la « démocratie », les tables de la loi du « libéralisme »...) davantage conçue comme un principe régulateur que comme un fondement idéal ou un schème transcendantal.

En ce sens, la conversion massive à laquelle on assiste aujourd'hui, à l'Ouest comme à l'Est, de l'histoire porteuse de la « joyeuse nouvelle » (W. Benjamin) ou de l'histoire conçue comme « fabrication » (H. Arendt), à ce que l'on pourrait appeler la « Real-Histoire » ne correspond pas à une simple transvaluation des valeurs, au simple passage d'un « grand récit » à un autre. C'est bien, plus fondamentalement, une posture de l'être-à-l'histoire qui change — dans les deux parties de l'Europe. Il n'est plus tant question de « se rendre maître et possesseur » de... l'histoire, que de s'installer dans une position « affaiblie » de l'Être (G. Vattimo) où prévalent des schèmes et normes inscrits non plus dans l'horizon du mieux ou même du bien, mais dans celui du possible.

En cet espace où se lit l'usure des paradigmes fondateurs de la modernité — à l'Est comme à l'Ouest —, la mémoire, rappel et présence de l'héritage, revient en force contre les promesses déçues de l'histoire ; elle se présente comme un indispensable recours face à ce « gros temps » [16] fait de perplexités et de troubles identitaires qui nous est dévolu. A défaut d'annoncer le mieux (cela fait quelque temps déjà que l'on ne parle d'« avenir radieux » ou de « lendemains qui chantent » que par antiphrase), elle rappelle *que l'on est*, malgré tout, en soulignant *qui* l'on est, en exhibant des origines, des parcours, en faisant l'inventaire d'un bagage. Si cette mémoire fait irruption dans le champ social sur le mode du multiple et sous des dehors plus cacophoniques que polyphoniques, c'est bien là le symptôme que les temps de l'histoire unifiée et de l'être-à-l'histoire comme sentiment de l'universel sont révolus. A l'Est comme à l'Ouest, « je me souviens » devient une formule sacramentelle contre l'universalisme abstrait, l'affirmation d'une identité par le truchement d'une différence et cette formule renvoie bien à un doute quant à la consistance de l'« à-présent » ; elle devient de plus en plus un mode privilégié de l'être lui-même.

Comme l'avait déjà montré en précurseur Georges Haupt [17] (à propos de la mémoire collective de la

---

16. Voir Vincent DESCOMBES, *Philosophie par gros temps*, Éd. de Minuit, 1989.

17. Georges HAUPT, *L'Historien et le mouvement social*, François Maspero, 1980.

Commune de Paris, ou de ce qui s'institue comme le « marxisme »), le passé échappe de manière sans cesse croissante à sa facticité, et du coup l'histoire qui s'écrit à l'événement et à la sphère étroitement politique. La légende devient aussi importante que l'histoire « telle qu'elle fut en vérité » ; on voit l'historien lui-même ouvrir une nouvelle sente, celle de l'histoire de la mémoire dont, par exemple, Henry Rousso donne un exemple stimulant[18] ; les historiens et fins politiques qui président aux destinées des célébrations du bicentenaire de la Révolution française se soucient d'écrire l'histoire de la commémoration *en même temps* qu'ils organisent les cérémonies. A l'Est aussi, ce dédoublement de l'histoire en mémoire et cette saisie de la mémoire par l'histoire sont spectaculaires : l'historiographie renaissante se baigne dans le fleuve de la mémoire sociale ou « populaire », y puise des forces après des décennies d'anémie dogmatique ; inversement, avec le redéploiement du discours savant ou spécialisé sur le passé, la mémoire populaire voit s'affaiblir sa prérogative de siège du « souvenir vrai » contre la mémoire pipée de l'État.

CARENCES DE LÉGITIMITÉ

Et pourtant : s'il s'agit bien, à l'Est comme à l'Ouest, de sortir d'une certaine « modernité », ce mouvement s'effectue, sur ces deux versants, selon des modalités différenciées. A l'Est comme à l'Ouest — mais cela n'est pas tout à fait nouveau — les jeux et les flux de mémoire sont indissociables des stratégies de légitimation. La mémoire collective constitue l'un des plus précieux combustibles de la légitimation, un fonds inépuisable où elle s'alimente sans relâche ; à cette source viennent puiser pouvoirs et élites, mais aussi groupes sociaux, ethniques, religieux, collectivités idéologiques, etc., en mal de légitimation, de relégitimation — ou de moyens de délégitimation de l'adversaire. Qu'il

---

18. Henry ROUSSO, *Le Syndrome de Vichy, 1944-198...*, Seuil, 1987.

s'agisse de justifier ce qui est ou de la contester dans son principe même, de valider des décisions ou l'absence de décisions, de plaider en faveur du *statu quo* ou au contraire du changement, d'énoncer un « droit » ou au contraire de dénoncer un déni de droit, la mobilisation du passé, l'anamnèse, le détour par la mémoire constituent une voie royale. Cela est vrai de tous les nationalismes ou « quasi-nationalismes » qui renaissent en Europe centrale et orientale, mais aussi de certains adulateurs de Jeanne d'Arc ou détracteurs de la Terreur en France.

Il n'en reste pas moins qu'à l'Est ce rapport entre mémoire et légitimation se présente comme plus étroit, plus dense que dans notre espace. Les enjeux de mémoire y sont d'autant plus intenses que les questions de légitimité y sont toujours plus actuelles : non pas seulement lorsque ce monde entre en ébullition et passe d'une « scène » à une autre, mais pour ainsi dire structurellement ; les frontières y sont instables, redessinées au fil des guerres et des paix impériales décrétées par les grands d'hier et d'aujourd'hui. L'« autre Europe » est un monde de vainqueurs et de vaincus, toujours, où la satisfaction des revendications « historiques » des uns s'exerce au détriment des autres, où les « droits », imprescriptibles, bien sûr, des uns s'appellent iniquité pour les autres, où les États eux-mêmes vont et viennent, où ethnies, groupes religieux et « cultures » politiques se regardent en chiens de faïence. Dans cet espace, l'œuvre qu'achève en France, pour l'essentiel, la Révolution — la mise en place d'une adéquation peuple-nation-territoire-État — demeure l'objet d'une insurmontable *nostalgie* : celle, par exemple, d'une Hongrie rétablie dans ses « droits » sur la Transylvanie, d'une Roumanie augmentée de la seconde moitié de la Moldavie, d'une Pologne enrichie de Lvov et Wilno, d'une souveraineté albanaise sur le Kosovo ou, inversement, de la renaissance d'une grande Serbie, d'une restauration de l'indépendance balte — pour ne rien dire de l'imbroglio caucasien, de l'unité allemande ou des peuples sans État (Tsiganes...). Nombreux sont ceux qui ont eu tendance à confondre le temps pas si long, finalement, de l'uniformisation artificielle de cet espace par le stalinisme

26

et sa postérité mais aussi par *l'accord* de Yalta avec un temps
« homogène et vide », extensible à l'infini si ce n'est éternel. Et pourtant : sous le ciment qui faisait tenir ensemble
ces histoires et ces mémoires si diverses et si souvent antagoniques se sont perpétuées d'innombrables lignes de fracture — anciennes, modernes et contemporaines.
L'« à-présent », dans quelque état qu'il se présente, à l'Est,
a toujours souffert d'une insuffisance, d'un *déficit de légitimité* ; la modernité est-européenne porte les profonds stigmates de ce manque.

Dans ce « monde », en effet, l'état des choses présentes
semble toujours se rattacher à des origines plus ou moins
troubles, âprement disputées, en tout cas ; des voix discor-
dantes revendiquent les mêmes lieux, le même territoire,
s'arrachent la même histoire ; chaque mémoire habite les
ruines d'une ou de plusieurs autres ; monuments, symboles, hymnes, drapeaux et souvenirs se font la guerre.
Lorsqu'une histoire officielle parvient, provisoirement, à
s'imposer au point d'être un catéchisme, c'est au triomphe
de la « force » davantage qu'à celui du « droit » ou du
« consensus » qu'elle semble le devoir et elle n'est souvent
perçue que comme le dit du pouvoir ; cette « petite différence » du Centre-Est européen ne date pas de Yalta ou du
pacte Molotov-Ribbentrop, elle relève d'un temps beaucoup
plus long, même si certains de ses traits s'exacerbent après
les derniers partages de l'Europe.

Dans ce paysage d'une histoire « calcaire », les récits du
passé qui ne se rattachent pas au pouvoir et aux dominants
sont « captés » et continuent à circuler souterrainement,
avant de faire résurgence ailleurs, plus tard. En ce *topos* sin-
gulier, ce ne sont pas seulement les États et leurs représentants qui souffrent de carences de légitimité fondatrice, mais
aussi bien ces jeunes Lituaniens de Vilnius qui *fantasment* le
passé (même récent) de leur ville et, tout assoiffés de
mémoire qu'ils sont, n'en pratiquent pas moins allégrement
la dénégation historique, ou encore ces paysans tchèques
installés dans les murs de fantômes allemands, dans les
Sudètes, ou encore ces paisibles retraités soviétiques qui doivent le privilège et le confort de leur *datcha* à s'être conduits,

dans les années noires, comme le rapporte Grossman dans *Tout passe...*

Cette absence à l'Est d'une « culture » ou d'un *habitus* de la légitimité où se trouvent nettement distingués « droit » et « pouvoir », « vérité » et « pouvoir », « mémoire » et « récit historique », voire mythe et raison, se manifeste bien entendu d'une manière particulièrement éclatante à l'heure de la grande césure, lorsque, après le temps de l'étouffement des mémoires, on entre dans celui de la guerre des mémoires. A cette occasion, nous mesurons combien différente peut être notre perception relativement sereine de l'héritage (*nos* monuments, *nos* grandes victoires, *notre* révolution, *nos* frontières, *notre* capitale, etc.) de celle, toujours sur le qui-vive, tendue et souvent agressive qui prévaut à l'Est.

LE RETOUR DES PARTICULARISMES

Plus sont obsédants et criants les déficits de légitimité, et plus s'impose l'*appel à la mémoire*. Pour Jürgen Habermas, on ne peut jamais éluder la question du rapport entre la *croyance* en la légitimité (de tel mode de domination, de tel type de décision...) et sa *validité* réelle, c'est-à-dire son rapport à la *vérité* et à des intérêts ou des normes universalisables [19]. C'est précisément parce qu'à l'Est un tel mode de légitimation se présente comme particulièrement difficile à mettre en œuvre — et pas seulement par la faute du Père des peuples et de ses successeurs — que la mémoire, le recours au passé comme mode de légitimation y jouent un rôle aussi stratégique ; les déficits structurels de légitimité nourrissent l'appel constant à la tradition, aux ancêtres, la mobilisation du temps long, la réactivation militante du patrimoine, etc.

En ce sens, contrairement à ce que peut laisser entendre une certaine vague de *wishful thinking* nourrie par les bouleversements *euphoriques* survenus à l'est de l'Elbe, l'éman-

---

19. Voir Jürgen HABERMAS, *Raison et légitimité*, Payot, 1978.

cipation des mémoires longtemps maintenues sous le boisseau de l'idéologie et de l'histoire officielles n'est pas nécessairement synonyme d'un radical assainissement du rapport
au passé, d'un démantèlement généralisé des mythes et
légendes au profit d'une raison historiographique. Bien souvent, l'éclatement des mythes et légendes d'État nourrit non
seulement l'extension ou le renouveau du champ historiographique, mais aussi bien l'émergence ou la revitalisation
de mythes et légendes désaccordés et non moins étrangers
au regard de l'historien que ceux du pouvoir. Dans la Yougoslavie orpheline de Tito, grand unificateur des mémoires *aussi*, les nouveaux rêves de grandeur serbe viennent
s'exalter autour du souvenir de la bataille de Kosovo (1389)
et y refaire l'histoire ; l'Estonie redécouvre avec émotion ses
affinités avec la Suède des rois conquérants, et la Hongrie
vénère à nouveau le roi Étienne — partout ou presque, ce
sont les origines *nobles*, l'*arché* royal ou impérial qui vient
exercer ses talents thaumaturgiques sur les blessures de la
nation. En même temps que tombent en lambeaux ou
volent en éclats les *mensonges vitaux (Lebenslügen)* du socialisme
réel, d'autres fables, non moins énormes, prennent ou
reprennent consistance. Le renouveau de la mémoire à
l'Est, à l'heure de l'« automne des peuples », se présente
d'emblée comme émancipation cacophonique ; sous le jail-
lissement des mémoires se distingue à l'œil nu le renouveau
de la logique communautaire, un processus qui, remarque
Maxime Rodinson, débouche sur la « nationalisation de la
vérité », sur la prééminence de la légitimation par la tradition : « La vérité est ce qu'ont pensé mes ancêtres, l'erreur
ce qu'ont pensé les ancêtres des autres [...]. Le membre de
la communauté qui cherchait la vérité ailleurs était autrefois accusé de se vautrer dans l'erreur. Maintenant, on
l'accuse de trahison [20]. »

L'ensemble du post-« bloc » de l'Est est encore loin de
vivre à l'heure d'une telle « libanisation » ou « ulstérisa-

---

20. Maxime RODINSON, « De la peste communautaire », in *Le Monde* du
1er décembre 1989.

tion [21] » des mémoires — mais dans le Caucase, en revanche, c'est chose faite. Et bien souvent, déjà, on voit refleurir, sur la plage de ce printemps automnal des peuples, les fleurs noires du *Blut* et du *Boden*. Des mémoires tétanisées, solipsistes, victimistes se pétrifient en tous les lieux de forte tension intercommunautaire, interethnique, interculturelle, autour desquels se forment des pôles de *non-communication*, comme cela apparaît clairement à Vilnius, Bakou, Kichinev, Pristina, Belgrade ou Sofia... Une mémoire *vendettiste* prend corps, annonciatrice de conflits violents. De plus en plus, ces mémoires collectives en lutte se chargent du sentiment du *sacré* et des incantations qui, nécessairement, l'accompagnent. Autant, sous nos latitudes, c'est une mémoire légère, ludique, heureuse de sa multiplicité et paradoxalement éphémère — une mémoire parfaitement allégorisée par le fameux « défilé Goude » du 14 juillet 1989 — qui prospère et devient une *bonne affaire* (à l'image de l'« industrie » commémorative), autant, à l'Est, les affrontements de mémoire en cours demeurent chargés d'une solennelle religiosité, avec leurs emblèmes brandis, leurs pompes et leurs rites, et leur majestueuse installation sur la terre sacrée de l'héritage, de la tradition.

Le particulier revient en force contre l'universel abstrait et dissolvant du « communisme », les anciennes tables de la loi brisées et bafouées sous l'éteignoir stalinien (la nation, la foi, la langue, la culture traditionnelle...) également, le passé est restauré et réhabilité contre l'avenir « radieux » et prométhéen cultivé par la liturgie marxiste-léniniste. Dans ce paysage mental bouleversé, les *conservatoires* de la mémoire, du patrimoine, ces *lieux* multiples d'agrégation et de cristallisation des codes et signes identitaires, viennent à occuper une place stratégique. Qu'ils soient dates, cérémonies, monuments, sites historiques ou géographiques,

---

21. C'est-à-dire une situation où nul n'échappe à la logique de l'affrontement communautaire, également bien analysée par Gilles KEPEL, spécialiste de l'Islam (*Le Monde* des 14 avril 1989 et 30 novembre 1989).

objets, emblèmes, symboles, œuvres d'art, etc., ils sont disposés dans le champ social comme autant de miroirs réfractant le dit et le non-dit, ce qui n'a pas besoin d'être proféré pour être su aussi bien que ce qui doit être clamé sur les toits, ils sont les écrans sur lesquels viennent se projeter jeux et scènes de mémoire, le réservoir de toutes les métaphores et métonymies sans lesquelles il n'est pas d'activité mémorielle. Ils sont ces pôles et ces môles du passé-présent autour desquels rôdent inlassablement les incertitudes de l'« actualité ».

Ce livre a été conçu et réalisé sur une ligne de fracture, alors que s'accélérait prodigieusement la dérive du « continent » est-européen. Sans tenter d'aucune manière, entreprise désespérée, de régler notre pas sur la nouvelle vitesse de ce monde longtemps réputé immobile, nous avons néanmoins souhaité que cette fracture et ces séismes traversent ces textes. Nous mettons en scène des mémoires en pleine activité volcanique, en plein renouvellement ; mais ce mouvement des mémoires relève d'une autre topographie que celle des événements eux-mêmes. La mémoire collective se moque des calendriers et de la chronologie, de l'empilement raisonné du temps, de l'esprit de rangement ou de taxinomie appliqué au temps. Bien davantage, elle fonctionne comme un « inconscient » du présent avec cette « grammaire » et cette rhétorique si souvent déroutantes, ses litotes, ses hyperboles et ses synecdoques, ses ellipses, ses cocktails inattendus de temps long et de temps court qui laissent perplexes les esprits cartésiens et positivistes...

Lorsque nous nous sommes engagés dans l'élaboration de la *Mémoire retrouvée* à l'heure des premières mutations dans le « bloc », prévalait un mouvement de *réappropriation* d'histoires niées, de remémoration des victimes du « système » — processus dont le mouvement *Memorial* en URSS constitue en quelque sorte l'archétype. Depuis lors, nous avons vu le travail de la mémoire historique s'orienter dans une direction particulière : ce sont maintenant de plus en plus *des* mémoires qui se durcissent pour alimenter des récits apologétiques ou accusateurs et nourrir le retour des mythes anciens : l'indépendance ukrainienne, la Moldavie du bon vieux temps, voire, *horribile dictu*, l'Allemagne-dans-ses-frontières-de-1937... Partout, précisément, revient sur le tapis la question des frontières — ces lieux de mémoire par excellence. On ne saurait mieux illustrer la différence entre cet espace et le nôtre qui, depuis quelque temps déjà, ignore les troubles d'identité autour des confins, des cartes et des bornes-frontières.

LE MOMENT DES RETROUVAILLES

Le propre de la mémoire est de faire du neuf avec du vieux — et elle s'y emploie avec une particulière intensité à l'Est en ce début des années quatre-vingt-dix ; ainsi, elle aide les acteurs du présent à se projeter dans l'avenir en puisant dans le fonds inépuisable du passé. Si le stalinisme fut une prison de la mémoire comme l'empire tsariste était une prison des peuples, le premier mouvement qui accompagne sa chute définitive est bien celui d'une réappropriation d'un patrimoine mémoriel séquestré, nié, endommagé. En même temps que, dans un mouvement de réidentification, de reterritorialisation, on s'affirme et s'affiche comme *ce que l'on n'aurait jamais voulu cesser d'être* (Polonais, uniate, Tatar, pope, libéral bourgeois, juif pratiquant, descendant de petite ou de grande noblesse, sioniste, Turc en Bulgarie, etc.), on dresse l'inventaire de ces trésors de mémoire dont on a été spolié. La mémoire manifestant, contrairement à l'historiographie, un goût prononcé pour le désordre et le bric-à-brac, le toc et l'authentique s'y côtoient, le sérieux et le futile, l'authentique et le délirant ou l'apprêté. La quête des fameuses « racines » fait flèche de tout bois.

Bien sûr, l'expropriation ou, pour parler comme Milan Kundera, le kidnapping de l'histoire et de la culture des uns et des autres pratiqués par le stalinisme et entretenus par la *pax sovietica* à l'Est ont pour conséquence qu'à l'heure de ce qui se présente comme une liquidation pour tout compte de l'empire prédomine le sentiment des *retrouvailles* tant attendues avec ce qui avait été foulé aux pieds : la nation, la foi, la culture autochtone, la souveraineté territoriale, des libertés politiques ou des droits sociaux éventuellement spoliés par les « dictateurs du prolétariat ». L'évaporation ou, exceptionnellement, le renversement violent des régimes post-staliniens sont éprouvés par ceux qui en sont les protagonistes comme une reconquête de soi, un rétablissement d'identité. Mais cette réappropriation et cette restauration d'une continuité au moment où s'effondre l'*Entfremdung* du stalinisme tardif ne surviennent pas comme un coup de tonnerre dans un ciel serein. Ce mouvement de réidentification a lui-même une longue histoire, illustrée d'une manière particulièrement impressionnante par la longue marche de *Solidarnosc*, voire de tous les mouvements qui l'ont précédé depuis 1956. Selon les pays, les revendications qui s'y attachent (droit de grève, liberté de circulation, liberté d'entreprendre, liberté des cultes, élections libres, pluripartisme...) sont perçues comme une *restitution* avant tout ou bien, davantage, comme des droits à *inventer* ou *conquérir*. Ce ne sont pas seulement ses différences présentes, mais aussi la singularité historique des uns et des autres que découvre ce monde en ébullition : ici, il s'agit avant tout, pensent par exemple les supporters de Vaclav Havel, de renouer le fil des traditions démocratiques incarnées par Masaryk et Beneš, et là, il s'agira davantage de concevoir l'inconcevable, ou du moins l'inédit — une Russie sans « main forte », sans bureaucratie proliférante et sans gendarmes arrogants et brutaux. Selon les cas de figure, la mémoire adopte des postures singulièrement différentes, le désir de réappropriation du passé prend une tournure plus ou moins raisonnée ou passionnelle et enfiévrée. Certains des « restaurateurs » du passé l'invoquent et le convoquent à la manière dont le médium fait tourner les tables et parler les morts — c'est souvent le cas, par exemple, des adeptes « grands russes » du mouvement *Pamiat*? D'autres nourrissent la nostalgie bien fondée d'un état de leur société, de leurs institutions, de leur culture auprès duquel la période stalinienne ne peut être perçue que comme une saisissante régression — on pense ici inéluctablement à Prague et à son éclat intellectuel dans les premières décennies du siècle. Dans les deux cas, le *désir* du passé peut être des plus intenses, mais il diverge radicalement en ce qu'il n'obéit pas aux mêmes normes : l'appel aux ancêtres, la mystique de la terre et du sang, et l'aspiration à rétablir un État de droit, ce n'est pas la même chose.

Quelle qu'ait pu être la détermination des États-Partis à s'assurer la maîtrise de l'ancien, à l'effacer ou le reconstruire, à mettre en place un temps nouveau organisé autour de ses rites, ses fêtes, son calendrier, esthétisé par ses emblèmes, ses hymnes et ses monuments, ils ne sont jamais vraiment parvenus à leurs fins : sans cesse, il leur a fallu *composer* avec les traditions nationales des uns et des autres, avec le temps d'autres liturgies que les leurs, s'adapter et jongler avec anniversaires et commémorations pour compenser l'irrésistible érosion de leur légitimité. En ce sens, jamais le ministère de la Mémoire n'eut vraiment les coudées franches, il lui fallut toujours plagier ou piller d'autres héritages que les siens, passer des compromis avec d'autres, admettre certaines formes de cohabitation mémorielle. Par définition, une mémoire collective ne s'arase pas pour être reconstruite, différente, à la manière dont Ceausescu rasait les vieilles bâtisses du centre de Bucarest pour y ériger les signes de sa puissance. En ce sens-là, le stalinisme a moins extirpé ou détruit une mémoire — dont l'évident atout est d'avoir le souffle plus long que lui — qu'il ne l'a refoulée et durcie. A ce titre, il a paradoxalement contribué à entretenir et valoriser le passé qu'il « punissait » et criminalisait. Pourchassant, harcelant la mémoire, il en a mis involontairement en lumière tous les enjeux et l'inusable résistance. La bataille qu'il vient de perdre, définitivement, était entre autres une bataille pour la mémoire. Inversement, on ne prend aucun risque à prédire que tous ceux qui s'essaieront à se « venger » du « socialisme réel » et des mécomptes qui s'y rattachent en tentant de l'effacer, en supprimant du paysage ses traces et vestiges, en châtiant et culpabilisant son souvenir se feront les fourriers involontaires d'une nostalgie et de retournements de mémoire inattendus.

La mémoire est fétichiste, elle fait de tout *lieu* un symbole, y dépose du mythe, y engrange de l'imaginaire. En ce sens, est fondée une approche dispersée — sans être vraiment éclectique — des phénomènes de mémoire à l'Est. C'est dans le *détail* (le fétiche) et l'allégorie que se donnent à voir les jeux, rejeux et enjeux de mémoire — tout particulièrement dans ces pays où sont déposés, stratifiés tant de môles du souvenir, insignes, emblèmes et hiéroglyphes de toute sorte. Ce livre se présente donc comme une flânerie attentive et curieuse de tout dans le désordre de la mémoire : en tous *lieux*, dans presque tous les pays. Des historiens, sociologues, linguistes, philosophes, journalistes, écrivains d'Est et d'Ouest y ont croisé leurs regards sur une réalité mouvante et ils ont tenté de découvrir, dans son filigrane mémoriel, les éléments d'une syntaxe de la *mnêmê* collective à l'Est. Notre enquête s'ouvre donc sur les différentes formes d'oblitération de la mémoire pratiquées dans le champ du stalinisme et du socialisme réel *(la mémoire effacée)*. Elle se prolonge ensuite à travers l'évocation du dessein ambitieux de fabrication d'une mémoire nouvelle — pendant déraisonnable de l'« homme nouveau » *(la mémoire manipulée)*. Elle s'achève sur un état des lieux à l'heure du séisme final qui emporte l'Atlantide du stalinisme *(la mémoire disputée)*.

En aucun cas, les protagonistes de ce livre collectif n'ont tenté de parler d'une seule voix. Si le dessein de l'ouvrage nous a été inspiré par un certain nombre de travaux — dont, naturellement, *Les Lieux de mémoire* réalisé sous la direction de Pierre Nora — nous demeurons, les uns et les autres, seuls responsables de nos développements et conclusions. Nous avons en commun d'être, à des titres divers, des chasseurs de mémoire.

Janvier 1990.

КРОКОДИЛ

№ 35   ДЕКАБРЬ 1989

ISSN 0130-2671

А. ШТАБЕЛЬ, г. Уфа.
На конкурс
«ГЛАЗАМИ ГЛАСНОСТИ».

И ДОЛЬШЕ ВЕКА ДЛИТСЯ ТЕНЬ...

Couverture du journal satirique soviétique *Krokodil*, décembre 1989.

I

La mémoire effacée

URSS/Pologne

Retour à Katyn

par Anne Duruflé-Lozinski

Pour la première fois un Polonais, réalisateur de films documentaires, Marcel Lozinski, a pu se rendre en juillet 1989 dans la forêt de Katyn; et tourner un film évoquant la liquidation par le NKVD, en 1940 et en ce lieu, de milliers d'officiers polonais. Cette autorisation, difficilement accordée par les Soviétiques, fut un des premiers gestes significatifs dans le sens d'une clarification du contentieux soviéto-polonais. Si l'État n'avait pas encore, à ce moment, reconnu officiellement la responsabilité du NKVD, la presse soviétique n'en faisait plus mystère et publiait des témoignages[1]; la sortie de ce film devrait accélérer le processus[2].

Marcel Lozinski a placé au centre de son scénario une rencontre entre la mémoire, la réalité des faits et des lieux. Il a réuni vingt-cinq parents des victimes (épouses ou enfants), les a embarqués à Varsovie dans un train en

---

1. On peut trouver un dossier récapitulant ces « révélations » in *Les Nouvelles de Moscou*, édition française, n° 33, 11 août 1989. Il est annoncé en première page sous le titre suivant : « L'inventaire de l'horreur, des témoignages accablants après un demi-siècle de dissimulation. »

2. Coproduction franco-polonaise, réalisée avec la participation d'Andrzej Wajda, sortie prévue en mai en 1990. A. PAMIAZTNYKH et A. AKOULITCHEV concluaient leur récit dans *Les Nouvelles de Moscou* par cette remarque : « Le réalisateur A. Wajda, dont le père se trouve parmi les Polonais qui gisent là-bas, prépare un film à ce sujet. Mais c'est aux historiens soviétiques d'expliquer pourquoi des milliers de personnes ont été fusillées dans la forêt de Katyn. » *Op. cit.*, p. 9.

partance pour Katyn selon le parcours suivi un demi-siècle plus tôt par les officiers polonais massacrés. Ils ont traversé la Biélorussie pour atteindre Smolensk, à dix-sept kilomètres de la forêt. Ce train, principal décor du film, roule nuit et jour — les voyageurs parlent, s'abandonnent à leurs souvenirs, puis se taisent. La route continue, passe par le camp de Kozielsk, à 250 kilomètres au sud-est de Smolensk — d'où sont parvenues les dernières lettres au printemps 1940 ; et les conduit finalement à la gare de Gniazdowo. Quand, dans la forêt de bouleaux, apparaissent, au bout d'un chemin récemment goudronné, des barrières de métal, c'est la fin, le lieu du martyre.

Voyage inespéré. Ces hommes et ces femmes voulaient voir Katyn. Depuis toujours, c'était interdit. Et les voici, accompagnés d'une équipe de cinéma, pouvant parler librement, partager publiquement leur douleur. L'attente a été longue, le silence pesant, mais ce qu'ils disent diffère du discours polonais habituel où Katyn est d'abord une affaire nationale, l'événement le plus douloureux dans les relations entre la Pologne et l'URSS. Avec ces témoins, c'est en plus, et peut-être surtout, une affaire privée.

LES IMAGES D'UN CRIME

En fait, ce massacre est parvenu à occulter tous les autres. Son nom symbolise le sort des soldats polonais disparus en Union soviétique après l'annexion des territoires de l'Est en 1939 — près de 130 000 dont 4 000 à Starobielsk et 6 500 à Ostachkow[3]. Les officiers de ces deux derniers camps

---

3. De source polonaise et internationale. Les chiffres cités sont extraits de Alexandra KWIATKOWSKA VIATTEAU, *Katyn, l'armée polonaise assassinée*, Complexe, Bruxelles, 1985, p. 67. De source soviétique, « 250 000 Polonais furent faits prisonniers. Au 1er octobre, les combats en Pologne orientale s'étaient apaisés, une partie des prisonniers furent libérés, les autres déportés en URSS. En novembre 1939, tous les officiers prisonniers furent rassemblés dans trois camps spéciaux aux environs de Kozielsk, de Starobielsk et d'Ostachkow ». Voir *Les Nouvelles de Moscou, op. cit.*

auraient péri noyés dans la mer Blanche, entassés sur des barges errantes. D'autres auraient été liquidés à proximité du camp de Starobielsk. Autant de suppositions qui n'ont jamais pu être vérifiées, la mort étant la seule certitude. Dès lors, quand les Polonais réclament la vérité sur Katyn, ils pensent à ces trois camps.

La force du souvenir de Katyn tient sans doute au fait qu'il est le seul à nous fournir une image concrète du crime. On en connaît les circonstances exactes, les formes et le lieu. Des hommes épargnés par le NKVD[4] avaient été regroupés au camp de Graziowetz (près de Vologda) ou à Moscou. Ils formeront l'encadrement de l'armée du général Wladislaw Anders, lorsque Béria le sortira de sa cellule de la Loubianka. Ces rescapés ont entretenu la mémoire des disparus. Ils ont, dès leur libération, cherché à connaître le sort de leurs camarades ; ils ont demandé des explications aux autorités soviétiques, et entrepris des recherches. En 1941 et 1942, Anders questionnera directement Staline, en vain. Ensuite, après la découverte des charniers en 1943 de l'armée allemande, puis de la Commission internationale d'experts et des autorités soviétiques, le cours des événements, bien que controversé, est devenu évident. Ces 4 143 officiers avaient été assassinés. Des films tournés par les Allemands lors de l'exhumation des corps en témoignent.

Les images sont insoutenables. Ces films, les photos, les documents, les rapports établis par les différentes commissions d'experts ont fortement marqué les esprits. Avec la publication, dans la presse polonaise du 14 avril 1943, des premières photographies, l'émotion était à son comble : inhumés dans huit fosses, certains avaient été particulièrement maltraités avant leur exécution — cas de la fosse n° 5. Dans une autre, les cadavres sont entassés par couches de douze ; ailleurs, la tête est enfouie dans une capote, une corde relie le cou et les mains. Presque tous les cadavres ont

---

4. Un total de 448 : 79 de Starobielsk, 249 de Kozielsk et 120 d'Ostachkow. Voir J.K. ZAWODNY, *Katyn : massacre dans la forêt*, Stock, Paris, 1971 ; et A. KWIATKOWSKA VIATTEAU, *op. cit.*

LE DOCUMENT OFFICIEL SUR **KATYN**

Le procès-verbal officiel des experts européens de célébrité mondiale, dressé à Smolensk, le 30 avril 1943, a été signé de la propre main des douze membres de la Commission : docteur Speleers (Belgique), docteur Markov (Bulgarie), docteur Tramsen (Danemark), docteur Saxén (Finlande), docteur Palmieri (Italie), docteur Miloslavich (Croatie), docteur de Burlet (Pays-Bas), docteur Hajek (Protectorat de Bohême), docteur Birkle (Roumanie), docteur Naville (Suisse), docteur Subik (Slovaquie), docteur Orsós (Hongrie).

Les mains liées — une balle dans la nuque. *Le procès-verbal constate : « La manière dont on a attaché les mains répond à ce qui a été relevé sur les cadavres de civils russes, également déterrés dans le bois de Katyn, mais ensevelis à une date antérieure. »*

L'une des plus importantes constatations. *Le professeur Orsós, de Budapest, explique à la Commission : « Il s'agit ici d'une calcification en plusieurs couches, telle qu'elle peut se produire dans le tuf. Elle a envahi la matière cervicale déjà fondue en une masse d'apparence argileuse. Une formation de ce genre n'a jamais été observée sur des corps ayant séjourné en terre moins de trois ans. »*

Un livret de compte en banque et un certificat de décoration. *Le général de brigade polonais Smorawinski avait sur lui, outre sa carte d'identité, son diplôme d'attribution de la médaille « Virtuti militari » — ainsi que son livret de compte en banque.*

Les honneurs de la sépulture. *Les deux généraux polonais Smorawinski et Bochaterewitch sont mis en bière, en présence de la Commission et seront inhumés avec les honneurs dus à leur rang.*

Katyn 1943. Les charniers présentés à l'époque

Le document de Katyn

Par couches superposées. Les hommes exécutés sont là, étroitement serrés les uns contre les autres et les uns sur les autres. Lorsque cette vue a été prise, deux couches de corps avaient déjà été enlevées. La suite des travaux aura donc pour objet les trois autres couches.

2.500 dans une même fosse. La plus grande des sept fosses jusqu'ici mises à découvert a la forme d'un L de 8 mètres de large, l'une des branches ayant 28 mètres de long, l'autre 16. Les Soviets ont entassé là les corps des officiers polonais massacrés en cinq couches superposées de cinq cent cadavres chacune.

Le professeur Orsós, de Budapest, pratique l'autopsie. Le spécialiste hongrois dicte ses constatations en présence du professeur Saxén, d'Helsinki, du docteur Markov, de Sofia, et du professeur de Burlet, de Groningue.

Le cadavre n° 800. Le professeur Palmier de Naples, dissèque la tête d'un chef de bataillon polonais âgé de cinquante ans: trois balles dans la nuque, quatre éclats dans le verrou.

dans la presse française.

les mains liées dans le dos par des fils de fer barbelés, sur tous les crânes on distingue nettement le trou fait par la balle dans la nuque[5]. Le professeur Naville, délégué suisse, a déclaré à la fin de l'enquête menée sur les lieux en avril 1943 par la commission internationale : « Nous avons vu le plus lugubre étalage de cadavres qui ait jamais existé[6]. » Ces images ont inévitablement joué sur l'imagination de tous les Polonais, elles ont contribué à nourrir le souvenir du massacre et à faire de Katyn un emblème, l'enjeu national qu'il est devenu.

Mais revenons dans le train qui roule vers Katyn en juillet 1989. Pour les « voyageurs », plus que ces images, c'est l'impossibilité de se rendre dans la forêt qui a entretenu un rêve de génération en génération ; la volonté de retrouver ses morts. De cette frustration sont nées de sinistres comparaisons. Le fils d'une victime raconte dans le train : « Nous avons perdu plusieurs membres de la famille à Auschwitz et nous y allons tous les ans pour allumer une bougie. En plus de quarante ans, nous n'avons jamais pu venir à Katyn. Dès que nous avons su que c'était possible, nous avons essayé par tous les moyens d'être là pour allumer une bougie comme nous le faisons à Auschwitz. Voilà pourquoi j'avais si mal[7]. » Une jeune femme renchérit : « Mon oncle est mort à Auschwitz. J'étais jalouse de ma cousine car mon père est mort à Katyn. Elle pouvait aller à Auschwitz, moi, je n'avais aucune tombe. »

Pour ces parents proches, Katyn n'est pas seulement une affaire de date, c'est avant tout un lieu que l'on veut voir dans l'espoir de pouvoir abolir ces dizaines d'années passées, de retrouver des souvenirs oubliés, de revoir les siens. Cette importance attachée au lieu les amène également à comparer leurs morts avec ceux de monte Cassino[8].

---

5. *The crime of Katyn, facts and documents*, Polish cultural foundation, Londres, 1965. Ces images ont également été publiées en France (voir ci-dessus).

6. Extrait du procès-verbal dressé en 1943 par les douze experts de la commission internationale.

7. Ce témoignage et les suivants sont extraits des rushs du film tourné par Marcel Lozinski.

8. Le « deuxième corps » né de la fusion d'une partie de l'armée d'Anders

« Quand je suis allée à monte Cassino, il y a trois ans, se souvient la fille d'un officier, j'ai beaucoup pleuré, car j'ai compris soudain comment certains morts étaient honorés. Oui, c'est très bien qu'on puisse le faire, leur cimetière est très beau. Mais les autres, ceux qui sont morts dans des conditions épouvantables... On ne pouvait évoquer leur souvenir pendant tant d'années, c'était interdit d'en parler, interdit d'évoquer ce lieu, interdit d'exprimer son chagrin. C'était affreux, ce contraste était insupportable. »

L'impossibilité de rendre hommage à ceux qu'ils ont perdus à Katyn est ressentie comme une injustice profonde, vivace jusqu'à ce jour, un malheur supplémentaire et inutile. « A monte Cassino, continue cette femme, on sait qui repose et à quel endroit. Il faut que les morts puissent exister à Katyn, ne serait-ce que par leur nom. » Souci peut-être dérisoire. Mais ici, essentiel. Les vivants réclament pour les morts le droit d'exister comme partout ailleurs. La mémoire passe par la revendication d'un emplacement marqué pour chacun.

UNE MALADIE HONTEUSE

Cette absence du lieu, puisque Katyn était inaccessible et le silence sur cette affaire bien gardé, visait un seul et même but : l'oubli. Les morts de Katyn étaient exclus des hommages officiels rendus aux victimes de la Seconde Guerre mondiale. La mémoire officielle les avait oubliés. Un silence d'autant plus étonnant que les Soviétiques avaient proclamé, en 1944, leur vérité. Selon eux, les Allemands étaient reconnus coupables du massacre. La Pologne de l'après-guerre a d'ailleurs adopté cette thèse qu'elle n'a dénoncée que très récemment. Le rapport de la « Commission spéciale soviétique », rendu le 24 janvier 1944, a

---

avec la brigade Kopanski combattit dans les rangs de la 8e armée alliée (Montgomery) et se couvrit de gloire dans l'attaque, de janvier à juin 1944, du mont Cassin occupé par les Allemands.

mis un terme à la période des enquêtes et des visites à Katyn. Officiellement, la question était réglée, même si, au procès de Nuremberg, les Soviétiques n'ont pu avoir gain de cause. Ils voulaient que ce massacre soit retenu dans les charges pesant sur l'Allemagne. Les Alliés s'y refusant, il n'est pas mentionné dans le jugement prononcé le 30 septembre 1946[9]. Malgré tout, il n'est pas logique que ces morts soient oubliés. A moins que la version officielle des faits ne suffise pas à blanchir l'affaire de Katyn. Ce que les autorités ont dû sentir en interdisant d'en parler.

Un père raconte qu'en 1964, dans une école de Varsovie, son fils de sept ans a été puni pour avoir répondu, à une question concernant les victimes de la guerre, que son grand-père était mort à Katyn. Peu importait la détermination des responsables, le seul mot de Katyn suffisait : il mettait mal à l'aise, gênait. Il fut pendant des années un mot banni en Pologne. « On sentait instinctivement qu'il fallait l'éviter, le cacher, raconte la femme d'un médecin. Maintenant, on peut enfin en parler. »

« Nous étions punis pour le seul fait d'écrire ''Katyn'' dans un formulaire d'inscription à l'université : cela suffisait à réduire nos chances d'être admis », se souvient la fille d'une victime. Tous les témoignages, presque tous, vont dans le même sens : Katyn était une maladie honteuse.

« Maman m'avait demandé de répondre de façon très vague que papa avait été mobilisé en 1939 et qu'il n'était jamais revenu. »

« Quand j'allais à l'école, je disais que mon père était mort dans un camp de concentration en Allemagne, c'est ce qu'on m'avait dit de dire si je voulais avoir mon baccalauréat. »

---

9. Les Soviétiques ont toujours prétendu, depuis la découverte du charnier, que les officiers polonais avaient été massacrés en 1941 par les Allemands. C'est pourquoi le massacre n'a pu avoir lieu, selon eux, qu'après juin 1941 et l'occupation de la région de Smolensk par les troupes allemandes. Tous les monuments commémoratifs officiels font référence à cette date. Les Polonais demandent que l'année 1940 soit reconnue comme la vraie date du massacre, et soit donc inscrite sur les monuments.

Quant à ceux qui ne se taisaient pas, ils ont accumulé les tracasseries et les malheurs de toutes sortes.

« Maman était institutrice. Bien qu'ayant deux enfants, elle a tout de même perdu son poste pour avoir dit que son mari était mort à Katyn. Après, elle nous a demandé de ne plus le dire. Ce sparadrap sur la bouche, c'était très dur. » Les familles furent soumises au silence par la peur de nouveaux malheurs.

« En 1951, je craignais de dire où mon mari était mort, or j'avais besoin de son acte de décès. Je savais qu'il était mort à Katyn, j'en étais sûre. J'habitais alors à Zamosc, une petite ville. L'atmosphère était telle au tribunal que je me suis tue. Je n'ai pas osé dire où il était mort. C'est pourquoi son acte de décès ne le dit pas. »

« On craignait d'en parler devant des inconnus. Maman a, par exemple, jeté l'enveloppe sur laquelle il y avait le tampon de la poste du camp de Kozielsk, craignant que cela puisse lui attirer des ennuis. Elle a gardé cette dernière lettre, bien sûr, mais pas l'enveloppe. »

Cette impossibilité d'en parler, cette peur, ce silence tout à la fois public et privé, tout cela visait à rayer le massacre de Katyn de l'histoire. Pendant plusieurs dizaines d'années, des familles n'auront pu conserver chez elles qu'une lettre cachée ou des photos. On le sent dans le train qui roule vers Katyn : la souffrance dure encore ; car ce silence était censé tuer une seconde fois les fusillés de Katyn.

LA PEUR DE L'OUBLI

Ce voyage revêt un caractère tout à fait extraordinaire. Ils sont là pour dire qu'ils n'ont pas oublié, même si, pour la plupart, ils se sont tus pendant des années. D'où un immense besoin de parler, de se libérer du mutisme passé. En 1988, des Comités des familles des victimes de Katyn s'étaient spontanément constitués pour réactiver le souvenir et pour conjurer le syndrome de Katyn : tous les jeudis,

Le camp de Katyn en 1989.

«Aux victimes du fascisme, aux officiers polonais fusillés par les hitlériens en 1941». Mémorial de Katyn en 1989, inscription en russe et en polonais.

des membres d'un de ces comités se retrouvent au cimetière de Powonski, à Varsovie, au pied de la croix commémorative de Katyn. Une manière d'être ensemble, d'évoquer le passé, de se montrer des reliques amoureusement conservées. Dans le train, l'émotion est encore plus forte. Elle est grandie par la conviction de remplir une mission.

« Je ne me suis pas décidé volontiers, dit un rescapé du camp de Kozielsk, c'est ce film qui m'y a poussé ; les jeunes le regarderont dans vingt ou trente ans, et ils comprendront ce que nous avons vécu, ce que notre génération a enduré, et j'estime que c'est notre devoir de leur transmettre notre mémoire. »

« J'avais l'impression de venir à l'enterrement de mon père. Maintenant, je sens que le droit à la mémoire nous revient », remarque une autre « voyageuse ». Tous insistent sur ce point : nous sommes dans ce voyage pour que personne n'oublie. Ils veulent témoigner, se souvenir, transmettre.

Cette mission revêt également le caractère d'un examen de conscience. « Je peux dire que ce voyage, raconte une historienne, m'amène à revoir mon passé et à avouer que je n'ai pas entretenu le souvenir de mon père auprès de mes enfants. Il était pour ainsi dire absent de notre vie. On simulait l'oubli, car en réalité on se souvenait de Katyn. D'ailleurs, à la première occasion sérieuse, en 1981, la mémoire s'est réveillée. En 1956, on avait reparlé de beaucoup de choses, mais pas de Katyn. J'ai l'impression que, jusqu'à une époque récente, l'affaire a été refoulée dans la mémoire collective pour pouvoir vivre comme tout le monde. Je ne veux pas dire oubliée, le mot serait trop fort ; je parle pour moi, mais j'ai l'impression que cela ne concerne pas que moi. »

« Ce voyage m'est très douloureux, dit une veuve. Je suis âgée, quand les enfants étaient jeunes, je travaillais beaucoup, j'étais médecin et je devais les élever ; je n'avais pas le temps de penser à tout ça. Finalement, j'ai refait ma vie et tout est ''sorti'' de ma mémoire. Maintenant, je souffre de cet effacement semi-conscient. »

A ce silence imposé par la peur de subir de nouvelles persécutions, s'ajoute donc chez certains « voyageurs » un sentiment de culpabilité, et, poussés par la menace de l'oubli, ils demandent tous une vérité proclamée publiquement. Ils ne veulent plus porter, seuls, le poids de cette vérité.

« Il est essentiel que la vérité soit dite ouvertement, qu'elle ne soit plus tenue secrète, affirme le fils d'un capitaine. Enfin, on peut avoir l'espoir que l'affaire de Katyn ne tombera pas dans l'oubli ; on va pouvoir tout connaître. Ce qui compte pour moi dans ce voyage, c'est qu'on en finisse avec le mensonge, que justice soit faite. »

« J'exécute ici le testament de mon mari dont le père est mort à Katyn, dit la femme d'un historien [10]. Toute sa vie a été marquée par le stigmate de Katyn. Mon mari a beaucoup souffert de l'impossibilité de dire la vérité. Je me réjouis de pouvoir rendre témoignage à la vérité. »

D'autres craignent que cette vérité enfin dite contribue à classer l'affaire de Katyn, lui fasse à nouveau courir le risque de l'oubli. « Il ne faut pas pardonner, on ne peut pas oublier. Selon moi, la haine entretient la mémoire, dit la fille d'un officier de cavalerie. En revanche, le pardon ne règle rien. Si nous pardonnons, l'affaire tombera dans l'oubli. » Et, s'adressant aux autres voyageurs : « Vous ne craignez pas que l'affaire soit enterrée, maintenant que les choses peuvent être dites à haute voix ? Avant, il était interdit d'en parler ou de venir à Katyn, il se passait quelque chose. La mémoire entretenait une image de la nation. »

DEUX DRAMES

Il y a là une revanche à prendre sur le passé. Tout a été fait pour que l'oubli engloutisse Katyn, et cette peur de l'oubli obsède encore nos « voyageurs » au moment même où la vérité approche, comme si elle pouvait nuire à la

---

10. Léopold JERZEWSKI (pseudonyme de Jerzy Lojek), auteur notamment de *Dzieje sprawy Katynia*, éd. Wydawnictwo Glos, Varsovie, 1980, 1981.

mémoire. *A priori*, cette crainte est dépourvue de fondement. Les morts de Katyn vont réintégrer le chœur officiel de l'héroïsme national et pourront être célébrés comme les autres. De nombreux monuments vont être érigés en Pologne et ailleurs, et combien de croix dressées ? Cette inquiétude, voire cette angoisse, traduit de façon très claire le décalage existant entre la dimension nationale du drame et sa dimension personnelle. Les Polonais, en tant que nation, peuvent se contenter de la reconnaissance officielle par les Soviétiques de leur responsabilité dans ce massacre. Mais, pour les proches, cela ne suffit apparemment pas.

Le massacre de Katyn n'est pas seulement un événement dans l'histoire des relations polono-soviétiques, qui demande à être réglé de la façon la plus officielle ; c'est une histoire beaucoup plus intime qui passe d'abord par la possibilité de reprendre possession de ses morts. Ils veulent savoir où se trouvent exactement les huit fosses et dans quelle fosse repose le parent qu'ils sont venus retrouver. Au cours de ce voyage, une messe a été célébrée par un prêtre polonais au pied de la croix dressée récemment dans la forêt de Katyn en hommage aux victimes, don du primat de Pologne. Certains exprimaient leurs doutes sur l'emplacement de la croix, et d'autres étaient persuadés que les fosses se trouvaient en réalité à quelques mètres plus loin, de l'autre côté du grillage, en un lieu inaccessible. Une fois encore, ils se retrouvaient dans l'impossibilité de renouer avec les morts, dans l'impossibilité de communiquer directement avec eux, victimes du mensonge et gagnés par la crainte d'être abusés.

Sentiment d'impuissance inspiré par les lieux. Ils ont apporté des photos, des souvenirs personnels, les dernières lettres ; ils ont déposé des fleurs et rempli des sachets de la terre de cette forêt. Cette terre où reposent leurs parents est concrète, accessible, palpable. La conserver est une manière de communiquer avec eux. Pour les uns, le monument peut être érigé n'importe où, seule la date inscrite dessus importe. Elle sera la preuve de la culpabilité des Soviétiques. Pour les autres, la croix du souvenir doit être implantée sur le lieu du massacre, à un mètre près. Un « débat » qui donne la mesure des passions et des cas de conscience investis dans cette mémoire.

Le massacre de Katyn exigeait des survivants un courage difficile à tenir. Il a été éprouvant à plusieurs titres. Il y eut d'abord la nouvelle de la mort, de la disparition d'un être cher — le plus souvent jeune, la quarantaine, père d'enfants en bas âge ; certains l'ont attendu, parfois pendant plusieurs années, tant que le corps n'avait pas pu être retrouvé. Puis la vérité : plus de mort glorieuse, de champ de bataille ; ils ont été abattus comme des chiens, au bord d'une fosse, une image qui insulte une dignité au-delà du simple crime : ces hommes, des officiers pour la plupart, constituaient l'élite socio-culturelle de la Pologne : professeurs d'université, juristes, médecins, etc. La douleur a été ensuite avivée par l'absence et par l'impossibilité de la partager, puisque l'affaire de Katyn a été très rapidement étouffée. Cette douleur se doublait d'un profond besoin de reconnaissance car, au bout du compte, ces officiers avaient rempli leur devoir à l'égard de la patrie, ils avaient rejoint leur unité dès les premiers jours de septembre 1939. Leur mort méritait une autre considération. On s'est tu dans la souffrance. Et c'est là, sans doute, que la blessure fut la plus sensible, car il y avait complicité dans le silence. Aujourd'hui, quand le voile se lève enfin en Pologne, ce silence renvoie les parents à leur propre passé : certains s'accusent d'avoir contribué à l'oubli, d'autres de ne pas avoir pris de risques.

Ce voyage à Katyn fut donc une joie doublée d'une épreuve. Une joie, car il a été l'occasion de retrouvailles inespérées. Une épreuve, car, au fil des conversations qui prenaient parfois le tour de confidences, chacun a pris conscience de son attitude dans le passé, et tous n'avaient pas de quoi être fiers.

URSS/Pologne/RDA

Le cinquantième anniversaire du Pacte germano-soviétique

par Alain Brossat

L'ensemble des initiatives, débats, manifestations qui ont accompagné dans les pays de l'Est le cinquantenaire de la signature du Pacte germano-soviétique met en évidence tout ce qui sépare une *commémoration* d'une *célébration*. Ce n'est pas si fréquent : le plus souvent, les rites commémoratifs se déroulent sous le signe de l'ambiguïté, quand ce n'est pas de l'équivoque, ils sont fortement polysémiques. On en trouve un bon indice en France dans la façon dont on dit, à peu près indifféremment, « fêter », « célébrer » ou « commémorer » le 11 Novembre, le 8 Mai ou le 14 Juillet, ces jours « fériés » que l'étymologie ne permet pas, à leur tour, de confondre avec des jours de fête. Ainsi, le 11 Novembre, les Français commémorent la fin de la guerre et rendent hommage aux morts autant ou davantage qu'ils fêtent ou célèbrent la victoire ; de la même façon, les cérémonies du Bicentenaire ont permis de le vérifier avec davantage d'éclat que d'habitude, le 14 Juillet n'est toujours pas « fête » pour tout le monde : il y avait aussi cette année ces « anti-89 » qui, au milieu des flonflons et des cérémonies fastueuses, ont *commémoré*, dans l'affliction et la colère, un sombre anniversaire.

De ce point de vue, donc, les cérémonies et activités rituelles qui ont marqué le cinquantième anniversaire du Pacte en Europe de l'Est et en URSS présentent une réelle singularité : aussi nombreux et variés qu'en aient été les protagonistes, aussi diverses et contradictoires qu'aient été les

Officiers russes et allemands se partageant la Pologne sur une carte à Brest-Litovsk, en septembre 1939.

opinions représentées et les formes commémoratives adoptées, il ne s'est trouvé personne pour *fêter* ou *célébrer* le souvenir de cet événement et tout ce qui s'y rattache. Rarement une commémoration aura été tout à la fois aussi diversement et spontanément active *et* uniment destinée à enraciner dans la mémoire une image négative, à l'y inscrire comme un repoussoir. Il est bien peu habituel qu'une ferveur aussi diverse et pour ainsi dire militante vienne « saluer » le souvenir d'une scène ou d'un épisode historique perçus comme tragiques, douloureux, humiliants, déshonorants par une communauté ou une institution données ; en France, la République ne commémore ni la Semaine sanglante de 1871, ni la capitulation de 1940, ni Dien Bien Phu ; en RFA, on travaille le 8 mai ; comme le dit Robert Frank, « ce qui est tristement mémorable n'est pas aisément commémorable ». Lorsqu'une sorte d'impératif catégorique de la mémoire contraint à commémorer des événements désagréables, qu'il s'agisse du cinquantième anniversaire de l'*Anschluss* ou de celui de la destruction d'Oradour, la mise

54

en œuvre de ces rites pieux relève nécessairement d'une organisation, voire d'une volonté politique, d'une détermination d'« en haut ». Concernant le cinquantenaire de la signature du Pacte, il en allait tout différemment ; ce n'est pas « en haut », notamment du côté des États les plus directement concernés (ceux d'URSS, de Pologne et de RDA), que se sont manifestés le besoin de mémoire ou le sentiment du devoir commémoratif qui ont conféré une telle intensité à cet anniversaire ; s'il n'avait tenu qu'à elle, cette mémoire étatique l'aurait volontiers escamoté, ce déplaisant « chiffre rond » dû aux hasards du calendrier ; il n'est que de voir, pour s'en convaincre, la sobriété des déclarations officielles polonaises, la rigidité pour ainsi dire cadavérique des articles publiés par *Neues Deutschland* à ce propos durant l'été 1989, les efforts considérables que coûta aux autorités soviétiques l'aveu de l'authenticité des clauses secrètes... Non, c'est ailleurs qu'ont surgi ces sentiments d'urgence et de nécessité qui ont donné aux manifestations et « cérémonies » du cinquantenaire l'éclat tout à fait particulier qu'on leur a connu : à l'*intersection* du « chiffre rond » (avec tous les effets d'intensification automatique du souvenir et des émotions qu'entraînent ces hasards du calendrier) et d'un certain nombre d'éléments de conjoncture saillants en cette année 1989 — résurgence des sentiments nationalistes dans les pays baltes, en Moldavie et en Ukraine, tournant dans la crise polonaise marquée par l'accession de T. Mazowiecki au poste de Premier ministre, rupture d'équilibre en RDA —, le tout sur fond de « mer agitée » à l'Est, de *perestroïka* et d'*anti-perestroïka*...

UN MONDE EN TRANSE

L'intensité de la commémoration de ce cinquantenaire à l'Est, son caractère passablement *fatidique* ne se dissocient donc pas du formidable bouleversement de l'histoire auquel on assiste alors dans cette partie de l'Europe ; à cette intersection de l'événement cinquantenaire et de l'actualité, s'entrelacent différents rythmes, se conjuguent ou se coagulent différentes durées : le temps *court* (celui des péripéties de la guérilla politique qui oppose les « Fronts populaires » des pays baltes, de Moldavie, d'Ukraine au pouvoir central soviétique, ou au pouvoir local par exemple), le temps *moyen*, temps de l'histoire et de la mémoire entremêlées du dernier demi-siècle, et ce temps plus *long*, mais nullement immémorial, des relations entre Russes et Polonais, Polonais et Lituaniens, Slaves et Baltes, Slaves et Germains, Grands Russiens et Petits Russiens, Slaves et Latins, catholiques et orthodoxes, etc. La *densité* des commémorations du cinquantenaire à l'Est se rattache pour une part essentielle à ces effets de retour et de rejeu dans le présent de conflits et contentieux ataviques, réactivés par la mémoire du Pacte. Surtout, cette commémoration protéiforme constitue elle-même un événement — mais pas au sens médiatique un peu vulgaire où les festivités du bicentenaire de la Révolution française furent un « événement » ; au sens, plutôt, où elle produisit du *nouveau*, ne se contentant pas de réactiver le souvenir, de remobiliser la mémoire du passé dans le présent, mais faisant bouger le présent lui-même : avec les cérémonies du cinquantenaire, un certain nombre de débats et de conflits arrivent à maturité ; ce qui ne pouvait se dire, se manifester hier s'exprime enfin au grand jour ; un seul exemple : en septembre 1988, *Les Nouvelles de Moscou* publiaient l'opinion d'un historien letton disant : « Les historiens et l'opinion des républiques baltes estiment que 1940 fut l'année des révolutions socialistes dans la région balte et de l'adhésion bénévole *(sic)* des trois républiques à l'URSS[1]. » Un an plus tard, ce sont des avis tout différents qui donnent le ton des commentaires du même journal à propos du Pacte et de tout ce qui en découle ; ainsi, l'historien Viatcheslav Dachitchev y écrit : « Dans cette période tragique de l'histoire européenne (l'année 1939 [A. B.]), lorsqu'il fallait axer tous les efforts et l'attention sur la création et la consolidation du front antifasciste inter-

---

1. Eriks ZAGARS, dans une table ronde intitulée « A la recherche de la vérité sur le passé », *Les Nouvelles de Moscou*, n° 36, 4 septembre 1988.

national, Staline et ses partisans cherchaient à provoquer un incendie révolutionnaire en Europe. Il est clair que cette position a empêché la consolidation des larges forces politiques et sociales de l'Europe contre l'agression nazie [2]. »

Il s'est donc bien « passé quelque chose », non seulement dans l'intervalle qui sépare le quarante-neuvième anniversaire de la signature du Pacte du cinquantième, mais *à l'occasion* du cinquantième, sous sa pression, pour ainsi dire ; c'est bien, également, sous cette pression que les autorités soviétiques ont été acculées à admettre l'authenticité des clauses secrètes et que le « front » de la version soviétique officielle classique du pourquoi et du comment du Pacte a été *enfoncé*. Une commémoration-événement, donc, au sens fort du terme, aux antipodes de l'immense majorité des commémorations enfermées dans le rituel et l'automatisme du souvenir déontique, aux antipodes, par exemple, des cérémonies apprêtées et « froides » qui ont marqué, en Autriche, le cinquantième anniversaire de l'*Anschluss*.

Cinquante ans après, le Pacte redevient, à la faveur d'une conjonction de facteurs assez rare, un objet chaud, incandescent même. Les chiffres disent bien ce crescendo : en 1987, plusieurs milliers de personnes manifestent dans les pays baltes pour l'anniversaire du Pacte, en 1988, plusieurs dizaines de milliers, en 1989 plusieurs centaines de milliers forment une immense chaîne humaine à travers la Lituanie, la Lettonie et l'Estonie… L'actualité politique, la polarisation des forces politiques et courants idéologiques antagoniques — en URSS d'abord, mais aussi en Pologne et en RDA — font resurgir les enjeux refoulés de la mémoire du Pacte, en radicalisant l'expression. Le propre d'une commémoration est généralement qu'on s'y ennuie, ce qui, contrairement à ce que l'on imagine souvent, n'est pas nécessairement signe qu'elle est dépourvue d'enjeux ou

---

2. Viatcheslav DACHITCHEV, *Les Nouvelles de Moscou*, n° 36, 1er septembre 1989. Dachitchev est conseiller de Gorbatchev pour la politique internationale ; son article est intitulé : « Staline en mars 1939. »

qu'elle tente de réchauffer une mémoire moribonde, mais, plus simplement, qu'elle « travaille » dans la répétition, le rythme lent, sans surprise. Ici, au contraire, les jeux, rejeux et enjeux de mémoire *improvisent* un présent inconcevable, un an auparavant encore, anticipent sur de plus imprévisibles encore *salto mortale* dans l'avenir.

Un travail de délégitimation

Quels sont ces enjeux, et quelles sont les grandes lignes de tension du champ fort complexe que représente cette commémoration ?

Pour la première fois dans l'histoire du bloc (qui n'est plus guère qu'un agrégat) de l'Est, la question de la *légitimité* du Pacte et de ses conséquences a été posée au grand jour, sans détour, à une échelle de masse, et aussi bien les héritiers d'« en haut » de cet encombrant fantôme que ceux d'« en bas » ont été appelés à y répondre. A cette occasion, on a pu mesurer combien le paysage politique et idéologique de ces pays s'était transformé en quelques années : à l'exception de l'État est-allemand relayé par sa presse officielle, et de certains milieux conservateurs soviétiques, les parties en présence ont décerné, à l'occasion du cinquantenaire, des brevets d'illégitimité au Pacte, de tonalités certes diverses, mais *néanmoins unanimes au plan du jugement normatif*, lorsque la question des clauses secrètes est venue au centre des débats.

Pour la Diète polonaise, le Pacte n'était pas seulement « moralement honteux », mais « incompatible avec les principes de base du droit international et de ce fait d'emblée dépourvu de toute validité » ; même son de cloche du côté du Bureau politique du POUP ; en URSS, la commission parlementaire d'enquête mise en place en juin 1989 pour faire la lumière sur les clauses secrètes en estime les dispositions « contraires aux principes universels fondamentaux du droit international[3] » et les déclare « absolument nulles

---

3. Signalons tout de même qu'au début du mois d'octobre 1989 les

depuis leur signature », à l'instar des « Fronts populaires » des pays baltes qui appellent les nations du monde à dénoncer le Pacte comme illégal « depuis le jour de sa signature » — appel entendu par les députés soviétiques en novembre 1989 ; inutile d'insister longuement sur les sentiments, concernant ce débat de légitimité, des manifestants polonais descendus dans la rue les 23 août et 17 septembre pour scander « Soviets go home ! », des Lettons, Lituaniens, Estoniens, Moldaves, Ukrainiens, brandissant leurs couleurs nationales, réclamant autonomie économique et culturelle, voire indépendance et fin de l'« occupation » soviétique... Moins remarquée, car plus discrètement exprimée, a été la prise de position de l'opposition est-allemande, regroupée autour des communautés protestantes : un de ses bulletins ronéotypés reproduit un article de la revue soviétique *Spoutnik*, interdite par les autorités est-allemandes, où est posée la question iconoclaste : « Sans Staline, y aurait-il eu Hitler ? » et évoquée la bévue du Pacte[4]. Cet article a fait l'objet d'une violente repartie de la part de *Neues Deutschland*[5].

Le verrou de la légitimité ayant sauté, le champ est libre pour que soient posées les questions de *géographie*, les

---

conclusions de la commission n'avaient toujours pas été publiées dans un seul journal soviétique, alors même que le président de ladite commission, Alexandre Iakovlev, membre du Bureau politique, publiait une interview dans la *Pravda* qui ne reflétait aucunement les conclusions de la commission : il y développait en effet la thèse selon laquelle le rattachement des trois républiques baltes à l'URSS n'aurait finalement rien eu à voir avec les protocoles secrets... (cf. *Le Monde* des 1er et 2 septembre 1989).

4. *Umweltblätter, Infoblatt des Friedens- und Umweltkreises Zionskirchegemeinde*, Berlin-Est s.d. (Fonds « mémoire grise », BDIC).

5. *Neues Deutschland* du 25 novembre 1988. Dans cet article intitulé « Contre la déformation de la vérité historique », on peut lire, entre autres : « La distorsion de l'histoire de l'Union soviétique et du PCUS, mais aussi de l'histoire d'autres pays et de leurs partis révolutionnaires est pour ainsi dire la ''ligne'', pour *Spoutnik* [...]. Cette feuille, disons-le tout net, diffame les communistes allemands et leurs alliés [...]. Et cet Hitler, à en croire *Spoutnik*, n'aurait été possible que grâce à Staline ? Ce même Staline dont le nom est lié à la victoire sur l'agresseur et à l'action libératrice de la coalition anti-hitlérienne ? Ce même Staline qui ne promettait pas vengeance aux Allemands, mais disait : ''Les Hitler vont et viennent, mais le peuple allemand, lui, demeure.'' »

questions *d'histoire*, les questions de *morale* et de *philosophie politique* qu'appellent nécessairement le Pacte et ses conséquences, et qui n'avaient jamais pu être vraiment posées à l'Est jusqu'alors. Les transes cérémonielles qui accompagnent le cinquantenaire doivent bien sûr être rapportées au fait qu'à cette occasion saute le *tabou* par excellence (avec Yalta) de l'histoire contemporaine des pays de l'Est européen.

Questions de géographie : une ironie assez amère de l'histoire veut que les accords élaborés à partir de 1943 par les futurs vainqueurs de la Seconde Guerre mondiale, concernant frontières et zones d'influence en Europe orientale, aient abouti, pour une part (pour une part seulement, bien sûr), à confirmer et légitimer certains « acquis » du pacte Staline-Hitler. En deux mots, Vilnius, Lvov et Kichinev sont demeurés aux mains du « Père des peuples », pour ne rien dire de son « droit d'ingérence » dans les affaires polonaises, roumaines, etc. Infiniment lourd était donc le couvercle de cette marmite où Roosevelt et Churchill vinrent ajouter leur piment au brouet historique conjointement préparé par Hitler et Staline — et il ne fallut pas moins de cinquante ans aux peuples et nations concernés pour le soulever ; admettre à mi-voix ou proclamer à tue-tête l'illégitimité du Pacte conduit nécessairement à s'interroger sur certaines particularités des tracés de *frontières* et du *territoire* des États dans l'Est européen.

Pour l'essentiel, deux réponses diamétralement opposées ont été apportées à ces questions insistantes dans les débats du cinquantenaire, dans le « camp » même des tenants de la délégitimation du Pacte (pour les autres, les autorités est-allemandes de l'époque notamment, les choses sont claires : toute interrogation critique à ce propos relève de la nostalgie trouble ou du discours de guerre froide). Pour la Diète polonaise et le général Jaruzelski, Alexandre Iakovlev et Mikhaïl Gorbatchev, il faut clairement *dissocier* le jugement porté sur le Pacte du problème des frontières en Europe de l'Est. Au lendemain de la Seconde Guerre mondiale, indique la Diète, « a été établi un système de frontières que personne ne peut mettre en cause ». Dans le même esprit, les dirigeants soviétiques campaient encore, en septembre 1989, sur la fragile position suivante, concernant l'intégration des pays baltes à l'URSS en 1940 : si les clauses secrètes du Pacte où les pays baltes sont clairement désignés comme relevant de la « sphère d'intérêt » de l'URSS sont illégitimes, la « transformation socialiste » eut lieu, aussi bien, quelques mois plus tard, non pas en vertu d'un coup de force mais d'élections libres [6]… Pour les « Fronts populaires », mais aussi les partis communistes des pays baltes et de Moldavie, comme pour la commission d'enquête sur le Pacte mise en place par le Congrès des députés, la question de l'illégitimité et celle de la souveraineté sont indissociables ; ainsi, le CC du PC lituanien, estimant que « la Lituanie sans souveraineté est une Lituanie sans avenir », proclame : « La perspective historique de la Lituanie est celle d'un État socialiste et indépendant [7]. » Dans ses conclusions, la commission parlementaire, elle, liait la nullité du Pacte à cette remarque : les accords germano-soviétiques « ont prédéterminé la perte de la souveraineté et de l'indépendance de la République de Lituanie [8] ». En Moldavie, dans la grande manifestation nationaliste du 27 août, rassemblée à Kichinev, le mot d'ordre « Stop à la colonisation ! » faisait pendant à cet autre « A bas le pacte Molotov-Ribbentrop ! » A Varsovie, plusieurs milliers de personnes se sont réunies le 17 septembre 1989 devant le tombeau du soldat inconnu pour commémorer le cinquantième anniversaire de l'invasion par l'armée soviétique de la partie orientale du pays ; dans leurs discours, les orateurs ont stigmatisé la politique du « coup de poignard dans le dos » de Staline face à leur pays *et* réclamé la liberté et l'indépendance immédiate pour leur pays [9] ; la fin de l'« occupation » soviétique est un thème récurrent de

---

6. Cf. *Le Monde* du 24 août 1989.
7. Cf. *Le Monde* du 30 août 1989.
8. Cf. *Le Monde* du 24 août 1989.
9. Cf. *Die Tageszeitung* et *Süddeutsche Zeitung* du 18 septembre 1989.

toutes les manifestations qui, en Pologne, ont accompagné le cinquantenaire.

REVENIR EN ARRIÈRE ?

Étonnante commémoration, donc, qui tire sa singularité d'ouvrir une brèche dans le présent, d'agir comme le *révélateur* de blessures historiques longtemps cachées mais nullement cicatrisées. Ce n'est pas le rituel qui est ici au premier plan, mais le dynamisme de la mémoire : la commémoration-événement se présente comme un aboutissement *et* une origine ; la discussion historiographique qui éclot en URSS au cours de l'année 1989 à propos du Pacte prolonge des débats engagés dans la presse et l'opinion publique depuis des années déjà ; inversement, le débat lancé aussi bien parmi les historiens que parmi les populations directement concernées débouche jusqu'à présent sur davantage de questions que de réponses et ne fait que dévoiler un champ de possibles ouvert à toutes les spéculations ; c'est ce qu'indique à sa manière en août 1989 le CC du PC lituanien lorsqu'il déclare que « le rétablissement de la vérité historique » à propos du Pacte ne doit pas conduire « au rejet de cinquante ans de développement soviétique[10] », c'est ce que font tous ceux qui, dans les pays baltes, s'efforcent de conjurer l'irréparable en tentant de résoudre cette quadrature du cercle que constituerait un rétablissement de la souveraineté de ces pays sans remettre en cause leur appartenance à l'Union soviétique... Dans un esprit tout différent, un historien soviétique conservateur met l'accent sur le danger des débats sans solution possible lancés à l'occasion du cinquantenaire : veut-on faire retourner l'URSS aux frontières de 1939, rendre Vilnius aux Polonais, faire revenir les Allemands dans les pays baltes ? Non ! A quoi bon, alors, ces discussions sur la légitimité du Pacte

---

10. *Le Monde* du 30 avril 1989.

et ces comparaisons entre Hitler et Staline [11]… On ne saurait mieux sentir et dire qu'à l'occasion de ce fatal anniversaire s'est enclenché un processus dont les conséquences demeurent non seulement imprévisibles mais surtout *inconcevables*.

Tout aussi insistantes que les questions de géographie sont les questions d'histoire qui ont éclos, en 1989, à propos du Pacte. Tandis que les autorités est-allemandes verrouillaient toute possibilité de débat dès novembre 1988 dans l'article de *Neues Deutschland* cité plus haut [12], tenant à se démarquer jusque dans le vocabulaire en refusant le terme « pacte » pour désigner les accords Molotov-Ribbentrop, un véritable débat historiographique se développait à ce propos en URSS ; il est exemplaire, en un sens, de l'institutionnalisation d'une scène intellectuelle pluraliste, mais est aussi un lieu d'affrontement politique entre réformateurs et conservateurs.

Choix et nécessité

Quelles sont les lignes de force de ce débat ? En premier lieu : la signature du Pacte par Staline fit-elle l'objet d'un choix, relevait-elle d'une préférence, d'une stratégie ou lui fut-elle, en quelque sorte, imposée par les circonstances ? Jusqu'en août 1988, la seconde position, défendue notamment avec une certaine érudition par Valentin Faline, tint bon, dans le rôle de la version officielle, mûrement réfléchie et élaborée : « Nous avons choisi entre la vie et la mort, il n'y avait pas d'autre alternative pour nous […]. Si ce pacte n'avait pas été conclu, la guerre entre les deux pays (l'URSS et l'Allemagne) aurait commencé dès 1939 et ses conséquences auraient été plus funestes pour le peuple soviétique [13] »; du bout des lèvres, la *Pravda* concédait dans le

---

11. Article dû à l'historien IEMELIANOV, publié dans *Sovietskaïa Rossiia* et cité dans *Gazeta*, n° 76.
12. Cf. note 5.
13. Tass, dépêche du 22 août 1988.

même temps que Staline avait commis des « erreurs morales et politiques » en signant ce « pacte d'amitié » avec l'Allemagne et en utilisant en matière de relations diplomatiques des « méthodes administratives » qu'on ne saurait « justifier [14] ». Un an plus tard, Faline défend toujours la même position, dans le *Spiegel* [15], mais à la manière d'un général qui exhorte à l'assaut ses troupes débandées. Que s'est-il passé ?

Sous la pression constante et croissante de la montée des nationalismes dans les pays baltes, dans un premier temps, puis en Moldavie et en Ukraine, la discussion sur le Pacte s'est progressivement focalisée autour du problème des clauses secrètes où se trouvait, entre autres, martialement « réglé » le problème de la Lituanie, de la Lettonie, de l'Estonie, de la partie orientale de la Pologne et de la Bessarabie... Or, sur ce plan, la position officielle soviétique consistant à révoquer en doute l'authenticité des clauses secrètes sous prétexte que les documents originaux auraient disparu était particulièrement faible. Cette politique de l'autruche, loin de permettre d'évacuer le débat, eut pour effet, grâce aux efforts conjugués de la « rue » balte, d'historiens comme Iouri Afanassiev [16] et de publications comme *Les Nouvelles de Moscou*, de polariser l'attention sur lesdites clauses et d'en faire pour de larges secteurs de l'opinion soviétique le symbole même de l'immoralisme de la politique impériale, totalitaire de Staline. Fin juillet 1989, Valentin Faline lui-même devait admettre que l'authenticité des clauses secrètes ne faisait plus aucun doute. Lors des immenses manifestations nationalistes qui, dans les pays baltes, ont « salué » le cinquantenaire du Pacte, fin août 1989, l'émotion cristallisée autour des clauses secrètes a culminé ; symbole du charcutage cynique de leur région par le « Père des peuples », les clauses secrètes faisaient dans le

---

14. AFP, dépêche du 1er septembre 1988.

15. Valentin FALINE, *Spiegel Spezial*, « 100 Jahre Hitler », II/1989. Faline dirige le département international du Comité central du PCUS.

16. Directeur de l'Institut des archives de Moscou, député au Congrès du peuple, l'une des figures de proue du courant « radical » de la *perestroïka*.

même temps figure d'emblème de la chute morale du stalinisme pour les radicaux des *Nouvelles de Moscou* qui, au fil des numéros, distillaient télégrammes de félicitation, messages d'amitié, protocoles diplomatiques attestant la parfaite entente entre les deux grandes canailles, Staline et Hitler, aux riches heures du « pacte d'amitié », mettant l'accent sur les affinités électives qui fondaient leur complicité (« un marché criminel entre deux dictateurs [17] »).

L'effet de cette condensation émotionnelle autour des clauses secrètes devait être d'escamoter quelque peu le débat beaucoup plus complexe autour de la genèse du Pacte, de l'environnement politique et diplomatique dans lequel il s'inscrit, de son contexte historique ample et de son contexte immédiat, etc. Ce débat, néanmoins, fut plus qu'amorcé et donna lieu à l'affrontement de thèses antagoniques. Quelques jalons : réfléchissant sur l'« arrière-pays » historique du Pacte, Valentin Faline énumère plusieurs facteurs à son avis essentiels : les démocraties occidentales ne se sont jamais vraiment mobilisées contre le nazisme car le KPD, le PC allemand, fut toujours trop fort pour leur goût ; ce n'est pas, dans l'entre-deux-guerres, le souci du droit, de la démocratie qui guide leurs attitudes en politique internationale, mais l'anti-soviétisme ; elles n'ont donc jamais vraiment admis la perspective d'une alliance avec l'URSS contre le nazisme [18]... A l'opposé, l'historien Viatcheslav Dachitchev met l'accent sur le souci constant de Staline de déstabiliser l'Europe occidentale et d'y pousser les feux de la révolution, sur cette racine des erreurs de la politique extérieure soviétique dans les années trente que constituerait la théorie du « social-facisme [19] »... Mêmes divergences dans l'interprétation des circonstances immédiates du Pacte : pour Faline, Staline a balancé, évalué les possibilités de repousser le danger de guerre (pour l'URSS) jusqu'au dernier moment — « jusqu'au 20 août [1939], Staline ne s'était

---

17. Cf. notamment la documentation rassemblée par l'historien Nathan EIDELMAN sous le titre « La fin programmée de l'État polonais », in *Les Nouvelles de Moscou*, n° 39, 22 septembre 1989.
18. Valentin FALINE, « Die Negation der Negation », *Spiegel Spezial, op. cit.*

encore pas décidé », et les « démocraties » n'ont pas songé un instant à une « collaboration militaire » avec l'URSS contre le danger nazi... Dachitchev, au contraire, est convaincu que le changement de cap opéré par Staline remonte à mars 1939, que les Anglais et les Français ont tenté sincèrement et avec insistance de conclure un accord avec l'Union soviétique... Pour d'autres historiens encore, le remplacement de Litvinov (mai 1939), réputé anglophile et hostile à tout rapprochement avec le Reich, par le cynique Molotov à la tête de la diplomatie soviétique constitue également un indice probant du tournant envisagé [20]... Pour Alexandre Bovine, « à cette époque-là, Moscou s'adaptait à la situation internationale beaucoup plus qu'elle ne contribuait à la façonner [21] »... L'historien Nathan Eïdelman, lui, pense que Staline était alors à ce point inféodé à Hitler que l'on peut se demander ce qu'il serait advenu de l'Europe « si Hitler avait réussi à entraîner l'URSS à ses côtés dans une guerre contre la France, la Grande-Bretagne et les États-Unis [22] »...

LA QUESTION DU STALINISME

Relevons certaines particularités de cette discussion, beaucoup plus riche et nuancée que ce qu'en indiquent les éléments que nous venons de mentionner. En premier lieu, implicitement ou explicitement, chacune des thèses en présence véhicule une analyse du stalinisme, ou du moins une « sensibilité » face au phénomène stalinien ; pour le *Realpolitiker* Faline, il apparaît bien que celui-ci fut un mal

---

19. Cf. note 2.
20. Cf. l'article intitulé « La nuance idéologique de Litvinov », in *Les Nouvelles de Moscou*, n° 37, 8 septembre 1989, à propos d'une biographie du diplomate soviétique récemment publiée en URSS.
21. Alexandre BOVINE, éditorial intitulé : « Pouvait-on prévenir la guerre ? », *Les Nouvelles de Moscou*, n° 36, 1er septembre 1989. Bovine est commentateur politique aux *Izvestia*.
22. Cf. note 17.

nécessaire, tandis que pour l'historien Dachitchev qui ne recule pas devant le vocabulaire moral (« crimes », « amoralité »...), il apparaît comme une monstruosité historique. De la même façon, le Pacte se présente, dans l'intense travail d'élaboration du passé qui accompagne les mutations actuellement en cours en URSS, comme une scène particulière communiquant avec d'autres scènes et souvent impossible à dissocier de celles-ci ; le massacre de Katyn, les purges de 1937-1938 dans l'Armée rouge, l'aveuglement de Staline en juin 1941, les déportations massives de citoyens baltes et polonais en Sibérie durant l'année 1940, voire l'attentisme de l'armée soviétique durant l'insurrection de Varsovie en 1944 apparaissent comme autant de *scènes contiguës* ou voisines de ce tableau étrange où l'on voit un Staline affable serrer la main du nazi Ribbentrop. Dans *Les Nouvelles de Moscou*, la vérité douloureuse se fraie son chemin au même rythme concernant Katyn que concernant les clauses secrètes. Des *corrélations* établies entre ces différentes scènes, ou au contraire de leur dissociation surgissent des analyses divergentes de la politique de Staline et du phénomène stalinien : pour les uns, il y a une *cohérence* et une continuité entre la collectivisation forcée des campagnes, les grandes purges, le Pacte et les bévues de l'été 1941 ; dans cette optique, comprendre le stalinisme consiste avant tout à comprendre les enchaînements et la continuité d'une pratique politique, la cohésion d'un système — qu'on le désigne comme « totalitaire », « dictatorial », « absolutiste » ou « despotique »... Sous cet angle, le Pacte constitue un moment très privilégié de l'histoire stalinienne : celui où, comme l'indiquaient sans ambages certaines pancartes exhibées en août 1989 par des manifestants à Lvov, Staline se démasque comme un double de Hitler en s'entendant avec lui sur le dos des peuples d'Europe de l'Est[23]...

Dans l'optique inverse, la reconnaissance de l'existence des clauses secrètes, de la réalité des déportations aussi massives qu'arbitraires de Baltes et de Polonais dans le sillage

---

23. Photo publiée dans *Gazeta*, n° 83.

du Pacte, de la livraison de communistes allemands et autrichiens à Hitler par Staline en 1940, de la suspension de toute propagande antifasciste dans la presse soviétique dès le lendemain de la signature du Pacte, etc. ne porte aucunement à modifier l'analyse que l'on peut faire du Pacte : celui-ci demeure fondamentalement justifié sinon légitimé (l'analyse d'un Faline n'est pas claire de ce point de vue) par ce que l'on pourrait appeler la tyrannie des circonstances. Notons que, dans cette optique, la priorité est accordée à l'analyse de la conjoncture, et non à celle des « ondes longues » de la politique stalinienne ; de même, celle-ci y est perçue « en creux », comme simple *réponse* à celles des puissances impérialistes, du point de vue, si l'on veut, de la victime. Le stalinisme n'y est pas *caractérisé*, ni en termes historiques ou politiques, ni en termes moraux ou philosophiques : il est, tout simplement, ce *nous* dont est fait notre héritage ; ce « nous » que l'on pourrait qualifier de « loyauté » est particulièrement présent chez Faline et manifeste le « sens de l'État » de ce dernier. Chez les nationalistes baltes ou les « radicaux » à la I. Afanassiev, au contraire, le Pacte se présente bien davantage, en deçà de tout débat spécialisé sur tel ou tel aspect de cette « scène », comme un emblème du *eux* totalitaire, assassins de nos pères, de nos espérances nationales ou révolutionnaires, etc.

LA POLOGNE ET SON DESTIN

Dans l'espace polonais, on discerne très clairement la façon dont la proximité d'un certain nombre de dates anniversaires plus ou moins fatidiques suscite un *climat commémoratif* dans lequel chaque commémoration particulière se poursuit dans d'autres et s'intensifie de cette proximité. C'est d'abord que l'anniversaire du Pacte s'y présente, si l'on peut dire, deux fois, à intervalles rapprochés : le 23 août, jour de la signature du traité, et le 17 septembre, jour de l'entrée en Pologne orientale des troupes soviétiques, en application des clauses secrètes. Mais « autour » de ces deux dates fatales, se signalent les anniversaires du début et de la fin de l'insurrection de Varsovie (août-octobre 1944), de l'invasion de la Tchécoslovaquie par les troupes du pacte de Varsovie (21 août 1968), de l'agression hitlérienne contre la Pologne (1er septembre 1939)... En 1989, cette chaîne commémorative a été déroulée dans le climat très particulier et l'ambiance haletante des ultimes négociations qui ont conduit à la nomination de T. Mazowiecki au poste de Premier ministre. Cette « rencontre », cette collision presque, de l'actualité et des travaux de mémoire attisa, chez bien des Polonais, le sentiment du destin : tout se passait, en ce mois d'août 1989, comme si, dans le même temps, on commémorait dans l'affliction ou la colère le début des infortunes de la Pologne contemporaine *et* on mettait un point final, dans le présent, à ce sinistre épisode. Le présent rattrapait le passé et venait, solennellement, le déclarer « nul et non avenu », le délégitimer.

D'un côté, l'apparition de cette nouvelle « page » de l'histoire polonaise où l'on voit Jaruzelski introniser Mazowiecki confère aux commémorations qui accompagnent, en quelque sorte, ce tournant, *un caractère consensuel* : Mazowiecki, Jaruzelski et Walesa commémorent de conserve le début de la Seconde Guerre mondiale à Gdansk (Dantzig), les dirigeants communistes comme ceux de l'ex-opposition s'accordent explicitement pour proclamer l'illégimité du Pacte et, implicitement au moins, pour signifier que la question des frontières orientales de la Pologne n'en est pas pour autant à l'ordre du jour. Si *Gazeta* et *Polityka* ne s'entendent pas nécessairement sur l'analyse historique du Pacte, elles n'en tirent pas pour autant des conclusions antagoniques concernant l'état des choses en 1939 [24]... Mais d'un autre côté,

---

24. Dans le n° 54 de *Gazeta*, l'historienne Maria TURLEJSKA rapproche la décision prise par Staline de s'entendre avec Hitler de l'hostilité qu'il partageait avec ce dernier à l'endroit de l'ordre institué par le traité de Versailles. Comme V. Dachitchev, elle incrimine également sa théorie du « social-fascisme » et souligne que, dès mars 1939, dans son discours au XVIIIe congrès du Parti, Staline fit des appels du pied tout à fait clairs à Hitler. Plus sobres dans la forme, *Polityka* (5 août 1989) et *Zycie Literackie* (27 août 1989) publient

l'accession de Solidarité aux « affaires » conforte cette sensibilité viscéralement anticommuniste et antisoviétique qui,
depuis 1981, n'a cessé de s'enraciner dans les représentations polonaises. Aussi la dimension anticommuniste et antisoviétique est-elle fort insistante dans les manifestations et
cérémonies qui accompagnent la « chaîne » commémorative
des mois d'août et septembre : le 23 août et le 17 septembre mettent en relief *comme le 21 août* la permanence du danger de l'impérialisme soviétique ; l'anniversaire du Pacte,
comme celui de l'écrasement de l'insurrection de Varsovie par les
Allemands tandis que l'armée soviétique campait, l'arme au
pied, de l'autre côté de la Vistule, illustre la permanence
du cynisme, de l'amoralisme de la politique du voisin totalitaire... Dans la plupart de ces manifestations, l'anti-
soviétisme prend un tour passablement agressif et viscéral,
on crie — en anglais — *Soviets go home !* comme pour souligner sans ambages dans quel « camp » on se situe.

Plus subtilement, des rescapés de l'Armée du pays, persécutés par le pouvoir stalinien après la guerre, participent
en bonne place aux cérémonies ; les offices religieux font
entrer la commémoration dans l'orbite de la tradition et du
rituel catholiques, barrage contre la culture communiste ;
des messes sont dites, des prières prononcées à la mémoire
des Polonais morts en déportation, au-delà de l'Oural, suite
à l'occupation soviétique ; l'« Association des Sibériens »,
rescapés de ces déportations ou descendants de ceux qui
n'en sont pas revenus, fait à l'occasion entendre sa voix et
sa piété. Une page blanche se trouve comblée : dans les
semaines qui précèdent le 17 septembre 1989, presque tous
les grands journaux publient des témoignages relatant sans
fard les conditions dans lesquelles les troupes soviétiques prirent possession de la partie orientale de la Pologne à

---

respectivement le compte rendu d'une conférence récemment réunie à Talinn,
concernant les aspects juridiques du Pacte et le texte du Pacte, les protocoles
secrets, des extraits de correspondance diplomatique à son propos... Pour certains historiens polonais non communistes, les aspects consensuels de cette
« commémoration » renvoient au fait que la délégitimation du passé stalinien
demeurerait le dernier réservoir de légitimité des communistes polonais...

Illustration d'un périodique lituanien, 1989.

l'automne 1939 ; on est loin des versions officielles qui voulaient, naguère encore, que l'URSS ait pris ces territoires sous sa coupe afin d'y « assurer la protection » des populations autochtones...

Pour une bonne part, c'est « en haut », du côté des nouveaux partenaires gouvernementaux, que se dévoile le plus nettement l'aspect consensuel de la commémoration du Pacte, tandis qu'« en bas » celle-ci prend assez clairement le tour d'un exorcisme de cet état des choses dont on a tant souffert, de cet « ordre » hérité du Pacte et de Yalta et dont on espère qu'il est en passe d'être surmonté. Ce « double sens », pourtant, ou cette coexistence de sensibilités divergentes autour de l'événement du cinquantenaire montrent bien ce qu'il peut en être de la polysémie des commémorations : autour des carrefours présent-passé des mois d'août et septembre 1989, c'est aussi bien la réconciliation nationale polonaise que la « fin du communisme » qui peut se célébrer...

UNE NON-COMMÉMORATION

Autant le cinquantenaire du Pacte semblait *attendu* en Pologne (et en URSS), autant cet anniversaire s'est présenté comme *indésirable* en RDA. Cela tient pour une bonne part, bien sûr, à ce qu'on n'entendit guère à Berlin-Est d'autres voix que celles du pouvoir. Et lorsqu'au lendemain du cinquantenaire les voix d'en bas se font enfin entendre en Allemagne de l'Est, ce n'est pas pour agiter le spectre du Pacte, mais pour manifester le désir massif de poursuivre une existence moins délétère dans l'autre moitié de l'Allemagne... Pour l'essentiel, donc, c'est une stratégie *d'esquive* de cet anniversaire en tout point embarrassant qui se met en place en RDA. Lorsqu'il faut bien répondre à l'article « provocateur » de *Spoutnik* et justifier l'interdiction insolite de ce magazine soviétique en Allemagne de l'Est, *Neues Deutschland*, plutôt qu'entrer dans le débat historiographique et politique, rappelle que « mettre sur le même pied Hitler et

Staline [...] entre en contradiction avec la Constitution de la RDA [25] ». De la même façon, l'historien Kurt Pätzold, qui faisait alors figure de « libre penseur » au pays de l'orthodoxie marxiste-léniniste, parlait du Pacte sans en parler en évoquant, plutôt que les fatidiques journées d'août 1939, la « chance gâchée » des 17 et 18 avril 1939 : « Ces jours-là, le gouvernement soviétique proposa par voie diplomatique — ce qui, dans ce cas, signifie aussi par des voies secrètes — que l'Union soviétique, la Grande-Bretagne et la France concluent un pacte d'assistance politique et le complètent par une convention militaire [26]. » Les puissances occidentales, bien sûr, éludèrent la proposition, poursuit Pätzold, et la suite est connue... Mais au fond, se demande-t-il préventivement (son article a été publié en mai 1989), pourquoi faire un si grand tapage autour de l'anniversaire du Pacte et oublier ces jours tout aussi fatals ? N'y a-t-il pas là quelque chose de suspect dans cet anniversaire qui en cache un autre, refoulé, oublié ?... La parade est classique et au bout du compte, bien sûr, nous ne saurons pas ce que Pätzold pense du Pacte — seulement ce qu'il pense à propos du bruit à venir du cinquantenaire du Pacte.

Cette stratégie de la diversion fut omniprésente dans la presse officielle est-allemande au mois d'août : l'anniversaire du déclenchement de la Seconde Guerre mondiale et la ritournelle « pacifiste » qui l'accompagne viennent refouler l'anniversaire du Pacte, l'exaltation du combat antifasciste, de l'amitié infrangible de la RDA et de la Pologne populaire vient couvrir ces voix venues de l'Est qui réclament plus de lumière sur le Pacte, les fac-similés de documents du haut commandement militaire allemand remplacent avantageusement, dans *Neues Deutschland*, la photographie des clauses secrètes du Pacte, le quarante-cinquième anniversaire de l'assassinat de Thälmann à Buchenwald s'impose là où l'on aurait pu, peut-être, évoquer le destin

---

25. Article cité *supra* du 25 novembre 1988.
26. Kurt PÄTZOLD, « Die vertane Chance », in *Die Weltbühne*, 30 mai 1989.

des communistes allemands réfugiés en URSS et « resti-
tués » par Staline à Hitler en gage de bonne foi[27]... Bref,
pour cause de *perestroïka* et d'accélération du mouvement de
l'histoire dans l'Est européen, les dirigeants est-allemands
se trouvent intronisés, à l'occasion de cette funeste commémoration, dans le rôle de conservateurs exclusifs (parmi les
personnes morales directement concernées) des antiquités
staliniennes et d'exécuteurs testamentaires du « Père des
peuples » et de la mémoire de tout ce qu'il incarne ; comi-
quement, ce n'est pas seulement au nom des antifascistes
allemands qui, les « premiers », ont résisté au nazisme et
dénoncé son intrinsèque perversité que *Neues Deutschland*
admoneste *Spoutnik* et les nouveaux révisionnistes soviétiques ; c'est aussi au nom du patriotisme soviétique, des soldats qui plantèrent le drapeau rouge sur le Reichstag, de
cette URSS glorieuse qui conduisit à la victoire la coalition
anti-hitlérienne... On se croirait revenu aux meilleurs jours
de ces *délires de mémoire* où les adeptes de Mao se drapaient
dans les plis de la grandiose histoire soviétique pour tancer
les renégats khrouchtchéviens... La *non-commémoration* d'un
tabou maintenu peut, elle aussi, faire beaucoup de bruit.

« VÉRITÉ » ET INTERPRÉTATIONS

Une telle commémoration est, en fait, un passage, un
pont ou un tremplin, ouvrant sur des débats à poursuivre,
des évolutions politiques majeures à venir. En URSS et en
Pologne, la discussion historiographique qui s'est ouverte
à cette occasion ne constitue guère qu'un prologue : d'une

---

27. Pendant toutes ces semaines « sensibles » de l'été 1989, *Neues Deutschland*
ne manque pas une occasion, non plus, de mettre l'accent sur l'agitation dans
les pays baltes, suggérant que l'anniversaire du Pacte n'est que prétexte pour
y poursuivre des menées antisoviétiques, antisocialistes et séparatistes. Notons
que, pour des raisons rigoureusement inverses, *Gazeta*, le quotidien dirigé par
Adam Michnik, met beaucoup l'accent lui aussi sur l'agitation nationaliste qui
s'est développée aux confins de la Pologne orientale, à l'occasion du cinquantenaire du Pacte.

part, elle a été largement accaparée par le simple *établissement des faits* (l'authenticité des clauses secrètes, l'ampleur des déportations découlant de l'accord entre les deux dictateurs, les formes de l'occupation soviétique en Pologne orientale, les conditions de l'annexion des pays baltes et de la Moldavie, etc.), en deçà, donc, des débats d'interprétation. D'autre part, lorsque l'on a abordé l'approche *critique*, l'herméneutique des textes ou la réflexion sur l'« événement-pacte » dans son contexte, le *souci de l'histoire* des chercheurs s'est trouvé fortement contaminé par l'*incandescence de l'objet* dans ce paysage de l'Europe de l'Est en mutation. *Tous* les textes, toutes les études publiées en URSS et en Pologne autour du cinquantenaire du Pacte, même les plus « savants », étaient, à leur manière, des textes — voire des manifestes — *politiques*, des prises de position dans des débats en cours, aux enjeux brûlants dans la vie publique. Il ne s'agit pas, certes, de réclamer pour les débats entre historiens le calme des cénotaphes, mais cette discussion souffrait à l'évidence de ce que chacun semblait souvent s'y engager davantage en fonction d'une sensibilité *a priori* au phénomène stalinien que d'une étude approfondie des dossiers : c'est, en quelque sorte, « conformément à leur être » que N. Eïdelman, I. Afanassiev ou l'historienne polonaise Maria Turlejska formulent leurs « vérités » respectives sur le Pacte. Ces déterminations *a priori*, l'importance des enjeux et contaminations liés au cours présent des choses constituent, naturellement, une entrave à l'essor d'un véritable débat historiographique.

Or, concernant cette scène infiniment particulière que constitue le Pacte, l'essor de cette discussion ne peut passer que par une réforme complète de ce que l'on (y compris les historiens) entend communément par la *vérité* historique — dans les représentations positivistes dominant dans les sciences humaines à l'Est. De par sa nature même, si l'on peut dire, l'« objet » Pacte se dérobe à une conception fixiste du vrai ; les historiens et officiels soviétiques qui mettent l'accent sur toutes les entraves mises par les gouvernements français et britannique à la formation au début de l'année 1939 d'une coalition anti-hitlérienne ne manquent pas d'arguments documentés ; en ce sens, ils ne falsifient pas la réalité, ils se contentent de l'interpréter de façon restrictive ou unilatérale, d'en *éclairer* un aspect seulement — tout comme ceux qui ne mettent l'accent que sur les fatales affinités du nazisme et du stalinisme sur fond desquelles se trouvent scellées les funestes épousailles d'août 1939. De la même façon donc qu'une postérité équitable peut aisément déclarer *tous coupables* l'ensemble des protagonistes de cette sombre scène, de la même façon — la vérité minimale des archives admise et reconnue[28] — force est bien d'admettre qu'il n'existe pas de *Vérité* du Pacte, *seulement des interprétations*[29]. A l'heure où font rage les *batailles de mémoire* autour du cinquantenaire, il faut bien constater que l'on est assez éloigné encore, à l'Est, de cette ère de l'herméneutique.

Enfin, le *scandale* (historique, moral, philosophique...) du Pacte, exposé à l'occasion de son cinquantième anniversaire, est que demeure pendante la question : que faire des séquelles enracinées dans l'espace et le temps présent de cette iniquité, que faire de ce jeune vieillard, tout à fait vivace et dont personne ne veut plus, à la manière de ces encombrants criminels de guerre que les « démocraties » ne se dis-

---

28. Notons à ce propos que la « bataille des archives » qui accompagne les débats sur le Pacte est loin d'être achevée : dans le n° 41 (6 octobre 1989) des *Nouvelles de Moscou*, l'historien Vladlen SIROTKINE, soulignant le peu d'empressement du ministère des Affaires étrangères à ouvrir les archives diplomatiques aux chercheurs, indique une piste concernant la localisation des « fameux protocoles joints au pacte Ribbentrop-Molotov » : « très utiles à Nikita Khrouchtchev pour mieux compromettre le "groupe anti-Parti de Malenkov, Kaganovitch et Molotov", lors de la lutte pour la succession de Staline, ils pourraient se trouver encore dans "le dossier du 'groupe anti-Parti', dans le dossier Molotov". » Dans le même numéro des *Nouvelles de Moscou*, le rédacteur en chef de *Vestnik Mid*, le « Courrier du ministère des Affaires étrangères de l'URSS », justifie ainsi son refus de publier les clauses secrètes dans sa publication : « L'histoire de la diplomatie, tout comme les mathématiques, est une science exacte. Or, l'original du protocole n'a pas, jusqu'à présent, été découvert ni dans notre pays ni en Occident. »

29. Voir à ce propos l'article synthétique d'Achim BÜHL, « Der sowietische Historikerstreit um den Hitler-Stalin Pakt », in *Blätter für deutsche und internationale Politik* (9/1989).

putent guère l'honneur de juger ? Comment compenser, réparer, voire effacer les séquelles de l'outrage ? Poser cette question, c'est poser — comme le font pourtant, il est vrai, une partie des nationalistes baltes et polonais — celle d'une histoire à venir aujourd'hui *impensable* dans ses conséquences, sinon impossible, une histoire fondée sur des bouleversements géopolitiques majeurs en Europe de l'Est[30]. La commémoration, donc, débouche sur un gouffre béant : elle suscite des questions auxquelles il ne peut exister de réponse, elle met en lumière cette dimension irrationnelle de l'histoire présente : proclamé *illégitime* dans ses fondements historiques et moraux, le Pacte n'en est pas moins décrété *irrévocable et irréversible* dans ses conséquences. La commémoration débouche, provisoirement, sur une amère leçon de *fatum* historique.

---

30. Un mois avant sa brutale disparition, Nicolae Ceausescu jetait à ce propos de l'huile sur le feu en déclarant à la tribune du XIVe congrès du PC roumain : « Tous les accords conclus avec l'Allemagne hitlérienne doivent être condamnés et annulés sans équivoque. Il faut liquider les conséquences de ces accords et diktats » (*Le Monde* du 24 novembre 1989). Ce à quoi l'agence Tass rétorquait vertement en rappelant « l'inviolabilité des frontières de l'après-guerre. Aucun homme politique sérieux et responsable ne peut mettre en question ces frontières, y compris la frontière soviéto-roumaine » (*Le Monde* du 25 novembre 1989).

URSS

Tsaritsine, Stalingrad ou Volgograd ?
L'éternel débat sur les toponymes*

par Mikhaïl Rojanski

On compare souvent la mémoire à un film qui se déroule dans notre conscience. Pourtant la mémoire, c'est un monde d'impressions reliées entre elles moins par un sujet ou un caractère commun que par le « moi » humain. Aussi serait-il plus juste de la comparer à une succession de diapositives : non pas seulement d'images en couleurs, de paysages ou de portraits, mais aussi un ensemble de sons, d'odeurs et surtout d'états d'âme. Ce sont les sentiments qui se gravent le plus profondément dans notre mémoire : la gêne, l'enthousiasme, l'humiliation, par exemple.

Pour écrire sur la mémoire, j'utiliserai donc une succession de diapositives dont l'enchaînement sera moins logique qu'associatif.

QUE FAIRE DE LA PLACE ROUGE ?

Commencer par la place Rouge, par les temps qui courent, ce n'est vraiment pas faire une concession à la mode : elle rappelle tellement les discours officiels rebattus, et pas si lointains ! Deux fois par an, au moins, on entend ces paroles solennelles : « Moscou, la place Rouge. C'est ici que se rassemblent les Soviétiques dans les moments d'inquiétude et de joie. C'est d'ici que sont partis au combat, le

---

* Traduit du russe par Marie KHERASKOFF.

Stalingrad 1942 : barricades abandonnées par les Soviétiques
aux alentours de la gare en octobre.

Vingt cinq ans après, Volgograd.

7 novembre 1941, les soldats qui ont défendu Moscou. »
C'est par ces mots, donc, que commencent tous les repor-
tages sur les parades militaires et les grandes manifestations
moscovites. C'est ici que les cosmonautes venaient se
recueillir, avant le grand départ, près du mausolée de
Lénine. Un rite. Je ne sais pas s'ils le font encore, mais en
tout cas, la radio ne le relate plus.

Parfois, on entendait les mêmes mots, mais prononcés sur
un ton funèbre : c'est que l'on enterrait quelqu'un sur la
place Rouge — des cosmonautes, ou bien Vorochilov[1],
Boudienny[2], Brejnev, Andropov, Tchernenko... Les gens
étaient tristes ou affectaient de l'être, ou se réjouissaient en
leur for intérieur, et colportaient des blagues sur l'un ou
l'autre mort ; c'est un endroit dangereux, la place Rouge,
car on y tombe sans cesse d'un excès dans l'autre : soit la
pompe solennelle et automatique, soit une ironie qui con-
fine à l'indécence. Faire de l'ironie sur des tombes...

Certains pensent qu'il faudrait transformer le mausolée
de Lénine, cœur de cette ritualité désuète, en Panthéon,
d'autres que l'on devrait transporter le corps de Lénine à
Leningrad (anciennement Saint-Pétersbourg) pour l'y enterrer, comme il le souhaitait, au cimetière Volkov, près de sa
mère. Mais quel blasphème, quel sacrilège ce serait pour
les milliers de gens qui font la queue tous les jours (et pas
seulement par curiosité) devant le mausolée, ainsi que pour
les millions de ceux qui considèrent qu'il est barbare de
déplacer les restes d'un mort — quel qu'il soit !

Poursuivons. A supposer que l'on enlève le mausolée, on
verrait apparaître une rangée de bustes et de monuments ;
ils conservent la mémoire de Dzerjinski[3], Sverdlov[4], Kalinine, Frounzé[5], Jdanov, Souslov[6], Vorochilov, Boudienny, Andropov, Tchernenko... Et tous ces hommes

---

1. Maréchal, une des étoiles du stalinisme triomphant.
2. Maréchal, héros de la guerre civile, féal de Staline.
3. Fondateur de la police politique, la Tcheka.
4. Dirigeant bolchevik, mort en 1919.
5. Un des dirigeants militaires de l'Armée rouge pendant la guerre civile.
6. Le gardien de l'orthodoxie à l'époque brejnévienne.

seraient là à nous regarder, avec, derrière eux, les plaques de marbre noir qui immortalisent ceux qui ont l'honneur d'être enterrés dans le mur du Kremlin. Cet honneur leur a été dévolu en considération de leurs titres, mais le méritent-ils tous ? Les rédactions des journaux croulent sous les lettres de lecteurs : il faut débarrasser la place Rouge de ces bourreaux ! Leur voisinage est un outrage aux victimes !

Un visiteur de l'exposition consacrée à Boukharine en 1989 disait un jour : « Personne ne sait où repose Boukharine, mais tous ses bourreaux, de Staline à Vychinski[7], sont sur la place Rouge. La justice finira bien par triompher : elle décidera, selon les mérites de chacun, qui a sa place ici, et qui il convient d'enlever. » Certains sont plus expéditifs : En été 1988, un ancien du NKVD d'Irkoutsk proposait : « Cessons de faire de la place Rouge un cimetière à bétail ! Qu'on enlève tout le monde, qu'il n'y ait plus une seule tombe ! » On pardonnera son manque de nuance dans l'expression, un travers somme toute professionnel, mais peut-être a-t-il raison de ne pas vouloir que cette place soit un cimetière ?

Moi, je suis d'accord avec lui. Un seul détail me gêne : elle est de *toute façon* déjà un cimetière, aussi bien qu'un lieu de pèlerinage païen, un décor de show télévisé... et Dieu sait quoi encore. Et on y trouve, côte à côte, des bourreaux, des victimes, des héros, leurs ancêtres, leurs descendants, des gens qui se recueillent, d'autres qui ricanent... Et si, dans un élan de justice, on rend tous les morts égaux, en enlevant les corps et les noms, la place Rouge n'en redeviendra pas pour autant ce qu'elle était avant 1917. Elle demeurera la place Rouge où aura trôné le mausolée de Lénine — et pendant quelque temps celui de Staline —, la place Rouge qu'on aura débarrassée d'une dizaine de tombes. Des enfants et des touristes s'amuseront à chercher dans le mur les briques les plus neuves, celles qui cachent un vide. Quant à la majorité, elle aura oublié ce qu'était la place Rouge avant 1917, comme ce qu'elle a été après.

---

7. Le procureur des procès de Moscou.

Il y aura encore moins de gens pour *se souvenir*, si ce « nettoyage radical » s'effectue, et cela prouvera une fois de plus que l'on peut faire de la mémoire ce que l'on veut. Mais la mémoire ne peut être que vivante.

Dans la *Grande Encyclopédie soviétique*, t. 13, 1973, on lit :

« Place Rouge : la place centrale de Moscou, le long du mur du Kremlin, témoin de nombreux événements importants de l'histoire russe et soviétique, lieu de manifestations massives des travailleurs de la capitale et de défilés des forces armées de l'URSS... Créée à la fin du XVe siècle, par la construction du mur du Kremlin. A l'origine, s'appelait ''marché'' de la Trinité, du nom de l'église qui se trouvait sur la partie sud de la place (XVIe siècle ; après le grand incendie de 1571 prend le nom de place de l'Incendie ; place Rouge (Belle[8]) depuis la seconde moitié du XVIIe siècle.

Ajoutons que notre siècle a donné une connotation révolutionnaire à ce mot « rouge ». Aujourd'hui, ce mot exprime toute la tragédie de la mémoire vivante.

Tout ce qui touche à la place Rouge n'est plus automatiquement sacralisé. Elle suscite des pensées et des sentiments contradictoires, elle récuse les solutions simples : c'est bien la preuve que la mémoire recommence à vivre.

RUE AVARIDZÉ

« — Est-ce cette rue qui mène au temple ?

« — Non, c'est la rue Varlam-Avaridzé[9], elle ne mène pas au temple.

« — Alors, à quoi sert-elle ? Pourquoi une rue, si elle ne mène pas au temple ?

« Elle se détourne et s'en va, fière, indépendante, par une longue route qui mène on ne sait où. »

Grâce à cette vieille Géorgienne et à *Repentir*, le film de Tenguiz Abouladzé, la question : « Quelle rue mène au

---

8. Le mot *Krasnaja* signifie à la fois « rouge » et « belle ».
9. Le nom du dictateur dans le film *Repentir*.

temple ? » est devenue pour nous aussi grave que : « Être ou ne pas être ? » Les adresses sur les enveloppes ont acquis une signification symbolique, et nous nous sommes mis à nous poser des questions, à nous offusquer ou à sourire en entendant des noms de rues familiers, devenus parfois si gênants.

L'habitude est l'ennemie de la mémoire, ou plutôt une rivale, qui peut devenir une amie. A Irkoutsk, on se donne rendez-vous non pas devant le monument aux pionniers de la Sibérie, mais près de la « flèche », parce que l'important ce ne sont pas les pionniers, mais le fait que cet endroit soit facile à trouver, que nous y soyons habitués, et que nous aimions nous y promener en bavardant les jours de fête. Et la « maison blanche », à côté, ce n'est pas l'ancienne résidence du général-gouverneur, mais une agréable bibliothèque, près de laquelle on rencontre souvent un ami, un professeur ou un étudiant. Mais si on amène sur la rive de l'Angara quelqu'un qui vient d'ailleurs la mémoire reprend le dessus. La « maison blanche » devient la maison du général-gouverneur où sont venus les Décembristes [10], Petraševskij [11], Bakounine, et les bustes surplombés par la « flèche » prennent les noms de Ermak [12], du comte Speranskij [13], de Muraviev-Amurskij [14] ; à la place de la « flèche », on imagine la statue d'Alexandre III qui fut enlevée pendant la Révolution. Chaque nom se charge de nuances, derrière chacun se cache une lutte d'idées autour de l'histoire, de l'histoire de la Sibérie et de la Russie.

Les noms des villes et de rues sont des lieux particuliers où la mémoire peut mourir naturellement, sans souffrance, parce qu'elle n'est pas de taille à résister à l'habitude et à la routine. Ces noms font partie de la vie quotidienne, ils

---

10. Voir l'article de Jean-Yves POTEL, « Irkoutsk, porte de l'exil sibérien ».

11. Révolutionnaire russe du milieu du XIXe siècle, condamné aux travaux forcés à perpétuité en 1849.

12. Chef cosaque, conquérant de la Sibérie au XVIe siècle, qui en fit don au tsar.

13. (1772-1839). Auteur de plans de réformes libérales sous Alexandre Ier.

14. Diplomate, homme d'État, gouverneur de Sibérie orientale de 1847 à 1861.

sont en premier lieu des éléments d'orientation dans l'espace, ils n'évoquent pas forcément quelque chose (loin de là), ils ne nous ramènent pas toujours au passé. A quoi bon rechercher l'étymologie d'un nom, si, pour nous, le principal, c'est de trouver la maison que nous cherchons ? Bien sûr, parfois, un événement de notre vie personnelle nous reviendra, et avec lui d'autres noms, d'amis ou d'ennemis. Lorsque j'entends « place des Décembristes », ce n'est pas aux premiers révolutionnaires russes que je pense, mais à mon enfance. Il y a d'autres lieux, à Irkoutsk, qui rappellent les Décembristes : près de la tombe de la princesse Trubeckoj [15], à travers mes propres souvenirs liés à des gens avec lesquels je suis venu ici, réapparaissent les Décembristes, et même la place du Sénat en 1825. Et à Leningrad aussi, quand on arrive place du Sénat, on est chez les Décembristes. Un habitant de Leningrad de passage à Irkoutsk se remémore certainement le destin des officiers de Saint-Pétersbourg et la place du Sénat, qui n'est pour lui qu'un lieu de passage quand il vaque à ses occupations habituelles. Il faut venir, passer de l'autre côté du miroir pour que l'habituel se revête de sa généalogie, nous fasse penser et donc nous souvenir.

Le célèbre metteur en scène Rozanov a décrit la façon dont il avait choisi les décors naturels de son film *Le Soldat Ivan Tchonkine* [16] : « Nous sommes arrivés un beau jour au Soviet d'un district en disant : il nous faut un village de 1941, avec une mauvaise route, une église à moitié détruite, des toits de chaume ou de bardeaux. Ils nous ont conseillé le kolkhoze "Le-Rêve-d'Ilitch [17]". Ils étaient sérieux, ils ne se fichaient pas de nous ! Là-bas, tous les kolkhozes ont des noms semblables : "Les Feux-du-Communisme", "Le Chemin-de-Lénine", "Le Travail-libre"... »

On dirait que nous venons d'arriver dans notre propre

---

15. Épouse de Serguëi Trubeckoj, l'un des chefs de l'insurrection décembriste exilé à Irkoutsk.

16. D'après le roman homonyme de Vladimir VOINOVITCH (Éd. du Seuil, 1977).

17. Lénine, évidemment.

pays et que nous prenons seulement conscience du fait que nous vivons derrière le miroir. Et cela ne s'est pas fait du jour au lendemain !

LE MARCHÉ BREJNEV

Dans le métro, à Moscou, nous avions l'habitude d'entendre : « station Barricades », « Dzeržinskaja », « ligne Jdanov ». Quand en 1980, en Pologne, le syndicat Solidarité a commencé à faire parler de lui, les noms familiers ont donné lieu à des anecdotes du type : « Station "Marxiste", prochaine station "Syndicaliste", correspondance pour la ligne "Trotskiste-zinoviéviste". » Peu importe si les plaisantins n'étaient pas très forts en histoire et s'ils n'avaient qu'une idée très confuse de ce qui se passait en Pologne : l'ironie prenait ses droits, cette ironie envers une idéologie qui avait voulu régenter jusqu'à la vie quotidienne. Il ne faut pas croire que cette découverte s'est faite en un jour. Le problème de l'absurdité des toponymes ne date pas d'il y a deux ans, mais plutôt d'une vingtaine d'années. A Irkoutsk, le nombre de rues des « Soviets » ou de l'« Armée rouge » choquait tout le monde depuis longtemps, et on s'étonnait courageusement dans *Krokodil*[18] qu'il y ait une trentaine de villages du nom d'« Octobre » dans le pays. Mais, au grand jamais, on n'abordait l'aspect idéologique de la question. Et pourtant, c'est bien soudainement que la vie derrière l'habitude s'est révélée insupportable, et qu'un jour le débat autour des toponymes a resurgi. Ce débat qui a contribué à élargir l'espace de liberté d'expression octroyé par les autorités...

Moscou, septembre 1987, réunion du club *Perestroïka*. Je ne me souviens pas du thème principal, ce devait être la discussion d'un projet de loi promulguée depuis et déjà oubliée. Le débat s'est animé au moment des « questions diverses ». On a lu à l'auditoire une lettre collective

---

18. Journal satirique.

adressée au soviet de Moscou au sujet du quartier Brejnev : ses habitants ne voulaient plus de ce nom. Il y avait d'abord une brève description du personnage qu'était l'ancien secrétaire général, d'ailleurs très retenue, si on la compare à tout ce qui s'est dit par la suite. Cette information a dégénéré en une discussion tumultueuse sans que personne d'ailleurs prenne la défense de Brejnev.

— Camarades, il ne faut pas réduire la *perestroïka* à des changements de noms ! Nous allons y gaspiller toutes nos forces [...]. Les vingt ans de pouvoir de Brejnev, ce sont vingt années honteuses, et le nom de ce quartier nous empêche de les oublier !

— Oui, mais ceux qui l'habitent ?

— Je propose de faire de ce nom une punition que l'on décernera chaque année au quartier qui sera le dernier dans la compétition socialiste ! *(Rires.)*

— Citoyens, quand le quartier Čeremuški est devenu « Brejnev », tout est devenu « Brejnev », dans le quartier : la place, le comité du Parti, la direction des affaires sanitaires. Seul le marché a gardé son nom. Je propose que le quartier redevienne Čeremuški et que le marché s'appelle « Brejnev » *(applaudissements enthousiastes)...* et qu'au centre, comme monument de la honte, on mette la statue de Brejnev !

— Camarades, mais il y a encore la ville de Brejnev !

— On en viendra à bout aussi !

Il n'y eut pas lieu de lutter, car six mois ne s'étaient pas écoulés que le gouvernement avait déjà rendu à la ville et à sa région leur ancien nom. Quelques mois plus tard, on voyait dans un cinéma de Moscou un groupe de rock danser sous le portrait de Brejnev. S'agissant de ce dernier, le débat semble clos. Mais la question des toponymes reste ouverte, car elle concerne de plus en plus de noms.

Et même à Naberežnye Čelny, anciennement Brejnev, tout le monde n'est pas satisfait : certains considèrent que le nom de Brejnev convenait beaucoup mieux à cette ville inhumaine des années soixante-dix, avec son usine automobile géante, que le joli nom de *Naberežnye Čelny* (« Les barques sur le rivage »)...

Au coin de la rue des Gendarmes et de la rue Engels

Mais qu'est-ce qui résiste donc tant à l'histoire ? C'est la mémoire. Pour elle, l'histoire peut être tout aussi dangereuse que l'habitude. L'histoire, c'est l'un de ses modes d'existence, mais qui lui impose ses décrets et ses lois. Dans les noms des rues et des villes se déposent les ordres sociaux successifs, les professions disparues, les noms de héros ou des personnalités illustres, les changements de régime. En ouvrant un plan d'Irkoutsk, je peux lire l'histoire du développement de la ville : la porte de Moscou, la rue du Séminaire, la rue des Nobles, la rue du Sauveur-des-Luthériens, la rue du Comte-Speranskij, la Grande-Rue, les rues des Soldats, la rue de la Colline-des-Artisans, la rue des Gendarmes, la rue des Forgerons. L'origine de ces noms n'est pas toujours évidente, mais pour quelqu'un à qui ces noms ne sont plus familiers, ils sont une raison et un moyen de plonger dans l'histoire. Même si aujourd'hui la toponymie est plutôt une discipline philosophique qu'historique : car c'est justement dans les noms de villes et de rues que la mémoire et l'histoire s'éloignent l'une de l'autre.

Une époque s'est immortalisée en remplaçant les précédentes, et en ne gardant que certains de leurs ancêtres comme témoins de leur grandeur passée. Il semble que seuls des gens totalement dépourvus d'humour, ou alors de méchants plaisantins aient pu inventer des noms comme : « kolkhoze Souvorov [19] », « théâtre du Flambeau-Rouge », camp de rééducation « Liberté », village « Barricades-Rouges », confiserie « Karl-Marx », sans parler de l'« impasse du Communisme »... Mais il faut savoir que ces gens ne pouvaient pas plaisanter, que de telles plaisanteries auraient été trop lourdes de conséquences. Je ne pense pas non plus qu'il s'agisse là d'un manque d'humour. Simplement, les notions de « communisme », de « rouge », les noms de chefs politiques et de martyrs échappaient à la

---

19. Chef de guerre russe (1729-1800). Il a combattu les Turcs, les Français et mis fin à la révolte de Pougatchev.

87

sphère de l'humour : ils étaient les symboles d'une époque qui se considérait comme l'étape suprême, l'aboutissement de l'histoire, comme le résultat immortel de l'action accomplie. Et pour ces gens qui communiaient avec l'esprit de l'époque, chaque acte, chaque mission remplie, chaque mot était autant de voies possibles vers l'immortalité. Mais l'immortalité et l'humour sont deux notions qui s'excluent.

L'époque était suffisamment sûre d'elle-même pour disposer du passé au même titre que Démiurge et, comme lui, pour organiser l'avenir. Le Futur s'écrivait avec une majuscule, le passé avec une minuscule, mais la grandeur de l'époque elle-même n'était pas quantifiable. Aussi la vie quotidienne, le moindre événement avaient-ils le droit absolu à l'immortalité. Gatchina devint Trotsk puis Krasnogvardejsk (Garde-Rouge), après le bannissement de Trotski. Elisavetgrad s'appellera quelque temps Zinovievsk, puis Kirovograd après le 1ᵉʳ décembre 1934. Après l'assassinat de Kirov apparurent non seulement Kirovograd, mais Kirovgrad (anciennement Kalita, dans l'Oural) et toute une génération d'homonymes de toutes nationalités.

Des collectifs d'usines, des fabriques et des villes demandaient qu'on leur décerne des noms ou bien que l'on change ceux qui existaient, et les autorités acceptaient ou prenaient sur elles d'inscrire sur les cartes des noms nouveaux en supprimant les anciens.

Les spécialistes en toponymie appellent ce phénomène le « modèle du culte », en soulignant que le culte était la raison d'être et le but de cette activité, et que les noms de famille étaient devenus la norme pour les villes. Mais à l'origine il ne s'agissait pas d'usurper une place dans l'histoire : l'époque avait des caractéristiques plus universelles que ces cultes.

Le monde s'était écroulé. Il s'était enfin écroulé pour ceux qui rêvaient de créer un monde nouveau, mais il s'était écroulé aussi pour ceux qui avaient la nostalgie d'un monde ancien. Il s'était écroulé de la même façon pour ceux qui n'avaient jamais pensé à tout cela, mais qui devaient maintenant survivre, ne pas aller à la dérive, bien que toutes les attaches familières fussent rompues. Et tous ces noms rejetés à la pelle évoquent moins l'idolâtrie que l'exorcisation d'un monde étranger. Tout le monde avait besoin de se raccrocher à quelque chose, de remettre de l'ordre dans sa vie. C'est ainsi qu'un certain ordre s'est établi, organisant l'espace autour de certaines vérités incontestables. Et les symboles de la Révolution étaient synonymes de vérité.

Que l'on me pardonne cette longue citation, mais la paraphrase de ce document ne rendrait pas la mélodie et le rythme de cette époque :

RÉPUBLIQUE SOCIALISTE SOVIÉTIQUE FÉDÉRALISTE DE RUSSIE
Prolétaires de tous les pays, unissez-vous !
Décret n° 5 du Comité exécutif du Soviet des députés ouvriers et de l'Armée rouge de la ville d'Irkoutsk, pour la célébration du troisième anniversaire de la Grande Révolution d'Octobre : supprimer tous les noms de banlieues, places, rues, parcs, squares sus-nommés et les remplacer par les nouveaux :

BANLIEUES

Saint-Innocent : Lénine
Glazkovskoe : Sverdlov
Znamenskoe : Marat
Voznesenskoe : Zinoviev

PLACES

Tikhvinskaja : place de la IIIe-Internationale
Ivanovskaja : place du Travail
Uspenskaja (place de l'Assomption) : place des Décembristes

RUES

Grande-Rue : rue Marx
Rue de l'Amour : Rue Lénine
Rue Haute-de-l'Amour : rue du 25-Octobre
Rue Basse-de-l'Amour : rue du 4-Juillet (jour de l'entrée des bolcheviks à Petrograd en 1917)
Šalašnikovskaja : rue de la Révolution-d'Octobre
Ivanovskaja : rue Prolétaire
Rues de Jérusalem (10) : rues des Soviets
Rues des Soldats (6) : rues de l'Armée-Rouge
Rue des Casernes : rue du Soulèvement-Rouge
Salomatovskaja : Karl-Liebknecht
Rue du Comte-de-Kutaisi : Trotski
Rue de la Poste : Stenka-Razine
Rue de Jérusalem-Principale : rue des Communards
Uspenskaja (de l'Assomption) : Plekhanov

89

Ruelle du Théâtre-de-Canton : Communiste
Rue des Gendarmes : Friedrich-Engels
Rue des Cosaques : des Cosaques-Rouges
Rue du Sauveur-des-Luthériens : Lassalle
Rue des Nobles : rue des Travailleurs
Ruelle des Junkers : Rouge
Ruelle de Saint-Vladimir : des Travailleurs

Le président,
A. SCHNEIDER.

Le Secrétaire,
M. BUBLEEV.

Les dix rues de Jérusalem n'avaient pas été nommées ainsi par la communauté juive qui était pourtant assez influente, mais elles s'étaient établies peu à peu à la limite de la ville, derrière le cimetière orthodoxe de Jérusalem. En 1920, donc, la rue de Jérusalem-Principale est devenue rue des Communards, et les autres, rues des Soviets, numérotées de 1 à 10. Ayant vécu dans l'une de ces rues plus de vingt ans, je réalise à quel point ces noms sont entrés dans notre vie et dans nos mémoires. Quand, sous la pression des journalistes et de l'intelligentsia qui voulaient préserver l'originalité de la ville, on a décidé de changer les noms, la plaque « Rue Soviétique-Numéro-un » a été remplacée par « Soviétique », et les sept autres « Rue Soviétique » ont reçu des noms de militants révolutionnaires qui avaient un rapport avec la ville d'Irkoutsk. L'appellation les « Magyars-Rouges » est entrée durablement dans les habitudes moins par reconnaissance envers les Hongrois qui s'étaient battus en Sibérie que grâce à la poésie et à l'élégance du nom qui renvoie la mémoire à un fait historique noble et aux destins des internationalistes hongrois... La rue Trilisser a aussi été acceptée très facilement, grâce à la ressemblance phonétique de son nom avec le précédent, « Rue Soviétique-Numéro-3 ». Ce changement n'a pas pour autant beaucoup accru l'intérêt porté à ce révolutionnaire qui devint par la suite un des chefs de l'OGPU [20]. Un nom nouveau fut en

---

20. « Administration de la police d'État » de 1922 à 1934.

revanche très rapidement supprimé par les autorités elles-
mêmes, et avec la plus grande discrétion : elles avaient en
effet inconsidérément transformé la « Rue Soviétique-
Numéro-5 » en « Rue Bronstein ». Il faut dire qu'à ce
moment-là Trotski était déjà devenu un symbole révolutionnaire parmi d'autres, et que les détails de sa biographie
comme son véritable nom étaient oubliés des fonctionnaires. Ceux-ci, sans aucune malice, avaient donc donné ce
nom en l'honneur d'un homonyme. Quelqu'un ayant
remarqué la méprise, la faute fut vite réparée.

« RUELLE SOVIÉTIQUE »

Les autres nouvelles plaques sont toujours en place, mais
les gens continuent à appeler les rues par leurs anciens
noms, bien que près de vingt ans soient maintenant écoulés. C'est ainsi qu'il y a à Irkoutsk plusieurs « Rue Soviétique » numérotées, alors que dans un autre quartier
d'Irkoutsk il y a encore une vingtaine de « Ruelle Soviétique », ce qui est des plus commodes pour l'administration !
Je pense qu'il y a une rue des Soviets dans tout village qui
comprend au moins une rue. S'il y en a deux, c'est celle
qui est la plus grande, la plus centrale. Au village polono-
russe de Veršina, pas loin d'Irkoutsk (après la révolution,
il s'appela bien sûr Čorvona Veršina — « *rouge* »), il y a
trois rues : la plus grande, c'est la rue des Soviets. Il y a
aussi la rue de la Taïga et la rue de la Forêt. Les villageois
eux-mêmes ne les auraient pas nommées ainsi, et d'ailleurs
ils n'emploient pas ces noms, trop « littéraires ». Pour eux,
c'est simplement « là-bas, derrière la rivière », ou bien
« l'autre rue ».
La multitude et le caractère obligatoire des adjectifs
« soviétique » et « rouge » dans les noms géographiques sont
le signe le plus visible de l'attitude de l'époque post-
révolutionnaire envers les toponymes et envers la mémoire
en général. Les noms doivent être en premier lieu l'expression de la nouvelle époque, de la nouveauté soviétique. Tout

près du pôle Sud, il y a le plateau Sovietskoe ; les îles de la Révolution-d'Octobre, Bolchevik, Komsomolets et Pionnier forment l'archipel de la Terre-du-Nord, à deux pas du pôle Nord. La ville de Sovietsk (pseudonyme du Tilsit prussien créé il y a sept cents ans) a deux homonymes dans la partie européenne du pays, et à l'est, on a construit la ville Sovietskaja Gavan (Le Havre-Soviétique). Il y a dans tout le pays des Krasnodon, Krasnousolsk, Krasnotjurinsk, Krasnouralsk, Krasnokamensk, quatre Krasnoarmejsk et autres Krasno... (« rouge »). Et, bien entendu, les noms de famille immortalisés en noms de villes ne peuvent être que nouveaux. Le choix n'est pas si grand, parmi les noms nettement « idéologiques », soigneusement choisis et incontestables. Et ces noms perdent leur statut de lieux de mémoire, dans la mesure où ils renvoient davantage à des signes idéologiques du pouvoir qu'aux lieux qu'ils représentent. L'idéologie prend la place de la vie quotidienne ; la terre, les racines et la mémoire sont effacées du même coup. Et il faut souligner ce fait comme la seconde caractéristique de la toponymie existante. 375 rues de Donetsk, 336 rues de Gorki, 333 rues de Moscou ont des homonymes à Minsk qui ne compte en tout que 642 rues. Minsk est la capitale de la Biélorussie, Donetsk, une ville ukrainienne, Nijni Novorod, sur la Volga (aujourd'hui Gorki), a plus de neuf cents ans. Le tiers de leurs noms sont communs aux quatre villes ! Si une ville est divisée en quartiers, il y en a toujours un qui porte le nom de Lénine ; Octobre est pratiquement inévitable, de même que Sverdlov, Kalinine, Kirov et Kouïbychev[21]. Le plus important dans ce système, ce n'est pas le culte, mais ce pouvoir, ce système qui traverse la vie de haut en bas et qui englobe l'espace, l'État et l'idéologie, devenant tout et n'épargnant rien. (Remarquez au passage que l'uniformité des noms efface autant la géographie qu'elle supprime le passé.) C'est ainsi que la capitale de la Kirghizie est devenue Frounzé sans que quiconque ait pris garde au fait que la langue kirghize ne

---

21. (1888-1935) Militant bolchevik, commissaire de l'Armée rouge, membre de la fraction stalinienne.

possédait pas les sons nécessaires pour prononcer le nom moldave du célèbre révolutionnaire. Et comme on a affaire au système et au pouvoir, un autre principe se dessine dans cette uniformité des répétitions de noms attachés arbitrairement à leurs objets : celui de la hiérarchie. Au sommet, il y a bien sûr le pseudonyme Lénine, auquel il faut ajouter le patronyme Ilitch, donné à de nombreux kolkhozes et sovkhozes (« Les Préceptes-d'Ilitch », « Le Chemin-d'Ilitch », « Les Rêves-d'Ilitch », etc.). A l'étage en dessous, on trouve les noms dérivant d'Octobre et des anniversaires de la Révolution (« Les Quarante-Ans-d'Octobre »), de « soviets », « rouge », « radieux », « communiste » et un groupe de noms honorant les congrès du Parti, en général dans les campagnes. Dans ce groupe, il y avait un autre pseudonyme, Staline ; à côté de lui, Kirov, chef révolutionnaire et martyr ; un peu en dessous, Kalinine, le vieux sage. Environ cent cinquante noms dérivent de Kirov, une centaine de Kalinine, quarante de Kouïbychev. Cette hiérarchie s'est mise en place dans les années 1930-1940 : plus tard elle s'est complétée, sans jamais être remise en question. Quand Brejnev, Andropov et Tchernenko sont morts, ils étaient certes tous au même poste de secrétaire général, mais inégaux selon une sorte d'échelle non exprimée : leur deuil dura plus ou moins longtemps, et les changements de noms en leur honneur furent inégalement nombreux. Staline fut exclu de la hiérarchie en 1961-1962, et ce fut alors la suprématie du « Communisme ». Le nom de Jdanov tenait une place importante dans la hiérarchie, sans modifier le modèle établi. Des briques pouvaient être indifféremment ajoutées ou interchangées sans que l'édifice en soit ébranlé.

Cette hiérarchie rigide des symboles idéologiques suppose aussi une centralisation extrême. Cette organisation est étroitement liée au système des relations sociales, elle est entrée dans les habitudes, les intonations, les gestes. Le pouvoir actuel, dans un grand geste de générosité, supprime parfois tel ou tel nom. Les adversaires du « modèle du culte » exigent aujourd'hui qu'on le supprime d'un décret, d'une décision générale, et que l'on réorganise la toponymie selon des critères précis. Ce problème du « modèle du culte » remet en question toute la pyramide des noms, mais si les initiatives viennent du haut, celle-ci réapparaîtra inévitablement.

LA VILLE DE RYBINSK (ANCIENNEMENT RYBINSK)

Si l'on considère l'histoire comme un vecteur, les points correspondant aux noms successivement portés par une ville y sont autant de marques d'époques historiques :
Gatchina — Trotsk — Krasnogvardejsk ;
Elisavetgrad [22] — Zinovievsk [23] — Kirovograd [24] ;
mais aussi :
Rybinsk — Chtcherbakov — Rybinsk — Andropov — Rybinsk ;
Lugansk — Vorochilovgrad — Lugansk — Vorochilovgrad.

Dans les deux derniers cas, on voit le vecteur se transformer en cercle. Et ce n'est pas fini : l'étoile de Vorochilov, « le premier officier rouge », pâlissant rapidement aux yeux de la majorité éclairée, la restauration de Lugansk apparaît imminente.

Arrêtons-nous un instant sur Elisavetgrad — Zinovievsk — Kirovograd. Kirov ne fait pas l'unanimité. Pour certains, il est le symbole même de l'origine populaire du bolchevisme et la victime de la terreur stalinienne. Pour d'autres, c'est un criminel car un bolchevik, un des cofondateurs du régime stalinien. Pour l'instant, ces différences d'appréciation facilitent la tâche aux cartographes : les villes portant le nom de Kirov sont au nombre de cent cinquante environ. Et par quoi le remplacerait-on ? On ne peut pas toujours reprendre les anciens toponymes ; parfois la ville n'existait tout simplement pas. Parfois, ce serait tomber de

---

22. Ville de l'impératrice Élisabeth.
23. D'après G.I. Zinoviev, proche compagnon de Lénine, exécuté en 1936.
24. D'après S.M. Kirov, dirigeant du Parti à Leningrad où il remplaça Zinoviev ; assassiné en 1934, vraisemblablement à l'instigation de Staline.

Charybde en Scylla : si Kirovgrad dérange ceux qui conspuent le bolchevik, Zinovievsk à plus forte raison. Elisavetgrad ? Ce n'est pas mieux. Il n'est pas impossible que, pour une partie de l'opinion soviétique, les tsars deviennent un jour des martyrs, voire que l'impératrice Élisabeth soit un jour canonisée. Mais les Ukrainiens accepteront-ils le nom d'une tsarine russe — et que diront les républicains ?

Autre cas : Gjandža — Elisavetpol — Gjandža — Kirovobad, ville située en Azerbaïdjan. Là, le changement s'effectuera en dehors de toute référence à la Révolution : la ville de Gjandža a été fondée au VIIe siècle et elle a vu naître le grand poète persan Nezâmi. Il est vraisemblable que Vjatka (actuellement Kirov) reprendra, elle aussi, son nom, ainsi que Tver (Kalinine [25]), Nijni-Novgorod (Gorki) et Samara (Kouïbychev — indépendamment du jugement porté par les uns ou les autres sur ces personnages. Pourtant, il ne faudrait pas considérer que, procédant à ces restaurations, on *rend justice*, tout simplement. Les choses sont plus complexes. Cette « justice » est elle-même historique et, en tant que telle, elle comporte sa part d'injustice : choisir un nom, c'est en éliminer un autre, le mettre au rancart — encore et toujours au nom d'un « sens » de l'histoire.

Dernièrement, j'ai vu à la télévision un reportage sur un club de jeunes qui avaient choisi comme objet de vénération et d'étude Leonide Ilitch Brejnev. Initiative surprenante, beaucoup plus encore que celle des « jeunes staliniens » qui perpétuent la mémoire du « Père des peuples ». Brejnev, lui, n'a jamais été très populaire. Les membres du club « brejnévien » semblaient considérer leur héros avec une certaine ironie. Manifestement, ce personnage, ils l'avaient choisi pour aller à contre-courant. Ce n'est pas l'histoire officielle qu'ils défendent, mais bien davantage leur droit à disposer de leur propre mémoire, leur autonomie.

25. M.I. Kalinine, dirigeant bolchevik, président du Présidium du Soviet suprême de 1938 à 1946.

Deux facteurs — contradictoires, au reste — expliquent l'actuel courant de restauration des anciens toponymes. Le premier, c'est le rejet, aujourd'hui viscéral, de tout ce qui est imposé d'en haut. C'est ainsi que cela a commencé, d'ailleurs : les habitants de la petite Oudmourtie [26] n'ont jamais admis que leur capitale, Ijevsk, soit rebaptisée, d'autorité, Ustinov. Mais, par la suite, le désir de restaurer les noms anciens a pris une tournure davantage idéologique : il fallait supprimer les noms chargés d'opprobre, respecter le passé. Mais ce passé à respecter n'est pas le même pour tous. Et l'on en revient à ce problème du choix qui, nécessairement, implique une injustice.

A cela s'ajoute que le schéma officiel de l'histoire s'est désagrégé et qu'une multitude de schémas le remplacent, qui portent les stigmates de l'ancien : la tendance à la simplification et la conviction que seuls ses propres choix et valeurs sont les bons. Pour ce qui est des toponymes, on peut donc choisir, maintenant. Mais selon quels critères ? Les possibilités sont infinies, la sensibilité fluctuante : il n'y a pas si longtemps, la réhabilitation de Boukharine était considérée par l'intelligentsia comme une victoire sur le stalinisme — puis le voici à nouveau « réprimé » par les libéraux et les conservateurs en sa qualité de coresponsable de la « violence » d'Octobre. Les accusations portées contre lui concernent, aussi bien, Lénine lui-même. La haine de la violence est devenue un critère unanime, absolu qui, peu à peu, détrône le critère de « classe »...

Tsaritsine — Stalingrad — Volgograd...

Pour la plupart des Soviétiques, le nom de Staline a quelque chose d'outrageant — même si, pour beaucoup, il n'est pas exempt de grandeur. Mais *Stalingrad*, est-ce la même chose ? La place, le métro Stalingrad ne choquent pas les Parisiens : ce nom, ils le rattachent à une bataille, pas à un homme. Oui, mais tout de même : Stalingrad, c'est bien, littéralement, *La Ville de Staline* ; revenir, donc, de Volgo-

---

26. Une des seize républiques autonomes de la République fédérative de Russie, située dans le bassin supérieur de la Kama.

grad (création tout aussi artificielle) à Stalingrad, selon le courant actuel, équivaudrait, qu'on le veuille ou non, à une victoire idéologique d'un courant conservateur...

Voici donc qu'on se souvient que, jusqu'en 1925, la ville portait le nom de Tsaritsine. C'est un nom, bien sûr, qui sonne mal à des oreilles antimonarchistes. Et pourtant, il ne doit rien à Catherine II, ni aux non moins illustres Anne, Élisabeth et Catherine Ire : tout simplement, il vient de la rivière Tsaritsa (la Reine). Mais qui la connaît, cette rivière, à part ceux qui habitent sur ses rivages ! Pour tous les autres, Tsaritsine fleure bon la monarchie russe...

Alors, Tsaritsine, Stalingrad ou Volgograd ?

L'écrivain Iouri Bondarev a proposé que l'on rétablisse le nom de Stalingrad. Il en a même fait le cheval de bataille de sa campagne électorale. Il a été battu à plate couture — on sait bien que c'est un conservateur. Mais Mark Zakharov, lui, un homme à la solide réputation d'esprit libre, propose de choisir entre Tsaritsine et Stalingrad. La proposition de Bondarev suscite l'indignation, mais la sienne passe inaperçue...

Tsaritsine, Stalingrad ou Volgograd ?

La question suscite, avant tout, la perplexité. Dans une tribu, un homme peut porter plusieurs noms : un pour tout le monde, un pour les proches, un pour un cercle restreint. Mais une ville ne peut s'appeler en même temps Saigon et Hô Chi Minh. Les Vietnamiens ont bien essayé de considérer le Saigon américanisé et la capitale du Vietnam victorieux comme deux villes différentes — mais ça n'a pas marché.

Pologne

Le manoir, un conservatoire de l'idée nationale*

par Marta Piwinska

Résidence traditionnelle du propriétaire foncier, le manoir polonais, appelé *dwor*, est un symbole et une construction architecturale caractéristique. Mythe et institution de la vie nationale, il demeure indissociablement lié à l'histoire de la Pologne, dont il a, en grande partie, guidé le cours.

Le *dwor* constitua aussi une unité économique, vivant au rythme des travaux agricoles. Mais, avant tout, le *dwor* ce fut une maison.

Une maison familiale, mais aussi nationale. Le seul lieu où l'on gardait vivant le souvenir de la Pologne, où l'on vivait comme aux temps de l'indépendance. Mickiewicz disait qu'après 1794 « la Pologne est descendue dans l'abîme de la vie domestique ». C'est pourquoi le *dwor* polonais s'est forgé une personnalité distincte, qu'exprime cette devise, inscrite sur un *dwor* de Pecice : « Je suis un *dwor* polonais qui lutte vaillamment, et qui veille fidèlement. »

Durant les années 1795-1918, le *dwor* et l'Église formèrent les seuls lieux où les Polonais pouvaient se sentir « chez eux ». Au *dwor*, l'Histoire se mêlait à l'histoire familiale pour devenir le vécu individuel des enfants élevés dans le culte des pères et aïeuls insurgés, émigrés, ou forçats. D'ailleurs le *dwor* exerçait une telle pression que beaucoup se révoltaient contre lui. La gauche polonaise est en grande

---

* Traduit du polonais par Paul ZAWADZKI.

Dwor du XVIIIe siècle à Ozarow (région de Lodz).

Dwor baroque de Koszuty, région de Poznan (1557).

partie issue du *dwor*, ou des descendants de gens qui y ont grandi. En tant que lieu où la tradition était valorisée et rituellement inculquée, il n'était pas exempt d'hypocrisie. On a vivement critiqué les *dwors*. On les a aussi beaucoup aimés. Si ce n'est leurs habitants, du moins les bâtiments eux-mêmes éveillaient des sentiments chaleureux.

Le roman de mœurs nous montre un *dwor* sur le déclin. Rien de surprenant si l'on tient compte du fait que cette forme littéraire est apparue au XIXe siècle, époque où les *dwors*, déjà très affaiblis économiquement, géraient leurs domaines sous la forte pression des puissances occupantes visant à déposséder les Polonais de leurs terres. Mais jadis, les *dwors* étaient puissants, et la « Respublica » nobiliaire tire précisément son origine de là. L'économie manoriale, la campagne et le *dwor* constituaient les ressources d'une noblesse qui, fût-ce dans le nom de l'État, refusait rois et empereurs. Les *dwors* sont une clé importante de l'histoire de la Pologne. On ne saurait déchiffrer ses méandres sans connaître leur nombre et savoir ce qu'étaient ces vastes bâtiments blancs au toit en pente, avec, au-dessus de la véranda, un portique classique soutenu par des colonnes. Encore dans les années vingt, dans chaque campagne se dressait un *dwor* de ce type, que les paysans appelaient « palais ».

Les *dwors* différaient entre eux par la taille et la fortune, ils avaient six ou quarante pièces, mais tous se ressemblaient par le coloris et la silhouette. Ils relevaient du champignon et du Parthénon ; dans le paysage polonais, ils semblaient « naturels », comme s'ils avaient poussé là tout seuls.

Les anciens architectes appelaient « palais » un bâtiment à étages, contrairement au *dwor* qui n'en avait pas. En réalité, il est difficile de tracer une frontière nette entre les deux. Plus que l'architecture, c'est surtout la relation au bâtiment et le style de vie qui définissent leur différence. Lieu de résidence, le *dwor* abritait des gens qui s'occupaient de la gestion du domaine, fût-ce par l'intermédiaire d'un administrateur. Les palais, nombreux en Pologne, étaient des résidences d'été. Cependant dans les grands domaines, où s'élevaient parfois des palais plus somptueux que celui du roi, on trouve également un grand nombre de *dwors*, car, près de chaque campagne, habitaient régisseur, intendant, administrateurs. Ces *dwors* menaient un train de vie comparable à celui de la noblesse moyenne, propriétaire d'une ou plusieurs campagnes.

Dans les *dwors* modestes vivait la *szlachta zagrodowa*[1], noblesse parcellaire, qui, possédant peu de terre, la travaillait elle-même avec l'aide de trois ou quatre paysans, mais aussi parfois, toute seule. Elle conservait cependant les habitudes des élites, tombant rarement dans l'analphabétisme, prenant soin de l'éducation des enfants et... construisant des maisons dans le style du *dwor*, quitte à les couvrir de chaume.

Il existait enfin des villages « nobiliaires » qui ne se différenciaient pas des villages « paysans » par le niveau économique, mais par le style de vie et l'habitat.

Cet éventail, du palais à la chaumière, au sein de frontières fluides en amont et en aval, constitue une des caractéristiques du *dwor* polonais.

PATRIOTISME ET CLASSES SOCIALES

Comme tout objet traditionnel sacré, les *dwors* ont été critiqués souvent. En règle générale, les historiens polonais rendent leurs habitants responsables de la chute de l'État. D'autres soutiennent que les *dwors* ont donné à la Pologne des patriotes et des insurgés, qu'ils diffusaient la langue polonaise dans les campagnes, enfin que l'intelligentsia urbaine en est issue. En d'autres termes, les *dwors* auraient préservé l'*identité nationale*. On ne jugera pas ici des fautes et des mérites respectifs du *dwor*. Il est en revanche certain que la vieille « Respublica » d'avant les partages, la Pologne sarmate[2], cette formation unique de l'ancienne

---

1. Petite noblesse proche de la condition paysanne. *[NdT.]*
2. Le sarmatisme qui apparaît au XVIᵉ siècle et connaît son apogée au XVIIᵉ est à la fois idéologie politique (refus du pouvoir central et suprématie nobi-

Europe, fut une création politique et économique des habitants des *dwors* et en particulier d'une noblesse moyenne nombreuse et économiquement forte qui, dès la fin du XVIᵉ siècle, s'est lancée dans l'exportation du blé vers l'Occident, *via* la Vistule et Gdansk. Elle s'est mise en relation avec le marché mondial en tant que formation agraire, ce qui explique que nos élites culturelles et économiques se soient installées de façon durable à la campagne.

L'État polonais a disparu en 1795, mais la terre est restée aux mains de cette noblesse terrienne qui, par-delà les trois tronçons de la Pologne partagée, conservait une cohérence interne, une culture, des coutumes et un style de vie communs. La noblesse qui, au cours des siècles, a construit sa « Respublica » contre le despotisme d'un pouvoir central, s'est trouvée sous la domination des souverains de la Sainte-Alliance. Au cours de la captivité, l'héritage sarmate de l'antidespotisme se change en patriotisme, la lutte des nobles pour leur liberté se confondant avec la lutte pour la liberté nationale.

Les poètes romantiques sont précisément issus de la noblesse parcellaire, couche la plus modeste de la noblesse. Les parents de Mickiewicz ont habité un *dwor*, Norwid et Kosciuszko [3] y ont grandi. Certains artistes ou hommes d'État particulièrement vénérés ont reçu un *dwor* en hommage : c'est le cas de Konopnicka, Matejko, Pilsudski [4].

---

liaire), style de vie, culture intellectuelle et mythe des origines mégalomane de la noblesse polonaise, conférant à la « nation des nobles » une généalogie (mythe de la Sarmatie et des Sarmates) distincte de celle de la masse des paysans. *[NdT.]*

3. K. Norwid (1821-1883), un des grands poètes romantiques polonais. T. Kosciuszko (1746-1817), général, héros de la guerre de l'Indépendance des États-Unis, chef de l'insurrection de 1794. *[NdT.]*

4. M. Konopnicka (1842-1910), poétesse, auteur de nouvelles et représentante de la littérature polonaise pour enfants. J. Matejko (1838-1893), peintre de Cracovie, puise sa thématique dans les grands moments de l'histoire polonaise. Expression artistique du développement de la conscience nationale polonaise au XIXᵉ siècle. J. Pilsudski (1867-1935), une des principales figures à l'origine du Parti socialiste polonais et fondateur des célèbres Légions qui ont combattu pour l'indépendance. Maréchal et premier chef d'État polonais après l'indépendance jusqu'en 1922, il revient au pouvoir à la faveur du coup d'État de 1926. Le « second Pilsudski » représente l'évolution du régime politique, du système parlementaire vers la dictature des officiers. *[NdT.]*

Ce qui témoigne de la conscience qu'on avait du rôle national du *dwor*.

En ce qui concerne le rôle des *dwors* des confins orientaux, les points de vue diffèrent. Leurs défenseurs en faisaient les « remparts de la chrétienté » contre les Turcs, les Tatars, l'« Asie ». Ils invoquaient la mission civilisatrice des *dwors*, leur mise en culture des « champs sauvages ». D'un autre côté, il était question de leur rôle quasi colonial. Plus tard, ces grands domaines des confins firent couler le sang à flots. Les paysans haïssaient les habitants des *dwors* et des palais dont ils étaient séparés socialement et culturellement, haine qui s'étendit et finit par englober toute la Pologne. Les *dwors* des confins sont à l'origine de ce lien tragique entre « Polonais » et « seigneur ».

Les puissances occupantes ont adroitement manipulé les paysans pour étouffer les insurrections polonaises. Déjà, dans les années 1770, la Russie utilisait son or ainsi que les popes ukrainiens pour soulever le peuple contre la Confédération de Bar[5]. Lors de l'insurrection de 1846, le gouvernement autrichien payait les paysans par tête de cadavre noble — non seulement celle des insurgés mais aussi celle des membres de leur famille et enfants. De même en 1863, la Russie a utilisé les paysans contre les insurgés. La question paysanne était soulevée par chaque insurrection, mais les instances dirigeantes de l'insurrection n'avaient pas les moyens politiques de concrétiser leurs projets, ni de les propager.

La noblesse était consciente de ses péchés de classe. Dans la description d'un *dwor*, j'ai trouvé l'histoire d'une tombe d'insurgés de 1863, qui avaient juré qu'en aucun cas ils ne prendraient les armes contre des paysans polonais et qui ont été cependant attaqués par ces derniers. Ces pages terribles font aussi partie de l'histoire des *dwors* polonais.

---

5. Soulèvement de la noblesse (1768-1772), contre le roi Stanislas-Auguste Poniatowski (qui avait accepté le protectorat russe), les dissidents religieux et la Russie au nom des privilèges nobiliaires, de la religion catholique et de l'indépendance nationale. On considère parfois le soulèvement de Bar comme la première manifestation du nationalisme polonais moderne. Il fut suivi du premier partage de la Pologne. *[NdT.]*

Dwor de la région de Kamieniec Podolski (aujourd'hui en Ukraine) de la fin du XVIIIe siècle. Détruit en 1917.

Dwor de la région de Czermno aux proportions caractéristiques, avec un toit «polonais» et un portique de style néo-classique rajouté au XIXe siècle. (Photographié en 1900)

Mais en même temps, le *dwor* était un abri et un refuge. Pendant près de deux cents ans, à l'intérieur de ses murs — nécessairement blancs —, on a cultivé les traditions et éduqué des générations dans un patriotisme fervent. Le pays entier était soumis à la russification et la germanisation. Toute la vie officielle, l'école, l'administration se déroulaient dans une langue étrangère. Les symboles haïs des États occupants apparaissaient dans tous les espaces représentatifs de la vie publique. L'uniforme et l'administration, la presse, l'université — tout cela était soit non polonais soit anti-polonais, bien qu'il y eût des périodes de plus ou moins grande autonomie. Seuls le domicile et l'Église étaient polonais, donc fermement orientés contre l'administration, la presse, les gouvernements, l'école, la police, l'armée. Replié défensivement sur lui-même, le *dwor* devait protéger ses habitants, dans leur polonité, contre le monde entier.

Liquidés définitivement en 1945, les *dwors* avaient plusieurs fois été ruinés dans le passé. Perçus comme une forme précieuse, en voie de disparition, ils perduraient dans le paysage et l'économie. Déjà aux yeux des romantiques, le *dwor* semblait vieux, suranné, mais les *dwors* existaient toujours et l'on continuait à en construire d'autres. Détruits par les guerres, confisqués par les puissances partageantes, ils renaissaient après chaque catastrophe, conférant à la vie une dimension de stabilité, épousant le rythme éternel des travaux agricoles. Et c'est une autre caractéristique du *dwor* : l'entrelacement des luttes avec l'économie, de la poésie romantique avec le labourage et les semailles, l'Arcadie champêtre et les massacres paysans.

Le rôle du *dwor* constitue une des questions les plus importantes de l'histoire polonaise, aussi les évaluations le concernant ne manquent-elles pas de contradictions. Le *dwor* n'était pas une résidence d'été, où l'on fuyait la canicule des villes comme dans les pays méditerranéens. En fait, les propriétaires terriens affluaient volontiers en ville pour se reposer, en hiver, fuyant l'ennui, le froid, les pluies, et la solitude d'un *dwor* isolé des voisins par les neiges et la boue.

On débarquait en ville pour le carnaval, on y amenait ses filles pour les marier, pour passer des contrats, faire des procès, chercher des gouvernantes anglaises, françaises. En Pologne, comme en Angleterre, pendant de longs siècles la ville ne fut que le lieu où l'on « habitait ». La véritable maison, la maison avec des traditions familiales, où s'entassaient les livres, les tombes familiales et les souvenirs, cette maison était à la campagne.

LES *DWORS* APRÈS 1945

Dans l'histoire de la Pologne d'après-guerre, il est des questions beaucoup plus douloureuses que le destin des grands propriétaires fonciers, dépossédés, par la réforme agraire, non seulement de leurs terres, mais aussi de leurs maisons héritées de génération en génération. On a parcellisé sans dédommagement les propriétés dépassant 50 hectares, puis celles de plus de 30. Théoriquement la réforme permettait au propriétaire de conserver le *dwor*, à condition qu'il ne s'agît pas d'un palais ; elle ne concernait pas non plus les dépendances. En pratique cela se passait de diverses manières. Il est difficile de dire avec précision comment, car pendant de longues années le sujet ne fut pas abordé. On ne parlait que du rôle social et économique de la réforme agraire et du sort du paysan dont la Pologne « populaire » aurait permis la promotion. Quant à celui des « bezets » — « ancien propriétaire foncier » *(byle ziemianstwo)* —, expression utilisée juste après la guerre, personne ne s'y intéressait. Ce n'est que depuis une dizaine d'années qu'ils sont devenus objets d'étude pour les historiens et les sociologues.

Longtemps, ces propriétaires fonciers sont restés silencieux, et ce n'est qu'à partir de la fin des années soixante qu'il est devenu possible d'avouer son origine terrienne. Sans doute est-ce lié à la relève des générations. A partir des années soixante, ceux qui commençaient leurs études supérieures étaient déjà les petits-enfants des anciens propriétaires de *dwors*, remplissant généralement la rubrique « origine sociale » par « intelligentsia laborieuse ». Ceux qui quittaient *dwors* et palais dans les années 1945-1946 sont morts ou bien ont atteint un âge canonique sans avoir — officiellement — raconté leur histoire, ce qui ne signifie pas que celle-ci ne soit consignée dans les sagas familiales.

Il semble que les cas d'occupation et de pillage des *dwors* et des palais par les paysans eux-mêmes aient été plutôt rares. Parfois, au contraire, « lorsqu'en 1945 des gens armés sont arrivés afin de procéder à la parcellisation, certains paysans les ont accueillis à coups de ranches. Je connais un *dwor* qui resta aux mains de ses propriétaires uniquement parce que les paysans ont chassé les libérateurs [6] ». Tout dépendait, sans doute, de la nature des relations mutuelles. Dans la plupart des cas, les grands propriétaires fonciers préféraient rapidement déménager en ville, même lorsque la campagne leur était favorable. Ils ne craignaient pas tant les paysans que le nouveau pouvoir. C'étaient des exodes collectifs, car, juste au lendemain de la guerre, les *dwors* abritaient les réfugiés des grandes villes. Après l'écrasement de l'insurrection de Varsovie en 1944, les *dwors* des environs de la ville ont accueilli des milliers de personnes, leur offrant gîte et nourriture. Une des rares descriptions de cette période brosse le tableau d'une révolution plutôt douce. Après avoir quitté Varsovie, le ménage des Tatarkiewicz [7] s'est d'abord réfugié à Stawisk, le *dwor* d'Iwaszkiewicz [8], qui fut un lieu de transit de toute une partie de l'élite artistique et scientifique, puis finit par s'abriter dans un *dwor* près de Cracovie.

Avec, généralement, une éducation supérieure, les « bezets », après la guerre, ont intégré les rangs de

---

6. « ''Odcinanie korzeni'', z Maciejem Rydlem rozmawia Krzysztot Renik » (Le déracinement, entretien de K. RENIK avec M. Rydel), *Stolica* (« La capitale »), n° 2/1989.

7. W. Tatarkiewicz (1886-1980), philosophe, historien de l'art, auteur de la première histoire de la philosophie européenne en polonais. *[NdT.]*

8. J. Iwaszkiewicz (1894-1980), poète, romancier, essayiste, traducteur. *[NdT.]*

l'intelligentsia des villes, à laquelle ils étaient étroitement liés depuis un siècle.

Les grands propriétaires fonciers avaient envisagé l'éventualité de la perte de leurs terres. La réforme agraire fut votée trois fois par la Diète dans les années vingt, en 1919, 1920, 1925, définissant de diverses manières les dédommagements et les parcellisations progressives. Bien que sa réalisation rencontrât des résistances, celui qui exprime le mieux l'état d'esprit des grands propriétaires est un auteur issu lui-même de ce milieu. Grandi dans un *dwor*, propriété familiale depuis des générations, il écrivait avec nostalgie et un sentiment de fatalité : « Ces murs et la vie qu'ils contenaient devaient disparaître. La maison était construite sur la vie, c'est comme si cette vie se fanait, pourrissait, devenait relique. Elle n'était guère préparée aux temps qui s'annoncent. [...] La vie ancienne a disparu. Elle devait cesser. Je comprends. Mais je le regrette [9]. »

AUX MAINS DU PEUPLE

Les grands palais construits dans les années vingt ont une dimension « testamentaire ». Dans certains d'entre eux, on a encastré, comme des reliques, les vestiges épargnés — plaques commémoratives, chapiteaux, cheminées — des anciennes bâtisses détruites aux confins orientaux. Tous s'efforçaient de se donner une allure « polonaise », « indigène » — leur architecture et ornement devaient témoigner de l'excellence des familles et de leurs mérites historiques pour la nation. « Les grands propriétaires fonciers dans les années vingt étaient particulièrement soucieux de maintenir le *dwor* en tant que symbole de ce que la Pologne avait de meilleur et de plus noble [10]. » La littérature et la

---

9. M. WANKOWICZ, *Szczeniece lata. Wstep do powiesci* (« Les années de gamin. Introduction au roman »), Varsovie, 1957 (1re éd. 1934).

10. T.S. JAROSZEWSKI, « Koniec feudalizmu ? » (Fin du féodalisme ?), in *Sztuka dwudziestolecia miedzywojennego* (« L'art des années vingt de l'entre-deux-guerres »), Materialy Sesji Stowarzyszenia Historykow Sztuki z Pazdziernika

peinture accompagnaient ces tendances : beaucoup de romans de cette époque traitent de la vie du *dwor*, écrits sur le mode d'un tendre adieu. Ce monde qui disparaissait prenait soin de laisser un bon souvenir. D'où un grand nombre de fondations qui transmettaient les palais familiaux, les collections, les bibliothèques à la société.

Longtemps, la Pologne populaire s'est assidûment efforcée de détruire cette mémoire. Du reste elle s'y employait ouvertement en accord avec son nouveau nom et ses principes. L'école, l'université, l'art et la science cherchaient, dans la tradition critique, des armes contre le *dwor*, contre les grands propriétaires fonciers et leur généalogie nobiliaire.

La Première Guerre mondiale et la révolution d'Octobre ont provoqué la destruction de milliers de petits *dwors* et de palais, surtout de palais, car à l'Est, les propriétaires des confins étaient les plus riches. Lorsque, dans les années vingt, l'opinion occidentale progressiste accueillait la révolution avec espoir, quelques milliers de propriétaires terriens, qui réussirent à sauver leur vie en fuyant les palais ou les *dwors* de Podolie, de Volhynie [11] ou d'Ukraine, se réfugièrent en Pologne dans des conditions aventureuses. Ces latifundiaires, soudainement appauvris, racontaient les massacres mais aussi les destructions de maisons, les feux de camps militaires allumés avec des meubles Empire, les rues pavées de volumes des bibliothèques. Les grands propriétaires n'étaient pas les seules victimes de l'horreur.

Écrivain très critique à l'égard des péchés de la noblesse, Stefan Zeromski [12], qui avait à l'époque une immense autorité, reprenait souvent l'image du *dwor* détruit par la révolution. En décrivant les *dwors* tels qu'ils étaient — et ils étaient délicieusement confortables, pleins d'une chaleur

---

1980 (Actes de la session de l'Association des historiens de l'art d'octobre 1980), Varsovie, 1982, p. 223.

11. Régions situées entre Lvov et Kiev, aujourd'hui à l'ouest de la République ukrainienne d'Union soviétique. *[NdT.]*

12. Stefan Zeromski (1864-1925) fut, au tournant du siècle, un des représentants du modernisme polonais (« Jeune Pologne »). *[NdT.]*

familiale —, il voyait leur inévitable destin. Ce paradis bucolique est doublé de la misère paysanne, d'injustice et de vengeance. Le *dwor*, bien qu'il s'apparente à une arche merveilleuse, a conservé d'étranges et de vieilles vertus, il doit disparaître. Il en voyait le tragique ; c'est pourquoi il cherchait des solutions évolutives. En Pologne populaire, il inspira la transformation des *dwors* en écoles.

Cela se révéla assez peu commode, car les bâtiments d'habitation se prêtaient mal à devenir des écoles. Après la réforme agraire, « [...] les bâtiments des *dwors* sont rarement devenus la propriété individuelle des agriculteurs ou des fermiers. On ne mettait pas un paysan à la place du propriétaire dépossédé. Le plus souvent, les *dwors* furent transformés en écoles, exploitations agricoles d'État (PGR), services psychiatriques d'hôpitaux, services de désintoxication pour alcooliques ou toxicomanes. L'école en faisait usage jusqu'au moment où le *dwor* tombait en ruine. Car l'instruction, traditionnellement pauvre, ne pouvait maintenir en état ces monuments ; même chose pour le secteur de la santé ou de l'agriculture[13] ». J'ai moi-même vu, dans les environs de Varsovie, un palais habité par des paysans paupérisés.

Officiellement, les biens des propriétaires fonciers sont passés aux mains du peuple, au service de sa santé et de son instruction. En réalité les *dwors* se transformaient en masures. La presse publiait des descriptions alarmantes de salles de bal devenues abattoirs ou porcheries, de laveries installées dans des pièces aux tableaux irremplaçables. Les *dwors* se dégradaient. Était-ce une vengeance de classe ? Ou bien, est-ce que les *dwors*, aujourd'hui revendiqués par la « culture » mais dont l'entretien était coûteux, constituaient une charge supplémentaire dont la campagne voulait se débarrasser au plus vite ? Lorsque l'eau commençait à s'infiltrer par le toit, que les champignons recouvraient les murs, le *dwor* ne pouvant même plus servir comme hangar, on en condamnait les portes et les fenêtres. Puis les autori-

---

13. Entretien avec M. Rydel, in *Stolica, op. cit.*

tés communales déposaient une demande pour un permis de démolition. Chaque *dwor*, en effet, est sous la protection d'un conservateur de voïvodie[14]. C'est généralement par une requête de ce genre que le conservateur en apprenait la ruine.

DESTRUCTION DES *DWORS*

La Première Guerre mondiale a dévasté les campagnes et les *dwors*, les fronts de la Seconde ont traversé plutôt les villes. C'est pourquoi *dwors* et palais, éloignés des villes, éparpillés dans les coins les plus reculés, furent en grande partie préservés. Mais détruits par la Pologne populaire : « Jusqu'en 1946, il existait en Pologne environ 20 000 *dwors* construits avant 1850 ; en 1972, il en restait à peine mille[15]. » Selon d'autres sources, parmi les 20 000 *dwors* existant après la guerre dans les frontières polonaises actuelles, 900 à 1 500 ont été épargnés jusqu'aux années quatre-vingt. Parmi ceux-là une quarantaine était aux mains des anciens propriétaires[16].

On ne sait quelle est la part de négligence et de mauvaise volonté délibérée de la part de l'État. Il semble que les « ruraux » — excepté en Grande Pologne — ne se soient pas approprié les *dwors* et l'État ne les y aidait pas spécialement. A la campagne, on construisait des maisons de la culture, on fondait des clubs, mais ceux-ci, habituellement, ne s'installaient pas dans les *dwors* — seule l'administration s'y établissait, tant que le *dwor* s'y prêtait.

La politique de l'État populaire fut équivoque à leur

---

14. *Voïvodie* : découpage territorial, département. *[NdT.]*

15. *Wiadomosci konserwatorskie. Biuletyn Stowarzyszenia Konserwatorow Zabytkow.* (« Informations des conservateurs. Bulletin de l'Association des conservateurs des monuments »), janvier-avril 1986.

16. Selon M. RYDEL, auteur de nombreux articles dans la revue *Ochrona zabytkow* (« La protection des monuments »), qui a constitué ses propres archives des *dwors* et qui fut l'initiateur de l'« Action *Dwor* » *[Akcja Dwor]* — appel aux témoignages et informations concernant l'état des *dwors* et leur mémoire.

égard. L'État se déclarait respectueux des traditions et du patrimoine culturel, mais les *dwors* constituaient une mauvaise tradition, une tradition embarrassante et rejetée. De longues années durant, les seuls qui s'en soient souciés furent les historiens de l'art, dont la voix, on le sait, n'est pas parmi les plus écoutées.

Un certain nombre de *dwors* sont devenus des lieux que l'on visite. Les *dwors* n'étaient investis par le pouvoir qu'à l'échelon communal, c'est-à-dire le plus bas. Le Parti et le gouvernement se faisaient construire des palais dans un style qui leur était propre. Sur le plan architectural, les moins perdants de la lutte de classes sont les palais des magnats, d'une architecture largement européenne. Les plus connus d'entre eux — Lancut, Nieborow, Kornik, ou Opinogora — remplissaient une fonction de représentation en tant que musées, salles de concerts, de congrès. Ces résidences étaient prises en charge par des ministères, diverses associations (notamment l'Union des écrivains). Les palais les plus récents, non utilisés, sont encore debout, résistant à l'épreuve de la pluie et de la neige, effrayants par leur massive stature. Ce sont les *dwors* modestes, surtout en bois, qui connurent le pire destin ; donc ceux qui étaient les plus caractéristiques, les plus vieux. Il en restait environ 130 et ils continuent de tomber en ruine bien qu'ils aient été classés sites et monuments historiques. L'intérêt porté aux *dwors* s'accroît ces derniers temps. Les historiens de l'art se dépêchent avant que les autorités communales ne finissent par les démonter jusqu'au dernier.

Sauver les *dwors*

S'il existe une information relativement précise sur les *dwors* détruits, situés au-delà des frontières actuelles de la Pologne, on ne sait quasiment rien de ceux qui le furent à l'intérieur.

Après la guerre, le premier inventaire des sites et monuments historiques fut effectué en 1964 par le Centre de documentation des sites et monuments. Le résultat de ces vérifications et classement rapides tient en un volume. Le deuxième, publié en 1971, contient déjà 17 cahiers, classés par voïvodies. Le troisième, datant de 1988, compte 49 volumes. Cette fois les critères retenus étaient plus larges, le recensement englobant aussi les monuments de la seconde moitié du XIXᵉ siècle, en cohérence d'ailleurs avec l'intérêt porté universellement à cette période. Ces inventaires, hélas, ne sont que ce que leur nom indique. On a recensé tous les monuments d'un territoire donné, qu'ils soient laïques, sacrés, économiques, urbains et ruraux. Aucun chiffre global, concernant toute la Pologne, n'a été établi.

Depuis quelques années, différentes tentatives sont faites pour sauver les *dwors*. Ainsi, en 1986, une modeste publication intitulée *Développement du tourisme en Pologne* [17] informait de la vente de trois anciens couvents, d'un moulin et d'une centaine de *dwors* plus ou moins en ruine. En accord avec les milieux polonais à l'étranger, il s'agissait de transformer les *dwors* en hôtels, maisons de repos, auberges ou maisons d'habitation, à condition que les futurs acquéreurs s'engagent à les restaurer selon les indications du conservateur. Le livre publie des fiches signalétiques retraçant brièvement l'histoire de ces *dwors*, de leurs habitants, avec une description des bâtiments, leurs dimensions, l'état de conservation, etc. Chaque *dwor* a sa photographie sur laquelle on voit souvent des vitres cassées, des fourrés d'arbustes et parfois du linge en train de sécher. Dans la rubrique « Propriétaire », on mentionne inlassablement « Trésor public représenté par la commune X », dans la rubrique « Usufruitier », revient le mot « manque [18] ».

---

17. *Développement du tourisme en Pologne*, publié par la section de Poznan du Centre d'information touristique *[Centralny Osrodek Informacji Turystycznej Oddzial w Poznaniu]*, sur commande du Haut Comité de culture physique et du tourisme *[Glowny Komitet Kultury Fizycznej i Turystyki]*. Il s'agit de la suite de l'action du XIIᵉ Forum économique de la communauté polonaise à l'étranger *[Polonijne Forum Gospodarcze]* du 6-7 juin 1986. Cette publication couvre 44 voïvodies et constitue la seule information synthétique très incomplète sur l'état actuel des *dwors* en Pologne.

18. Citations tirées de *Développement du tourisme en Pologne, op. cit.*

Les *dwors* n'étaient pas de grands monuments. De jolies maisons du baroque tardif ou du XVIIIe siècle, toutes ressemblantes, fondues dans le paysage, très gracieuses à nos yeux. En Pologne populaire, on a tenté, par la réforme agraire, de redistribuer les terres. Les anciens propriétaires fonciers furent écartés pacifiquement, mais pourquoi a-t-on silencieusement assassiné leurs bâtiments, sans que la société en prenne réellement conscience ? Quelles traces voulait-on faire disparaître, quelle mémoire effacer ?

LE FOLKLORE AU SECOURS DE L'ÉTAT

La Pologne des années vingt construisait ses pavillons d'exposition dans le style du *dwor* ; c'était sa carte de visite. Les grands palais « testamentaires », comme les petits *dwors*, respectaient ce style. C'était aussi l'habitat de prédilection de l'intelligentsia urbaine, et tant les villas que les petits bâtiments d'utilité publique étaient construits sur ce modèle. La Pologne populaire, par une politique culturelle copiée sur celle de l'Union soviétique où *narodnyi* signifie aussi bien « national » que « populaire », fit de ce folklore également sa carte de visite. Les élites russes étaient plutôt cosmopolites, la germanisation venant de la cour tsariste ; tant Dostoïevski que Tolstoï découvraient, pour le dire brièvement, les éléments nationaux premiers dans le peuple, d'où la glorification bien connue du paysan russe.

En leur temps, les romantiques polonais ont également essayé de lier le populaire avec le national. Il en est résulté des « écoles » poétiques singulières, ukrainienne et lituanienne. Le folklore « ethniquement » polonais ne leur convenait pas vraiment ; dans la mesure, bien sûr, où on peut parler d'un folklore pur au point de vue « ethnique ». Le ressourcement national dans le peuple fut peut-être moins impérieux en Pologne que dans les autres cultures du Centre-Est européen.

Dans la mesure de leurs possibilités, les *dwors* menaient une action d'instruction dans les campagnes. Célèbres

114

furent ces « demoiselles du *dwor* » qui enseignaient en cachette la lecture en polonais aux enfants des paysans.

Même si les participants des insurrections polonaises du XIXᵉ siècle racontaient avec amertume l'indifférence du *dwor* à l'égard de la question nationale, dénonçant son égoïsme et son encroûtement, il restait cependant, dans la conscience de ses habitants, l'unique institution ayant perduré d'une indépendance à l'autre. Bien que le *dwor* n'ait pas toujours été à la hauteur de sa tâche, son mythe, support de la polonité, persistait. C'est pourquoi la politique culturelle de la République populaire de Pologne fut ressentie comme particulièrement humiliante, et hostile à la tradition nationale, lorsqu'elle éliminait les *dwors*. Les articles et les lettres rapportant dans la presse des informations sur la destruction d'un nouveau *dwor* s'intitulaient « Le déracinement de la polonité » ; « Le déterrement des racines ». En Pologne populaire, le folklore, censé jouer le rôle d'enracinement traditionnel du nouvel État, n'était pas ressenti comme tel.

Non pas que cette « folklorisation » fût vexante pour le snobisme d'une intelligentsia issue des propriétaires fonciers. Des liens nombreux et complexes unissaient la culture du *dwor* à la culture populaire. Une coexistence séculaire à la campagne, nourrie de relations quotidiennes, explique que les propriétaires fonciers connaissaient mieux les paysans que les progressistes des villes. C'est la noblesse qui découvrit le folklore à la Renaissance, et les stylisations folkloriques étaient fréquentes dans les églogues du XVIIᵉ siècle. Les artistes romantiques et modernistes, ou bien d'avant-garde comme Stanislaw Wyspianski [19], le contemporain de Gordon Craig, vêtaient dans leurs mises en scène de théâtre les anciens rois de Pologne d'habits paysans. Avec raison, diraient sans doute aujourd'hui les folkloristes, puisque la culture populaire hérite souvent des anciennes formes, parfois médiévales, de la « haute » culture. Le prototype de

---

19. (1869-1907). Poète, peintre, auteur, metteur en scène et directeur de théâtre. Autre représentant (avec S. Zeromski) du modernisme polonais. *[NdT.]*

Petit dwor du XVIII^è siècle dans la région de Piotrkow, centre de la Pologne. État en 1984.

Dwor néo-classique dans la région de Radom (Pologne centrale). Photo prise en 1977 avant sa démolition.

notre actuelle « Cepelia » (magasin d'État de produits folkloriques) tire son origine des années vingt.

La culture populaire est certes connue et appréciée, mais la culture polonaise ne tire son origine ni ne se réduit au folklore. Cette « folklorisation » a incroyablement appauvri notre tradition. Elle a rejeté la tradition sarmate, formation culturelle unique en Europe, et peut-être injustement condamnée par tous les courants de la pensée rationaliste. Mais ce que l'intelligentsia a ressenti comme le danger le plus grave fut la rupture des liens avec la culture savante européenne que les *dwors* ont entretenue avec peine pendant des siècles, ne serait-ce que par snobisme.

En détruisant les *dwors*, le régime rompait avec cette tradition « seigneuriale » des relations de la Pologne au monde dont témoignaient l'architecture des *dwors,* leurs bibliothèques, leurs collections historiques. L'éducation supérieure, la connaissance des langues étrangères, les bonnes manières à table, tout cela était plutôt mal vu, surtout dans les années staliniennes. A l'inverse le style de mœurs « bolchevik » choquait profondément la tradition de la « vieille intelligentsia ». Cela peut paraître risible, mais les conflits de classe s'exprimaient dans la manière de tenir sa fourchette, dans la faculté de mener une conversation... Si la révolution — le stalinisme polonais — fut plutôt douce, la destruction des *dwors* et de leur culture, en particulier leur sociabilité, eut pour effet une certaine brutalité dans les mœurs et une dégradation morale. Le retour des anciennes valeurs de la culture terrienne peut paraître pénible pour la gauche polonaise car il dissimule la réalisation effective de la réforme agraire, mais cette culture prend aujourd'hui sa revanche pour les douloureux coups portés à sa fierté et au sentiment de sa propre valeur, éprouvés par les anciennes élites polonaises. Car, depuis le début, l'enjeu n'a jamais été la propriété mais la tradition, le *dwor* en tant que symbole.

INTELLIGENTSIAS D'HIER ET D'AUJOURD'HUI

Après chaque insurrection le *dwor* se repliait sur lui-même et léchait ses plaies. Il souffrait moralement et économiquement. Les meilleurs de ses membres étaient en prison, déportés, contraints à émigrer ou morts aux combats. Si le *dwor* passait — souvent à juste titre — pour synonyme de conservatisme, d'égoïsme de classe, d'impotence économique, d'existence réduite à sa répétition biologique, la cause en est sans doute cette sélection. Chaque génération sacrifiait à la clandestinité les meilleurs de ses individus, les plus ouverts sur le monde. Au *dwor* restaient les moins énergiques, les plus faibles, les moins éclairés. Ainsi que les femmes solitaires.

Les romans du XIXe siècle fourmillent en tableaux de domaines exploités par des femmes seules, en deuil. Ce sont elles qui sauvaient la terre de la confiscation, qui rachetaient des domaines par l'intermédiaire d'hommes de paille, qui élevaient leurs fils dans le culte des pères et de la patrie. Il est légitime, dès lors, de parler d'une féminisation de la culture polonaise, si ce n'est qu'elle ne s'est pas développée à travers les salons. Ainsi l'image de ces « mères polonaises » laborieuses, dont le courage nous est conté jusqu'à nos jours par certaines légendes de la littérature et des sagas familiales, remplace celle du sarmate fêtard d'un *dwor* fantastique.

Et comme généralement l'intérieur est géré par les femmes, dans certaines maisons d'aujourd'hui on peut lire la mémoire du *dwor* — entretenue consciemment par des portraits, des photographies, des meubles épargnés, des souvenirs, ou inconsciemment par le style d'aménagement, les tapisseries. Je pense que ce sont les femmes qui, au début de l'état de guerre (13 décembre 1981), ont repris les anciennes coutumes du XIXe siècle : les croix de fleurs composées en signe de protestation et de fidélité, le deuil national inspiré du modèle de 1863, le chansonnier domestique du temps des partages, les théâtres dans les maisons... Ces vestiges d'anciens comportements, ces répétitions à moitié rituelles reviennent dans les instants de danger. Et la collectivité ne perd pas son identité tant que cette mémoire profonde, invoquée dans les moments d'alarme, répond à l'appel par un geste rituel. Cependant cette tradition apparaît généralement dans sa totalité, imprégnée de ses anciens poisons.

L'intelligentsia polonaise de la première moitié du XXᵉ siècle provenait d'une paupérisation de la petite noblesse. Urbanisée, elle restait attachée par des liens familiaux et amicaux au monde de la propriété terrienne, d'où son caractère dilettante, de clan, de salon. D'où ce culte excessif des formes et son snobisme. Son idéal était l'« homme bien élevé » et non le spécialiste de la pensée, l'intellectuel. Peut-être n'était-ce pas un mauvais choix.

En Pologne populaire, s'est constituée une nouvelle intelligentsia. Les deuxième et troisième générations d'enfants de paysans peuplent massivement les grandes villes et surtout Varsovie. Ces deux intelligentsias se sont-elles fondues ?

Assurément dans des moments décisifs — pendant la création de *Solidarnosc* à travers la résistance commune après le 13 décembre 1981. Mais pas dans la vie quotidienne. Du moins, le processus de fusion s'opère lentement, avec des résistances. Peut-être est-ce parce que la « révolution » d'après 1945 a interrompu et freiné l'évolution amorcée dans les années vingt. Et ce, de part et d'autre. Car les partis paysans étaient alors puissants, tandis que le groupe des propriétaires fonciers sur le déclin se transformait en profondeur. En Pologne populaire, les « bezets » se sont fondus rapidement dans l'intelligentsia urbaine, mais leurs attitudes, leurs valeurs préférentielles, leur style de vie furent de nouveau renvoyés à la semi-clandestinité de la vie privée, où, cultivant leur ressentiment, ils s'éloignèrent de l'État. Mise à l'écart de la vie publique, cette formation culturelle ne pouvait se transformer ni se repenser. C'est pourquoi, aujourd'hui, des pans entiers des traditions du XIXᵉ siècle, conservées telles quelles, interfèrent dans notre monde moderne. Ce conservatisme de la Pologne contemporaine non communiste, qui étonne parfois l'Occident, résulte de cette situation.

LE *DWOR* ET SES POISONS

Le *dwor* polonais sécrétait également son propre poison, d'autant plus dangereux qu'il était accompagné d'un grand esprit de sacrifice. Les petits *dwors* ont payé leur patriotisme de leur sang et de leur vie. Mais le type même de patriotisme en jeu était une réponse à une situation anormale, celle de la captivité. Les *dwors* étaient opprimés psychologiquement et économiquement, et humiliés, ayant une mémoire vive des massacres paysans, vivant sous la menace permanente de luttes fratricides à chaque insurrection.

Dans les mémoires, on lit que nulle part on ne s'amusait autant que dans les *dwors* polonais. Ces chasses, ces bals, ces promenades en traîneaux, ces soirées en barque sur l'étang du parc, ou en calèche dans les bois, sont décrits avec beaucoup de nostalgie. Les mémorialistes rappellent les noms de leurs chiens ou de leurs chevaux préférés, les arbres que l'on savait plantés par l'arrière-grand-mère, l'inoubliable parfum du *dwor*. C'est un aspect authentique. Lorsque nous lisons ces descriptions, surtout dans les réduits exigus et bruyants de nos grandes villes, nous sommes portés à croire que la vie du *dwor* était merveilleuse. Il n'en reste pas moins que le grand propriétaire demeurait dans son *dwor* en ayant toujours peur de tout : du fonctionnaire tsariste ou prussien, de l'impôt, de la perquisition, des paysans environnants et même de son propre fils qui ramenait des idées nouvelles de l'université. Il craignait également la pluie, la neige, la grêle, la sécheresse qui menaçaient tous les agriculteurs. Le *dwor* considérait l'hospitalité comme sa vertu cardinale tout en étant défensivement replié sur lui-même ; il s'isolait du monde en constituant le nid de la xénophobie polonaise. Et il est vrai que la culture polonaise sans écoles, sans universités, fondée sur l'éducation dispensée à la maison, s'amenuisait dans les *dwors*. La littérature et l'histoire nationales devenaient des cérémonies en hommage « à notre malheureuse patrie » ; la plainte se substituait à la pensée, le réflexe rituel aux attitudes conscientes. Le *dwor* était méfiant, plein de rancœur et de complexes.

De plus, toujours trop faible économiquement et accablé de travail, il se paupérisait. Tel était l'envers de la tradition du *dwor*.

Parmi ses anciens poisons, la renaissance des attributs héraldiques et des snobismes nobiliaires est aujourd'hui le moins dangereux. Pires sont les orgies de haine antirusse, cultivée pendant des siècles ; la condamnation inconditionnelle de la gauche polonaise ; l'attention portée au rituel et non au concret — ces éternels débats polonais à propos des formes, des emblèmes, des fonctions, pour savoir si l'aigle doit porter une couronne ou non. Ce revanchisme d'une tradition humiliée et mise à l'écart, qui aspire à une visibilité nouvelle, oriente la pensée nationale vers l'arrière.

Dans l'univers du *dwor*, la hiérarchisation des valeurs était souvent simplifiée, manichéenne. La culture nationale souvent réduite à des stéréotypes, le patriotisme à des réflexes d'amour et de haine. Défensif et conservateur, le *dwor* polonais, comme modèle culturel, fut porteur de nombreux dangers. Un courant critique très sévère, mettant au grand jour les péchés de classe du *dwor*, l'a cependant toujours accompagné. Ce courant, cette « conscience de la culture polonaise » faisait contrepoids à l'autosatisfaction narcissique cultivée par le *dwor*.

UNE POLOGNE SANS *DWORS* ?

Les rêves des grands propriétaires terriens, inscrits dans les constructions « testamentaires », ne se sont pas réalisés. Les rêves de la gauche, concernant la transmission des domaines au peuple, se sont réalisés de manière grotesque. Les « maisons de la culture » socialistes ne pouvaient pas davantage remplacer l'espace symbolique du *dwor*. On ne crée pas de nouvelles institutions du jour au lendemain. En effet, leur sens symbolique et leur forme matérielle se créent lentement, sur deux niveaux en même temps : conscient et inconscient. La meilleure des maisons de la culture socialiste ne pouvait « occuper » qu'un niveau, celui de la conscience, ce n'était pas suffisant pour s'enraciner dans les imaginations. La mentalité du *dwor* persistait, conservée dans une attitude défensive. Il s'est produit un vide que la banqueroute de la « morale socialiste » a mis à nu. « Il est plus facile de détruire l'héritage traditionnel que de le reconstruire », écrit K. Mannheim. Ajoutant que, dans le vide créé par la destruction des institutions traditionnelles, s'engouffre la *propagande de masse.*

Face à elle, il n'y a pas de système de défense intérieure, car il n'y a pas de modèle alternatif à lui opposer. D'autant que la magie de la publicité, la vision du bien-être quotidien agissent violemment. Au bout du compte, nous voyons apparaître aujourd'hui une grande brutalité dans les relations interpersonnelles, un culte de l'argent, nu, tout à fait éblouissant. Bien sûr, pas dans toute la société, mais quand même. C'est précisément le résultat d'une transition à la modernité sans traditions susceptibles de consolider les normes intérieures du « moi » et de lui soumettre des phénomènes structurés hiérarchiquement. Pour le dire plus simplement, « il manque ce bagage qu'on a appris chez soi, dans la maison », comme disaient nos grands-mères. Ce qui peut, à l'occasion, expliquer cette option pour l'Église prise par l'opposition polonaise, qui étonne parfois les Occidentaux. Ici, l'Église reste en effet la dernière « maison » de la tradition collective. Un trop grand gouffre de temps nous sépare du *dwor* pour qu'il soit possible de transformer cette tradition, de la sublimer et de la préserver pour notre monde. Ce demi-siècle n'a pas seulement détruit le *dwor* matériellement, il en a aussi détruit le mythe.

On ne saurait expliquer à un non-Polonais pourquoi *Monsieur Thadée*, le poème de Mickiewicz, cette épopée nobiliaire en douze volumes, décrivant quelques jours de la vie d'un *dwor* de Lituanie au début du XIXe siècle, est devenu notre livre sacré ; pourquoi ces cueillettes de champignons, festins, disputes, chasses, forêts, étangs, couchers du soleil sont inscrits en nous à la manière d'un archétype ; pourquoi ces vers éveillent le rire, les larmes, et deviennent une prière nationale, les jours de malheur. Leur seule beauté poétique n'explique pas tout. Je pense que toutes les cultures ont leurs livres sacrés, dessinant mystérieusement dans l'homme la carte de l'identité nationale.

Sans les *dwors*, nous sommes devenus en quelque sorte spirituellement *orphelins*. Bien sûr, il reste la mémoire. Sauf que la puissance culturelle des maisons réside dans leur configuration symbolique et matérielle. En lisant les inventaires des *dwors* tombés en ruine il y a dix ou cinquante ans, les descriptions restituant l'aspect des vérandas depuis longtemps pourries, les listes des meubles brûlés, les catalogues des bibliothèques fantômes et des porcelaines brisées, il paraît difficile de s'y sentir « chez soi ». Chaque maison détruite peut obséder, que dire alors d'une maison qui fut un mythe collectif ? C'est pourquoi je pense que la disparition des *dwors* est une catastrophe plus grande que ne le serait par exemple celle des *happy rural seats* anglais, auxquels toute l'Europe est attachée, une catastrophe silencieuse et incommensurable au niveau de l'inconscient collectif. Je ne suis pas une admiratrice de la tradition et de la mentalité du *dwor*, ce serait plutôt l'inverse. Mais je crains que leur destruction ne soit un préjudice difficile à réparer de ce côté-ci de l'Europe.

Hongrie

Les funérailles nationales d'Imre Nagy*

par Susan Greenberg

Imre Nagy, Premier ministre de la Hongrie pendant la révolution de 1956, a été enterré le 16 juin 1989 avec les honneurs publics, après que l'opposition hongroise eut mené campagne sur ce thème des années durant. Depuis trente et un an, Nagy et quatre de ses compagnons — Pál Maleter, Géza Losonczy, Jozsef Szilagyi et Miklós Gimes — reposaient dans des tombes anonymes, étiquetés par le régime Kádár, qui les avait remplacés, comme « traîtres contre-révolutionnaires ». Je me suis rendue à la cérémonie, curieuse de voir ce que cette « réinhumation » pourrait révéler du passé hongrois devenu un champ de bataille politique.

Enterrée vivante depuis une génération, l'entité est-européenne cligne des yeux et secoue ses membres ankylosés. La première explosion passée, elle doit encore réfléchir aux contradictions de son passé caché. Aujourd'hui, en Europe de l'Est, l'histoire conçue comme une thérapie reprend possession d'elle-même.

La Hongrie est fière d'avoir été à l'origine de la plupart des changements qui ont suivi ailleurs. Mais quelque chose n'apparaît pas dans la présentation des informations enregistrant la succession des événements — c'est la *peur* et l'appréhension que tout puisse finir par un désastre, comme

---

* Traduit de l'anglais par Isabelle TOTIKAEV et Sonia COMBE.

cela s'est souvent produit dans l'histoire hongroise. A mesure que le temps cimente le changement, cette crainte s'efface, mais le processus est bien moins rapide que ne le suggèrent les titres des journaux. Par une de ces ironies mordantes que réserve l'histoire, ce qui distingue la situation de 1956 de celle d'aujourd'hui, c'est la perception de l'Union soviétique : hier bourreau de la Révolution, elle se présente maintenant comme garant des réformes.

Depuis le mois de juin 1989, un nouveau club conservateur, le club « János - Kádár », s'est constitué en mémoire du dirigeant hongrois qui se retourna contre Nagy, prit le pouvoir en 1956 et présida à sa pendaison. Mais les milliers de personnes qui ont afflué aux funérailles de Kádár en juillet 1989 — soit un mois seulement après la cérémonie pour Nagy qui avait rassemblé 150 000 personnes sur la place des Héros — ne s'intéressent vraisemblablement pas à un tel club. Leur chagrin était suffisamment sincère pour être compris par les réformateurs qui désiraient éviter un simple renversement des rôles de martyrs et de « traîtres » communistes. « Nous devons rejeter toutes les horreurs passées mais nous ne devons pas rejeter une génération entière », devait dire Làszlò Nagy vice-directeur du musée du Mouvement ouvrier hongrois et organisateur d'une exposition en cours de préparation sur le stalinisme. « Les symboles du passé ont tous été remis en cause par les communistes, alors les gens pensent qu'ils sont tous bons », déclarait l'archiviste Iván Petö. « Nous devons apprendre à sélectionner. »

SUSPICION ET PRUDENCE

L'attitude de doute et de suspicion héritée du passé se présente sous différentes étiquettes. La première est une suspicion saine à l'égard de l'ancien régime communiste. Parmi les dissidents les plus anciens, le réformateur communiste Imre Pozsgay est en général considéré comme l'homme fort potentiel. C'est un acteur politique expérimenté et prêt à profiter de l'inexpérience de l'électorat pour accéder au pouvoir. Même dans les cercles moins cyniques, le ton est à la prudence comme en pareilles circonstances. La démocratie, pense-t-on, n'est pas assurée de s'imposer jusqu'à ce que le changement de personnel politique ait eu lieu sous la garantie de la loi, à l'occasion des élections libres mettant en lice plusieurs partis, prévues pour le printemps 1990.

« Ici, nombreux sont ceux qui prennent le chemin de Damas, vous ne pouvez pas leur faire confiance », dit Rudolf Ungvàri qui est à l'initiative d'un concours pour l'élévation d'un mémorial aux victimes de 1956 lancé par le Comité pour la justice historique. Ce sentiment est omniprésent. « L'expérience des gens simples est que les communistes sont des menteurs, dit le cinéaste Miklós Jancsó. Ils ont tous en mémoire la peur des méthodes communistes et hésitent à croire que ces derniers veulent vraiment changer. » Ferenc Koeseg, animateur du groupe d'opposition les « Démocrates libres », a souligné les difficultés à procéder à un changement effectif de la loi après quarante ans de pouvoir avec un système de parti unique. « Une génération d'hommes de la police politique est encore là », dit-il.

En juin 1989, bien des choses avaient déjà changé mais, malgré les révélations diffusées chaque soir par la télévision sur le passé du pays, le parti communiste refusait encore de laisser les historiens indépendants examiner la totalité de ses archives. « Le Parti admet avoir commis une multitude d'erreurs pendant ces années mais il n'admet pas que d'autres personnes participent à la dénonciation de ces erreurs », dit György Litván, historien, ex-prisonnier politique et membre dirigeant du Comité pour la justice historique. Dans son discours polémique prononcé à l'occasion de la cérémonie du mois de juin 1989, Victor Orbàn, dirigeant du mouvement de jeunes Fidesz [1], a employé des expressions aussi tranchantes que « le conflit de générations » : « Nous, les jeunes, [...] nous ne pouvons pas

---

1. Fidesz, Fédération des jeunes démocrates.

Un ancien détenu emprisonné en 1956 montre sa photo
lors des manifestations en juin 1989.

comprendre que les dirigeants qui ont fait en sorte que nous
étudiions dans des livres qui falsifiaient la révolution de 1956
se précipitent maintenant pour toucher les cercueils, comme
s'ils étaient des porte-bonheur. » Faisant allusion à Làszlò
Rajk, victime d'un simulacre de procès et dont la réinhumation en octobre 1956 marqua le début de la Révolution,
il déclara : « Souvenez-vous, le journal du Parti [de ce jour
— *NdR*] titrait : ''Plus jamais ça !'' Et dans les trois semaines, le Parti avait donné l'ordre à ses forces de sécurité de
tuer des gens sans défense... Notre but est d'empêcher les
autorités d'user de leur force contre nous, même si elles
étaient amenées à le souhaiter. » Son discours provoqua un
choc, mais il fut également le seul à déclencher des applaudissements.

UN NOUVEAU CONFORMISME POLITIQUE

Le doute et la peur relèvent d'une tradition plus ancienne
— l'expérience de l'histoire de la Hongrie comme un échec.

127

Les discussions à ce propos sont l'occasion de déferlements de jalousie à l'égard de la continuité historique d'autres pays, comme l'Angleterre, par exemple — qui a depuis longtemps apporté une réponse aux questions politiques fondamentales et qui n'a pas subi d'occupation étrangère depuis 1066 —, ou la Pologne, dont l'identité nationale et la tradition politique semblent mieux ancrées en dépit d'une histoire nationale des plus tristes. « Dans les pays d'Europe de l'Ouest, un changement de gouvernement n'est pas grave, dit Géza Jeszinsky, porte-parole du Forum démocratique hongrois et professeur d'histoire à l'université Karl-Marx de Budapest. En une génération, la Hongrie aura connu cinq ou six régimes fondamentalement différents. » Agota Joverne, auteur d'un manuel retiré aujourd'hui de la circulation qui présentait aux écoliers hongrois la « contre-révolution » de 1956, évoque ce sujet avec émotion : « Votre histoire (britannique) a mieux réussi. Vous n'avez pas besoin de faire preuve d'autant de doigté que nous. »

Lorsque le Parlement adopta une loi, avant la réinhumation de Nagy, supprimant la peine de mort pour crimes politiques, le ministre de la Justice rappela à l'assistance que quatre ministres hongrois n'étaient pas morts de mort naturelle. Selon Ungvàri, Nagy, dans le rôle de la victime, fut un héros hongrois typique. « L'unique grande chose qu'il fit fut de dire ''non'' à Kádár et il fut pendu, dit-il. C'était payer le prix fort mais c'est un signe d'indigence politique plutôt que de richesse. » Le magazine *Historica* de juin 1989 faisait sa couverture sur les funérailles des martyrs tout au long de l'histoire hongroise.

La nuit précédant les enterrements de juin, j'ai regardé la télévision hongroise avec mes amis, des gens aux vues libérales mais non engagés dans la vague d'activisme politique. La télévision montrait des « radicaux » du Fidesz manifestant en face de l'ambassade soviétique et criant : « Dehors les Ruskofs », un rassemblement de dirigeants du vieux mouvement scout interdit des années durant reprenant ses vieilles chansons, ainsi qu'Erzsébet, la fille de

Nagy, disant que la nation entière était contre le stalinisme... Mon ami Zsolt se sentait mal à l'aise, confronté au nouveau conformisme politique qui se fait jour et qui constitue le reflet de l'ancien. « C'est comme un pendule qui oscille d'un côté à l'autre, dit-il, les Hongrois ont du mal à trouver un équilibre. Je n'ai pas envie de tout voir retourner quarante ans en arrière. » Puis il me demanda : « Quelle est la différence entre un compromis anglais et un compromis hongrois ? Le compromis anglais est bon pour les deux parties mais le compromis hongrois est pire pour les deux ! » Il me parla de la mère de sa femme, une juive sauvée des camps hitlériens et d'une mort certaine à la fin de la Seconde Guerre mondiale par l'arrivée de l'Armée soviétique : « Maintenant, elle éclate en sanglots dès que nous parlons politique. » Les juifs sont en première ligne parmi les réformateurs et les dirigeants de l'opposition, mais la fraction la plus âgée de la population juive qui a survécu à l'antisémitisme hongrois et à l'occupation allemande a les pires craintes. « Ils pensent qu'après le départ de l'Armée russe, les Hongrois nous tueront, dit János Kòbànyai, directeur du nouveau journal laïque juif *Múlt et Jövö* (« Passé et avenir »). L'expérience leur a appris que tous les changements historiques se sont produits contre les juifs. » Mais Koeseg, juif lui-même, considère que de telles craintes relèvent d'une certaine myopie. « C'était pure chance que Kádár n'ait pas été antisémite. Il y a beaucoup de juifs parmi les partisans du changement. »

Il y a, à l'arrière-plan de tout cela, des préoccupations d'ordre matériel : soit la crainte terre à terre que l'économie hongroise s'en aille à vau-l'eau tandis que les Hongrois feraient joujou avec leur nouveau gadget politique, soit la crainte inspirée par l'introduction d'une économie impitoyable comprenant des éléments de marché, après des années de protection étatique. « Tandis que tout le monde parle d'histoire, le pays va à la banqueroute », avertit Làszlò Nagy. « La période n'est pas du tout propice à la culture, dit le cinéaste Béla Tarr. C'est l'époque des politiciens et des drapeaux ; viendront ensuite les hommes d'affaires. Dans dix ans peut-être la culture refleurira. »

Un monument symbolique

Le jour de la réinhumation d'Imre Nagy et de ses compagnons dominait comme un mélange aigre-doux de jubilation et de suspicion. La stupeur se faisait jour à intervalles réguliers. « Il y a six mois, on ne pouvait prononcer le nom de Nagy, maintenant son portrait est partout », dit Iván Petö, archiviste et membre des Démocrates libres. Un regard rapide sur la chronologie montre pourquoi. En 1984, György Krasso, qui fut détenu dans la même prison que Nagy et qui vit maintenant à Londres, donna une interview à *Survey*, une revue d'études Est/Ouest, à propos de la campagne visant à extraire la Révolution et ses participants de leur tombe « contre-révolutionnaire ». « Une réinhumation, concluait-il, est une perspective à long terme, improbable sans une grande pression sociale à l'intérieur du pays. » Lors d'un rassemblement public en février 1979, Krasso fut le premier en Hongrie à parler des événements de 1956 en termes de révolution démocratique nationale. Pendant des années, bien peu nombreux étaient ceux qui étaient prêts à parler de la sorte. En juin 1983, il participa à l'organisation de deux conférences sur Nagy, Maleter, Gimes, Losonczy et Szilàgyi, qui correspondaient à une sorte de commémoration — la première en Hongrie — depuis leur mort. Il s'exila peu après la fin de l'assignation à résidence que ses conférences lui avaient value. « Dans les années soixante et soixante-dix, l'opposition était maoïste ou communiste libérale et tout le monde s'accordait sur le fait que 1956 avait été une contre-révolution, me confia-t-il. Je leur ai dit : ''Vous êtes des gens intelligents, pourquoi ne lisez-vous pas vous-mêmes ce que Nagy a écrit ?'' Vingt ans après, les réformateurs ne parvenaient toujours pas à se remettre de leur défaite. »

La campagne prit son essor en juin 1988, lorsqu'un monument symbolique pour Nagy et ses quatre camarades fut inauguré au cimetière du Père-Lachaise, à Paris, sur une initiative de Tibor Méray, directeur de la *Gazette littéraire hongroise* en exil. Mais quand une petite manifestation se déroula cette même année à Budapest pour commémorer les morts, la foule fut encerclée par la police et plusieurs orateurs furent passés à tabac. Les familles des victimes de 1956 réclamèrent un nouvel enterrement mais elles se heurtèrent encore au refus officiel. En octobre, le nouveau dirigeant du Parti en place, Kàroly Gròsz, a insisté pour que leur réhabilitation ne soit même pas au programme. Puis, début 1989, la fille de Nagy annonça que l'on avait autorisé la réinhumation et Pozsgay laissa deviner les conclusions d'un rapport interne du Comité central qui redéfinissait la « contre-révolution » de 1956 comme un « soulèvement populaire ». Ce fut le point de départ du changement qui déboucha sur ce jour de deuil national en juin, et davantage encore.

A l'automne 1989, le parti communiste hongrois s'était lui-même transformé en parti socialiste et, avec son sens particulier des symboles, avait annoncé le retrait de toutes les étoiles rouges installées au-dessus des bâtiments officiels. En octobre 1989, l'une des premières démarches du nouveau Parti fut de critiquer l'Union soviétique pour avoir envoyé ses tanks écraser le soulèvement de 1956 et de se désolidariser de cette intervention. Le 23 octobre, jour anniversaire du soulèvement, le gouvernement déclara la Hongrie République indépendante plutôt que socialiste et décréta ce jour « Jour national des morts ».

Pourquoi la réinhumation de Nagy était-elle si importante ? L'année 1956 est gravée dans notre mémoire comme une date clé. Je suis née en 1956 et j'ai grandi bercée par les évocations de la tentative manquée de la Hongrie de conquérir sa liberté ; chaque fois que dans mes manuels scolaires je tombais sur cette date, je ressentais une fierté perverse à être née à une époque si troublée.

« L'objet du procès de Nagy était de montrer que le pouvoir ne tolérerait pas un affaiblissement du contrôle du Parti ni un relâchement des liens avec l'URSS, dit Krasso dans son interview accordée à *Survey*. Ils ont atteint leur objectif. Un silence de mort s'est abattu sur l'Europe de l'Est pour dix années de plus. Et qu'est-il advenu de la Hongrie ?

Le pays a sombré dans la torpeur politique. » Pour la Hongrie, 1956 est un véritable « événement politique », une question à vif, reprimée mais non résolue par des années de silence. Nagy en est un symbole. La façon dont il a été traité sur le plan humain, individuel a révolté le peuple hongrois. « Toute personne, même un criminel, a droit à des funérailles, c'est une chose élémentaire. En outre nous n'avons jamais accepté les accusations portées contre ces hommes », insistait Tibor Méray à l'issue de la réinhumation. Si la force de Nagy l'emporte sur ses faiblesses, même pour ceux qui, tel Krasso, portent sur lui un jugement critique, c'est qu'au moment décisif il refusa le marché offert par Kádár : un poste au gouvernement en échange de la dénonciation de la révolution de 1956. Il s'identifia aux désirs de la nation hongroise. « L'exécution de Nagy fut un choc pour tout le monde, il était un symbole, dit Krasso. La liberté et l'indépendance hongroises l'ont suivi dans sa tombe. »

La redéfinition récente de 1956 anéantit non seulement la crédibilité des kadaristes, mais aussi celle de tous les régimes communistes qui ont tiré parti de l'intervention soviétique, et posa la question : « Qui est le véritable contre-révolutionnaire ? » « La condamnation de 1956 était à la base de tout le système Kádár ; vous pouvez la trouver dans tous ses discours, me dit Krasso. C'était le dernier tabou à éliminer. » Le Comité pour la justice historique, qui a été à l'initiative des réinhumations, déclarait en janvier 1989 : « La Hongrie ne peut se considérer comme un État de droit tant que justice n'aura pas été rendue formellement à ceux qui ont été les innocentes victimes de [...] procès fondés sur des accusations inventées. » Les réformateurs à l'intérieur du parti communiste ont admis le bien-fondé de cette accusation, sachant qu'ils ne pouvaient poursuivre l'orientation politique incarnée par Nagy avant qu'un tel processus ne soit engagé. Ils avaient besoin des réinhumations pour renforcer leur propre base. Lorsque le parti communiste, conduit par des réformateurs, annonça, début juin 1989, la réhabilitation de Nagy au plan juridique, il déclara qu'il était devenu « le symbole de la politique socialiste de réforme ».

Au fil d'un débat politique aussi long qu'étouffant, le martyr se transforma en légende. « Nagy représente tout ce qui est soit très bon, soit très mauvais, dit Iván Petö. Tout ce qui s'écrit maintenant sur 1956 n'est pas de l'histoire mais de la politique. Dans les pays normaux, vous pouvez parler de politique, mais ici il faut en passer par un expédient tel qu'un enterrement. » Selon Tibor Méray, à Paris, « les passions ne sont pas si fortes ici parce que les libertés sont plus grandes. Mais deux cents ans après la Révolution française, les gens se demandent encore s'ils auraient dû décapiter le roi. En Hongrie, où pendant quarante ans il n'y a eu qu'une seule version de l'histoire, il est évident que les passions seront d'autant plus fortes que les objectifs de 1956 n'ont pas encore été remplis. L'avenir politique est ouvert, l'histoire l'est également ».

RÉFLEXIONS SUR LE PASSÉ

La réinhumation vient également prendre place dans un modèle hongrois de l'histoire politique. Les discussions s'orientent vite vers un débat interne sur les cent, deux cents dernières années, un inventaire de l'héritage qui a condamné la Hongrie à refaire alliance avec les vaincus pour regagner les territoires et les populations perdus après le traité de Trianon, en 1920, sur la fragilité des traditions qui ont permis à Hitler ainsi qu'à Staline d'exploiter les rivalités existant en Europe centrale et de remporter tous ces succès. « L'Angleterre du XIXe siècle était très forte en sciences politiques et économiques, mais en Europe centrale nous n'avons pas l'esprit aussi pratique. Nous étions forts en littérature et en histoire, les deux s'entrelacent ; l'histoire en tant qu'art et la littérature en tant que partie de notre histoire, dit Pèter Hanàk, chargé de cours à l'Institut d'histoire et professeur à l'université de Budapest. A de nombreuses reprises, seule sa mémoire a maintenu la cohésion des gens qui ont vécu des siècles durant sous la domination des Empires ottoman, autrichien et russe. Ils n'avaient ni gouvernement ni institution publique, mais ils avaient la poésie et l'histoire ; la publication d'un livre d'histoire était un grand événement pour la nation. Nous incorporons notre passé au présent ; c'est une grande tradition en Europe centrale. »

Milan Kundera, dans un essai stimulant publié en 1984 *(L'Occident kidnappé)*, a développé ce thème à propos de toutes les petites nations d'Europe centrale luttant pour préserver leur identité contre la menace de disparition. « Dans les révoltes d'Europe centrale, il y a quelque chose [...] de presque anachronique : elles tentent désespérément de rétablir le passé [...] de l'époque moderne. C'est seulement pendant cette période, seulement dans un monde qui entretient une dimension culturelle, que l'Europe centrale peut encore défendre son identité », écrivait-il. Pour une part, le combat consiste à situer les pays d'Europe centrale dans une vision de l'Europe qui les inclut. Pendant des années, ce débat dont sont nées les définitions d'une, deux, voire de trois Europes a été considéré par les Occidentaux comme une étrange préoccupation propre aux intellectuels du bloc de l'Est. Mais plus ce bloc se désagrège, plus les Occidentaux comprennent que cette question est actuelle ; plus le passé défile sur nos écrans de télévision, plus il devient présent pour l'Europe entière.

Beaucoup de Hongrois s'inquiètent de ce que cette préoccupation de l'histoire les détourne des problèmes courants. Mais ce souci du passé est également considéré comme un moyen de ne pas retomber dans les erreurs antérieures. Ce thème est apparu au premier plan dans la rhétorique du 16 juin. Dans son éloge funèbre, Béla Kiràly, général de l'armée hongroise passé du côté de la Révolution en 1956 et actuellement professeur d'histoire aux États-Unis, a déclaré : « Puisque nous enterrons maintenant nos martyrs, tirons les enseignements de leur vie... Celui qui ne peut pardonner ce qui devrait l'être répétera les erreurs et les crimes du passé. » Orbàn souligna, dans un message plus percutant, que le fait d'arracher au Parti son monopole du pouvoir est « le seul moyen d'éviter de nouvelles tombes, de nouvelles funérailles ».

L'histoire joue ici une fonction thérapeutique. Comme dans toute thérapie, le but est de résoudre une crise d'identité — celle du pays, dans le cas présent — en parlant ouvertement du passé, en se réconciliant avec lui. Pour beaucoup ce procédé aide à aller de l'avant. « Les gens étaient terrifiés avant l'enterrement de Nagy, ils pensaient que quelque chose de terrible allait arriver, dit Sándor Kopàcsi, chef de la police de Budapest en 1956 et ex-prisonnier politique, qui revint en Hongrie pour l'inhumation après quatorze ans d'exil au Canada. Maintenant [...] la nation se tient plus droit, les gens n'ont plus peur. »

« Il y a toujours eu des épisodes de l'histoire hongroise dont vous ne pouviez pas parler », dit Ákos Kovàcs, ethnographe qui a organisé une exposition sur les monuments aux morts de la Première Guerre mondiale — un sujet tabou avant le dégel libéral — et auteur, avec sa femme, Erzsébet Szirtes, de plusieurs livres sur la culture populaire hongroise. « Selon les théories freudiennes, les gens ont besoin de parler et de libérer leurs sentiments ; c'est comme laisser dire des gros mots aux enfants. Dans une bonne famille, on discute de tout. Notre travail a montré qu'on ne peut cacher le passé aux gens, parce qu'ils veulent savoir et que cela est important pour eux. » Litván met également l'accent sur l'histoire comme repère identitaire. « Une nation doit s'identifier avec son histoire et nous n'avons pas eu d'histoire propre ; la version officielle conduit à une impasse complète. Les jeunes n'ont rien, que des questions ou des problèmes. » La thérapie nationale, de même que sa contrepartie individuelle, exige que l'on nomme les événements. Cela met souvent en relief l'écart entre l'expérience officielle et l'expérience individuelle ainsi que les contradictions et les silences du discours public. « Il y a deux niveaux de culture, l'officiel et le populaire, dit le cinéaste Miklós Jancsó. La mémoire est redevenue ce qu'elle était avant l'existence de l'écriture quand la communication ne se faisait qu'oralement. Elle est plus primitive mais aussi plus collective... Elle soutient une vérité. ″

LES SILENCES DE L'HISTOIRE OFFICIELLE

Le « blanc » le plus grand depuis que les communistes ont pris le pouvoir à la fin des années quarante ne concerne pas 1956, mais les millions de personnes mortes en combattant du « mauvais côté » contre l'armée soviétique. « C'est comme si les victimes de la guerre n'existaient pas, dit Jancsó. Après 1945, les communistes ont traité toute la population comme des ennemis fascistes. » « Les Russes ont beaucoup pillé, tué et violé, comme n'importe quelle armée d'occupation, dit Miklós Melocco, un sculpteur qui, récemment, a beaucoup aidé à la restauration du monument aux morts du village de Màny. Presque tous ont le sentiment que le stalinisme était pire que le nazisme, même s'ils ne sont pas assez courageux pour l'avouer. Ma grand-mère en parlait mais elle ajoutait : ″Ne raconte à personne à l'école que je t'ai dit ça.″ » Dans de nombreuses familles, c'est souvent pour protéger l'enfant d'un mot imprudent prononcé devant l'espion de l'école que l'on n'a pas comblé les vides du discours officiel. « Le problème n'est pas que l'on aurait entendu une chose à l'école et une autre à la maison. Il est que l'on n'apprenait rien de sa famille, dit Joverne-Szirtes. Personne ne parlait de ces choses. Cette schizophrénie ne concerne pas spécifiquement 1956, mais également le traité de Trianon, le pacte soviétique avec Hitler... 1956 couronne seulement le tout. » Elle aussi évoque les souvenirs de famille : « La famille de mon mari est née dans un territoire annexé à la Yougoslavie à la suite du traité de Trianon, attaqué par la Hongrie en 1941. Mon beau-père fut enrôlé dans l'armée yougoslave, la Hongrie le fit prisonnier de guerre (POW [2]) puis les Américains le prirent aussi comme tel (POW). Son fils resta en Yougos-

---

2. Prisoner of War.

Première réunion de l'Association des prisonniers politiques, juin 1989.

lavie après la rupture des relations avec la Hongrie en raison du "titisme". C'est ainsi qu'ils ne purent se rencontrer avant 1955. Mon père était juif et mourut pendant la guerre. Très peu de familles ne furent pas touchées par ces événements. »

Le « blanc » concernant 1956 n'est pas seul, mais il occupe encore une place spéciale, en partie parce que les contradictions ne se concentrent pas seulement sur la confrontation de la Révolution et de la « contre-révolution » mais aussi sur 1956 considéré comme la confrontation d'un événement tragique et d'un événement joyeux. « Au début des années soixante-dix, Kádár tenta de se débarrasser du terme "contre-révolution", en lui substituant l'expression de "tragédie hongroise", dit János Kennedi, sociologue et depuis longtemps militant de l'opposition. Cette expression (qui est également le titre d'un livre de Pèter Fryer — S. G.) fut tirée de la littérature canonique de la Révolution... ce qui a facilité la sensibilisation des intellectuels occidentaux et satisfait à son comble leur moralisme. Mais si vous lisez les journaux et les émissions de radio de l'époque, c'étaient des jours heureux, euphoriques. Dans la mémoire des gens, c'étaient les jours les plus heureux de leur vie. » Zoltan Szabò, paysan et délégué local du Forum démocratique hongrois, qui a été à l'origine de la rénovation de nombreux monuments aux morts, fait écho à ce sentiment : « En 1956, les gens d'ici ont éprouvé un grand bonheur, ils participaient beaucoup aux événements. » Pour Ungvàri, un tel témoignage souligne pourquoi la reconnaissance des victimes de 1956 est si importante : « Nous avons souffert d'un grand décalage entre la réalité et la pensée qui n'a connu une trêve qu'en 1956. Ce fut alors pour nous un grand moment d'identification. »

Pour Kennedi, l'un des problèmes que pose la mémoire est celui du regard rétrospectif. Pendant des années, il a travaillé à l'édition des œuvres complètes de Zoltan Szabò, un écrivain hongrois qui a travaillé à Radio Free Europe de 1941 à 1973 et qui a commenté chaque journée de la Révolution hongroise en s'appuyant sur des sources anglaises et hongroises. « Il a écrit ses mémoires en mars 1957, comme quelqu'un qui savait dès le début que la Révolution échouerait, alors que ses commentaires quotidiens prouvent qu'il avait cru à la victoire », et il a fini par accepter la formulation canonique, dit Kennedi — qui pense que la réponse se trouve dans un long et minutieux travail de détective, en puisant dans les sources que l'on devrait maintenant ouvrir aux historiens indépendants. Et, bien que la version officielle des événements suscite un profond scepticisme, l'étranger ne peut encore qu'être surpris par le choc que la plupart des gens avoue avoir subi en entendant, avant la réinhumation, les révélations concernant la révolution de 1956 à la télévision ou en les lisant dans des livres vendus désormais dans chaque station de métro. D'une part, ils apprenaient des choses qu'ils ne savaient pas, d'autre part, des choses qu'ils savaient étaient dites haut et fort, aussi bien par les canaux officiels que marginaux. « Il y a quinze ans j'ai appris à l'université que 1956 était davantage qu'une contre-révolution, mais pour 90 % de la population

— et spécialement pour les membres du Parti — ce réexamen fut un grand choc », dit Làszlò Nagy.

Cela apparaîtra naïf à des Occidentaux. Simplement cette société n'était pas seulement sevrée d'informations mais construite autour de son propre ensemble de vérités acceptées, aussi fortes que celles de l'Ouest. Certains membres du Parti refusaient de se plier à l'évidence dès lors qu'elle entrait en conflit avec leurs croyances. A propos de la critique que fit un journaliste du journal du Parti, *Nepszabadsag*, sur son livre *Vie et mort d'Imre Nagy* (qui se vendit jusqu'au dernier exemplaire lorsqu'il fut publié pour la première fois en Hongrie en juin 1989), Méray note : « L'auteur [de cette critique — *NdT*] disait qu'il avait lu le livre lors de sa parution en Occident dix ans auparavant. Il avait alors pensé que je racontais des histoires. Maintenant il réalise que tout est vrai. » D'autres membres du Parti connaissaient la vérité et leur sentiment de culpabilité a considérablement pesé lors de la récente révolution de palais qu'a connue la Hongrie en 1989. « Pour les plus honnêtes des membres du Parti, l'exécution de Nagy fut un grand choc, dit Litván. J'ai des amis parmi eux. Ils ont senti qu'ils avaient du sang sur les mains même s'ils n'étaient pas directement responsables. Ils étaient membres du Parti et le Parti était responsable. Ils avaient réintégré le Parti après 1956. Pas moi. C'est pourquoi les gens comme moi sont allés en prison. »

LES FUNÉRAILLES DE NAGY

Mon expérience personnelle confirme le tableau décrit précédemment. Le jour précédant la réinhumation de juin 1989, j'ai observé les préparatifs sur la place des Héros. On accrochait les drapeaux deux par deux, un noir pour signifier le deuil et un drapeau national avec un trou en son centre en souvenir du drapeau des insurgés de 1956, un drapeau dont ils avaient découpé l'insigne communiste. Dans la soirée, je suis retournée dans un café proche du quartier général du Comité pour la justice qui organisait les obsèques. Là, un volontaire au teint fleuri, arborant la bedaine de l'âge mûr et des moustaches avenantes, avalait son premier sandwich. « Jusqu'à l'âge de trente ans, je ne suis jamais allé à l'étranger, dit-il entre deux bouchées. Nous vivions dans la terreur. Maintenant les choses changent vite. Un ami m'a dit un jour : "J'adhérerai au Parti seulement le jour où je pourrai marcher de la place Imre Nagy à la rue Pál Maleter." L'autre jour, je lui ai dit : "Tu ferais bien de te préparer !" »

Je me suis rendue aux funérailles avec mes amis et leur groupe auquel appartient Emil Horn, conservateur du musée du Mouvement ouvrier hongrois. Il tenait dans sa main un numéro jauni de *Magyar Nemzet* de 1957, dans lequel un compte rendu de son procès le décrivait comme le « Nagy provincial ». « Je vivais dans une ville à l'ouest de Budapest, près de la frontière autrichienne, et j'étais membre du comité local du Parti pendant la Révolution. Lors de l'invasion par l'armée soviétique, je suis resté pour aider à maintenir le calme. Les autres membres du comité qui s'étaient enfuis sont revenus et m'ont dénoncé. » Nous atteignîmes la place des Héros. A présent c'était une véritable marée humaine qui passait devant les stands où l'on vendait des badges de Nagy, des magazines, des livres et des bougies. Tandis que nous attendions dans la queue qui s'étirait autour de la place et que les gens patientaient pour déposer leurs fleurs devant les cinq tombes, des haut-parleurs diffusaient les noms des centaines d'autres prisonniers pendus pour avoir participé à la révolution de 1956. Leur âge et leur métier étaient aussi indiqués. La plupart d'entre eux, âgés de vingt à trente ans, étaient des ouvriers. La lecture des noms dura plusieurs heures. Ce cérémoniel jouait à l'évidence un rôle crucial pour le public qui désirait par-dessus tout la reconnaissance des victimes. Imre Mecs, autrefois condamné à mort, entraîna la foule dans un chant qui s'achevait par un poème de Sándor Petöfi, lu pour la première fois en public sur les marches du Musée national et qui marqua le début de l'échec de la révolution de

MAGYARORSZÁG MÁRTÍR MINISZTERELNÖKEI

GROF BATTHYÁNY LAJOS
1806 -1849

NAGY IMRE
1896 -1958

Carte postale émise lors des funérailles de Nagy, en juin 1989 :
«Deux anciens Premiers ministres martyrs».

1848 contre la domination autrichienne. « Au nom de Nagy, nous promettons [...] que notre nation se battra pour sa liberté et qu'elle ne se laissera jamais reprendre [...]. Venez, Magyars, votre patrie vous appelle ! Sommes-nous vraiment des esclaves ? Votre patrie vous appelle ! » Je remarquai à quel point les cercueils étaient légers lorsqu'ils furent portés au cimetière, remplis d'ossements sauvés de l'oubli et non de corps pesants comme ceux que l'on porte pour des funérailles normales.

Ce soir-là, la télévision hongroise montra les gens observant la minute de silence à minuit, et un jeune homme posa la question : « Je me demande ce que Gròsz a fait aujourd'hui ? » Un autre se plaignit de ce que « les Hongrois trouvent toujours quelqu'un à qui faire porter le chapeau — les Turcs, les Autrichiens, les Russes ». Un ami, qui effectuait son service militaire, me dit plus tard que tous les hommes de son unité avaient été consignés dans leurs quartiers pour la journée, en dépit des affirmations de l'armée publiées dans les journaux selon lesquelles elle considérait ce jour « comme un autre ». « On nous a pris les postes de télévision, puis de radio », précisa mon ami. La peur a la vie dure.

CIMETIÈRES ET MÉMORIAUX

Le lendemain, l'association des prisonniers politiques nouvellement constituée distribua des cartes à ses adhérents au théâtre Yurta, un lieu où se sont tenues de nombreuses rencontres de l'opposition. Cette fois la foule était différente : plus âgée, avec des visages marqués, de fortes corpulences et de pauvres vêtements. La plupart de ces personnes ont passé leur vie en marge de la société en raison de leur attitude en 1956. Une file d'adhérents s'est constituée pour prendre des cartes et ajouter de nouveaux noms — ceux des camarades trop malades, trop pauvres ou trop morts pour venir ici en ce jour... Au cimetière on trouve facilement le carré 301, autrefois à l'abandon, en suivant le flot de gens venus déposer des fleurs sur les tombes nouvellement creusées. La route qui mène au carré est fléchée.

Le concours pour un mémorial aux victimes de 1956 s'est achevé en novembre 1989 par une exposition à la Galerie de Budapest, un exercice de démocratie en matière d'art. « Cette exposition est la première occasion pour l'art hongrois de refléter ces dernières quarante années, dit Ungvàri, l'organisateur. Nous traversons une période d'angoisse, il se peut donc que cette dernière trouve son expression dans un art médiocre. Mais je tenais à ce que toutes les philosophies soient représentées par les candidats et le jury. » Ungvàri considère que le symbolisme d'un tel mémorial est crucial pour le processus de réidentification en cours. « Ne pas avoir de mémorial dénature totalement l'homme. A Washington, il y a un mémorial portant le nom de tous les soldats morts au Vietnam. Ce fut une guerre controversée, mais faire mention de chaque individu, en conserver le souvenir était important. »

Dans toutes sortes de groupes de par le pays, s'est manifesté un courant d'intérêt pour la rénovation des mémoriaux de guerre, un courant qu'Ákos Kovàcs et sa femme Erzsébet ont devancé avec leur exposition, dès 1985. A cette époque, ils ont recensé 2 000 mémoriaux consacrés à la guerre. Mais il n'y en a aucun consacré seulement aux victimes de la Seconde Guerre mondiale. Habituellement, les noms de ces dernières sont ajoutés sur les monuments déjà existants. Ákos et Erzsébet forment un couple dont l'intérêt pour la paramythologie et l'histoire sociale passerait presque inaperçu parmi ces excentriques que sont les Anglais, mais qui, dans cette Hongrie romantique et éprise de grandeur, apparaît insolite. Leur minuscule appartement est rempli de vieux napperons de cuisine, brodés de proverbes populaires et de dictons, bourré de dossiers pleins de photographies et de documents concernant leurs recherches.

Quand la Hongrie perdit le tiers de ses territoires après la Première Guerre mondiale, un grand nombre de mémoriaux furent élevés par l'État nationaliste, représentant par exemple la « Mère souffrante », montrant la Transylvanie ou Erdély, comme on l'appelle en Hongrie. « Mais pour les villageois, les monuments étaient seulement destinés aux gens qui leur avaient été proches et étaient morts pendant la guerre », dit Erzsébet. Dans la ville de Magyarnándor, proche de la frontière tchécoslovaque, elle remarqua qu'une étrange étoile rouge communiste avait été installée sur un mémorial de guerre. Elle demanda aux villageois ce qu'elle remplaçait. Ils avaient enfin surmonté leurs craintes anciennes et déterré la vieille couronne de pierre hongroise qui avait été retirée dans les années cinquante, au plus fort du stalinisme. Ils l'avaient alors cachée, espérant qu'elle pourrait reprendre un jour sa place légitime. « Cela est révélateur de leur mentalité et implique qu'ils ne faisaient pas confiance au système de l'époque », admit, désabusé, le dirigeant communiste István Sandór, lorsque je l'interrogeai à ce sujet. Le mémorial rénové, avec sa couronne intacte, fut inauguré en août par un village rempli de fierté. « D'une certaine façon cela est plus important que la réinhumation de Nagy parce que l'ensemble de la communauté y a été impliquée », explique Erzsébet. Ákos décrit comment, après 1945, ces mémoriaux étaient considérés comme honteux. Certains furent déplacés et cachés, voire détériorés. Par exemple, on enlevait l'épée de la main du soldat de pierre. Mais les villageois prenaient soin des monuments et ne manquaient pas d'y apporter des cierges les jours saints. « Pendant la Première Guerre mondiale, 700 000 personnes sont mortes... Notre but est de rendre ces choses publiques afin que chacun puisse les connaître, les voir, en parler. »

Habituellement, c'est l'argent qui fait problème — pour les matériaux et pour le sculpteur. Le Forum démocratique, groupe d'opposition le mieux implanté en province, offre quelques modèles standards, politiquement neutres, aux villageois qui demandent de l'aide. A Mány, ils persuadèrent le sculpteur Miklós Melocco de refondre l'oiseau de Turul, symbole du premier voyage des Magyars à travers les plaines d'Europe de l'Est, qui avait été enlevé du mémorial de la Première Guerre mondiale. Des ethnies allemandes émigrées, originaires de cette région, contribuèrent aussi à financer le projet. Après avoir surmonté une forte opposition durant la première étape de la rénovation, il y a un an, on dévoila en juin plusieurs nouvelles plaques, ajoutant aux noms des Hongrois déjà cités ceux des Russes et des Allemands morts dans cette région pendant la Seconde Guerre mondiale. Le fermier Szabò dit que l'ambassade d'Allemagne s'adressa à Bonn pour obtenir le feu vert. « Le premier secrétaire a dit qu'on ne lui avait jamais demandé auparavant de commémorer le souvenir de soldats allemands avec celui de Hongrois. » Sur une plaque figurait une citation du poète Jozsef Attila : « Laissez le combat, mené par nos ancêtres, se dissoudre en paix dans la mémoire. »

Un homme, entre autres, s'y connaît dans les questions d'argent : Jozsef Darida, directeur de la fonderie Brönzöntö qui a coulé la statue de Staline, abattue pendant la révolte de 1956, puis celle de Lénine qui la remplaça. Avant la réinhumation, Lénine avait été enlevé de son socle, près de la place des Héros, et couché dans la cour de Brönzöntö.

Pendant ce temps des hommes politiques discutaient de sa rénovation : fallait-il ou non lui consacrer la somme de 17 millions de forints ? La fonderie lutte pour survivre face à des conditions économiques des plus difficiles, prise entre les exigences des artistes qui veulent être mieux payés et les clients qui veulent payer moins cher. « Par ailleurs, note-t-il sobrement, nous avons eu tant de guerres dans notre histoire que nous pourrions fabriquer des statues toute notre vie... Aucune nation n'a été aussi souvent vaincue. » Alors que je repartais, accompagnée de mon traducteur, il nous donna à chacun un buste miniature de l'empereur autrichien François-Joseph : « Nous essayons une nouvelle technique pour vendre à l'Allemagne de l'Ouest. » Venue à la recherche de symboles, je repartais avec une leçon d'économie pratique hongroise.

L'EXPOSITION SUR LE STALINISME

Des soucis d'ordre financier ont également étendu leur ombre sur le projet d'une exposition sur le stalinisme hongrois au musée du Mouvement ouvrier. Le responsable du musée, Nagy, décrit ses efforts pour acquérir le poing de la statue de Staline, une authentique voiture de l'AVO — la police politique hongroise sous Rákosi[3] — et d'autres objets, alors qu'il dispose d'un budget annuel de 600 000 forints. Son enthousiasme à parler de cette exposition, qui doit s'ouvrir en mars 1990, exprimait clairement qu'il ne s'agissait pas d'une affaire de routine. « Nous voulions depuis longtemps exposer des objets des années cinquante, dit Nagy. Je peux donner aux gens quelque chose qu'ils ne peuvent voir ni dans les livres ni dans les films : l'ambiance réelle de l'époque. Je veux montrer le passé pour que les gens puissent se faire une opinion claire et réaliste de ce qui est advenu. Il nous faut nous demander ce qui a motivé les

---

3. Mátyás Rákosi (1892-1971) fut chef du gouvernement jusqu'en 1953 et se réfugia en URSS, où il resta jusqu'à sa mort, lors de l'insurrection de 1956.

gens qui ont vécu cette période et montrer comment il était possible d'y croire. »

Le titre de l'exposition — « Sta-lin, Rá-ko-si ! » — fait allusion aux slogans des rassemblements publics qui ont lié le nom de Staline au dirigeant de la ligne pure et dure hongroise au début des années cinquante. La visite commence au cœur de l'exposition : une montagne de cadeaux envoyés à Rákosi pour son soixantième anniversaire en 1952. De là, les visiteurs vont dans les salles reflétant le stalinisme au quotidien : une salle de réunion remplie de travailleurs se portant volontaires pour adhérer, d'affiches d'un conformisme débordant, habituel dans les années cinquante à l'Est comme à l'Ouest, chantant les louanges de la Grande Révolution socialiste pour son trente-deuxième anniversaire, exaltant le bien-aimé camarade-dirigeant Rákosi ou indiquant les mois de récupération de ferraille. De l'autre côté se succèdent des salles montrant le plus sombre aspect du stalinisme : un bureau de l'AVO avec des dossiers et des instruments de torture de l'ancien QG de la rue Andrassy, un simulacre de procès et les vêtements portés par un détenu du camp de travail de Recht. Pour terminer, le poing de Staline, de la taille d'un enfant de trois ans, et les photos de la destruction de la statue en 1956, annonçant la fin de cette période.

En mai 1989, une réunion organisée conjointement par le Comité pour la justice historique, le club des spécialistes en histoire sociale et le club « Nyilvonorsag », ou club de la *Glasnost*, rassembla des historiens, archivistes et journalistes pour faire le point sur des problèmes concernant l'accès à l'information. Au cours de cette réunion, les archivistes échangèrent des anecdotes sur la façon dont le parti communiste avait réquisitionné les documents de toutes les organisations possibles et imaginables depuis le XIXᵉ siècle, puis en avait entravé l'accès en mettant en place toutes sortes de barrières administratives. Pour l'étude du commerce dans les années cinquante, par exemple, il fallait demander l'autorisation auprès du ministère du Commerce. Là, une bureaucratie qui ne connaissait rien au sujet décidait de ce que vous pouviez consulter.

Fin 1989, on était dans l'attente d'une nouvelle loi sur l'information ayant pour but d'aligner les lois hongroises concernant les archives sur les normes européennes. « La situation est plus compliquée ici, dit Petö. A l'Ouest, il existe des sources alternatives aux archives officielles — les journaux, par exemple. Ici, le Parti a eu le monopole pendant quarante ans. Il lutte pour garder ses ''propres'' documents confidentiels et mettre sous le boisseau tout ce qui concerne cette période. » Petö s'inquiète aussi de ce que certains puissent commencer à farfouiller sans aucun scrupule dans les dossiers souvent riches en « sensation » des simulacres de procès, et il propose un compromis : seuls les historiens devraient pouvoir avoir accès aux documents, sous réserve du consentement des individus encore en vie.

L'OUVERTURE DES ARCHIVES

Le débat n'a rien d'académique et met en lumière un problème que l'on retrouve dans les pays communistes en voie de démocratisation. Juste avant la réinhumation de Nagy, le journal *Magyar Nemzet* publia des extraits du procès Nagy faisant ressortir le contraste entre l'attitude de ce dernier qui resta digne jusqu'au bout et mourut, et celle de Ferenc Donath qui se désavoua et survécut. L'avocat de la famille de Nagy menaça le journal de poursuites judiciaires, accusant le procureur d'avoir divulgué les documents pour jeter le trouble, et d'agiter le spectre d'un regroupement d'opposition favorable à la censure. Litván fit valoir que les documents du procès devaient être replacés dans leur contexte, en expliquant à tous ceux qui pouvaient l'ignorer comment les accusés avaient été manipulés, gardés au secret, etc. « Nous ne voulons pas maintenir l'embargo sur les documents mais nous refusons le sensationnel », avançat-il. « Dans une interview accordée à *Magyar Nemzet*, j'ai demandé pourquoi le Parti ne publiait pas le procès-verbal de la réunion du Bureau politique au cours de laquelle les condamnations à mort avaient été ordonnées. Les person-

147

nes responsables essaient de cacher ou détruire ces documents, nous voulons les voir. »

Kennedi, à l'inverse, déclara que le journal avait le droit de publier ces documents. « C'est un fait historique que, pendant ces procès, beaucoup de gens ont essayé de sauver leur vie. Donath a passé sa vie entière à payer pour ses dernières paroles et son engagement a, par la suite, plus tard, stimulé largement l'opposition démocratique. Si quelqu'un tente d'effacer les dernières paroles de Donath, il falsifie son travail et il falsifie l'histoire. »

Pendant ce temps, le Comité pour la justice historique mettait en œuvre différents projets de relance de l'Institut Imre-Nagy ; d'abord installé à Bruxelles par Gyorgy Heltai, ministre sous Nagy, celui-ci fonctionna de 1959 à 1963 — jusqu'à épuisement de ses fonds — pour rassembler du matériel sur la révolution de 1956 et les simulacres de procès. « Nous savons beaucoup de choses sur ce qui s'est passé à Budapest mais pas dans le reste du pays », dit Litván. Le Comité possédait du matériel pour aider les enseignants dans une période extrêmement difficile. « L'absence de consensus débouchera sur l'introduction du pluralisme », dit Jezsinsky. Les examens d'entrée à l'université et ceux de fin d'études scolaires ont fait l'impasse sur les questions d'histoire contemporaine et, à l'heure actuelle, le manuel numéro 4 la concernant est en cours de réécriture.

Je suis allée voir l'auteur de ce manuel numéro 4 qui a inculqué à des millions d'élèves hongrois le mot « contre-révolution ». J'imaginais une « dure à cuire » du Parti. Mais, dans un lotissement de la banlieue de Budapest, j'ai trouvé une femme ordinaire, dépourvue d'illusions, sincère. Agota Joverne Szirtes m'a expliqué comment elle avait tout d'abord décroché ce travail par un concours, avant tout grâce à ses compétences en méthodologie de l'éducation. Elle était en train d'appliquer à nouveau cette méthodologie à la nouvelle version qui devait être amendée par un autre écrivain. « Il paraîtrait un peu bizarre que le livre soit récrit par le même auteur mais avec une interprétation complètement différente », admit-elle en faisant une grimace. Comment ressentait-elle la volte-face officielle ? Était-elle fâchée, contrariée, inquiète ? Avait-elle été satisfaite des directives qui lui avaient été données en 1979, quand elle avait écrit le livre pour la première fois ? « Il ne m'était jamais venu à l'idée d'écrire sur 1956 comme si c'était autre chose qu'une contre-révolution, dit Agota. Dans les années soixante-dix, le Parti nous avait apporté des conditions de vie satisfaisantes et 1956 ressemblait à un cul-de-sac. C'est la crise politique et économique qui, depuis quelques années, a fait changer les gens d'avis. Le système actuel se présente maintenant, à son tour, comme un cul-de-sac. »

Alors que nous buvions un café, à la fin de l'entretien, sa fille — une adolescente — se faufila jusqu'à moi : « Pensez-vous vraiment que nous puissions être comme les autres pays, parvenir à changer à ce point ? me demanda-t-elle. Je ne peux pas y croire, j'ai peur. » La conversation prit un tour plus détendu. « Les autres à l'école me demandent : ''Comment ta mère a-t-elle pu écrire ce livre ?'' Maintenant chacun pense qu'il sait tout, mais à l'époque c'était différent. Ma mère n'a jamais voulu propager des mensonges. »

Hongrie

La guerre des blasons

par Véronique Soulé

Ce jour-là, les députés semblent avoir du vague à l'âme.
Les uns après les autres, les orateurs replongent avec déli-
ces dans le passé. « Je me déclare pour l'emblème Kossuth,
commence l'un d'eux. On dit que la couronne, qui figure
sur les armoiries historiques, représente et symbolise non
seulement le roi mais aussi le peuple. Mais connaît-on un
roi qui prendrait une telle affirmation au sérieux ? Ma génération et tous les patriotes considèrent que la véritable
armoirie est celle de Kossuth. En l'adoptant, on pourrait
aussi développer le sentiment d'identité nationale au sein
de la jeunesse. »

Toujours avec le plus grand sérieux, la plupart des députés qui se succèdent reviennent sur la question des armoiries comme si celle-ci était de la plus haute importance.
Pourtant, la session parlementaire qui se tient en mars 1989,
en pleine période de bouleversements, a un programme particulièrement chargé. Pour la première fois, les députés doivent débattre du projet de réforme de la Constitution qui
prévoit, entre autres, d'y supprimer la référence au « rôle
dirigeant du Parti », d'introduire la notion du multipartisme
et celle des droits de l'homme, de réviser le système judi-
ciaire, etc. Mais ces parlementaires qui, élus en 1985, sont
issus de l'« ancienne période », celle du kadarisme déclinant,
et sont dénoncés comme tels par l'opposition, tentent de
s'adapter vaille que vaille à la « nouvelle situation ». En
clair, ils se veulent désormais à l'écoute de leurs électeurs,

dont l'un des sujets de préoccupation en ce printemps 1989 est le changement des armoiries nationales, proposé dans la Constitution nouvelle version.

L'orateur suivant est d'une prudence extrême. En bon démagogue, il ne veut blesser ni les partisans des armoiries de la couronne (dites encore armoiries historiques) ni les défenseurs de celles de Kossuth, et préserver ainsi toutes ses chances de popularité. Une partie, minoritaire, des députés compte en effet se représenter aux élections libres prévues à la fin de mars 1990. « Je me prononce, explique-t-il, pour la troisième variante évoquée dans le projet de réforme constitutionnelle : pourquoi n'organiserait-on pas un concours pour trouver une troisième possibilité d'armoiries ? On pourrait parfaitement combiner les épis de blé figurant sur le blason actuel avec l'emblème de Kossuth, et obtenir ainsi d'excellentes armoiries. »

UNE AFFAIRE NATIONALE

Au-delà de son aspect anecdotique, parfois cocasse, ce débat illustre la lame de fond qui traverse la société hongroise : le retour de la « nation » sur son passé, depuis les origines de l'État au XIᵉ siècle jusqu'à nos jours, non pas par nationalisme borné, voire par chauvinisme, mais plutôt avec la volonté de retrouver le véritable sens de l'histoire hongroise, qui fut niée ou falsifiée par les communistes. On retrouve ce courant, avec diverses nuances, dans toutes les régions successivement embarquées sur la voie de la démocratisation : la Pologne bien sûr, l'URSS et les pays baltes en particulier, l'Allemagne de l'Est, la Tchécoslovaquie et, dans une moindre mesure, la Bulgarie.

En Hongrie, cette sorte de résurrection nationale comporte plusieurs traits caractéristiques. Il s'agit d'abord, mais non pas exclusivement, de régler ses comptes avec le stalinisme — entendu ici comme la période stalinienne proprement dite —, mais aussi avec l'« ère Kádár » qui lui a succédé, et dont les Hongrois considèrent souvent qu'elle

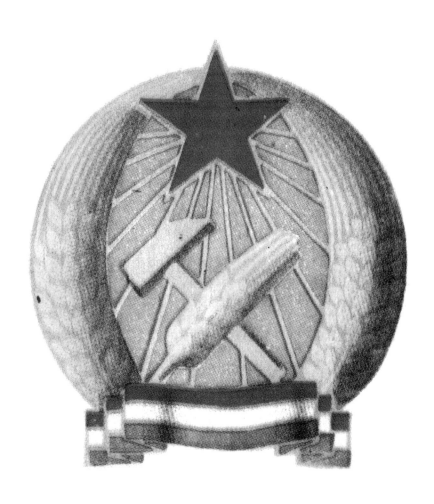

Blason officiel hongrois 1949-1956.

ne fut qu'un post-stalinisme, revisité et adouci, mais sans réelle remise en cause du modèle ancien. Il s'agit ensuite de renouer les fils de l'histoire nationale et de retrouver la continuité de l'État-nation. Ce réexamen implique que l'on se tourne non seulement vers la période de l'après-guerre, mais aussi vers les décennies qui ont précédé, marquées notamment par le compromis austro-hongrois, la chute de la maison des Habsbourg, le démembrement de l'Empire et le désastre des deux guerres mondiales qui amputèrent la Hongrie.

On peut enfin interpréter ce retour vers le passé comme une vaste catharsis collective. Pour la plupart des Hongrois, ce dernier siècle fut une succession de catastrophes nationales. Alors que le pays s'achemine maintenant vers un régime de démocratie parlementaire et qu'une page du socialisme s'est refermée, un besoin irrésistible se fait sentir de revivifier les faits glorieux de la nation, sa tradition de résistance qui semblait assoupie durant le « socialisme du goulash » et qui tendrait à prouver que l'État millénaire hongrois a survécu à tous les aléas de l'histoire.

Dans ce contexte, l'affaire des armoiries, qui a occupé le premier plan de l'actualité durant une partie de l'année 1988-1989, est particulièrement significative. On remarquera d'abord que c'est le parti communiste lui-même — le PSOH, Parti socialiste ouvrier hongrois, qui se sabordera le 7 octobre 1989 et sera remplacé par le PSH, Parti socialiste hongrois — qui a donné le coup d'envoi du débat. Cela n'est pas fortuit. Le premier article évoquant un remplacement des armoiries actuelles, appelées les « armoiries de Kádár », fut publié par l'organe du Comité central du PSOH *Nèpszabadsag* (devenu depuis un quotidien socialiste), quatre mois après l'éviction de János Kádár, « promu » lors de la conférence extraordinaire du Parti en mai 1988 au poste très honorifique de président du PSOH.

Le Parti hongrois, qui se retrouve sans « père » et livré aux appétits des successeurs, se cherche alors une nouvelle identité. Sans en avoir peut-être vraiment conscience, il pressent que, le « Vieux » mis à l'écart, sa légitimité est

sérieusement entamée et est même prête à voler en éclats.
Pour retrouver un minimum de confiance, les nouveaux
dirigeants qui se disputent le pouvoir vont chercher à se fondre dans le grand élan national qui se fait jour, prenant
d'abord bruyamment la défense de la minorité hongroise de
Roumanie, puis épousant les expressions plus secondaires
de la fierté nationale retrouvée, telle l'affaire des armoiries.

LA PRESSE OFFICIELLE DANS LA BATAILLE

Tout à la fois membre du Parti (à l'époque encore le
PSOH) et spécialiste de Marie-Thérèse d'Autriche, István
Kállay est l'homme qui signa le premier article dans la
presse. Directeur de la chaire de sciences annexes de l'histoire (qui comporte une vingtaine de disciplines, comme la
généalogie, la science des sceaux, celle des blasons, etc.) à
l'université Eötvös-Loránd de Budapest, lui-même de sang
bleu, ce quinquagénaire passionné d'histoire nobiliaire a
attendu son heure durant trente ans. En 1983, il prend la
tête de la Société héraldique et généalogique, rattachée à
l'université, qui obtient l'autorisation de se recréer à l'occasion de son centenaire. Celle-ci avait été interdite au début
des années cinquante en même temps que toutes les sciences « bourgeoises ». Aujourd'hui, elle regroupe plusieurs
centaines de membres — spécialistes et amateurs chevron-
nés —, édite une revue et a publié l'histoire d'une grande
famille noble hongroise, les Csapó. La Société a également
participé à la relance en juin 1987 du Casino national, ce
cercle créé par le comte István Szèchenyi, figure éclairée et
libérale de la noblesse hongroise du XIXᵉ siècle qui prônait
la nécessité de moderniser son pays sans toutefois opérer de
cassures radicales.

István Kállay, décidément l'un des hommes clés de cette
réappropriation du passé, fut ensuite l'un des fondateurs de
la Société de la sainte couronne, créée le 15 février 1989 à
Budapest et financée par des banques et des entreprises
hongroises. Celle-ci milite pour la remise en vigueur des

armoiries historiques et se fixe aussi pour objectif de diffuser le message de la sainte couronne.

Dans son petit bureau situé au dernier étage de la faculté d'histoire, István Kállay ne se lasse pas de raconter comment tout a commencé. Le 5 juillet 1988, moins de deux mois après la conférence historique du Parti qui marque la mise à l'écart de Kádár, avec un ami professeur de science héraldique, il adresse une lettre au présidium de l'Assemblée nationale ; les deux hommes proposent le rétablissement des armoiries historiques. « Hormis les couleurs tricolores, l'emblème actuel n'a aucun contenu héraldique », soulignent-ils. La lettre reste d'abord sans réponse. Puis, en novembre 1988, ses deux auteurs sont contactés par la rédaction de *Nèpszabadsag*, qui leur demande l'autorisation de publier leur lettre. Une semaine plus tard, le 12 novembre, István Kállay signe un article dans le quotidien du Parti. Le reste de la presse embraye. L'affaire est lancée.

« Pourquoi nous sommes-nous décidés ? Nous sommes des historiens et nous savons que lorsqu'un nouveau roi arrive au pouvoir, il veut ses propres armoiries. Il y a quarante ans, Mátyás Rákosi (le "Staline" hongrois) avait supprimé les armoiries historiques. Puis, en 1957, Kádár avait modifié celles de Rákosi et fait adopter celles que nous avons actuellement. C'était une occasion inespérée de revenir à des armoiries qui prennent en compte nos traditions nationales. »

Pour expliquer sa démarche, István Kállay invoque d'abord un souci scientifique : l'emblème actuel reste avant tout marqué par un contenu idéologique, ce qui, à l'heure des grandes révisions, n'a plus guère de sens. « De quel socialisme parlons-nous ? Nous ne le savons plus », s'interroge le professeur, à l'instar de son Parti qui s'apprête à abandonner les grands dogmes. En fait, István Kállay sait parfaitement — et il ne le cache pas — qu'une nouvelle période est en train de s'ouvrir, où les communistes, en acceptant d'endosser les erreurs du passé, voient leur reste de légitimité sapée et le pouvoir absolu leur échapper. Le débat sur les armoiries va être l'un des premiers signes de la réécriture de l'histoire qui, en l'espace de quelques mois, foulera au pied toutes les vérités officielles. Pour mesurer exactement la portée de l'affaire, revenons aux armoiries proprement dites. Symbole du passé tourmenté de la nation hongroise, de ses errements et de ses traumatismes, elles ont épousé tous les grands tournants historiques, ces dates mêmes auxquelles la mémoire magyare veut aujourd'hui rendre justice.

UNE LONGUE HISTOIRE

Ce que l'on appelle les armoiries historiques, vieilles de six cents ans, sont constituées par trois parties : à droite, la double croix rapportée de Byzance par Béla III en 1190 ; à gauche, les couleurs rouge et argent des rois Arpád apposées, estime-t-on, en 1202 ; enfin, coiffant le tout, la couronne incluse en 1385, celle de saint Étienne, le fondateur du royaume de Hongrie, qui christianisa le pays.

Les armoiries de Kossuth sont apparues bien plus tard et ne furent utilisées qu'à quatre reprises durant de brefs intermèdes : notamment au lendemain de la révolution de 1848 contre les Habsbourg, puis durant l'insurrection de 1956. L'emblème a pour lui de représenter ces deux grandes dates héroïques, qui illustrent la lutte pour l'indépendance et pour l'émancipation nationale.

En fait, c'est au lendemain de la « détronisation » des Habsbourg en avril 1849 que Lajos Kossuth, jeune avocat radical et remarquable tribun, qui fut l'âme de la Révolution, décide · d'enlever la couronne des armoiries. L'emblème Kossuth est ainsi de fait créé ; il restera en vigueur jusqu'en août 1849, date de l'écrasement du mouvement avec l'aide des troupes russes du tsar Nicolas Ier. En 1956, l'un des premiers gestes des insurgés est de découper les « armoiries de Rákosi » au centre du drapeau tricolore et de reprendre celles de Kossuth. Ces dernières vont être utilisées jusqu'en mai 1957. 1848, 1956 : les armoiries sans la couronne héritées de Kossuth vont s'ancrer dans les mémoires comme l'expression de la résistance, vaincue mais obstinée, face aux dominations étrangères.

Dans cette affaire de blasons, les communistes, sensibles eux aussi aux symboles et autres monuments-souvenirs, ne sont pas en reste. En 1949, le stalinien Mátyás Rákosi commande de nouvelles armoiries qui illustrent la « construction du socialisme ». On y retrouve les grands classiques du stalinisme : le marteau, l'étoile rouge et l'épi de blé (qui remplace ici la faucille). Les spécialistes hongrois estiment aujourd'hui que seules les républiques baltes, dont les emblèmes respectifs ressemblent alors singulièrement à celui de la Hongrie, peuvent rivaliser dans cet alignement sur les Soviétiques et le gommage des symboles nationaux.

Huit ans plus tard, c'est au tour de János Kádár de s'intéresser au blason. Mû par le double souci de se démarquer du dirigeant haï Rákosi et de parvenir à bâtir à terme un consensus minimal, Kádár fait enlever le marteau et introduit au centre de l'emblème un écu aux couleurs nationales (rouge, blanc, vert). Ces armoiries, adoptées en mai 1957 et en vigueur jusqu'à nos jours, n'ont pratiquement aucune chance de subsister alors même que l'on abandonne le dogme du parti unique. En ces temps de décommunisation, seuls quelques rares nostalgiques peuvent encore se battre pour conserver l'étoile rouge à cinq branches qui émet des rayons dorés...

Le comité chargé d'étudier un changement d'armoiries, qui fut formé en novembre 1988 et regroupe une dizaine de spécialistes, dont István Kállay, a rendu ses travaux en février 1989. Ses conclusions figurent à la fin du projet de modification de la Constitution, juste avant les annexes, sous le titre très instructif : « Les symboles nationaux du pays ; les armoiries, le drapeau, la capitale et autres symboles du pays qui expriment l'identité nationale. » « On peut considérer comme symboles nationaux, y lit-on, l'hymne, l'appel [un second hymne — *NdlR*], les ensembles royaux ou les reliques religieuses, et les objets de notre passé historique : la couronne, le sceptre, le marteau et la sainte dextre [considérée par l'Église catholique comme la main droite d'Étienne — *NdlR*]. En ce qui concerne les armoiries actuelles, elles n'ont aucun lien avec la tradition. On peut en changer ou rétablir l'une de celles qui furent employées dans l'histoire. Les spécialistes héraldiques proposent deux variantes : l'une, les armoiries de la couronne qui ont plus de six cents ans, et n'ont jamais symbolisé le royaume mais bien l'État ; l'autre, les armoiries de Kossuth, qui furent le symbole de l'État à quatre reprises durant une brève période. D'un point de vue strictement héraldique, la première variante a la préférence. »

La question devrait être tranchée lors d'un référendum national qui pourrait se tenir durant l'année 1990. Mais aucune date n'a encore été arrêtée ; il semble même que les nouveaux « socialistes » hongrois aient vu leur enthousiasme émoussé après l'échec qu'ils ont essuyé au référendum organisé en novembre 1989 sur la date des élections présidentielles. Quoi qu'il en soit, l'affaire des armoiries a déjà suscité de nettes lignes de fracture. Les « fondamentalistes » de la Société Ferenc-Münnich (du nom du cofondateur avec Kádár du gouvernement ouvrier-paysan formé en novembre 1956, qui est considéré comme un « moscovite ») se sont prononcés pour le maintien des armoiries actuelles. A l'autre bout de l'échiquier, l'opposition « radicale », comme l'Alliance des démocrates libres (SZDSZ) ou la Fédération des jeunes démocrates (Fidesz), préfère l'emblème de Kossuth, porteur de la tradition d'insurrection, et ironisent sur cette couronne remise au goût du jour par les communistes... Devant la division de l'opinion et l'issue incertaine du débat, la direction du PSOH et plus tard celle du PSH ont préféré sagement s'abstenir de prendre position.

LA FIN DES TABOUS

Quelle que soit son issue, l'affaire, reléguée depuis au second plan de l'actualité par les questions concrètes de la transition au multipartisme, a révélé plusieurs faits intéressants. D'abord l'extrême sensibilisation de l'opinion au passé, entraînant avec elle le Parti en quête d'un terrain de dialogue avec la société civile. Or, cette dernière se montre relativement indifférente au débat politique, à l'étalage des querelles au sommet du pouvoir comme à la « table ronde » pouvoir-opposition, qui s'est ouverte en juin 1989, laissée aux « élites » respectives.

Cette fibre nationale, sur laquelle les dirigeants communistes, puis socialistes ne dédaignent pas de jouer — ils prirent une position de pointe contre la Roumanie sur la scène internationale —, a par ailleurs la particularité d'appréhender le passé dans une certaine globalité. Il s'agit d'assembler des pans entiers de l'histoire, où le socialisme apparaît certes comme une période clé, mais aussi comme une parenthèse en train de se refermer. Ici se mêlent la volonté d'enterrer un passé honni — la terreur des années cinquante en particulier — et le souci de rehausser, voire, lorsque cela est possible, de récupérer les faits glorieux de l'histoire. Le premier, le dirigeant réformateur Imre Pozsgay, affirma haut et fort se situer dans la lignée d'Imre Nagy, le Premier ministre de 1956... On peut à cet égard parler d'une mémoire sélective.

La polémique sur les armoiries a de fait annoncé la fin des grands tabous ainsi que la nouvelle interprétation — « bourgeoise », accusèrent à l'époque les régimes orthodoxes « frères » — des faits historiques. La même année 1989, l'insurrection de 1956, qualifiée de « contre-révolution » jusqu'alors, est ainsi reconnue comme « un soulèvement populaire », et Imre Nagy a droit avec ses cosuppliciés à des obsèques solennelles. En mars 1989, pour la première fois depuis l'instauration du socialisme, le 15, jour du déclenchement de la révolution de 1848, est promu fête nationale comme le réclamait l'opposition depuis de nombreuses

Népszavazás dönt arról, hogy melyik lesz a Magyar Köztársaság címere

Blasons hongrois d'hier et d'aujourd'hui.

années. Enfin en août, pour la première fois depuis quarante ans, le 20, qui n'était plus célébré que comme le « jour de la nouvelle Constitution » [de 1949 — *NdlR*], est redevenu la fête de saint Étienne. Ce jour-là, les plus hauts dirigeants du Parti et de l'État ont prononcé des discours en l'honneur du « grand homme d'État » que fut Étienne, et le cardinal primat Paskai a célébré une messe avant de conduire la procession de la sainte dextre en présence de dizaines de milliers de Budapestois... Parmi les autres « tournants », on peut encore citer la décision d'indemniser les victimes du stalinisme et de la répression de l'après-1956, ou celle d'enlever toutes les étoiles rouges placées sur les édifices publics.

Alors que les saints retrouvent leurs titres, que les biographies des monarques austro-hongrois sont de fantastiques succès de librairie, que la Hongrie est devenue une République tout court et que l'on abandonne le terme de « camarades » entre militaires, le débat sur les armoiries n'a fait finalement que traduire le grand frisson national qui accompagne l'effondrement de l'idéologie officielle. A la vitesse où les changements se succèdent en Hongrie, il faudrait plutôt se demander ce qu'il restera demain du socialisme, dans un pays où la notion même est souvent considérée comme étrangère à l'« âme » de la nation.

II

La mémoire manipulée

URSS

Le culte de Lénine : le mausolée et les statues

> « [...] De l'autre côté, devant l'énorme
> place ouverte, le cube tassé, la Kaaba noire
> contenait le cercueil de l'homme blafard,
> libéré de tout [...]. La méfiance, il l'éprou-
> vera forcément devant l'icône qui domine
> par dizaines de milliers d'exemplaires tout
> le travail artistique, signalant inlassable-
> ment le Très-Haut qui, bon père barbu et
> omniscient, veille sur tout le monde. »
>
> Peter WEISS, *L'Esthétique de la résistance*

En délicatesse avec son histoire, la société soviétique ne
vit pas non plus en bonne intelligence avec ses morts — ou
du moins, elle entretient avec eux des rapports tendus et
complexes. Faite de deuils manqués, interdits ou refoulés,
ou au contraire d'un excès de culte mortuaire, cette tension
exprime la situation d'une société qui semble échouer à « se
mettre en règle avec [ses] morts et demeurer en paix avec
[eux] [1] ». Au fur et à mesure qu'il découvre ses charniers,
ses cadavres dans les placards, ses morts oubliés, transmue
les héros défunts en scélérats (et réciproquement), débat
interminablement de l'érection de monuments, nécropoles
et mémoriaux, ce monde apparaît habité, d'une manière
croissante, par ses fantômes, vampirisé par un passé qui ne

---

1. Louis-Vincent THOMAS, *La Mort*, « Que sais-je ? » n° 236, PUF, 1988.

165

veut pas passer. Dans l'URSS de la fin des années quatre-vingt, les débats sur l'histoire se présentent souvent comme un carnaval mexicain, une dramaturgie de la mort. Les cadavres historiques se retournent dans leurs tombes, à moins que, exhumés sans ménagement, ils ne soient jetés à la fosse commune ; les morts sans sépultures viennent, inlassablement, hanter les vivants ; un jour, c'est près de Sverdlovsk que l'on retrouve les ossements du dernier des tsars, fusillé avec sa famille sur ordre du gouvernement bolchevik ; un autre, c'est près de Minsk que l'on découvre l'immense charnier de Kouropaty où reposent *sans paix* des dizaines de milliers de victimes des purges de 1937 ; le mot même *Memorial*, associé en russe comme en français au culte des morts, devient l'enseigne de l'un des regroupements de redresseurs d'histoire les plus actifs ; et ce n'est pas non plus pour rien, bien sûr, que *Repentir*, le film emblème de ce monde et de ce temps dévorés par le passé [2], s'agence tout entier autour de la métaphore de l'*encombrant cadavre* obstiné à demeurer parmi les vivants — du deuil impossible, pathologique, qui interdit tout retour à la normale...

Sans doute ce bruyant séjour des morts au cœur du présent constitue-t-il, dans une société en proie au retour intense du refoulé de la mémoire, l'unique moyen pour guérir du passé, sinon se réconcilier avec lui. Mais aussi bien, la place qu'occupe aujourd'hui encore la *momie de Lénine* (comme, jadis ou naguère, celle de Staline, ignominieusement chassée du mausolée en 1961) dans la culture soviétique n'y dévoile-t-elle pas un penchant nécropathe surprenant dans une société dont les dirigeants ont toujours fait profession d'un matérialisme et d'un vitalisme à tout crin ? L'histoire de la révolution russe, bien sûr, est, de 1917 à nos jours, peuplée de morts (ou tués, plutôt) en déshérence — des victimes de la guerre civile aux « morts pour rien » de la guerre d'Afghanistan. Est-ce suffisant pour expliquer les enjeux souvent déconcertants (pour nous) qui semblent

---

2. *Repentir*, film de Tenguiz ABOULADZÉ. Tourné en 1984, diffusé en URSS en 1987.

se nouer dans cet espace autour d'*histoires de cadavres*, autour des rites mortuaires et du culte des morts ? La culture fétichiste de la mort ne serait-elle pas, en dépit des apparences, moins vivace à Moscou qu'à Vienne ? Certaines péripéties récentes de la vie politique soviétique pourraient incliner à le penser...

En mai 1989, Alexandre Aksionov, président de la radio-télévision, est licencié. Son tort est d'avoir laissé passer une émission de télévision au cours de laquelle un directeur de théâtre, Marc Sakharov, a suggéré que le corps de Lénine soit retiré du mausolée de la place Rouge et enterré comme celui du commun des mortels ; cette proposition impie avait suscité un tel tollé parmi les téléspectateurs qu'il apparut inévitable de sacrifier M. Aksionov. Quelques semaines plus tard, un député de Moscou, M. Kariakine, reprenait la proposition devant le Congrès des députés du peuple, la liant à une autre suggestion intempestive — la publication des œuvres de Soljenitsyne. Quelques jours plus tard, une délégation du Congrès emmenée par Mikhaïl Gorbatchev s'en allait « laver l'affront » fait au dirigeant d'Octobre, ou du moins à sa momie, en procédant à un dépôt de gerbes solennel au mausolée.

Ces incidents constituent un indice des tensions et enjeux qui se nouent — non pas encore, mais *plus que jamais* — autour du corps de Lénine, mort et embaumé au début de l'année 1924.

UN CULTE DE LA MORT ?

Dans un texte publié en Occident à l'automne 1989[3], la sociologue moscovite Larissa Lissioutkina note que, si l'opinion soviétique réagit avec une forte émotion à ces escarmouches autour de la dépouille du chef, elle le fait de manière différenciée voire contradictoire : pour les uns,

---

3. Larissa LISSIOUTKINA, « Die Mumie vom Roten Platz », *Der Spiegel*, 44/1989.

Le mausolée Lénine sur la place Rouge, en 1927.

l'outrage fait à la mémoire de Lénine est particulièrement grave parce que c'est en son cœur même que le culte de sa personne est remis en cause ; pour d'autres, au contraire, ces épisodes furent l'occasion de dire le fond de leur pensée, longtemps retenu, à savoir que l'existence de cette « crypte d'État » constituait « davantage une forme d'outrage [à la mémoire du défunt] que d'hommage ». Pour la première fois, depuis la canonisation et l'embaumement de Lénine, émerge une discussion autour de la légitimité de l'installation, au cœur du culte léninien et de la théologie léniniste, du cadavre momifié du dirigeant bolchevik.

S'engageant elle-même dans le débat, la sociologue moscovite n'hésite pas à désigner ce culte fétichiste de la dépouille de Lénine comme un symptôme de la régression de la culture russe dans la précivilisation, voire la barbarie. Pour elle, la révolution d'Octobre, détruisant les normes religieuses, ethniques et juridiques prévalant dans la société russe, a laissé le champ libre à toutes les pratiques mortifères contrevenant au premier principe de la civilisation — tu ne tueras point : la guerre, la peine de mort, la vendetta... En ce sens, elle établit un lien indissoluble entre le mausolée et la Terreur, faisant du premier un *monument* à la seconde, une manifestation éclatante de son caractère « asiatique » et primitif. Le mausolée se situe au centre du nouveau monde et de la nouvelle culture promue par la révolution d'Octobre et prolongée par les héritiers de Lénine, ses embaumeurs et les inventeurs de son culte ; or, cette culture, pour l'essentiel, est culture de la *mort* ; ce n'est pas pour rien qu'elle place en son centre un cadavre. Celui-ci est indissociable des millions de dépouilles entassées dans les fosses communes de la Kolyma, des îles Solovetski, du Kazakhstan et d'ailleurs. Certes, note Larissa Lissioutkina, ce culte fut inventé par des héritiers sachant tout le profit qu'ils pouvaient tirer de la transformation de Lénine en idole ; il n'en reste pas moins qu'aujourd'hui encore le cadavre de Lénine suscite le *concursus populi* au point que le jargon des Moscovites désigne la file d'attente formée en toutes saisons devant le mausolée comme la « queue d'État n° 1 ».

Mais quels sentiments animent le provincial soviétique, venu, parfois, de l'autre bout de l'« Empire », qui, après ses courses au Goum[4], s'en vient passer devant la momie ? Simple curiosité dépourvue de toute piété — on viendrait, comme au musée Grévin, apprécier en amateur l'illusion de la vie et le talent de l'embaumeur — ou au contraire sentiment religieux, moment de fusion émotionnelle avec la communauté incarnée par le cadavre du Père fondateur ?

Une fois encore, la virulence de cette interprétation du culte léninien dans sa forme nécrophile indique l'intensité de la bataille autour de Lénine — et du léninisme — d'ores et déjà engagée en URSS. Mais elle présente la particularité, dans ce contexte, d'agir comme un révélateur non seulement de ces affrontements de mémoire, mais également d'attitudes face à la mort et à tout ce qui l'entoure. Dans son étude remarquable *Lenin lives !*[5] Nina Tumarkin analyse le culte de Lénine en URSS, des origines à nos jours, sous ce double regard. L'embaumement de Lénine relève, bien sûr, d'une stratégie politique ; *éternisé* par la grâce des taxidermistes, Lénine semble accorder un vote de confiance *post-mortem* à ceux qui se présentent comme ses héritiers ; l'unanimisme d'un deuil solennisé à l'extrême crée un modèle consensuel fort utile pour faire pièce à l'instabilité (politique, sociale) et aux difficultés ambiantes. La dépouille en permanence exposée semble adjurer le peuple soviétique de maintenir son unité et de poursuivre le droit fil de l'histoire soviétique, rassemblée derrière ses chefs, les anciens compagnons de Lénine. Transformé en *relique*, le corps de Lénine se voit attribuer un pouvoir de légitimation du pouvoir soviétique, de mobilisation de la population, et le dirigeant d'Octobre lui-même, mort à la tâche, continue ainsi à servir, sous sa cloche de verre, la cause du prolétariat. S'impose ainsi le schème : Lénine est mort,

---

4. Grand magasin faisant face au mausolée, sur la place Rouge.
5. Nina TUMARKIN, *Lenin lives ! The Lenin Cult in Soviet Russia*, Harvard University Press, 1983.

mais il est vivant ; le souffle de Vladimir Ilitch s'est, certes, retiré de son enveloppe mortelle, mais l'éternisation de sa dépouille renforce puissamment la certitude de la pérennité de Lénine et du léninisme. Ainsi, l'embaumement, la canonisation permettent d'amortir le choc, de réduire l'effet de rupture lié à sa disparition et de faciliter le retour à l'ordre et à la normale par-delà le traumatisme de la disparition du Père fondateur[6].

Comme on le voit déjà ici, les objectifs politiques apparaissent comme indissociables de traits de sensibilité collective, révélés aussi bien par le comportement des dirigeants bolcheviks face à la mort de Lénine que par celui de la population soviétique. Promoteurs d'une idéologie matérialiste et antireligieuse, les embaumeurs ne s'en révèlent pas moins protagonistes d'un monde de représentations saturées de culture et de sensibilité religieuses ; le mythe des « deux natures » du défunt — Ilitch le mortel et Lénine l'immortel — n'est évidemment qu'un « bricolage » du grand mythe de l'incarnation du Christ. Sanctifié (son corps devenant une relique), sinon déifié, Lénine est installé dans la position du Sauveur : il a, lui aussi, porté sa croix, au service des opprimés, et est mort de ce sacrifice. Comment, dans ces conditions, son tombeau ne deviendrait-il pas un lieu de culte mondial, une Mecque, une Bethléem des ouvriers, des exploités du monde entier ?

Sitôt Lénine décédé apparaît, parmi les cercles bolcheviks dirigeants, une intéressante *querelle de sensibilité*. Les uns, et Staline tout particulièrement, laissent entendre que l'incinération du mort ne serait pas *conforme aux traditions russes* et pourrait bien constituer « une insulte à sa mémoire » ; Kalinine, d'origine paysanne, insiste également sur le fait que Lénine ne saurait être enterré comme un simple mortel ; au reste, ajoute-t-il, la crémation heurte les sentiments chrétiens de la majorité du peuple russe ; pour Trotski,

---

6. La forme cubique du mausolée renforce ce sentiment d'éternité ; ce thème est déjà présent dans l'architecture utopiste de Ledoux ; dans le contexte de la mort de Lénine, le peintre Malevitch le reprend, mettant l'accent sur la signification de « formes simples » et évoquant le précédent des pyramides d'Égypte.

Boukharine, Kamenev, au contraire, ces « Européens », la conservation et la sanctification — voire le trafic — des reliques est une pratique qui appartient en propre à l'Église orthodoxe et qu'il convient de lui laisser ; la veuve de Lénine, N. Kroupskaïa, elle, a d'emblée protesté contre les desseins de sanctification et les manifestations cultuelles dont son défunt époux a fait l'objet ; on embauma Lénine sans lui demander son avis ; pas une fois, elle ne mit les pieds au mausolée. Aucun, pourtant, de ces adversaires de la momification ne mena une bataille politique pour s'y opposer, abandonnant l'initiative à ceux qui avaient compris le parti qu'ils pouvaient tirer, dans un contexte de luttes fractionnelles exacerbées, de cette dramaturgie funéraire, de cette mise en scène du *passage* de Lénine de la vie à la mort — ou plutôt à l'immortalité. Nina Tumarkin note que Trotski, malade et déprimé à Tiflis, commit assurément une considérable erreur politique en ne revenant pas à Moscou pour participer aux funérailles ; en bon ultra-rationaliste qu'il était, il sous-estima l'importance de l'affirmation *symbolique* de la filiation par la participation aux gestes du deuil — en particulier porter le cercueil — sous le regard de la population soviétique. Staline, au contraire, comprit qu'il ne s'agissait pas d'éliminer l'émotion et les gestes religieux d'un tel événement, mais bien de les canaliser : prononçant son fameux *serment* aux mânes du défunt, immortalisé et transfiguré deux décennies plus tard par un impressionnant peplum réaliste-socialiste[7], il recourt à dessein, le seul parmi les dirigeants soviétiques, à la rhétorique religieuse pour s'affirmer tout à la fois comme le plus pieux des héritiers et le plus bouleversé des hagiographes. Il a compris que la bataille pour l'héritage et la mémoire de Lénine passe autant et plus par la mobilisation des émotions, la remobilisation des atavismes religieux, par l'imaginaire et le symbolique, que par la mise en œuvre de la dialectique, de la ratio politique... En vertu de quoi il est inévitable que se mette en place une *religion léninienne* : Petro-

---

7. *Le Serment* de Mikhail TCHIAOURELI, 1946.

grad est rebaptisée Leningrad, des bustes de Lénine sont installés dans les écoles, les usines, les théâtres, les administrations, des collectes sont lancées pour élever des monuments à la gloire du défunt, une campagne est menée pour recruter une promotion « Lénine » de cent mille nouveaux membres du parti communiste, on ordonne l'érection de statues du Chef dans toutes les grandes villes de l'Union...
En bref, le culte naissant de Lénine réinvestit la culture populaire existante ; les « coins Lénine » que l'on installe dans les maisons, les clubs, les édifices publics, les bustes omniprésents, les photographies et portraits viennent en somme « relayer les icônes ». Dans la « religion Lénine » se réalise un syncrétisme sans précédent des folklores, traditions, attitudes et représentations anciennes, et des idéologie, culture et eschatologie nouvelles dont sont porteurs les bolcheviks.

Remarquable est, à plus d'un titre, cette conjugaison de l'ancien et du nouveau, des attitudes positivistes et du fonds de croyances religieuses, du mythe et de la raison sur cette scène où s'instaure la « religion Lénine ». Pour certains dirigeants bolcheviks comme Leonid Krassine, l'embaumement de Lénine trouve *également* son fondement dans la conviction « que le jour viendra où la science sera toute-puissante et nous permettra de redonner vie à un organisme mort [8] ». Les performances thanatopraxiques des anciens Égyptiens — Toutankhamon vient d'être découvert — lancent un défi à la science soviétique armée de la théorie marxiste. Sous l'égide de la *Commission d'immortalisation de la mémoire de V.I. Oulianov (Lénine)*, se met en place une équipe de médecins, de savants, de dirigeants politiques chargés de manifester la supériorité du communisme sur toute autre forme de système social existant en se rendant maîtresse du processus de décomposition qui affecte l'enveloppe mortelle de Lénine. Le 26 juillet 1924, la mission est accomplie et la nature endiguée ; le 1er août, c'est un Lénine *légèrement souriant* qui est placé dans son mausolée provisoire, en bois, de forme cubique. Alors qu'il n'était question, les

---

8. Cité par Nina TUMARKIN, *op. cit.*

premiers jours, que de l'embaumer provisoirement, le temps des cérémonies et de l'hommage populaire, l'exploit des savants soviétiques permet bientôt d'envisager que Lénine puisse ainsi sourire *pour toujours* à l'avenir radieux du peuple...

De la même façon que les faux tsars (les imposteurs) occupent une place considérable dans l'histoire russe, les fausses reliques ont eu aussi abondamment cours dans l'Église orthodoxe que dans la catholique. En vertu de quoi, nouvel exemple de réinvestissement de schèmes anciens, la mémoire soviétique a toujours été parcourue depuis 1924 par cette *légende* (?) *noire* : et si la momie de Lénine, sur la place Rouge, n'était qu'une figure de cire, et si, donc, l'imposture se trouvait installée au cœur même de l'« Empire » ?

On ne comprendrait rien à la « religion Lénine » si l'on se contentait de l'envisager comme un simple culte étatique de l'Être suprême, une simple religion laïque, « civique », imposée à une société inerte et indifférente. Dans son essai, Nina Tumarkin met l'accent sur la dimension populaire, voire spontanée du culte de Lénine. La mémoire du XXe siècle a conservé, bien sûr, l'image de ces foules immenses se pressant, dans toute la Russie et l'Union soviétique, par un froid glacial, aux cérémonies et meetings organisés en hommage au chef disparu au lendemain de sa mort, ces paysans partant en *pèlerinage* dans la neige pour s'incliner devant sa dépouille (et prier pour le repos de son âme ?) au domaine de Gorki, dans les environs de Moscou ; mais plus singulière est assurément la *continuité* de cette dimension « populaire voire spontanée » du culte tout au long de l'histoire passablement erratique de l'Union soviétique : pourquoi, aujourd'hui encore, plus de 300 000 visiteurs, soviétiques pour la plupart, se pressent-ils chaque année à la maison de Gorki transformée en musée ? Pourquoi les jeunes mariés s'en vont-ils si fréquemment, après la cérémonie d'enregistrement, fleurir une statue de Lénine ? Pourquoi, aujourd'hui encore, cette prolifération d'insignes léniniens, divers et variés, aux boutonnières ? Rien de tout

Projet de «tribune Lénine» conçu par El Lissitzky en 1920.

cela ne relève directement de la théologie ni de la liturgie étatique — même si cela n'y est pas, évidemment, étranger...

L'HOMME DE BRONZE

Les statues de Lénine qui s'élèvent aux emplacements stratégiques de toutes les grandes villes de l'URSS occupent une place de choix parmi les objets du culte. Or, au cours de l'année 1989, des voix se sont fait entendre dans les milieux artistiques, suggérant qu'*aucune statue* de Lénine ne soit présentée lors de la grande exposition de sculpture soviétique prévue pour l'année 1992. Quand on sait le nombre de carrières et de réputations de plasticiens « émérites » qui ont été édifiées sur le granite ou le bronze[9] dont on fait les statues de Lénine, la proposition est passablement provocatrice ; elle constitue aussi un indice intéressant du conflit entre les nouvelles représentations nourries par la *perestroïka* et la pérennité de la « religion Lénine ».

Les statues de Lénine accompagnent toute l'histoire soviétique ; de son vivant même, on érigea, à tout le moins, des bustes du dirigeant bolchevik[10] ; celui-ci — cela ne fait aucun doute — aurait rejeté avec horreur et indignation la perspective de son « immortalisation » par le truchement de l'embaumement de sa dépouille[11] ; en revanche, il ne s'est

---

9. Il faudrait s'interroger sur le privilège accordé à ces deux matériaux par la statuaire léninienne. Sont-ils les matériaux *par excellence* dans lesquels se façonnent les emblèmes et représentations du pouvoir ?

10. Voir par exemple le célèbre *Lénine écrivant* de Nikolaï Andreev, datant de 1920 ; une statue de Lénine en pied fut érigée à Gloukhovka le 22 janvier 1924 — soit le lendemain de sa mort...

11. La même mésaventure posthume est survenue à Hô Chi Minh. Celui-ci avait demandé expressément à être incinéré et à ce que ses cendres soient enterrées en trois endroits différents, au Vietnam. Ses successeurs n'en ont pas moins fait embaumer son corps, exposé dans un cercueil de verre au cœur du mausolée dressé sur la place Ba-Dinh de Hanoi ; ils ont également « déplacé » la date officielle de son décès, de manière à ce qu'elle ne coïncide pas avec la fête nationale. Les manifestations multiples du paganisme taxidermique des communistes issus de la tradition stalinienne (Dimitrov, Mao Zedong et

Lénine écrivant (bronze de N. Andreev, 1920).

pas opposé au culte de sa propre personne au point de refuser de parler, comme l'indique une photographie de l'époque, sous sa propre image ; au reste, il était fermement partisan de l'érection de statues des grandes figures de la Révolution à des fins didactiques ou propagandistes [12] ; une autre photographie le montre prononçant, en 1918, le discours d'inauguration du monument provisoire à Marx et Engels, à Moscou... De là à concevoir qu'un jour l'espace

quelques autres ont eu également droit à la momification) mériteraient à elles seules toute une étude. Fin 1989, Dolores Ibarruri fut encore (provisoirement) embaumée en vue de ses grandioses funérailles ; le bruit a également couru qu'après leur mort ignominieuse Nicolae et Elena Ceausescu aient, par une cinglante ironie de l'histoire, été embaumés... car on ne savait que faire de leurs cadavres.

12. Un télégramme de Lénine adressé à P.P. Malinovski proteste, début mai 1918, contre le fait que « l'enlèvement *soigneux* des statues tsaristes, des aigles tsaristes » n'ait pas encore été effectué, que l'on n'ait pas encore mis en œuvre « la préparation de *centaines* d'inscriptions [révolutionnaires et socialistes] destinées à *tous* les édifices publics », la « mise en place [même provisoire] de *bustes* de différents grands révolutionnaires ». Cf. LÉNINE, *Télégrammes*, 1918-1920, Alain Moreau, 1971.

177

soviétique tout entier ferait l'objet d'un quadrillage serré par ses bustes et statues, que ceux-ci donneraient matière à une véritable *industrie*, déjà dénoncée par Maïakovski dans les années vingt, que des architectes concevraient des projets de « palais des Soviets » où trônerait sa statue haute de 75 mètres [13]...

Les statues, leur « esthétique » constituent un matériau de choix pour étudier l'histoire de la mémoire et du culte de Lénine en URSS. Elles illustrent l'évolution des représentations concernant le Père fondateur, fournissent des éléments irremplaçables pour une périodisation du culte. En même temps, l'étude des différentes *attitudes* prêtées par les sculpteurs soviétiques à l'homme de bronze, de granite plus rarement, de marbre, etc. révèle souvent un fort enchevêtrement de signes et de sens.

Les années qui suivent la mort de Lénine inscrivent dans le bronze, de manière dominante, le tribun révolutionnaire, le Lénine « praxique » qui exhorte, galvanise, pèse sur le levier de l'histoire ; en ce sens est parfaitement représentative cette sculpture de Matveï Manitzer [14], réalisée en 1925 et installée au musée central Lénine de Moscou, où l'on voit le dirigeant bolchevik debout sur une voiture blindée et haranguant les ouvriers (« Vive la révolution socialiste mondiale [15] ! ») à son retour d'exil, le 3 avril 1917 ; ce thème dominant se retrouve dans les deux statues léniniennes les plus connues de Leningrad, celle qui s'élève devant la gare de Finlande, et celle qui se dresse devant l'institut Smolny — deux hauts lieux de la mémoire et de la mythologie léniniennes. Sur la première, on voit Lénine, juché sur un haut piédestal évoquant une étrave, le pouce gauche passé dans

---

13. Voir plus loin, p. 192.

14. Les sources soviétiques indiquent toujours le sculpteur et l'architecte des statues. L'architecte participe à la conception de la statue, au choix du matériau, à la définition de son emplacement. Nous avons choisi dans cet article de concentrer notre attention sur les sculpteurs.

15. Soucieux, sans doute, de ménager la susceptibilité des visiteurs étrangers, le guide du *Musée central Lénine* (Moscou), publié par les éditions Radouga (1986), oublie le « mondiale » de cette martiale déclaration.

l'entournure du gilet, en ce geste familier qui va devenir un cliché de la statuaire léninienne, la main droite tendue vers l'avant, en un geste d'exaltation prophétique ; le dirigeant révolutionnaire, le dos tourné à l'étranger (la gare) et le cœur ouvert à la Russie qu'il regarde, harangue une foule sans cesse *figurée* par la masse des voyageurs entrant et sortant de la gare ; cette statue de S.A. Evseev fut érigée en 1926. La seconde, inaugurée pour le dixième anniversaire de la Révolution et due à V.V. Kozlov, montre Lénine dressé sur un fût de pierre blanche portant l'inscription 1917-1927 et une citation exaltant la dictature du prolétariat ; c'est à nouveau l'orateur enflammé qui est ici représenté, dans une attitude très dynamique, la casquette dans la main gauche, tandis que la droite désigne *énergiquement*, si ce n'est vindicativement, un objectif à atteindre ou un ennemi à débusquer ; toute *l'incandescence* des journées révolutionnaires est inscrite dans ces trois monuments. En même temps, si c'est, à l'évidence, ce type qui domine dans la sculpture de ces premières années, un autre s'y dessine déjà : celui, plus religieux, moins dynamique, de l'Annonciateur dont le bras tendu vers l'avant, comme celui du Christ, montre la voie de la Vérité et du Salut ; cette majesté du mouvement prophétique et indiquant le chemin de l'au-delà du moment présent est particulièrement lisible sur la statue imposante installée devant la gare de Finlande. De la même façon, *toutes* les statues érigées durant la première période du culte ne relèvent pas de ce stéréotype de l'« insurrecteur » ; une des premières qui aient vu le jour, montée sur un affût de fortune dans un dépôt de locomotives de Moscou, montre un Lénine sombre et pensif, scrutant l'avenir, une main dans la poche et l'autre ballante le long du corps ; son intérêt est d'être une des rares statues réalisées hors de la commande officielle et relevant donc du culte plus spontané que dirigé [16].

Dans les années trente, avec la montée du culte de

---

16. Voir à ce propos V. ANOKHIN, *Pamiat Naroda*, Izdatel'stvo polititčeckoj literatury, Moscou, 1966.

Staline, les représentations de la statuaire léninienne connaissent une importante évolution ; tandis que s'impose la fable du Parti de Lénine-Staline (soit le « parti léniniste d'acier »), Lénine tend à devenir une icône, un inspirateur, l'homme de la doctrine, plus ou moins lointain ou *fatigué*, un *intellectuel*, tandis que le rôle du *dirigeant*, à proprement parler, de l'homme de la praxis, se trouve dévolu à Staline. Si, bien souvent, dans cette *répartition des tâches* mise en place par le culte des années de stalinisation galopante, le penseur et l'homme d'acier *font la paire* (comme sur ces deux statues de 26 mètres de haut qui montent la garde à l'entrée du canal reliant la Moskova à la Volga), le *beau rôle* du guide actif échoit au futur « Père des peuples ». Lénine, lui, s'alourdit, se fige, se retire dans la réflexion. Une sculpture de 1935 due à V.B. Pintchouk le montre, sans âge, penché sur son écritoire, absorbé par la rédaction d'un article, le manteau jeté sur les épaules, le col de la veste relevé ; l'affût de bronze massif sur lequel sont posés ses livres et ses cahiers souligne l'immobilité de l'ensemble, sa lourdeur. Une autre sculpture de M. G. Manitzer, star de la sculpture léninienne, datant de 1936, met en scène un Lénine dans une posture statique assez étrange, comme entravée ou embarrassée, une feuille de papier roulée à la main, et regardant devant lui avec une sorte d'anxiété ou de perplexité inactive ; ce n'est plus l'orateur *survolté* de Smolny, mais un petit vieillard familier, quelque peu désemparé — et passablement solitaire. Dans le même registre de l'affaiblissement de l'aura (les signes du *pouvoir*, de la *puissance* étant désormais dévolus au seul Staline), on relève ce *Lénine écrivant* réalisé par S. Merkourov en 1940 et installé sur la place Sovietskaïa, à Moscou, devant l'Institut Marx-Engels-Lénine-Staline ; c'est un Lénine *assis*, le crayon et le cahier (attributs de l'intellectuel par excellence !) à la main, un Lénine *pensant* et quelque peu Penseur de Rodin qui s'y donne à voir — devant le temple du dogme. Retiré de l'action, ce Lénine-cerveau, ce travailleur de la plume acharné, ce mort enfermé dans les livres et les théories qu'il lègue à la postérité cède la place du Chef à son successeur statufié vivant.

Ce Lénine plus ou moins détaché, et pour cause, des enjeux du temps présent devient un grand ancêtre ou Père fondateur au même titre que Marx. On le voit bien à Simbirsk, sa ville natale, devenue Oulianovsk. Au centre de la ville, le monument à Marx et le monument à Lénine sont présentés par le guide de la ville [17] comme constituant *un tout* : « En ces temps difficiles [la guerre civile], les travailleurs de Simbirsk décidèrent d'éterniser la mémoire des deux grands révolutionnaires, Marx et Lénine, dont les idées inspiraient ceux qui combattaient pour le bonheur et la liberté du peuple [...] Marx et Lénine. Deux titans. Deux combattants intrépides. Le maître génial et son disciple génial... »

Voici la description de chacune de ces statues jumelles proposée par le même guide : « La statue massive de Marx émerge du bloc sombre de granite gris foncé, semblant se libérer du poids de la pierre. Marx qui rompt les chaînes du vieux monde, Marx au courage indomptable. Il a le front puissant du penseur, le regard inspiré du prophète. » Le monument à Lénine, lui, « dressé sur son haut socle de granite, domine la berge abrupte de la Volga. Le vent frais semble vouloir lui arracher le manteau jeté sur les épaules. Lénine convaincu de la justesse de la cause populaire, Lénine pendant les journées d'octobre 1917, tel est le modèle dont s'est inspiré l'artiste... »

Le premier monument, inauguré en 1921, est dû à S. Merkourov [18], le second, achevé en 1940, pour le soixante-dixième anniversaire de la naissance de Lénine, est l'œuvre de M. Manitzer. Deux vieilles connaissances.

---

17. J. MINDOUBAÏEV, *Oulianovsk*, guide, éditions du Progrès, 1978, p. 56-57.

18. Serguei Merkourov eut l'insigne honneur de réaliser un masque mortuaire et des moulages des mains de Lénine. Il est également l'auteur d'un ensemble sculptural, une sorte de gisant intitulé *Les Obsèques du guide* et installé dans le parc de la maison-musée de Lénine à Gorki. Plus qu'ailleurs, les pontifes de l'art officiel triomphent dans le domaine léninien.

Le guide précise encore que, dans l'esprit des pratiques et représentations de l'époque, la réalisation du monument à Lénine fut l'occasion d'une intense *mobilisation* et d'une saine *émulation*, bref qu'il constitue un fleuron de plus de l'*édification* socialiste : « Cinq longues années d'intenses recherches furent nécessaires, l'emplacement fut choisi avec soin [...]. Ouvriers et ingénieurs travaillaient dans l'enthousiasme. Les ouvriers de l'usine ''Monument sculpture'' de Leningrad, où devait être coulée la statue de bronze, se mirent à travailler 24 heures sur 24 afin de remplir au plus vite une commande aussi honorifique. »

A Oulianovsk, lieu stratégique de la mémoire et la religion léninienne, le « titan »-enfant du pays se doit d'apparaître en toute majesté ; vigie superbe, il surplombe et scrute le paysage volgien et, de là, tout le pays ; une volée d'escaliers conduit au socle élevé sur lequel est reproduit son célèbre autographe. Contrairement à ce qu'indique le guide des éditions du Progrès, ce Lénine sûr de lui et dominateur, monumental, n'est guère l'*agitateur* d'Octobre ; c'est le Triomphateur coulé dans le bronze, dépourvu de ce *délié*, même relatif, ce dynamisme qui affecte les statues des années vingt, c'est un homme immobile, massif qui fait face avec orgueil et confiance à l'avenir, le manteau gonflé par le vent de l'Histoire. Ce Lénine-là monte la garde avec son port d'empereur, au cœur d'un système qui se sent bien assis — il n'est pas prévu, bien sûr, au moment où l'on inaugure ce titanesque homme de bronze, que moins de deux ans plus tard, la Wehrmacht va pousser ses feux dans les parages... Il n'est pas prévu non plus, d'ailleurs, qu'un jour certains journaux soviétiques se souviendront avec émotion que Simbirsk est également la patrie d'un autre grand homme de Russie — Alexandre Kerensky.

Le Lénine *revitalisé* et débarrassé de l'encombrant jumelage avec le dictateur géorgien que proposent les années qui suivent la mort de Staline est une icône sereine, peu mobile, pacifiée. En 1955, par exemple, est installé en bordure d'un lac idyllique, rue Sadova, à Leningrad, un Lénine tranquille dû au sculpteur D.P. Schwartz, disposé sur un socle peu élevé, un promeneur, presque, qui, le pouce passé au revers du manteau, jette sur le temps présent un regard apaisé et bienveillant. De la même façon, V.B. Pintchouk installe en 1957 un Lénine calme, une main dans une poche, une autre posée sur le col du manteau, dans les jardins (autre lieu de paix et de repos) de Tauride, toujours à Leningrad. Ce Lénine d'humeur égale, confiant dans le présent et l'avenir, c'est celui qui perdure par-delà les temps agités du paroxysme stalinien, un Lénine à visage humain, par-delà les outrances hagiographiques et monumentalistes de la période précédente, un Lénine rassurant et avenant : ainsi, celui que conçut l'architecte A.I. Lapirov et qui fut installé, en 1957, sur la place Kirov de Leningrad — il avance, la casquette à la main, l'air engageant, d'un bon pas de promeneur vers l'avenir, semblant convier la population soviétique à le suivre, tous cauchemars staliniens oubliés ; un autre, sculpté par E.G. Zakharov en 1956, tend la main vers l'avant, avec un geste ambigu — sans doute le papier qu'il tient dans l'autre main indique-t-il qu'il est en train de prononcer un discours, expliquant calmement plus qu'exhortant, mais son attitude est aussi celle d'un homme qui présente la main pour saluer un invisible interlocuteur : un Lénine qui dialogue, bonhomme, un peu replet et qui, dès lors, ne saurait plus ni impressionner ni faire peur. C'est le « Lénine avec nous » de la déstalinisation, rassis, que l'on montre en exemple aux enfants. Image rassurante accentuée dans ce Lénine écrivant de 1958, émergeant d'un bloc de granite, la tête penchée, un peu malade déjà, peut-être indestructiblement enraciné dans l'histoire soviétique, ce penseur massif semble présenter toutes les sécurités — il ne domine pas, il ne menace pas, il n'agite pas, il écrit.

Plus tard, dans les années brejnéviennes, fait son apparition un Lénine présentant une double caractéristique : il est, d'une part, le terrain d'expérimentation d'un timide modernisme en rupture avec les canons du réalisme socialiste *stricto sensu* (formes simplifiées ou stylisées, recherches sur les volumes...) et, de l'autre, il produit une formidable impression de lourdeur et d'immobilité. C'est par exemple le cas du monument de bronze sculpté en 1980 par Isaac Brodsky pour le jardin de la maison-musée de Gorki où mourut Lénine : avec ses jambes et ses pieds énormes, son manteau comme un blindage, il semble englué sur son socle bas dans une histoire immobile ; le culte devient lourd, mécanique, torpide. Ce côté massif et pétrifié se retrouve dans le Lénine de Novosibirsk du même Brodski : comme enroulé dans les plis d'une épaisse cape de granite, retenu par ce lourd vêtement, les bras fondus dans le torse, les jambes épaisses, cet homme minéral *stagne* avec un air de solitude anxieuse. Avec ses pieds d'éléphant, comme celui de Gorki, il semble en effet *indéracinable* — mais irrémédiablement immobilisé et formidablement seul. Ce n'est sans doute pas un hasard : ce mastodonte pondéreux et indestructible nous en rappelle un autre — celui qui monte la garde aux confins du monde occidental, à Berlin-Est, place Lénine, bien sûr [19].

ESTHÉTISER LA POLITIQUE

Ce qu'illustre avant tout la statuaire léninienne, c'est la continuité du culte ; mais, nous l'avons vu, le catalogue des attitudes du Père fondateur que met plus particulièrement en avant chaque époque est fort divers. Quatre « types » nous paraissent s'en dégager avec une particulière insistance : *l'« insurrecteur », le penseur, la vigie, le bon papa.*

L'« insurrecteur », c'est l'homme des origines trépidantes de l'histoire soviétique, celui qui en accélère le cours, la barbiche en bataille ; c'est l'homme du combat, de l'affrontement avec le vieux monde, de l'universalisme révolutionnaire : prophète, visionnaire, il est projeté vers l'avenir par l'irrésistible dynamique du *mouvement*.

Le penseur, c'est l'intellectuel absorbé par son travail, protégé par son épais manteau jeté sur ses épaules, le titan

---

19. Cette redondance est très courante et pousse parfois jusqu'à l'absurde les effets de saturation du culte des saints en usage dans le socialisme réel.

1. Un Lénine des années soixante-dix.

2. Lénine au Palais des Congrès au Kremlin.

3. Lénine enfant à Ulianovsk.

4. «L'insurrecteur» (1927).

de la théorie, de la « publicistique », dont les idées ébranlent le monde ; dans les sculptures relevant de ce type, l'accent est placé sur les attributs de la pensée, le front ample rehaussé par la calvitie, l'attitude concentrée, le cahier, le livre, le stylo... Ce Lénine, *Arbeiter der Stirn*, incarne la puissance invincible du marxisme-léninisme, Vérité de ce monde ; c'est sans doute le seul type que l'on retrouve, diversement connoté, à *toutes* les périodes du culte. Ce n'est pas vraiment une surprise, puisqu'il renvoie à la Doctrine, telle qu'elle se présente dans sa transcendance et son immuabilité.

La vigie, c'est par exemple ce Lénine d'Irkoutsk, sculpté par N.V. Tomski dans les années cinquante et qui salue le monde d'un geste majestueux, ample, campé sur son socle élevé. Il présente au monde, dans l'attitude du vainqueur, tel Auguste, l'œuvre accomplie, l'édification menée à bien, il annonce la Bonne Nouvelle de l'avenir radieux ; à ce titre, il rappelle aussi le Christ du Corcovado ; il domine, témoigne de la puissance de l'« Empire » et la montre, triomphant ; à Irkoutsk, comme souvent ailleurs, la solennité et la majesté de cette apparition sont, à l'occasion des grandes festivités, soulignées par les corbeilles de fleurs déposées au pied du hérault et une volée de drapeaux rouges ; si ce Lénine a, comme l'« insurrecteur », le bras tendu, ce n'est pas pour haranguer ou convaincre, mais pour rendre son salut à la communauté soviétique qui l'acclame et proclamer à la face du monde : « J'étais, je suis, je serai ! »

Le bon papa, c'est ce Vladimir Ilitch bonhomme descendu de son piédestal pour s'adresser familièrement à son peuple, ce Lénine près des gens que l'on voit même, sur l'une de ces statues, portant une petite fille sur son dos [20] ; c'est un Lénine éducateur, comme son père, se distinguant par ses vertus et qualités humaines, sa moralité élevée, sa simplicité et son bon sens « paysan » — tout le contraire du

---

20. Œuvre du sculpteur Z.I. Azgour, « héros du travail socialiste, artiste du Peuple de l'URSS et de la RSS de Biélorussie ». Dans un registre proche, on trouve à Oulianovsk une statue de *Lénine écolier*.

grand idéologue ; c'est une figure tutélaire proche de chacun, et non pas un prophète lointain ; l'homme du consensus, de la stabilité, de la sécurité, le garant de la cohésion d'un monde soviétique pacifié et las des guerres de toutes natures.

Les statues de Lénine occupent une place privilégiée dans la vaste entreprise d'esthétisation de la politique et l'idéologie mise en œuvre par le régime soviétique — dans toutes les phases de son histoire. Ce ne sont pas, pour autant, des canons artistiques mais bien religieux qui président à l'entreprise de démultiplication à l'infini de l'image de Lénine dans l'espace soviétique ; cela explique que l'art d'avant-garde, si florissant dans la Russie des années vingt, puis timidement renaissant à l'heure de la déstalinisation, n'ait jamais eu prise sur la statuaire léninienne : l'imitation, la ressemblance avec le modèle constituent des impératifs absolus pour cet « art » hagiographique, et la modique stylisation entreprise par Iossip Brodsky, à la fin de l'ère brejnévienne [21], semble bien être le *summum* de ce qu'aient pu admettre les grands pontifes du culte ; le fameux épisode du portrait de Staline par Picasso rappelle, à ce propos, à quel point le sens du *blasphème* faisait partie intégrante des représentations staliniennes. En fait, la statuaire léninienne s'apparente au jeu des comédiens spécialisés dans les rôles de Lénine, dans les films soviétiques (il y en eut, il y en a de très fameux) : elle collectionne les « détails caractéristiques », les poses familières, les gestes — voire les tics — connus et reconnus du modèle : pouces dans l'entournure du gilet, yeux plissés, manteau jeté sur les épaules, menton soutenu par la main, etc. Souvent, elle emprunte sans vergogne à la photographie : lorsqu'elle met en scène Lénine orateur, Lénine prenant des notes, notamment. Le souci d'authenticité se rabat sur le mimétisme le moins imaginatif. Cette absence d'autonomie de l'« artiste » (travaillant sur commande d'État, ne l'oublions pas) à l'endroit de son

---

21. Voir à ce propos le guide *La Maison-Musée de Lénine à Gorki*, éditions Radouga (Moscou), 1986, p. 13, 87.

modèle trouve une expression toute particulière dans la représentation du vêtement : Lénine ayant, en la matière, fait preuve d'un solide conformisme, toujours vêtu d'un costume bon marché avec gilet, l'image de ce petit bourgeois tout de sombre vêtu s'est imposée comme le stéréotype absolu de la statuaire léninienne ; avec une audace folle, le sculpteur G.D. Glickman façonna, en 1955, un Lénine assis, vêtu d'une *chemise russe* ; pour s'autoriser ce coup d'éclat, il lui fallut préciser qu'il s'agissait de Lénine à Razliv, en cet été 1917 où, contraint à la clandestinité, il se cachait à la campagne ; mais il eût fallu, alors, en bonne logique, le représenter glabre et coiffé de sa célèbre perruque — redoublement d'hétérodoxie que ne pouvait se permettre le sculpteur... Il faut voir comment, dans les années 1970-1980, le novateur I. Brodsky déploie des efforts *soutenus* afin d'échapper au cliché vestimentaire — gommant la sainte calvitie d'une casquette martiale, enroulant le héros solitaire dans une insolite cape à la Zorro — pour apprécier ce qu'il en est de la tyrannie du mimétisme dans cet art religieux. Du coup, se trouve soulignée par la statuaire la distinction *européenne* du leader, par opposition à un certain traditionalisme de la vêture russe (bottes, pantalons bouffants, chemise à haut col...) encore présent dans la social-démocratie russe d'avant 1917 et remis en honneur par Staline... Sauf exception, donc, les contraintes de l'imitation vestimentaire font obstacle à la présentation du Père fondateur en héros (grand) russe — en dépit des tentations qui ont pu exister à certaines périodes du culte ; à l'occasion, cette distinction intellectuelle et européenne souligne explicitement la *différence* avec Staline, le non-Européen — voire l'Asiate — par excellence, et le rustre.

Les innombrables prospectus et dépliants conçus par l'Intourist à destination des visiteurs étrangers font très rarement mention des statues de Lénine comme « valant le détour » dans telle ou telle ville, au même titre que le monastère, le musée de la Révolution ou la galerie de peinture ; à l'évidence, donc, ces objets majeurs du culte sont destinés avant tout à la population soviétique et les pratiques liturgiques qui s'y rattachent ne sont pas perçues comme concernant — directement du moins — les Occidentaux. C'est bien dans un espace *vécu* (par les « autochtones », donc) que les statues de Lénine occupent toujours une position stratégique : sur une place centrale, devant une gare, un édifice public important, en un lieu historique ; un guide historique de la ville de Yalta souligne tout naturellement cette centralité, indiquant que la statue de Lénine a été installée, pour le trentième anniversaire de sa mort, face à la poste centrale, sur la promenade la plus fréquentée de la ville[22]... Cette statue, le citoyen soviétique la croise donc inéluctablement, l'inscrit dans son paysage mental et n'échappe pas à son regard ; son orientation joue également un rôle essentiel, qu'elle soit disposée afin de recueillir la meilleure lumière du jour, d'indiquer une direction, d'accueillir le visiteur... Elle est un lieu de commémoration (naissance, mort, anniversaire...), appelant ainsi rites et exercices de piété ; plus elle se situe en un lieu de condensation de la mémoire léninienne (Leningrad, Oulianovsk, Moscou...), et plus elle se doit d'être imposante[23] ;

---

22. A Bakou, la statue de Lénine est installée devant le palais du gouvernement. Même disposition à Tbilissi, Kemerovo, Voronej où elle fait clairement figure d'emblème du pouvoir devant un bâtiment officiel (Parti, gouvernement). Les statues l'associent également au pouvoir par un autre biais : le Lénine qu'elles représentent est, dans l'immense majorité des cas, non pas celui de la clandestinité, du petit parti bolchevik, mais celui qui est en passe de s'emparer du pouvoir ou celui qui y est déjà installé.

23. On pourrait également avancer l'hypothèse — sans disposer d'une documentation suffisante pour l'étayer — d'une corrélation entre le caractère plus ou moins conservateur de l'administration d'une région ou d'une république et la densité de statues de Lénine qui s'y trouvent implantées ; cette hypothèse nous a été suggérée par l'étude d'une documentation iconographique officielle et récente sur les statues, peintures, emblèmes... ayant trait à Lénine en Biélorussie (*V.I. Lénine dans l'art des artistes biélorusses,* en russe, anglais et français. Éd. Biélorusse, Minsk, 1987) ; les statues de Lénine y semblent particulièrement nombreuses non seulement dans les villes mais aussi dans les « bourgs », et l'administration locale semble veiller à la pérennité du culte en entretenant sans relâche la commande de statues figurant un Lénine plus sévère et vigilant qu'accorte (ainsi ce lourd monument de Borissov où le Guide parle, la main levée, devant une tribune sur laquelle est gravée l'inscription : « Tout le pouvoir aux Soviets ! ») ; toutes les statues représentées dans ce catalogue sont dues à des « artistes émérites », « héros du travail » et autres « artistes du peuple ».

aujourd'hui encore, le secrétaire général prononce ses dis-cours, au palais des Congrès, *sous* une immense statue de Lénine installée dans une niche ; difficile, dans ces condi-tions, d'outrager la mémoire du Père fondateur...

Quels qu'aient pu être, au cours de l'histoire soviétique, les infléchissements du culte de Lénine et les efforts des grands pontifes de la « religion Lénine » pour produire, à certaines périodes, un Lénine-près-du-peuple, la métaphore dominante de la statuaire léninienne demeure celle de la *domination* : Lénine surplombe, scrute, surveille, commande, veille, etc. Une photo récente montre une foule de cent mille Azéris rassemblés à Bakou *au pied* de la statue du Guide[24] ; elle a ceci de fascinant que, prise d'en haut, derrière la sta-tue, elle illustre parfaitement ce rapport de l'*homme de proue* aux masses dans un espace urbain donné : c'est une pous-sière humaine qui semble s'écraser sous le colosse qui salue ; simplement, en ces temps de déréliction, ce n'est pas pour lui *rendre son salut* que s'est amassée cette foule, mais pour réclamer davantage d'autonomie nationale. On ne saurait mieux montrer le porte-à-faux de la « religion Lénine » dans la conjoncture soviétique actuelle. Dans cette ère de crise, de laïcisation de la vie politique, d'ébranlement des idoles, c'est l'ironie qui ronge les socles des statues, alors même que la proposition impie de les déboulonner ou de les abattre n'a pas encore cours : la *vox populi* a, depuis longtemps, appris à *interpréter* ces statues où le titan « domine la situa-tion » en allégorie de l'écrasement du peuple ; le monumen-tal ensemble sculptural installé sur la place Octobre à Moscou où figure un Lénine surplombant les représentants du peuple en révolution se prête tout particulièrement, pour citer l'un des exemples les plus notoires, à ce type de détour-nement. Le pouvoir soviétique, ici, n'échappe pas à la règle commune : érigeant des statues, la puissance étatique, quelle qu'elle soit, dévoile des appétits de pouvoir et se trahit ainsi aux yeux de ceux d'en bas ; imposant sous cette forme (et sous bien d'autres encore) la *religion du pouvoir*, elle se

---

24. In *Libération* du 4 septembre 1989.

condamne à voir un jour la métaphore se retourner contre elle — lorsque les statues s'abattent avec fracas dans la poussière, tant il est vrai, pour paraphraser Brecht, que, des règnes éternels, il demeure surtout qu'ils furent renversés.

CONFORMISME ET GIGANTOMANIE

L'érection de statues de Lénine s'inscrit, à l'origine, dans la perspective du développement d'un art de propagande révolutionnaire, d'agitprop, d'un art lié au développement de la vie sociale, à la reconstruction du mode de vie — un art pour les masses qui contribue à la remise en question des anciennes façons de voir et de sentir. Cet art didactique et propagandiste a connu, on le sait, une formidable explosion au lendemain de la révolution d'Octobre et dans les années vingt. La préoccupation — du pouvoir, en premier lieu, mais également de l'intelligentsia révolutionnaire, d'une partie de la classe ouvrière — de renverser les signes de l'ordre ancien et les supplanter par ceux de l'ordre nouveau tient une place essentielle dans cette perspective : les emblèmes du tsarisme sont « démolis ou brûlés en public, les édifices alors en cours de construction restent inachevés, on rebaptise des villes, des rues, des navires, etc.[25] ». Dans ce projet de substitution d'une mémoire à l'autre, l'art monumental et emblématique jour un rôle stratégique ; la Russie impériale érigeait des monuments aux tsars, aux grands serviteurs de l'État, aux chefs militaires — bien plus rarement aux grands représentants de la culture russe ; le gouvernement soviétique établit en 1918 une liste de « personnes auxquelles on se proposait d'ériger un monument » ; on y relève les noms de Danton, Robespierre, Marat, Hugo, Voltaire, Babeuf, Blanqui, Cézanne... « Maintenant encore à Moscou, sur l'obélisque des Penseurs révolution-

---

25. Voir à ce propos, in *Catalogue Paris-Moscou*, Centre Georges-Pompidou, 1979, l'article d'Anatoli STRIGALEV, *L'Art de propagande révolutionnaire, l'agitprop*, p. 314 *sq.*

naires (refait, symboliquement, d'après un obélisque qui célébrait la dynastie tsariste), on peut lire les noms gravés en 1918 de dix-neuf révolutionnaires de tous les pays — dont ceux de Meslier, Saint-Simon, Vaillant, Fourier, Jaurès, Proudhon [26]. »

Les grands révolutionnaires — ce n'est pas une surprise — occupent donc une place de choix dans la statuaire qui, dès les lendemains de la Révolution, vise à supplanter les idoles renversées du tsarisme. Certaines statues, comme le Karl Marx d'Alexandre Matveev (Petrograd, 1918), s'inscrivent dans « la grande tradition classique repensée et renouvelée », d'autres dans la perspective du cubisme ou du futurisme (le portrait de Bakounine de Boris Korolev, Moscou 1918-1919, le monument à Blanqui de T. Zalkan, Petrograd 1919), d'autres, comme le « projet de monument dédié à Lénine » — deux blocs de granite superposés — d'Alexandre Nikoski (Leningrad 1925), sont résolument tournés vers l'abstraction. Par ailleurs, les *nécropoles révolutionnaires* vont occuper une place importante dans les dispositifs commémoratifs qui se mettent en place : monument aux *Héros de la Révolution* sur le Champ-de-Mars à Petrograd (1917-1919), sculpture *A ceux qui sont tombés pour la paix et l'amitié des peuples* sur la place Rouge à Moscou (1918), monument aux vingt-six commissaires de Bakou (1923-1924), etc.

Tout cela indique clairement qu'aussi bien l'essor pris par la statuaire léninienne à partir de 1924 que la construction du mausolée (1924-1930) sur la place Rouge et les rites commémoratifs qui les entourent s'inscrivent dans un mouvement qui saisit la société russe dès les lendemains d'Octobre — et prolonge lui-même un certain nombre de « gestes » de la Révolution française et de la Commune de Paris. Une question se pose alors : pourquoi sont-ce dès les origines du culte les formes les moins novatrices — pour ne pas dire les plus académiques — qui s'imposent dans la statuaire et la sculpture léniniennes ? Pourquoi les plus audacieuses des

---

26. *Ibid.*

statues de Lénine des années 1970-1980 apparaissent-elles
encore empreintes de pompiérisme rétrograde auprès du
Marx de Matveev (1918), de facture pourtant classique ?
Comme l'attestent aussi bien le monument à Lénine de
Nikoski évoqué plus haut que le fameux *Coin rouge* de Nikolaï Kolli (1918) ou encore l'intéressant *Projet de tribune Lénine*
(1920) d'El Lissitzky, ni la statuaire ou la sculpture révolutionnaires, ni la célébration de Lénine n'étaient vouées à
des produits conformistes ou au triste pastiche du « classique ». Il faut donc bien admettre que s'impose d'emblée
dans l'emblématique léninienne une esthétique « réaliste »,
éprise de « lisibilité » immédiate, optimiste, glorifiante et
fondée sur l'incessante paraphrase du classique. Pourquoi ?
D'une part, sans doute, parce que *l'injonction du pouvoir* sous
la forme de la commande d'État et l'idée qu'il se fait de ce
qui sied à la célébration léninienne jouent en la matière un
rôle décisif[27] ; d'autre part, parce que le transfert de religiosité dont Lénine fait l'objet en devenant « icône »
n'appelle pas la novation, mais la poursuite de la tradition :
ce n'est pas un « art » léninien qui est en train de se mettre en place, mais un culte, une religion ou une « quasi-
religion[28] ». Ce sont là sans doute de bonnes raisons pour
que s'impose, sur les mânes de Lénine, cette esthétique
hagiographique, sulpicienne et souvent kitsch qui ne triomphe sans partage, ou presque, dans l'art soviétique que dix
ans après la mort du Père — sous les espèces du réalisme
socialiste. Tandis en effet que, dans les années trente, l'art
cesse d'être considéré comme un moyen de transformer la
société pour devenir un instrument d'« affirmation » de la
nouvelle réalité, tandis donc qu'il connaît un radical

---

27. L'URSS n'est évidemment pas le seul pays où l'érection de statues en
des lieux publics relève, pour l'essentiel, de la commande d'État ; mais le zèle
déployé par les régimes staliniens et post-staliniens dans l'utilisation de la statuaire en rapport avec une stratégie de la mémoire est demeuré inégalé ; dans
ce contexte, le rôle d'arbitre de l'élégance et de maître du Beau que s'arroge
l'État exerce des ravages.
28. Pour reprendre l'expression de Lubomir SOCHOR, in *Contribution à
l'analyse des traits conservateurs de l'idéologie du « socialisme réel »*, série « Les crises
des systèmes de type soviétique » dirigée par Zdenek MLYNAR, n° 4, Wien,
1983, p. 31 *sq.*

changement de cap, la statuaire léninienne, elle, présente une remarquable continuité au plan esthétique. Celle-ci se trouvera confirmée par-delà la révocation du dogme du « réalisme socialiste », en 1954. Ce sont, comme nous l'avons montré plus haut, des *contenus* qui évoluent au fil des différentes phases du culte, mais la *forme*, elle, présente une singulière homogénéité, relevant d'un inlassable pastiche de l'intangible modèle « classique ». C'est précisément cette fixité, l'absence d'imagination et le conformisme frileux de cet art officiel par excellence, qui permet de l'étudier autant sous sa forme typologique que dans son historicité diachronique. Avec le stalinisme triomphant, ce ne sont pas les canons de la statuaire léninienne qui changent, seulement l'échelle ; le monumentalisme, la gigantomanie qui saisissent alors l'art — et tout particulièrement l'architecture — s'emparent aussi de la statuaire officielle ; les Lénine de bronze grandissent — tout comme les Staline, bien sûr. Il n'en est évidemment pas de meilleur exemple que ce Palais des Soviets colossal, non réalisé et irréalisable, dont le projet fut conçu à partir de 1931 ; imaginé par Boris Iofan, il se présente à l'origine comme une tour de Babylone de 182 mètres de haut ; deux ans plus tard, sur l'injonction du pouvoir, le projet définitif, « amendé », prévoit un bâtiment de 420 mètres de haut — le plus élevé du monde — surmonté d'une statue de Lénine d'une dimension de 50 à 70 mètres « de manière que le Palais des Soviets apparaisse comme le piédestal de la statue de Lénine » — la plus grande sculpture du monde, à son tour. La maquette du projet dans sa forme définitive montre un Lénine triomphant, apostrophant *prophétiquement* le monde. Comme l'indiquent sans aucune ambiguïté les sources de l'époque [29], la surenchère

---

29. Voir à ce propos le livre d'Anatole KOPP, *L'Architecture de la période stalinienne*, Presses universitaires de Grenoble, 1978, p. 239 *sq*. La gigantomanie en matière architecturale est profondément ancrée dans les représentations staliniennes. Lorsqu'il fallut choisir entre différentes maquettes conçues pour le mausolée de Mao Zedong, en 1976, son successeur Hua Guofeng posa « une question toute simple » : « Laquelle est la plus haute ? » et fit son choix selon ce critère, de la même façon qu'il avait décidé de la forme carrée du mausolée — paraphrase de celui de Lénine (cf. *Le Monde* des 3-4 janvier 1988).

5. Lénine à Irkoutsk (1953).

verticale dans la conception du Palais ainsi que les dimensions de la statue de Lénine furent l'option du Parti et du
gouvernement — pas des spécialistes. Il fallait que « le
monument à V.I. Lénine » soit « le plus grand monument
de l'époque stalinienne ». Commencés en 1940, les travaux
furent interrompus en juin 1941, lors de l'invasion allemande ; ils ne furent jamais repris. Son gigantisme mis à
part, le Lénine du Palais des Soviets n'innove en rien ;
monstrueux emblème du Pouvoir dressé sur les épaules du
peuple (les soviets !) comme le roi franc sur son pavois, il
règne sur les cieux comme Staline règne sur terre, couron-
nant cet édifice sulpicien comme la statue de la Vierge surplombe les pieuses basiliques, symbole d'une religion
engluée dans ses pompes et fastes liturgiques.

LE POST-MODERNE PASSE À L'EST

La crise que connaît aujourd'hui en URSS le culte léninien s'inscrit dans un mouvement général de désacralisation des images saintes du pouvoir et de la culture officielle.
Cette iconoclastie plus ou moins furieuse occupe une place
de choix dans les changements de posture et les éruptions
de mémoire auxquels on assiste présentement à l'Est. Dans
certains cas, ce rejet des idoles ou l'érosion de leur culte
constituent le symptôme d'une laïcisation de la vie publique ; dans d'autres, comme en Pologne ou en Serbie, une
nouvelle topologie du sacré s'impose, qui refoule l'ancienne.
A l'Est, sous l'effet des bouleversements en cours, une
nouvelle géographie de la mémoire se dessine ; pour autant,
les signes et emblèmes, le marquage du paysage social par
l'ordre ancien, ses pompes et ses rites, ses traces « impériales » ne s'effacent pas par enchantement : les monuments
érigés à la gloire de l'Armée rouge, les chefs-d'œuvre
encombrants du monumentalisme et du pompiérisme staliniens, les statues des héros socialistes, les toponymes évoquant le « monde nouveau » en déréliction, les mémoriaux,
les nécropoles, les musées de la Révolution ou du Mouve-

ment ouvrier... sont, pour la plupart, encore là, en dépit de quelques spectaculaires déboulonnages.

Ainsi, bon gré mal gré, l'ordre nouveau s'installe dans la pierre, la nomenclature et les automatismes de l'ancien ; ce n'est pas demain que tomberont le palais de la Culture de Varsovie, ce Sacré-Cœur du stalinisme, ou le super-kitsch mémorial de l'Armée soviétique, à Treptow (Berlin-Est) ; à son tour, l'Est s'installe dans la posture familière du post-moderne : les « grands récits » meurent, mais leur enveloppe demeure et c'est dans leurs ruines qu'habitent les survivants ; survient alors le temps de l'*ironie* qui se manifeste par exemple dans les innombrables sobriquets dont les habitants de ce monde affectent les vestiges encombrants du monde d'hier[30]. Dans un tel contexte, il se peut que la désacralisation, lente ou rapide, ne soit qu'une étape sur le chemin de la *profanation*, comme à Nowa-Huta où la statue de Lénine est apparue aux yeux d'une jeunesse enragée comme le pur symbole de la présence des troupes soviétiques en Pologne ; il se peut aussi que, progressivement *oubliées* sur leur socle, certaines statues de Lénine deviennent, dans une société émancipée de la « religion Lénine », aussi invisibles ou fondues dans le décor, arrachées à leur origine, que les statues impériales à Vienne, l'arc de triomphe du Carrousel à Paris ou le monument à Victor-Emmanuel II à Rome. Les statues, parfois, meurent de maladies foudroyantes ; parfois aussi, à l'inverse, la pierre, le bronze ont la vie plus dure que les plus durs des « grands récits ».

---

30. Voir à ce propos l'article d'Anna SIANKO, « Les monuments de Varsovie » ; notons aussi, par exemple, qu'à Berlin-Est la *vox populi* a, depuis longtemps, rebaptisé l'ensemble sculptural représentant Marx et Engels installé, bien entendu, sur le Marx-Engels Forum, « Sakko et Jacketti », par allusion, éventuellement, à leur tenue un peu trop respectable (*Sakko* veut dire « veston » en allemand).

Tchécoslovaquie

Le musée de la police à Prague

par Véronique Soulé

Ils ont tous l'air de s'ennuyer. Poliment mais fermement. Probablement amenés en bus ou en train d'une entreprise de province, ils sont une quinzaine, regroupés derrière le guide, à visiter ce haut lieu de la lutte idéologique, le musée de la Sécurité nationale (SNB) et des Forces du ministère de l'Intérieur (MV) de Prague. Les plus âgés s'assoient de temps à autre sur les chaises placées à l'angle des salles. Les plus jeunes, qui n'ont pas l'excuse de l'âge, glissent en patins derrière le guide, collent leur nez sur les vitrines pour examiner les « preuves » de la subversion et repartent sans échanger un mot entre eux, regard absent, visage impénétrable.

Le musée semble tout droit sorti d'un autre temps, celui de la guerre froide où le monde communiste, assailli de toutes parts, devait résister aux assauts de l'« impérialisme ». En ce début novembre 1989, combien de Tchécoslovaques se croient-ils encore la cible des « centrales d'intelligence occidentales » ? Bien peu sans doute. Mais les rôles, qui ont été distribués au lendemain de l'écrasement du printemps de Prague, semblent immuables. Une propagande de plus en plus vide se déverse dans les médias sans que personne y prête attention. Les idéologues ne semblent plus s'adresser qu'à leurs pairs. Alexander Dubcek est traité de « pauvre type », Vaclav Havel de « nullité » comme tous ses comparses de la Charte 77 « financés par les centrales occidentales ». Pourtant, lorsque la crise éclate dix jours plus tard, on pourra mesurer la popularité dont jouissent l'ancien dirigeant du printemps de Prague et le dramaturge fondateur de la Charte 77. Mais depuis longtemps, de part et d'autre, on ne cherche plus à convaincre, tout juste à faire semblant. Par routine, les uns visitent des musées idéologiques ; les autres clament leur fidélité au marxisme-léninisme.

Mon interprète officielle désigne avec un mépris à peine voilé le groupe qui entame sa visite : « Probablement des candidats au Parti (le Parti communiste tchécoslovaque, PCT) ou des militants syndicaux. Ils doivent accomplir un certain nombre d'activités politiques dans l'année ; c'est inscrit dans leur plan. Avec un peu de chance, ils iront boire ensuite à la buvette qui se trouve dans le jardin. Et surtout, après, ils iront faire des courses à Prague. » Le groupe silencieux a des allures fantomatiques. Le vieux guide qui, comme tous ses homologues du monde, semble très fier de son musée, ne se décourage nullement. Sans doute tous les groupes défilent-ils ici de ce pas lourd. Les visiteurs ne s'animeront que dans la salle consacrée aux techniques criminelles de la police. Ils poseront même quelques questions sur les causes de la hausse des accidents de la route.

Étaient-ils plus enthousiastes, ou tout au moins plus appliqués, lors des années soixante-dix où il fallait encore faire la preuve de son adhésion à la politique de normalisation ? Ou avaient-ils déjà cette démarche pesante et l'air contraint de celui qui fait sa B.A. ? Une chose est sûre : le musée est avant tout destiné à un usage intérieur. Ouvert le 17 avril 1975, à l'initiative du secrétariat du comité central du PCT, il est présenté dans la notice comme un « établissement scientifico-culturel », destiné à mettre en valeur le rôle dirigeant du Parti dans la création de l'appareil de sécurité et dans la consolidation qui fit suite à la « tentative contre-révolutionnaire des forces antisocialistes » (le printemps de Prague)...

Rares sont les étrangers qui s'y aventurent. Le musée ne figure sur pratiquement aucun itinéraire touristique et le guide ne parle que le tchèque ; les employés semblent

199

d'ailleurs tout étonnés de voir une étrangère y venir deux jours de suite. Du coup, la caissière nous fait une remise sur le prix du billet, et le guide s'enquiert auprès de mon interprète pour savoir si je me trouve à Prague « en stage ».

Des actions de sabotage de l'après-guerre à la subversion idéologique de l'époque contemporaine, le musée se présente comme un formidable condensé tout à la fois de la paranoïa des régimes socialistes, de la réécriture de l'histoire et du dogmatisme borné des polices politiques qui furent, au moins jusqu'à nos jours, un pilier du système.

« Pour photographier, prière de demander l'autorisation à la direction, au second étage du bâtiment. » Moins que dans aucun autre musée, on ne plaisante ici avec le règlement. Un garde en grande tenue des forces de sécurité se tient en faction à l'entrée ; à l'intérieur, des caméras sont accrochées aux angles des plafonds, bien qu'apparemment — aucune lumière rouge n'étant allumée — elles ne fonctionnent pas. Les autres corps du bâtiment, un ancien monastère augustinien fondé en 1350 par Charles IV qui abritait encore un couvent avant-guerre, accueillent des « militaires », nous explique la responsable de la buvette privée. Sur ce qui fut un jardin ombragé, où se promenaient les moines en égrenant leurs chapelets, on a disposé un char, une guérite de garde-frontières et un circuit de signalisation routière pour l'« éducation civique » des écoliers.

« SOLIDARITÉ » À LA TRAPPE

A priori, rien ne semble avoir changé entre nos deux visites, en juin 1988 et novembre 1989. Une statue en bronze représentant un combattant surplombé du marteau et de la faucille ouvre le musée. Les phrases historiques écrites sur le livre d'or par Gustav Husak le 29 octobre 1975 — « Ce musée montre bien le travail héroïque et hautement responsable de la SNB et des troupes du ministère de l'Intérieur pour défendre notre État et les acquis révolutionnaires de notre peuple... » — clôturent l'exposition. Dans chaque pièce, ou presque, les preuves des agressions et autres vils complots de l'Ouest s'étalent sur les murs. En progressant dans le musée, une impression se renforce : celle d'une forteresse assiégée, d'un univers angoissant où chaque homme peut cacher un traître, mais où l'espion, traqué par la vigilante SNB, sera immanquablement démasqué.

Lors de notre première visite, mon interprète chuchotait, honteuse de traduire tant de textes indigestes, mais aussi craintive, osant à peine formuler ses commentaires (acerbes). Lors de notre seconde visite, elle est presque détendue. Le grand chambardement ne s'est pas encore produit, mais les temps ont imperceptiblement changé. Le musée aussi. Dans l'avant-dernière salle, consacrée à 1968 et à la subversion idéologique, les revues de l'opposition polonaise (*Robotnik 80, Solidarnosc, Aneks, Kultura...*), qui côtoyaient celles de l'émigration tchèque, ont été retirées des vitrines. Deux mois plus tôt, *Solidarnosc* a formé le premier gouvernement à minorité communiste de l'Est. Aussi hostile qu'il soit à ce genre de déviations, le PCT en a pris note et la direction du musée s'est adaptée. Pour combler le vide, la partie consacrée aux influences néfastes de l'idéologie bourgeoise sur la jeunesse a été sensiblement enrichie.

Début décembre 1989, le musée, comme pratiquement tous ceux de Prague, était fermé pour cause de grève de solidarité avec le mouvement. Survivra-t-il au « nouveau régime » ? Il est permis d'en douter. On parlait déjà à l'époque de reconvertir en galerie d'art le musée Klement-Gottwald, autre bastion de la « vieille pensée » (néostalinienne). Le Parti en pleine déroute s'était déjà résigné à restituer à la ville de Gottwaldow son ancien nom de Zlin, symbole de l'époque Bat'a[1] qui y avait son siège, ainsi qu'à retirer de la circulation les nouveaux billets de 100 couronnes portant l'effigie de Gottwald[2], qui avait provoqué

---

1. Tomas Bat'a (1876-1932), industriel tchèque, fondateur des usines de chaussures qui portent son nom, fut l'un des grands entrepreneurs de l'entre-deux-guerres ; gestionnaire moderne, il fut l'un des premiers industriels à faire participer son personnel aux résultats de l'entreprise.
2. Klement Gottwald (1896-1953), membre de la première heure du PCT,

Carte postale vendue au musée avec la légende : «La défense des frontières de la RST est un devoir honorable de tout citoyen.»

Carte postale vendue au musée avec la légende : «L'entrée de l'exposition représente la formation du PCT en tant que force dirigeante de la classe ouvrière et la lutte du PCT pour les droits des travailleurs.»

de vives protestations et même une manifestation de jeunes.

Trois types d'approche cohabitent dans ce musée. La première, « historique », est de loin la plus pauvre. Il s'agit d'une réécriture sommaire de l'histoire depuis 1917, dans la lignée de la propagande distillée par la presse officielle, où dominent deux figures : celle de Klement Gottwald, le dirigeant de l'époque stalinienne, et celle de Gustav Husak, l'inventeur de la « normalisation ». Deux personnages largement impopulaires et discrédités, mais dont le Parti a fait ses héros, insensible à l'opinion majoritaire.

La seconde approche, que l'on pourrait qualifier de « technique », se veut neutre. Les forces de sécurité y présentent des spécimens de leur armement, leurs techniques d'investigation criminelle et leur action en faveur du public (essentiellement la circulation automobile). Mais, reléguée dans deux petites salles, perdue dans la succession des hauts faits répressifs des milices populaires et des gardes-frontières, cette présentation n'atténue pas, loin s'en faut, le message menaçant qui émane du musée : la SNB veille, et ce avant tout, à la pérennité du régime.

LES GRAPHIQUES DES IDÉOLOGUES DE LA POLICE

La troisième approche, « idéologique », est évidemment la plus fournie. Probablement très ennuyeuse pour le visiteur tchèque ou slovaque devenu, au fil de ces vingt ans, sourd aux slogans de la « normalisation », elle est la plus passionnante pour l'observateur extérieur. Ce qui frappe en premier lieu, c'est le niveau de politisation des forces de sécurité. Des spécialistes ont élaboré, après des heures, peut-être même des jours de travail, d'incroyables graphiques démontant de façon pseudo-scientifique toutes les ramifica-

---

en devint le secrétaire général en 1929 ; revenu d'URSS à l'issue de la Seconde Guerre mondiale, il fut l'un des organisateurs du « coup de Prague » en février 1948 qui porta les communistes au pouvoir, et succéda à Beneš à la présidence de la République.

tions souterraines du plan d'attaque idéologique de l'Ouest. Avec méticulosité, on a conservé les moindres briquets et autres stylos d'espions, recelant des armes mortelles, ainsi que les affiches des « contre-révolutionnaires » de 1968.

Mais ce n'est là que le sommet de l'iceberg. Le ministère de l'Intérieur et ses sections spécialisées ont évidemment accumulé d'importantes archives. Celles-ci vont-elles échoir au gouvernement d'« entente nationale » ou au futur régime démocratique ? Les nouveaux pouvoirs à l'Est se trouvent pratiquement tous confrontés au même défi. Il ne suffit pas de décréter la dissolution des polices politiques qui, durant quarante ans, furent de véritables États dans l'État, jouissant d'une impunité totale. Encore faut-il démêler les ramifications multiples de leur organisation et s'en assurer ainsi la maîtrise.

Sous le cloître augustinien, l'histoire débute en 1917 par la Grande Révolution d'Octobre. Un an plus tard, la Tchécoslovaquie est créée. Sous la première République « bourgeoise » de Tomas Garrigue Masaryk, la « classe ouvrière » a la vie dure. Dès 1920, des manifestations éclatent. Sous les photos, la légende claque : « Comment la bourgeoisie tchécoslovaque a renforcé sa domination de classe en bafouant les droits démocratiques du peuple et en renforçant son appareil de pouvoir par la terreur. » Puis, photos de charges à l'appui, l'on dénonce les « interventions sanglantes de la police » qui mettait à nu la « démocratie humaniste de Masaryk »... L'histoire officielle se moque éperdument de la mémoire de la « nation » : Thomas G. Masaryk, dont les photos sont apparues sur les murs de Prague dès le début du mouvement, est en effet une figure mythique en Tchécoslovaquie, père fondateur de la République, symbole des traditions démocratiques.

Surviennent la guerre, l'occupation, l'horreur nazie. Les communistes résistent dans la clandestinité. Le 9 mai 1945, l'Armée rouge libère Prague. La statue en bronze du « soldat soviétique libérateur », un bouquet de lilas à la main (symbole du mois de mai), annonce la promesse de jours radieux. Le pays va bientôt basculer car « la volonté du peuple fait loi », dit une phrase de Klement Gottwald qui se détache en énormes lettres de bronze dans la salle suivante. « La bourgeoisie était de plus en plus isolée [...]. Elle se rendait compte qu'elle n'avait plus qu'un moyen pour renverser la situation, provoquer une crise gouvernementale et écarter les communistes du gouvernement par des moyens non démocratiques. Le danger a été mis en lumière lors des réunions du CC du PCT en novembre 1947. » Pour faire triompher « sa » raison, le Parti ne s'embarrasse pas de rigueur historique. Ainsi présenté, le « coup de Prague » de février 1948, qui marque la prise de pouvoir totale des communistes, ressemble à un assaut sournois des forces conservatrices alors que le PC fut bien à l'origine des manifestations.

ATTAQUES TOUS AZIMUTS DE LA SUBVERSION

L'édification du socialisme : elle se fera malgré les « ennemis de l'intérieur ». Des espions, émigrés formés dans les camps de réfugiés en RFA, reviennent pour saper le régime. Ils empoisonnent des troupeaux entiers ; des fermes et des récoltes sont incendiées, les transports aériens, les usines sont sabotés, etc. Les preuves foisonnent. Toute une vitrine est tapissée de billets de banques de divers pays, pour illustrer la vénalité des saboteurs et l'importance des moyens mis en œuvre par l'Ouest. De nouveau l'horreur. Les terroristes torturent et assassinent des membres de la Sécurité nationale.

« Les pistolets et revolvers confisqués aux agents, espions et auteurs d'actes subversifs en 1952. » Un mur entier est tapissé d'armes récupérées aux saboteurs. L'un des clous du musée. « 444 armes au total, de 37 types différents », explique le guide au groupe silencieux. Puis, pour tenir ses visiteurs en haleine, il désigne les appareils photos, les gants, les étuis à cigarettes qui cachaient de redoutables armes miniatures : « A deux ou trois mètres, ils pouvaient tuer, surtout si l'on visait les parties molles du corps. » Les plus zélés hochent la tête. Les autres restent impassibles.

Tout cela oscille entre une mise en scène à la James Bond et un univers à la George Orwell. Mais ce passé, par trop travesti, n'intéresse sans doute plus personne. A mi-parcours, on en arrive au cœur du message qui veut être propagé. La République socialiste de Tchécoslovaquie est une démocratie populaire régie par la dictature du prolétariat ; les « masses » l'ont voulu ainsi, et l'individu n'a qu'à se conformer ou il sera puni. Pour preuve, l'histoire de Z.B. et K.J. « Z.B. était poussé par son rapport négatif à l'égard de notre système socialiste. Il commença ses préparatifs début 1985. Puis il fit appel à un certain K.J. pour l'aider. Les deux criminels ont finalement été arrêtés par la Sécurité nationale. Ils ont répondu du paragraphe 7 de l'article 1 du Code pénal (tentative de franchissement illégal de la frontière). » A côté, un poster du « ballon à air chaud » qui devait emmener les deux fuyards à l'Ouest. La légende ne précise pas le verdict.

Pour souffler, le visiteur peut faire un détour par les deux petites salles en décroché du parcours principal. Là, il peut apprécier les efforts déployés par la police criminelle et les agents de la force publique. Enfin, un univers humain, normal, où le policier s'occupe d'affaires somme toute banales : falsification de tableaux et de billets de banque, arrestation de chauffards, etc. Sur des photographies en couleurs, on peut admirer un bâton d'agent de la circulation et un radar flambant neuf, qui côtoie un graphique — on en raffole dans ce musée — décrivant la hausse des accidents de la circulation.

« Attention ! Zone frontière ! Entrée seulement avec autorisation ! » C'est mieux que dans un polar. Le poteau est à hauteur réelle, le bois de la pancarte est tout fendillé et la peinture des lettres s'écaille. Le visiteur sait à quoi s'en tenir : on ne s'échappe pas si facilement d'une démocratie populaire et socialiste. Des maquettes de casernes et des panneaux de signalisation frontalière côtoient des combinaisons d'hommes-grenouilles et des patins de montagne

saisis sur d'infortunés fuyards. Sur des posters, d'incroyables machines à la Jules Verne témoignent des mésaventu-
res de candidats au départ, comme celle du « criminel »
V.V. arrêté le 27 octobre 1977 porteur de documents
secrets, qui avait tenté de fuir à bord de sa machine volante
vers l'Autriche mais que des conditions météos défavorables
ramenèrent à son point de départ.

LE CHIEN POLICIER HÉROÏQUE

Il s'appelle « Brek ». Ce berger allemand, chien policier
de garde-frontières de métier, est le véritable héros du
musée. La gueule ouverte, comme prêt à bondir, « Brek »
servit loyalement ses maîtres durant douze ans, captura une
soixantaine de personnes qui tentaient de quitter le pays et
fut lui-même blessé à plusieurs reprises. Pudique, on ne dit
pas combien de « criminels » il déchiqueta de ses crocs acé-
rés. Au titre de ses « mérites exceptionnels », le commandant des gardes-frontières autorisa « Brek » à finir ses jours
dans un établissement vétérinaire. L'interprète étouffe un
fou rire. Le chien empaillé n'est qu'un sosie, chuchote-
t-elle. Trop caressé, le berger allemand avait perdu tant de
poils qu'il fallut le remplacer. On en serait au troisième sosie
de « Brek ».
« Un spectre hante l'Europe »... La partie proprement
idéologique du musée s'ouvre sur la première page du *Manifeste du parti communiste*. Les « intellectuels » du ministère de
l'Intérieur ont ensuite opté pour un « schéma de l'action de
subversion idéologique anticommuniste menée contre la
RST » passablement confus. Les premières lignes révèlent
que l'anticommunisme actuel est « un ensemble de moyens
idéologiques et politiques de l'impérialisme dans la lutte
contre la théorie et la pratique du socialisme scientifique ».
Au centre du dispositif, la subversion idéologique : « Son
fondement n'est pas la confrontation d'idées contradictoires, mais les efforts pour bouleverser la conscience sociale
et influencer la pensée des populations des pays socialistes. »

Suit un schéma machiavélique, avec des flèches, des encadrés, des soulignés, où l'on distingue les rubriques « Nationalisme », « Antisoviétisme », « Contre les principes léninistes », puis sous l'intertitre « Points de départ tactiques », les catégories « Jeunes », « Croyants », « Paysans », « Intellectuels », « Ouvriers-travailleurs », etc.

LA « TERREUR BLANCHE » DE 1968

Nous voilà arrivés à l'essentiel : la « contre-révolution » de 1968. Les preuves flagrantes du retour de la « terreur blanche » trônent derrière des vitrines : un tract du comité préparatoire de fondation du Parti social-démocrate tchécoslovaque, une lettre adressée à Dubcek par le Klub 231 (une « organisation contre-révolutionnaire qui regorgeait d'agents des centrales d'intelligence occidentales », précise-t-on), une déclaration du KAN (le Club des sans-parti engagés), une affiche réclamant la dissolution des milices populaires, un texte critiquant les 99 ouvriers de l'usine Praha qui avaient exprimé leur fidélité au socialisme, etc. Bref, les « révisionnistes » s'étaient insinués partout, en particulier au sein du monde scientifique et culturel, soutenus par de nombreux journalistes « équipés par les centres occidentaux ».

Les noms des grands « traîtres » s'étalent, soulignés rageusement d'un trait rouge, dans un livre contenant les interventions des écrivains lors du congrès historique de 1967 : Ludvik Vaculik, Vaclav Havel, Antonin Liehm, Goldstucker, Ivan Klima, etc. Puis les idéologues de la SNB s'attachent à démonter la pensée révisionniste : « Pour établir le modèle du socialisme démocratique, ils se sont fondés sur les arguments de Kautski et de Bernstein, complétés par les opinions de Trotski et d'autres renégats. » Au cas où la démonstration n'aurait pas été claire, on revient plus loin sur les « révisionnistes » Cestmir Cisar (président du Parlement), Goldstucker (président de l'Union des écrivains), Ota Sik (responsable de la réforme économique), qui puisaient « chez Trotski, Bernstein, chez les hommes politiques de l'Internationale socialiste et les représentants de l'anticommunisme Pavel Tigrid et Brzezinski ».

Enfin, après la grande peur, le retour à la normalité symbolisé par le fameux document blanc — la bible des « normalisateurs » — posé seul en évidence dans une vitrine : *Pouceni*, la « leçon » (*in extenso :* « La leçon tirée de la situation de crise dans le Parti et dans la société après le XIIIᵉ plénum du comité central du PCT »). Une « nouvelle étape » s'ouvre avec l'accession de Gustav Husak à la tête du Parti en avril 1969. Du Printemps à son écrasement, on n'aura vu aucune image de chars, comme si l'intervention des troupes du pacte de Varsovie n'avait été qu'un mauvais rêve. On signale bien des armes retrouvées chez les « contre-révolutionnaires » et les slogans vengeurs inscrits sur les murs de Prague ; mais sur l'invasion, pas un indice.

HOOLIGANISME ET CROIX GAMMÉES

Dans cette salle « sensible », d'où *Solidarnosc* a disparu, les idéologues de la Sécurité nationale ont choisi de développer deux thèmes qui, ces dernières années, inquiétaient particulièrement le pouvoir : la montée du phénomène religieux et la désaffection de la jeunesse à l'égard du régime. Le livre *samizdat Les Chrétiens et la Charte 77*, des chapelets, des médailles et des cassettes (de cantiques ?) font fonction de pièces à conviction pour dénoncer le travail souterrain des croyants visant à endoctriner les masses. Exposés à côté, les symptômes du mal qui ronge la jeune génération désorientent apparemment nos policiers marxistes-léninistes, qui énumèrent dans un joyeux galimatias les « attaques contre le rôle dirigeant du parti », la « dépolitisation de la jeunesse », les « calomnies à l'encontre de la SSM (les jeunesses socialistes) », les « préjugés nationalistes », « religieux », etc. La vitrine est aussi confuse que la pensée de ses concepteurs. On y voit une photo de Bob Dylan au temps de sa période hippy, des tee-shirts aux motifs psychédéliques, des croix gammées...

Glasnost oblige, on ne fait plus mystère des « actes antisociaux » qui se multiplient en RST. Le hooliganisme des supporters de football, par exemple, qui fit l'objet d'un film à succès en 1987 construit à partir d'un fait divers. Un chapeau des fans du club de Liverpool côtoie des bracelets et des ceintures cloutés. Retour à la montée du néo-nazisme qui semble obséder nos fins limiers : « Ils [les fans du IIIe Reich] se manifestent surtout en attaquant des cimetières où sont enterrés des soldats soviétiques »... Suit l'inévitable refrain sur les effets pernicieux de l'alcool et de la drogue dont la presse, après des années de tabou, s'est récemment emparé. En Bohême du Sud, apprend-on, le groupe SLZA (l'« Union des salauds vendus à l'alcool ») se soûlait sans discontinuer pendant une semaine et « perpétrait des actes antisociaux ». La toxicomanie est décrite comme un univers cauchemardesque : photos de corps brûlés, de groupes avachis dans un taudis, listes de produits pharmaceutiques et solvants mortels, etc.

Quoi de plus scientifique, et donc de plus convaincant, qu'un graphique ? De 1959 à nos jours, le ministère de l'Intérieur a chaque année compté les revues de l'émigration interceptées aux frontières ; les « antisocialistes » ne relâchent pas leur effort. Pis : leur inventivité semble inépuisable. Témoins, ces deux disques de prétendues valses viennoises, édités par Orphée, qui contenaient en fait un enregistrement de Pavel Tigrid sur le printemps de Prague... Derrière, une cassette « Supersexy » sans légende dont on ne saura jamais ce qu'elle cache, et à côté *L'Histoire de la révolution russe* de Trotski en trois volumes dans une édition de poche anglaise.

Pour le finale, il ne restait plus qu'à saluer l'internationalisme prolétarien, symbolisé par un bronze de Drzerzinsky et, gravée sur du marbre, par une phrase percutante du penseur policier (littéralement : « Tête froide, cœur ardent, mais tout à fait propre »). La coopération se porte bien entre « pays frères », puisque l'on signe des contrats entre les ministères de l'Intérieur respectifs, l'on organise des symposiums de criminologie, l'on participe au Comecon et surtout l'on dispute des matches intitulés « Coupes de l'amitié » entre les équipes des ministères de l'Intérieur. « Sport, messager de la paix », conclut un bel étendard en couleurs.

Soudain des cris rompent le silence. Un groupe d'enfants d'une dizaine d'années, foulards rouges autour du cou, déboulent du musée en ordre dispersé. L'un d'eux porte un fanion. Sans doute la cérémonie de consécration d'un étendard de Pionniers. Dehors, la vieille dame qui tient la buvette attend le week-end, où des compagnies entières de conscrits débarquent pour visiter le musée et lui assurent, entre les vodkas, les saucisses et les bières, l'essentiel de ses recettes. Cet après-midi, la patronne se morfond. Elle se plaint de tous les bakchichs qu'il lui faut distribuer pour obtenir ses commandes, les gâteaux surtout. Malgré tout, elle ne céderait pas sa place. Elle aime cette vue sur le jardin. L'intérieur, elle ne connaît pas. Elle n'a jamais visité le musée.

Roumanie

Comment le musée national de Bucarest racontait l'histoire

par Paul Simionescu et Hubert Padiou

Dans une ville défigurée par les grands travaux de la fin du règne de la famille Ceausescu, l'existence d'un musée destiné à reconstituer l'histoire nationale fait figure de paradoxe. Le paradoxe est encore plus frappant quand on sait que l'édifice qui abrite le musée d'histoire s'élève à proximité d'un des quartiers les plus affectés par les démolitions. Comment la volonté destructrice pourrait-elle s'accorder avec le souci de conservation et de sauvegarde du passé, qui constitue la vocation principale de l'institution muséographique ? Mais la question est aussi : s'agit-il du même passé historique ? La reconstitution du passé n'est pas neutre ; elle engage une certaine vision, procède d'une certaine mise en perspective des événements en fonction des nécessités — ou des diktats — de l'histoire présente. Le but que nous nous fixons est de mettre en lumière, à travers la présentation du Musée, la vision singulière qui en a inspiré la conception et guidé la mise en œuvre.

Auparavant, il nous a paru à la fois intéressant et utile d'esquisser une histoire du lieu où il s'élève. Si une telle démarche n'est pas dénuée d'une compréhensible nostalgie, elle vise avant tout à restituer un certain passé, celui-là même que menaçaient les destructions de la fin des années quatre-vingt, et peut nous aider, du même coup, à en cerner l'importance du point de vue de la mémoire nationale.

UN PASSÉ ENCOMBRANT

L'image composite du lieu occupé par l'ancien palais des Postes, transformé en 1972 en Musée national d'histoire, n'est pas facile à reconstituer, non seulement parce que la mémoire affective des Bucarestois s'est estompée au fil du temps, mais aussi parce que les sources iconographiques font à peu près complètement défaut. Les documents élaborés par les chancelleries officielles de même que les témoignages des voyageurs sont en nombre fort restreint.

En lieu et place de l'actuel palais, édifice néo-classique d'aspect imposant, avec son escalier monumental et ses sévères colonnes doriques, s'élevaient il y a seulement deux à trois siècles des maisons de boyards et de citadins aisés, construites pour la plupart en bois dans un style non dénué de charme et de pittoresque rural. A l'emplacement même du Musée se trouvait, à l'époque de Constantin Brâncoveanu, voievod de Valachie *(Ţara românească)*, la résidence du boyard Constantin Bǎlǎceanu, occis par les Turcs pour trahison. Conformément à la volonté du voievod, sa propriété fut réduite à un monceau de gravats, tandis que, sur le pal enfoncé profondément en terre, la tête du coupable continuait de s'exhiber à la vue des passants, en guise d'exemple. Cela n'a pas empêché le prince régnant, Constantin Brâncoveanu, d'être décapité à son tour peu après (en 1714 exactement), avec quelques-uns des siens, pour le même motif de trahison. L'exécution eut lieu cette fois à Constantinople, en présence du sultan, de hauts dignitaires, et de quelques ambassadeurs du monde occidental, parmi lesquels l'envoyé personnel du roi Louis XIV.

En suivant de près l'histoire de cet endroit, on peut rappeler d'autres faits sans doute moins saisissants, mais tout aussi dignes d'intérêt. Vers le milieu du XVIIIᵉ siècle, Constantin Mavrocordat, nouveau voievod du pays et premier phanariote, élève ici, sur les restes des propriétés du boyard Bǎlǎceanu, une grande auberge *(han* ou caravansérail) — le voievod considérait non sans raison que le gué était propice aux caravanes des marchands — qui a porté

213

longtemps le nom de Constantin Vodă *(Hanul lui Constantin Vodă)*. Un siècle plus tard, en 1847, un grand incendie détruisait une partie de la ville, et l'auberge devait, comme tant d'autres constructions, tomber en ruine. Vingt ans à peine après le sinistre, l'endroit continuait de porter le nom de l'ancien voievod (place Constantin-Vodă) ; une salle de spectacle était aménagée, où les célébrités du temps se produisirent des années durant, jusqu'à la veille de la guerre d'indépendance (1877). Peu de temps après, commençait la construction du palais des Postes, devenu de nos jours, depuis 1972, le local du « Musée d'histoire de la République socialiste de Roumanie ».

Si l'on prend comme point d'observation le périmètre du bâtiment proprement dit, on découvre l'un des quartiers les plus pittoresques du vieux Bucarest. L'édifice borde sur sa façade principale une des grandes artères de la ville, *Calea Victoriei* (autrefois *Uliţa Mare*, puis *Podul Braşovului* ou *Podul Mogoşoaiei*[1]). Une autre façade, orientée vers la rivière Dîmboviţa, s'ouvre sur plusieurs grandes places, la vieille place Saint-Georges *(Piaţa Sfîntului Gheorghe)*, la place des Fleurs *(Piaţa Florilor)* et la place de l'Union *(Piaţa Unirii)*. Le quartier est entrecoupé de rues étroites, aux maisons serrées autrefois chargées de décorations. Laissons encore une fois affleurer le passé. Orfèvres, fourreurs et autres artisans développaient là une activité lucrative ; les commerçants, nombreux, venaient y déballer toutes sortes de marchandises en provenance de divers pays. On pouvait voir les cours des boyards avec leur vaste jardin et toutes les dépendances nécessaires au train d'une grande maisonnée. C'était en quelque sorte le point de rencontre de l'Orient et de l'Occident. Les églises byzantines, aux proportions bienséantes, s'élevaient à chaque pas ou presque. Qu'on nous permette, afin de donner une image plus complète du lieu, de mentionner trois de ces chefs-d'œuvre d'architecture, tels qu'on

---

1. La voie transversale qui relie le nord au sud de la ville avait été aménagée par le même Constantin Brâncoveanu à la fin du XVIIe siècle. Elle devait joindre alors Curtea Domnească au palais Mogoşoaia, puis retrouver la route de Tîrgovişte, ancienne capitale et résidence princière.

peut les voir encore aujourd'hui : l'église Stavropoleos, une des plus harmonieuses constructions du début du XVIIIe siècle, l'église Saint-Georges-la-Nouvelle *(Sfîntul Gheorghe Nou)*, qui abrite le tombeau de Constantin Brâncoveanu, l'église de l'Annonciation *(Bună-vestire-Curtea Veche)*, le plus vieil édifice cultuel de Bucarest encore en fonction qui soit demeuré intact jusqu'à nos jours, avec ses puissants contreforts et ses discrètes mais élégantes décorations extérieures.

Le site fut aussi le siège d'une certaine effervescence publique, et pas seulement en raison de la proximité du vieux palais princier. Des événements marquants de l'histoire du pays s'y déroulèrent. Dans l'auberge *(Hanul lui Maniuc bei)* toute proche, furent conclus en 1812 les traités mettant fin à la guerre turco-russe ; en 1907, c'est ici qu'on a protesté contre la répression qui suivit la grande révolte paysanne *(Marea Răscoală)* ; un peu plus tard, dans les années de neutralité du pays (1914-1916), se sont tenues les réunions favorables à l'entrée de la Roumanie dans la guerre aux côtés des puissances de l'Entente. La place Saint-Georges *(Piaţa Sfîntului Gheorghe)* vit s'organiser en 1848 les manifestations en faveur du projet de nouvelle Constitution, et c'est à l'hôtel Concordia, dans une rue proche, que se sont assemblés, en janvier 1859, les représentants du parti national qui décidèrent la nomination d'Alexandru Ioan Cuza comme prince régnant, ouvrant la voie à l'Union des Principautés.

Les grands chantiers de Ceausescu — le plus grand d'entre eux, celui du « Centre civique et administratif », s'est ouvert dans les proches environs du Musée, suscitant un moment les plus vives inquiétudes — ont heureusement épargné ce périmètre du vieux Bucarest. Qu'un tel décor de vie urbaine ait pu, en d'autres endroits de la ville, être considéré comme désuet ou gênant[2] est en soi significatif.

---

2. Tel est en particulier le cas des monastères Văcăreşti et Cotroceni, ainsi que de l'ensemble connu sous le nom de *Aşezămintele Brâncoveneşti*, témoin de l'architecture civile du XVIIIe siècle, qui furent tout simplement rasés. Une liste

Le Musée national d'histoire de Bucarest. Façade principale.

Tout monument d'architecture évoque un passé, témoigne d'une continuité historique. Les bouleversements architecturaux de ces dernières années répondaient à la volonté de modifier, voire d'éradiquer la mémoire d'un certain passé. Il convenait de le rappeler, avant de découvrir le Musée proprement dit.

LA COLONNE TRAJANE

Le Musée national d'histoire n'est pas une création *ex nihilo*. Inauguré en 1864, le musée des Antiquités se proposait déjà de rassembler et conserver des témoignages concernant l'origine et la formation du peuple roumain (« Qui sommes-nous, d'où procédons-nous [3] ? »). Le Musée actuel reprend pour l'essentiel les collections du musée des Antiquités, mais en les enrichissant, en les développant, en leur donnant une autre dimension, résultant d'une nouvelle compréhension du passé. L'ambition est vaste : le nouveau Musée vise à rassembler et à présenter des documents de toute nature concernant l'histoire du peuplement humain sur le territoire actuel de la Roumanie, depuis les âges préhistoriques jusqu'à nos jours. L'approche retenue met en valeur la double notion de centralité et de totalité. Il s'agit de concentrer, en un lieu unique, l'ensemble de l'histoire du pays, des origines les plus éloignées à la contemporanéité la plus récente. Le trajet dans le temps doit mettre en évidence l'ancienneté et la continuité du peuple roumain dans l'espace carpatho-danubien. Cette idée fondamentale de l'histoire, et implicitement de l'his-

des églises détruites ces dernières années a été établie par Petre NĂSTUREL (voir « La Démolition des églises de Bucarest », in *Service orthodoxe de presse et information*, février 1988, p. 21-25).
  3. « Le moment est venu de jeter un regard en arrière et de nous demander résolument qui nous sommes, d'où nous procédons, ce qu'ont signifié pour nous les siècles passés, qui a fondé cet État, quelles transformations il a subies » (extrait de la revue *Muzeul national*, n° 5, 1837 ; cité par Florian GEORGESCU dans « Muzeul de istorie a Republicii Socialiste România », *Muzeul național*, Bucureşti, vol. 1, 1974, p. 4).

toriographie roumaine, est toutefois reprise et réinterprétée à la lumière du matérialisme dialectique et historique, considéré comme la pierre angulaire de l'ensemble[4], fournissant à la fois une vision du monde et une méthode d'appréhension du processus historique. Cette conception laisse d'ordinaire peu de place aux thèmes secondaires ou périphériques : le peuple est saisi comme une entité unique en marche vers l'avenir.

Le visiteur est invité à suivre un parcours dont les étapes correspondent au découpage chronologique traditionnel : préhistoire *(Istoria străveche)*, histoire ancienne *(veche)*, histoire médiévale *(medie)*, histoire moderne *(modernă)*, histoire contemporaine *(contemporană)*. A l'intérieur de ce cadre général, on s'attache à mettre en lumière, par une présentation appropriée (notamment à l'aide de panneaux et de montages divers), les moments importants, les événements significatifs, ceux qui constituent des points de repère dans le développement historique du pays.

Il n'est pas dans notre intention de refaire intégralement ce parcours, encore moins d'établir un inventaire des collections. Des catalogues existent, qui rendent compte dans le détail de leur richesse matérielle et documentaire. On cherchera plutôt à évoquer quelques-uns de ces grands moments, la manière dont ils sont présentés ; on retiendra les séquences les plus significatives ou frappantes ; on s'arrêtera sur quelques « images » ou « représentations » particulièrement suggestives, imitant en cela la démarche d'un visiteur certes prévenu, mais désireux avant tout de comprendre.

De nombreux vestiges archéologiques restituent une image assez complète des époques préhistorique et historique (paléolithique, néolithique, âge du bronze et du fer) dans l'espace carpatho-danubien. Les céramiques de

---

4. « Dans la conception du plan thématique, la pierre angulaire est constituée par les thèses du matérialisme dialectique et historique » (Constantin ILIESCU, « Concepția tematică și tecnica muzeală în realizarea Muzeului de istorie al Republicii Socialiste România », dans *Muzeul național, op. cit.*, vol. 1, p. 131).

Cucuteni, les statuettes appartenant à la culture plastique de Hamangia (en particulier celles connues sous le titre « le Penseur » et « la Femme assise »), le modèle du sanctuaire retrouvé dans le site de Gumelniţa, les armes et outils de toute nature en bronze, puis en fer témoignent de la culture matérielle des populations qui ont vécu ici il y a longtemps : tribus thraces (géto-daces) et, plus tard, colonies grecques des bords de la mer Noire. Tout aussi remarquables sont les salles concernant la période de formation et d'apogée de l'État dace[5], de la conquête et la domination romaines jusqu'au retrait d'Aurélien (vers le milieu du IIIe siècle). On peut citer, à titre d'exemples, les nombreux outils d'artisans, les statuettes en or (la célèbre Diane de Sarmisegetusa), fibules, coupes et vases... Toutes ces traces soigneusement conservées résultent, à n'en pas douter, d'un travail de recherche considérable et représentent un apport documentaire essentiel à la compréhension de cette période. Le Musée remplit ici pleinement sa fonction patrimoniale.

Le même souci scientifique se retrouve dans les sections spécialisées, le Lapidarium, le Trésor historique et le Cabinet numismatique, organisées en exposition permanente hors du parcours historique proprement dit, et contenant des objets que leur caractère unique inscrit dans le patrimoine universel[6]. Parmi les pièces exposées dans le Lapidarium, l'une d'elles s'impose à l'attention par l'espace qu'elle occupe : il s'agit de la réplique de la sculpture en relief de la colonne Trajane[7], considérée à juste titre comme la plus importante parmi celles retrouvées intactes de toute l'Antiquité. Les fragments de l'immense ouvrage, déployés sur une longueur de deux cents mètres, évoquent

---

5. Voir *infra* note 15.

6. Pour s'en tenir à quelques exemples, on peut mentionner le célèbre trésor de Pietroasa (Ve siècle), ou encore le trésor de la nécropole princière de Curtea de Arges (XIVe siècle) pour le Trésor historique ; diverses séries de monnaies provenant des cités grecques de Callatis et Tomis, de l'époque des rois macédoniens et de l'époque géto-dace pour le Cabinet numismatique.

7. L'original, érigé en 113 pour commémorer les victoires de l'Empereur sur les Daces, se trouve à Rome dans le forum de Trajan.

à la manière d'un livre-rouleau l'histoire des guerres entre les Daces et les Romains. Au centre de la salle, on a pris soin de reconstituer le socle de la colonne, les premiers reliefs en spirale de la base recréant une atmosphère proche de celle de l'original. L'importance accordée au monument s'explique sans doute par sa valeur artistique et documentaire : il constitue, de l'avis même des spécialistes, un exemple parfait de l'alliance du goût oriental pour la profusion décorative et du réalisme romain ; il nous renseigne sur la vie quotidienne de l'époque (habitat, vêtements, types humains). Mais le monument s'impose par sa signification historique et symbolique. Il représente, comme on l'a dit, l'« acte de naissance » du peuple roumain, le moment de la synthèse entre l'élément dace et l'élément latin. C'est le « sceau de Rome » (Sigillum Romae) apposé sur la Dacie.

La réplique présentée dans le Musée[8] fut réalisée à Rome de 1939 à 1943 à la demande de l'État roumain. Conservée dans les sous-sols du Vatican, elle ne s'est intégrée dans l'espace culturel roumain qu'en 1967. Son déménagement à cette date et son exposition en 1972 dans le Musée ne sont pas le fruit du hasard. Entre-temps, c'est l'interprétation de l'histoire nationale qui a changé, sous l'effet d'une réorientation radicale de la politique culturelle. Les conceptions « slavisantes » imposées dans les années cinquante sont battues en brèche, tandis que les thèses plus anciennes de l'historiographie roumaine (A.D. Xenopol, V. Pârvan, N. Iorga) concernant la genèse et la continuité du peuple roumain sont reprises et amplifiées dans le sens d'un certain ethnocentrisme. La place privilégiée réservée à l'œuvre après deux décennies d'« oubli » témoigne de cette révision historiographique profonde.

---

8. D'autres répliques étaient exposées à Munich (Residenz Museum), Rome (Museo della Civiltà Romana), Saint-Germain-en-Laye (musée des Antiquités nationales) et Londres (Albert and Victoria Museum). Pour plus de détails concernant l'exemplaire exposé à Bucarest, on pourra consulter l'article de E. IONESCU et P. BÎRSAN, « Concepţia copiei columnei traiane expusă la Muzeul de istorie al R.S. România în lumina cercetărilor de arhivă », dans *Muzeul naţional*, vol. 2, p. 287-292.

Le sceau de Michel le Brave, prince de Valachie,
de Transylvanie et de Moldavie.

Revenant, avec les salles consacrées à l'histoire médiévale, au parcours chronologique, on se laissera volontiers guider par les titres des panneaux qui en jalonnent l'itinéraire. Ce balisage systématique n'a rien en soi d'original ; il répond au souci pédagogique d'orienter et d'expliquer — le Musée représente en quelque sorte le livre de l'histoire nationale ; mais il est aussi l'occasion de mettre en valeur une idée, d'induire une interprétation.

LA TRADITION NATIONALE

Pour l'étape présente, marquée par la constitution des États de types féodaux, on notera par exemple les titres suivants : « La Valachie à l'époque de Mircea l'Ancien, 1386-1418 », « La Révolte de Bobîlna, 1437 », « La Moldavie à l'époque d'Étienne le Grand, 1457-1504 », « La Révolte conduite en Transylvanie par Gheorghe Doja, 1514 », « L'Union des pays roumains sous le règne de

Michel le Brave, 1593-1601 », « La Révolte conduite en Transylvanie par Horea, Cloşca, Crişan, 1784 ». Deux grands thèmes ressortent, illustrés notamment par deux « images » célèbres. Le portrait de Michel le Brave *(Mihail Viteazul)*, réalisé en 1601 à Prague par Aegidius Sadeler, veut symboliser l'aspiration à l'indépendance et à l'unité nationales ; voievod de Valachie, il fut le premier à avoir réalisé, en 1600, l'espace d'une année, l'unité politique des trois principautés. Le sceau du prince porte gravés les signes héraldiques des trois principautés : le corbeau (Valachie), deux lions affrontés (Transylvanie) et l'auroch (Moldavie). L'autre image correspond aux portraits de Horia, Cloşca et Crişan, chefs de la révolte populaire de 1784, peints par Anton Steinwald en 1785 dans la prison d'Alba Iulia, et représente la lutte contre l'oppression sociale. Une roue symbolique rappelle l'horrible supplice auquel furent soumis les deux premiers.

Avec la révolte de Tudor Vladimirescu, en 1821, commence l'histoire moderne des principautés roumaines. Ce nouveau cycle historique est décisif, puisqu'il s'achève en 1918 avec l'union des trois provinces (« Marea Unire, 1918 »). Quelques titres rappellent les principaux moments de cette période : « La Révolution de 1848 », « L'Union des principautés roumaines, 1859 », « La Conquête de l'indépendance nationale de la Roumanie, 1877-1879 », « La Grande Révolte paysanne de 1907 », « La Guerre de 1916-1919 », « Le Parachèvement de l'État national unitaire roumain, 1918 ». La guerre d'indépendance est évoquée par exemple à travers le célèbre tableau de Nicolae Grigorescu, *L'Attaque de Smîrdan*, les drapeaux des différentes unités militaires qui se sont distinguées dans les combats[9], des documents officiels, ainsi que divers témoignages d'époque.

Après 1919, on entre dans une période d'un traitement plus délicat. C'est que la mémoire des événements est encore vivante, et que leur présentation engage directement

---

9. Voir à ce sujet E. PĂLĂNCEANU, « Steaguri din colecţia Muzeului de istorie al Republicii Socialiste România » (Les drapeaux dans la collection du Musée d'histoire de la République socialiste de Roumanie), dans *Muzeul naţional, op. cit.*, vol. 1, p. 135-155.

le présent. Tout y prend un certain relief. Les omissions et les silences y sont plus éloquents que les discours préfabriqués et les développements convenus. Le terrain devient instable, mouvant ; rien ne peut être considéré comme définitif. L'histoire contemporaine est par excellence le domaine des révisions, des réaménagements, des reconsidérations. Le passé y est en interaction constante avec le présent. Est-ce pour cette raison que certaines salles contemporaines étaient fermées en 1989 ? Ou était-ce la prémisse d'une réorganisation plus profonde [10] ?

Dans la présentation des années qui ont suivi la Première Guerre mondiale, l'accent est mis sur les luttes sociales, la création du parti communiste (« La Transformation du Parti socialiste de Roumanie en Parti communiste roumain, 8 mai 1921 »), son activité clandestine après 1923. La crise économique de 1929 est largement illustrée, de même que les grèves des années trente (« Les Luttes révolutionnaires des années 1929-1933 »). Le document, dans cette partie, change de nature : le recours à la presse est systématique ; le montage photographique occupe une place de choix.

Arrêtons-nous, plus loin, sur la présentation du 23 août 1944 (« Le Vingt-trois Août 1944 »), une date qui marque un effet un tournant dans la conduite de la guerre sur le front oriental : ce jour-là, la Roumanie quittait le camp de l'Axe pour rejoindre celui des Alliés. L'événement est évoqué à travers un montage particulièrement suggestif : dans la partie supérieure de l'espace mural, les fusils, disposés de manière à former un groupe compact, convergent vers le même but, donnant l'impression d'une action massive et concertée, tandis qu'en bas sur la droite une carte de Roumanie représente le déroulement des opérations militaires. La composition exprime parfaitement le sens de l'événement

---

10. Selon un article-reportage du quotidien *Scânteia* daté du 18 août 1989, un « nouvel édifice situé dans le nouveau centre civique en construction pourrait être aménagé en Musée national d'histoire ».

dans l'interprétation officielle [11] : l'« acte » du 23 août est le résultat d'une volonté consciente et révolutionnaire. C'est une « insurrection populaire », dans laquelle le nouvel ordre social à venir fonde sa légitimité. L'événement préfigure les bouleversements qui vont suivre, les élections du 6 mars 1945, la formation des coalitions politiques, l'abdication du roi, la proclamation de la république (30 décembre 1947). Qu'il ait été choisi par Ceausescu comme jour de célébration de la fête nationale (et non par exemple le 30 décembre) n'a dans cette perspective rien d'étonnant. Ici, c'est le symbole qui fait l'événement, et non l'inverse, quitte à recréer pour cela une mémoire problématique.

LE CONDUCĂTOR

Si l'histoire contemporaine soulève des problèmes spécifiques, on ne saurait pour autant la traiter séparément des autres périodes. Certes, la vision qui s'y projette, les options qu'elle met en œuvre s'y manifestent avec une évidence accrue, au fur et à mesure qu'on se rapproche du présent. Mais en réalité, c'est l'ensemble du processus historique qui est concerné par la mise en perspective de l'histoire nationale. Laissons s'exprimer ici l'un des responsables de l'entreprise muséologique : « Pour notre pays, les problèmes de l'histoire entrent dans la sphère avancée de la vie publique, de l'activité de chaque jour, sur le plan intérieur comme sur le plan international. Nous ne pouvons séparer, par exemple, l'histoire antique de la zone géographique dans laquelle nous vivons de son ambiance culturelle et politique contemporaine, de sorte qu'un quelconque morceau de pierre ciselée ou qu'un quelconque fragment de céramique du passé éloigné ne peut séparer son poids d'histoire propre de son sens actuel, celui de témoignage, argument-

---

11. Tout en rendant compte très largement de cet événement qui a changé le cours de l'histoire contemporaine de la Roumanie, l'historiographie officielle mentionne à peine les principales personnalités qui l'ont accompli.

Le couple Ceausescu et la jeunesse roumaine, toile exposée au Musée national.

témoin de certaines vérités incontestables au nom desquelles se déroule notre travail d'aujourd'hui, en construisant pour demain... Le Musée est aussi, on l'oublie trop souvent, une œuvre de propagande, une propagande à coup sûr nuancée, suggestive, pleine d'initiatives, en un mot passionnante [12]. » Les documents exposés, quelles que soient leur nature et leur place dans l'ensemble du parcours historique, ne constituent pas des traces neutres d'un passé fossilisé ; ils témoignent implicitement, par un effet de mise en perspective générale, des accomplissements de l'époque actuelle, de ses réalisations présentes, de ses ambitions pour l'avenir.

Rien n'exprime mieux — et même de façon caricaturale — cette mainmise du présent sur le passé que les salles consacrées aux vingt dernières années, ultime étape du parcours. Réparties sur un étage du Musée (plus de deux mille mètres carrés), elles veulent apporter, selon les termes du générique, « les preuves de l'amour, la haute estime et la profonde considération dont jouit le président du pays », ainsi que « les preuves des amples relations d'amitié et de collaboration entre le peuple roumain et les peuples des autres pays ». Plusieurs salles sont réservées à l'exposition des cadeaux reçus par le président Ceausescu et son épouse lors de leurs nombreux voyages à travers le pays et à l'étranger. Hommages de villes, d'Académies, de sociétés scientifiques... Il n'y manque ni les toges ni les diplômes délivrés par des institutions étrangères, dont plusieurs célèbres universités occidentales. Les présents offerts par les chefs d'État

---

12. Mihnea GHEORGHIU, « Obiective actuale ale activității muzeale », dans *Muzeul național, op. cit.*, vol. 3, 1976, p. 4. On peut citer, dans le même sens, ce commentaire de Ion POPESCU-PUȚURI : « Ainsi donc, les actions de nos ancêtres géto-daces, fondateurs d'une des plus hautes civilisations de l'Antiquité, ont représenté l'héritage historique sur lequel le parti révolutionnaire de la classe ouvrière, dès son apparition, il y a environ un siècle, a formé sa conception de la Roumanie de demain... Le mouvement socialiste de notre pays a légitimé son existence en empruntant et en élevant à un nouvel échelon supérieur les traditions les plus avancées » *(sic)* (« Partidul Comunist Român, partid al istoriei și viitorului României », dans *Magazin istoric*, XIII (1989), n° 10, p. 3).

étrangers sont classés par continent[13]. C'est en quelque
sorte l'apothéose de la reconnaissance internationale. L'initiative d'une telle exposition n'est pas sans précédent[14].
Ce qui est en revanche inédit, c'est qu'elle soit présentée
comme le couronnement de la visite dans le Musée de l'histoire nationale.

Mais arrêtons-nous un instant, dans les salles voisines,
sur les peintures « naïves » réalisées par les artistes officiels :
le président s'y fait volontiers représenter devant les « grandes réalisations » qui constituent l'épopée du régime — la
centrale hydroélectrique des Portes de Fer, le canal Danube-
mer Noire, ou les premières lignes du métro de Bucarest.
L'attitude est presque toujours la même : debout, au premier plan, entouré à quelque distance d'un auditoire attentif, le *Conducător* prodigue observations et conseils,
inspirant les travaux, donnant l'élan créateur. Acteur
suprême de l'histoire, il montre du geste la voie à suivre.
Il ne dédaigne pas de se faire représenter en compagnie
d'enfants : ils sont l'avenir. Expression absolue de l'évolution historique, son destin se confond avec celui du pays.
Ne le voit-on pas, dans d'autres portraits hagiographiques,
entouré des plus grandes figures de l'histoire roumaine :
Burebista, Decebal, Ștefan Cel Mare, Mihail Viteazul,
Alexandru Ioan Cuza, dont il se veut l'héritier et le conti-
nuateur ? Nulle place dans ce panthéon pour Charles Ier,
sous lequel fut proclamée l'indépendance du pays, ou pour
son successeur Ferdinand, dont le règne vit se réaliser la
Grande Union.

On assiste à l'appropriation entière d'une vocation nationale. Le *Conducător* devient la figure centrale d'une histoire dominée entièrement par le principe d'une téléologie
laïcisée. De Burebista à Ceausescu, de l'« État dace centra-

---

13. « Poussons-le dans cette voie, organisons sa folie » (Albert Camus, *Cali-
gula*, acte III).
14. Elle s'inscrit dans une tradition d'inspiration stalinienne. Voir aussi *infra*
l'article sur le musée consacré à Tito en Yougoslavie.

lisé et indépendant [15] » à la « société socialiste multilatéralement développée » et à l'« homme nouveau », s'inscrit la vision d'un même devenir aux perspectives lumineuses. La notion d'« homme nouveau », qui se réfère ailleurs à une conception religieuse, apparaît comme le concept clé d'une histoire mythisée par l'idéal de la perfection sociale, présenté au moyen de rigoureux syllogismes. L'adhésion au grand dessein requiert une participation émotive, implique une psyché collective conditionnée par des rites et une rhétorique dont les slogans sont strictement codés. Rien n'y est laissé au hasard. L'inspiration n'y peut venir que d'en haut.

Dans cette perspective, le Musée se voit investi d'une mission d'éducation politique et sociale qui dépasse totalement sa vocation initiale. Il n'est pas seulement un moyen d'instruire, de donner à connaître. Il est invité à participer activement à l'entreprise d'édification de l'« homme nouveau », à jouer expressément son rôle dans la concrétisation de l'utopie [16]. Une telle conception implique la révision périodique de certains chapitres de l'histoire. Ce qui ne s'« intègre » pas dans le grand dessein, ce qui est jugé « inassimilable » ou « douteux » est tout simplement rejeté. Tandis que la mémoire affective est menacée par la destruction de témoignages du passé, on assiste à la transformation de la mémoire historique, réduite au langage de l'utilité contemporaine. Car ceux qui commandent le présent ont non seulement le pouvoir de façonner l'avenir, mais encore celui de refaire le passé.

---

15. S'appuyant sur un certain nombre de textes classiques, en particulier sur Strabon, l'historiographie officielle applique d'une manière abusive et invraisemblable le concept d'« État centralisé » à une époque historique où cette notion ne pouvait avoir son sens moderne actuel.

16. Voir l'article : « Le Musée d'histoire, facteur actif dans la formation de l'homme nouveau, constructeur de la société socialiste » (« *Muzeul de istorie, factor activ în formarea omului nou, constructor al societăţii socialiste* », par Ion ALDEA, dans *Muzeul naţional, op. cit.*, vol. 3).

Yougoslavie

Le mémorial de Josip Broz Tito

par Valentin Pelosse

« Moins j'arrive à voir clair dans ces
sinistres foules de cimetières [de l'Histoire],
et plus fort je m'accroche aux Grands.
Ceux-là, je les connais personnellement.
L'Histoire, ce sont eux. Nul scénario fait de
bric et de broc ne saurait me les remplacer. »

Witold GOMBROWICZ,
Contre les poètes.
*Sur Dante**

Les cris alternés des paons donnent le tempo d'une visite
au *Memorijalni Centar Josip Broz Tito* situé dans un parc de
dix-huit hectares sur les pentes boisées de Dedinje. Les
paons francophones disent « Léon ! Léon ! Léon ! » on me
l'a appris petit ; qu'entendent des oreilles enfantines yougoslaves, en serbe ou en albanais, en croate, macédonien
ou slovène ? Il n'est guère habituel qu'un dirigeant communiste de souche stalinienne se fasse enterrer dans son jardin. L'ancien sous-officier de l'armée austro-hongroise
devenu maréchal — un titre qu'il n'avait militairement pas
volé — y repose dans un bâtiment qui lui servait de bureau,
légère construction en rez-de-chaussée de 30 mètres sur
20 mètres, en majeure partie occupée par un patio sous ver-

* Éditions Complexe, 1988.

229

rière agrémenté de plantes, d'où le nom de « maison des fleurs » *(kuća cveća)*. On aurait attendu une sépulture dans quelque haut lieu ancien au centre de la capitale. Les raisons d'une implantation dans un quartier résidentiel à la périphérie sud de Belgrade remontent aux origines du régime titiste.

Le quartier de Dedinje se constitua en lieu du pouvoir durant la période monarchique. Dès le XIXᵉ siècle, la dynastie serbe des Karadjordjević abandonna le centre de la capitale pour y résider. La création d'un État yougoslave en 1918 ne modifia pas les habitudes prises. La Yougoslavie monarchique s'effondre sous le choc de l'invasion allemande en avril 1941. Fin octobre 1944, les communistes doublement victorieux — dans une dure lutte contre les troupes germano-italiennes et dans une implacable guerre civile [1] — s'emparent de la capitale avec l'aide de l'armée soviétique. Ils apparaissent bien décidés à confisquer le pouvoir à leur profit exclusif. La réalité d'un pouvoir s'inscrit aussi dans ses manifestations symboliques. Tito, arrivé la ville à peine libérée, fait le tour des palais royaux de Dedinje et ordonne leur restauration. On lui avait réservé la plus belle villa, « au 15 de la rue de Roumanie » (devenue rue d'Užice après la rupture avec Staline... et donc avec les satellites), qui avait appartenu à un grand bourgeois serbe, l'ingénieur Acevic, puis avait été occupée par un dignitaire allemand. Tout en conservant le « Palais Blanc » *(Beli Dvor)* du prince Paul, le régent, comme résidence officielle, il fera de la villa sa résidence privée ; la réquisition des propriétés voisines permettra d'agrandir le parc, un mur d'enceinte sera construit [2]. A la suite du secrétaire du Parti la nouvelle classe dirigeante s'installa dans le quartier (les ambassades y sont également nombreuses). Habiter une des grandes villas de Dedinje signifiait que « l'on en était ». En janvier 1954, Milovan Djilas échange brutalement son statut

---

1. Le général Draža Mihailović, chef des partisans serbes non communistes, les Tchetniks, ne sera capturé qu'en mars 1946 et, après une parodie de procès, fusillé en juillet suivant.

2. Milovan DJILAS, *Tito, mon ami, mon ennemi : biographie critique*, Fayard, 1980, p. 136-139.

de membre du petit cercle dirigeant pour celui de dissident : « Nous ne déménagerons pas immédiatement parce que "en haut lieu" on considérerait comme "un manque de goût" de faire évacuer une villa sitôt que son occupant a cessé d'être ministre. Pour ménager le bon goût, j'attendrai un peu. L'importance donnée à cette formalité me frappe — des considérations de ce genre n'auraient pas été de mise dans la période précédente. Mais il y a aussi là quelque chose de grotesque. Des ministres — ou, dans mon cas, le président de l'Assemblée fédérale — peuvent se voir congédier en l'espace d'une nuit, mais de combien de précautions on entoure la formalité de libérer la villa [3] ! »

Un public captif

Du boulevard de la Révolution-d'Octobre, le Mémorial se signale aux passants par le bâtiment du Musée du 25-Mai, en haut d'une vaste pente gazonnée. Un réseau d'allées cimentées pour organiser la circulation d'une foule, des gradins autour d'une fontaine, un édifice à portique, le dessin de cet ensemble solennel, inauguré en 1962 pour le soixante-dixième anniversaire du maréchal, s'intègre dans le site boisé car l'architecte, évitant le gigantisme vertical, a privilégié les lignes horizontales. Durant ces jours de mai 1989 où je hantais en fan perplexe le mémorial de Josip Broz (ouverture : 9 h-16 h), une quarantaine de cars stationnaient aux premières heures de la matinée sur le terre-plein du boulevard. « Attention, enfants ! » avertissent les panneaux routiers ; les visiteurs sont en effet pour les quatre cinquièmes des scolaires (ou des « pionniers »), des classes

---

3. M. DJILAS, *Parts of life time*, M. and D. Milenkovitch ed., New York-London, Harcourt Brace Jovanovich, 1975. Djilas sera réhabilité de fait en mai 1989 avec la publication dans le journal du Parti, *Borba*, d'une très longue interview, et des articles qui avaient entraîné sa condamnation trente-cinq ans auparavant. La limite de ces réhabilitations à la yougoslave : ne pas aller jusqu'à remettre en cause les fondements du régime titiste, c'est-à-dire la légitimité du pouvoir de la nomenklatura...

enfantines aux adolescents, encadrés par enseignants et moniteurs. Pour le reste, diverses délégations, des groupes du troisième âge, des familles, quelques isolés. Le droit d'entrée acquitté (pour un adulte 5 000 nouveaux dinars, soit le prix d'un café à une terrasse du quartier piétonnier), les visiteurs passent directement du hall dans la salle de cinéma. Le film consiste en un montage de documents d'actualité d'un quart d'heure consacré aux voyages officiels du maréchal à travers le monde. Sans commentaire, il est sonorisé avec musique d'ambiance et bruitage d'acclamations. Avant la projection, une hôtesse présente brièvement le documentaire ; en bonne professionnelle elle fait participer et rire les enfants. On y voit Tito, le plus souvent habillé de blanc, prenant des bains de foules bigarrées en compagnie d'hôtes illustres tels que Nehru, Nasser, Nkrumah, Bourguiba, Kennedy, Brejnev, Kim Il Sung, serrant des mains, embrassant des fillettes, maniant un arc africain, admirant un paysage exotique ou saluant un stade comble. Je peine un peu à m'y reconnaître parmi les leaders du tiers monde, de l'Est, de l'Ouest. Ai-je rêvé ou l'ai-je bien aperçu descendant Broadway sous une pluie de confettis au côté d'Eisenhower ? La projection se termine avec quelques gros plans du vieux sage méditatif sur fond de musique romantique et grave. L'impression d'ensemble reste que Tito a su se faire acclamer par les foules de la planète entière agitant de petits drapeaux yougoslaves.

À l'étage, deux grandes salles d'exposition. Les photos légendées de la première sont consacrées à la biographie de Tito jusqu'à la prise de pouvoir, sur le thème : sa vie et celle du Parti se sont confondues. D'une paroi se détache une sorte de catafalque frappé des profils de la triade protectrice : Karl, Friedrich, Vladimir Ilitch, avec une banderole « 1919-1989 » (soixante-dixième anniversaire de la fondation du PCY). L'ouragan des gosses passé, je n'ai guère le temps de m'attarder à considérer la façon dont est présentée la période du séjour à Moscou comme fonctionnaire du Komintern (1935-1940), je dois suivre mon groupe. La visite se passe comme dans un château de la Loire, par groupes successifs de taille adaptée aux divers bâtiments visités. Mais les gardiens sont ici résolument taciturnes, ainsi qu'il sied à des militaires.

Nous entrons dans la salle suivante et dans le vif du sujet. Le 25 mai est en effet la date de naissance de Josip Broz, un anniversaire, l'occasion d'offrir des cadeaux [4]. Ceux-ci rappellent les chefs-d'œuvre qu'exposent les compagnons du Tour de France lors de la réception de nouveaux membres, c'est-à-dire toutes sortes de maquettes d'installations industrielles et autres destinées à prouver le savoir-faire des récipiendaires. Regroupés, les gosses circulent en cohortes disciplinées entre les vitrines. Je m'arrête devant un grand panneau exposant une série de bâtonnets décorés d'environ 30 cm, d'usage incertain : bâtons de commandement, culte phallique, torches stylisées... ? L'ensemble suggère que le « kitsch surmatérialiste », expression artistique officielle des régimes communistes, ne se limite pas à la seule catégorie du réalisme socialiste. En fait ces énigmatiques objets ne sont que des témoins d'une course de relais (20 000 autres sommeillent dans les réserves du musée).

LA ŠTAFETA

Qu'est-ce qui a fait courir les jeunes Yougoslaves pendant quarante et un ans ? La *Titova Štafeta*. Annuelle et printanière, cette manifestation sportive n'était pas une compétition mais s'apparentait plutôt à l'acheminement de la flamme olympique. Elle se déroulait cinq à huit semaines durant au long d'un réseau d'itinéraires locaux dans chaque république, d'une localité à l'autre, sous les applaudissements organisés de la population, pour converger finalement sur Belgrade où, le 25 mai, un témoin était remis

---

4. La réelle date de naissance se situerait début mai, le choix du 25 provient de l'erreur d'une biographie éditée par le Parti avant la prise de pouvoir ; une fois le 25 mai entériné dans la pratique, on jugea inutile de corriger. De même l'annonce officielle du décès a été faite le 4 mai 1980, alors que la mort clinique remontait à fin avril : il ne fallait pas perturber la célébration du 1er Mai.

solennellement au Grand Camarade [5]. A partir de 1955 la cérémonie du 25 Mai s'est déroulée dans le stade de l'armée (*stadion NJA*, 50 000 places) édifié au bas de la colline de Dedinje, non loin de la Résidence. La *Štafeta* eut des débuts relativement modestes en 1945 puis versa bientôt dans le gigantisme : plus d'un million et demi de participants sur 130 000 km en 1951-1952 ! En 1957 elle changea de dénomination, devenant « course de la jeunesse » (*Štafeta mladosti*) ; la manifestation perd progressivement de son gigantisme : de 500 000 encore en 1959, les effectifs se stabilisent autour de 100 000, sur un itinéraire de 7 000 à 13 000 km (soit les chiffres de 1945). La *Štafeta* était consacrée à l'« épanouissement physique et spirituel de la jeunesse », à sa mobilisation autour du régime et de ses objectifs, médiatisés par la personne du chef : remplir le plan quinquennal, unité et indépendance nationales, solidarité avec les mouvements de libération du tiers monde, etc. Le message pouvait être codé. Lors de la cérémonie de clôture du 25 mai 1979, c'est « dans sa langue maternelle, l'albanais » qu'une étudiante de Priština (Kosovo) en lui remettant le témoin tourne son compliment au « très cher camarade Tito », âgé de 87 ans — dont ce sera la dernière *Štafeta*.

UNE IMAGE D'UNIFICATION HEUREUSE

En raison de la déclivité du terrain, on pénètre de plain-pied du 1er étage du musée dans le parc proprement dit de la Résidence. Là, tout n'est que calme, luxe et sérénité. Nous marchons sous de beaux arbres, longeant des pelou-

---

5. Une séquence du film d'Emir KUSTURICA, palme d'or à Cannes en 1985, *Papa est en voyage d'affaires (Otac na službenom putu)*, montre l'arrivée de la *Štafeta* dans une petite ville vers 1950 ; le héros, un pionnier de 7 ans, qui doit remettre un témoin à la tribune officielle, s'embrouille dans la langue de bois : faut-il dire « le Parti à la tête de Tito » ou « Tito à la tête du Parti » ? quelle différence de toute façon, puisque « le Parti, c'est Tito » et « Tito, c'est le Parti »... Une brochure du « Memorijalni Centar », *Titova Štafeta, Štafeta Mladosti*, 1986, donne la reproduction couleur de 41 témoins et diverses informations.

ses où les paons font la roue devant les statues de bronze : nus, motifs animaliers, un partisan, une paysanne. A mon grand regret nous n'avons pu visiter la « collection des souvenirs » *(spomen zbirka)* rassemblés dans une grande villa blanche en rotonde construite à la fin de sa vie pour Tito, en relation, semble-t-il, avec la séparation d'avec sa troisième femme, Jovenka, et qu'il n'habita jamais. On y expose notamment les uniformes et les bâtons de maréchal. Le despote amoureux du clinquant ne manque pas de susciter un Saint-Simon : « Ses uniformes étaient exagérément brodés d'or ; tout chez lui devait être ''authentique'' et ''unique'' : la boucle de son ceinturon était en or massif et si lourde qu'elle avait tendance à descendre. Pour écrire il ne se servait le plus souvent que de son stylo en or massif [...]. Il changeait de vêtements trois ou quatre fois par jour en fonction de l'impression qu'il voulait donner. Devant l'armée et les chefs militaires, il apparaissait toujours dans l'uniforme de maréchal qu'il avait conçu lui-même avec l'aide de quelques artistes. Il cherchait parfois à exprimer des idées à travers son habillement : s'il apparaissait en uniforme devant des civils, même s'il s'agissait de membres du comité central, cela impliquait que l'armée était derrière lui [6]. » Je n'ai pu élucider si la « collection des souvenirs » était désormais fermée au grand public comme donnant une image devenue obsolète du grand homme, ou si la mesure n'était que provisoire. Les archives laissées par Tito sont déposées dans cette villa.

Un nez de rhinocéros à deux cornes, donc africain, une peau de lion, une autre de panthère, une tête de buffle naturalisée, une autre de caribou, des bois d'élan, diverses antilopes, voilà pour les pièces exotiques les plus repérables ; en dehors d'une peau d'ours, de quelques bouquetins, de grands tétras, le gibier indigène est surtout représenté par des bois de cerfs et de chevreuils (une centaine ?), chaque trophée soigneusement daté, sans oublier les dents de vieux sangliers ; et j'en passe. Quand Tito se mit à chasser, il entrait dans sa cinquante-quatrième année. A l'instar de ses

---

6. M. DJILAS, *Tito...*, *op. cit.*, p. 164-165.

homologues balkaniques et centre-européens, ni son passé de révolutionnaire professionnel ni ses origines sociales ne le prédisposaient à la passion cynégétique. De même qu'il s'attribue toutes les résidences royales — et s'en fait construire dans chaque république bien au-delà des possibilités réelles d'usage —, le nouveau détenteur du pouvoir adopte consciencieusement cette pratique distinctive de l'ancienne classe dirigeante. Le phénomène est commun à tous les pays de l'Est où la grande chasse apparaît comme le privilège de la haute nomenklatura. C'est lors de parties de chasse que souvent ont été traitées les affaires d'État les plus importantes[7]. A l'entrée du pavillon de chasse en rondins qui abrite les trophées, un écriteau explique que, grand chasseur, le maréchal a beaucoup fait pour la protection de la nature. L'affirmation est moins paradoxale qu'il n'y paraît. La chasse « démocratique », avec ses effectifs pléthoriques, ne laisse aucune chance à un peuplement naturel de gibier. En revanche, les chasseurs élitistes, par définition peu nombreux, gèrent au mieux les populations animales : leur prestige en dépend. La situation reste inchangée si l'on fait payer très cher en devises aux amateurs occidentaux des safaris étroitement contrôlés. Les ours bruns et quelques autres prédateurs ont été les grands bénéficiaires du régime titiste.

On traverse ensuite deux espaces contrastés, censés être représentatifs de la vie journalière de Tito. L'un, la « salle de billard » — mais il n'y a plus de billard —, est un léger pavillon à caractère intime : un séjour avec bar, un atelier de mécanique pour bricoler (Josip Broz fut un bon ouvrier mécanicien), un labo photo. L'autre est la grande villa des années vingt, aux vastes pièces de réception richement meublées. On aimerait s'attarder pour identifier un tableau de style impressionniste, déchiffrer les titres des volumes sur les rayons de la bibliothèque, mais les militaires vous filent le train. Dans leur fonction de représentation, surtout à l'étranger, les chefs d'État se voient comblés de cadeaux.

---

7. M. Djilas, *Une guerre dans la guerre : la révolution de Tito, 1941-1945*, Laffont, 1979, p. 322 et 420-421, ainsi que *Tito..., op. cit.*, p. 156-162.

Que faire ensuite d'une accumulation d'objets hétéroclites, voilà un souci commun à tous les régimes, proportionnel à la longévité politique du leader. Une solution sera de les rassembler en cherchant à donner un sens à leur juxtaposition, opération assez réussie avec le « vieux musée », belle collection de pièces à caractère ethnographique et artistique sur laquelle se termine la visite.

Une station à la « maison des fleurs » peut conclure ce circuit d'une heure et quart, mais aussi bien s'effectuer indépendamment. Le groupe de pèlerins marque un temps d'arrêt au rond-point devant le bâtiment, puis foule le tapis rouge qui mène au patio. Au milieu une dalle de marbre blanc avec nom et dates. Normalement la tombe d'un dignitaire communiste est frappée de l'étoile rouge à cinq branches, et cette absence a donné cours à plus d'une spéculation. Baïonnette au canon deux soldats — casquette plate, vareuse bleu clair, culotte sombre, bottes — montent une garde figée ; des fleurs, un drapeau yougoslave. La file des visiteurs fait en silence le tour du tombeau et nous voilà dehors ; nous avons effectué un rite funéraire déambulatoire des plus simples. Les pensées intimes de mes compagnons me restèrent impénétrables si ce n'est qu'ils affichaient l'attitude légèrement embarrassée de circonstance. Personnellement, j'eus un instant le sentiment d'avoir rendu mes devoirs à la tombe d'un grand-oncle un peu lointain mais qui avait fait honneur à la famille. On se retrouve à la cafétéria.

Djilas, loup devenu agneau

A dire vrai le président de la Fédération ne se plaisait guère à Belgrade et y demeurait par nécessité politique. Sa résidence d'été de Brioni, île au large de l'Istrie, où il avait créé un parc zoologique — au départ, avec des cadeaux animaliers... — serait plus représentative du personnage. Mais comme lieu d'une mémoire institutionnalisée concernant Josip Broz Tito (1892-1980), détenteur d'un pouvoir absolu en Yougoslavie durant trente-six ans, rien de moins spon-

Le dernier billet à l'effigie du Maréchal disparait victime d'une inflation à trois chiffres, la plus grosse coupure émise en 1985 avait perdu toute valeur (création en janvier 1990 d'un nouveau dinar «lourd» convertible). Au centre du blason, les six balustres supportant la flamme symbolisant les républiques de la Fédération yougoslave instituée le 29 novembre 1943.

tané, de plus construit que le *Memorijalni Centar*. L'homme ainsi montré au moyen d'une machinerie muséographique sophistiquée n'a d'existence que d'une icône, « image d'unification heureuse [...], au centre tranquille du malheur[8] ». Matériellement nous est imposée ici la mémoire mise en scène d'une certaine forme du pouvoir. Pour jeter un œil dans les coulisses nous avons eu recours à la contre-mémoire d'un témoin, Milovan Djilas, loup devenu agneau. Des indices plus récents transparaissent, bizarreries résultant du vieillissement de la scénographie, stigmates dus à la nécessité d'adapter le livret à une situation sociale et politique mouvante. Après la disparition du « vieux », ses héritiers politiques en restèrent longtemps tétanisés (la plaisanterie a couru que le leader communiste et populiste serbe Slobodan Milosevic avait été le premier politicien à s'apercevoir que le patron était mort !). Dans une société bureaucratique à parti unique, où l'image de l'idéologie régnante se concentre dans une personnalité charismatique par principe irremplaçable, il faut pourtant que le spectacle continue. La solution a été un moment de s'essayer à gérer la mémoire collective sur le mode du *comme si*. Nous trouvons trace de la démarche dans les brochures en vente à l'entrée du Musée du 25-Mai. L'une d'elles — « Nous grandissons sous la bannière de Tito » *(Rastemo pod zastavom Tita)* — rend compte de l'exposition de 480 dessins, lettres et poésies d'enfants sélectionnés dans tout le pays, organisée par le musée en 1982 pour le 90e anniversaire du maréchal. La présentatrice explique que l'on voit dans les œuvres des enfants « qu'ils se sont identifiés avec la personne et l'idéal de leur ami le plus cher. Il reste vivant et présent dans leur cœur même si désormais ils ne peuvent plus le rencontrer, ni lui les prendre dans ses bras, les embrasser et les remercier pour leurs fleurs, et leur dire ce qu'il attend d'eux ». La parade continue comme si le protagoniste était toujours derrière le rideau. Cette manipulation d'une ferveur exténuée — « Nous, c'est Tito et Tito, c'est nous », écrivent les

---

8. Guy DEBORD, *La Société du spectacle* (1967), 1971, p. 45, ainsi que *Commentaire sur la société du spectacle*, 1988, éd. Gérard Lebovici.

enfants — trouve son origine quarante ans plus tôt dans la Yougoslavie du temps de guerre. La popularité du secrétaire du PCY, expression d'un réel charisme, prit forme assez spontanément chez les partisans communistes et ceux qu'ils influençaient, avant que l'appareil du Parti, en voyant le bénéfice, la promeuve systématiquement. L'aboutissement en sera, le 29 novembre 1943 à Jajce en Bosnie, l'élévation de Tito à la dignité de maréchal par la 2e session de l'AVNOJ (Conseil antifasciste de libération nationale). La description par Djilas du processus collectif de projection identitaire est un morceau d'anthologie : « Après l'élection de Tito, la présidence se retira derrière le rideau de l'estrade [...]. Là, tout le monde le congratulait avec empressement. Avec l'arrivée de Ranković, la mienne et celle d'autres fonctionnaires, cet empressement se changea en enthousiasme d'autant plus débridé que nous étions entassés les uns sur les autres. Nous étreignîmes et embrassâmes Tito — d'abord nous les dirigeants communistes et puis les patriotes non communistes, qui ne pouvaient guère faire autrement. L'enthousiasme gagna Tito lui-même. L'exaltation grandit et se transforma en ivresse. Nous les communistes continuions à serrer Tito dans nos bras et à l'embrasser sans la moindre retenue, tandis que les patriotes non communistes nous regardaient faire, avec incompréhension et stupéfaction. Happé par ce tourbillon joyeux et frénétique, Tito rendait chaque salut. Les yeux brillaient, les poitrines se soulevaient, la sueur coulait sur les visages cramoisis, les cœurs étaient prêts à éclater, les esprits enfiévrés. J'avais été moi aussi absorbé par ce délire, conscient que mon destin se décidait en cet instant précis, qu'en cédant ainsi à cette frénésie j'acceptais de mon plein gré Tito comme dirigeant, comme maître, en dépit de mon idéal et de mon désir d'un monde sans maîtres, en dépit de mon intégrité et de ma vanité [...]. Le délire des congratulations derrière le rideau se prolongea un bon moment — peut-être vingt ou trente minutes — jusqu'à ce que quelqu'un fit remarquer que la séance devait continuer. Nous regagnâmes nos sièges épuisés et peut-être secrètement honteux : moi, en tout cas, je l'étais. Toutes les résolutions furent adoptées avec enthousiasme et dans un accord tumultueux [9]. »

D'UN RITUEL POLITIQUE À L'AUTRE

Imperturbablement la *Štafeta Mladosti*, ce périple sportif printanier à travers la Fédération, se répétera de 1981 à 1986 en l'absence de son principal officiant. On y suppléait tant bien que mal, en érigeant par exemple dans le stade de l'armée pour la cérémonie du 25 mai 1986 une géante effigie de Tito en polystyrène. Cette initiative provoqua une polémique acerbe dans les médias profitant d'une récente libéralisation. Mettant en cause le culte officiel, la « divinisation de Tito », des rapprochements peu flatteurs furent faits avec la Corée du Nord. Les critiques portèrent d'autant mieux qu'elles rejoignaient les sentiments des premiers intéressés — la jeunesse, confrontée au chômage dans un État balkanique devenu un « pays FMI » comme les autres. Des jeunes, à un titre ou à un autre fascinés par les modèles culturels de l'Ouest, ressentaient la dérision qu'il y avait à communier dans le souvenir d'un leader disparu à cette seule fin de légitimer encore un modèle idéologique à bout de souffle. *Mladina*, caustique périodique des étudiants slovènes, posa la question de la généalogie du rituel désormais périmé de la *Štafeta*, le rattachant aux anciens *Sokols*. L'hypothèse vaut un détour par le musée imaginaire des pratiques sportives dans les sociétés modernes.

Les *Sokols* (faucons) ont été une forme associative de pratique collective de l'éducation physique dans les pays slaves de l'aire culturelle de la *Mitteleuropa*. Leurs fondateurs tchèques, un professeur de philosophie, M. Tyrs, et J. Fugner, un banquier assureur, avaient à l'esprit l'exemple du *Turnbewegung* prussien de F.L. Jahn, enseignant qui créa en 1810 des « sociétés de gymnastique » *(Turnverein)* pour entraîner physiquement et moralement la jeunesse alle-

---

9. M. DJILAS, *Une guerre...*, *op. cit.*, p. 362-364.

mande à la revanche contre Napoléon puis, après 1815, pour réaliser l'aspiration à un État allemand unitaire. L'objectif des *Sokols* sera de réveiller la conscience nationale de la jeunesse tchèque, alors que Bohême et Moravie (comme la Slovaquie) font partie de l'empire austro-hongrois. Le succès des *Sokols* fut énorme. Ils devinrent une composante essentielle de la renaissance nationale tchèque, et le modèle en fut adopté dans d'autres pays slaves, parmi les nationalités de la future Yougoslavie notamment. Entre 18 et 20 ans, alors qu'il travaillait dans une petite usine métallurgique à Kamnik, près de Ljubljana, Josip Broz (Croate, mais d'origine slovène par sa mère) s'inscrivit aux *Sokols* de Slovénie, d'orientation catholique et monarchiste, séduit par l'uniforme (noir, bonnet à plumes) et les parades en musique [10]. En effet, le *Sokol* n'offrait pas seulement à ses jeunes adhérents l'opportunité d'une pratique régulière d'exercices physiques divers (gymnastique, athlétisme) ; il donnait aussi à cette sociabilité sportive une dimension spectaculaire, lors de grands rassemblements publics où les pratiquants manœuvraient collectivement devant une foule fervente en de vastes parades sportives. Socialement les rituels sportifs des *Sokols* développaient une idéologie unanimiste (à distinguer de celle induite par d'autres jeux sportifs de type football). Dans le royaume des Serbes, des Croates et des Slovènes créé en 1918, les *Sokols* n'exprimèrent pas une identité yougoslave, mais renvoyaient au particularisme identitaire de chaque nationalité. Le « coup d'État légal » du roi Alexandre en 1929 entraîna bientôt la dissolution des *Sokols* slovènes et croates, et leur réorganisation dans des *Sokols* yougoslaves à direction serbe. Le pouvoir monarchique s'employa à manipuler la vieille et prestigieuse organisation, encourageant un entraînement physique intensif de la jeunesse, développant des manifestations du type *Stafeta*, à une échelle certes plus modeste, au bénéfice de la dynastie des Karadjordjević en tant qu'incarnation de l'idée yougoslave. C'est un document

---

10. Émile GUIKOVATY, *Tito*, Hachette, 1979, p. 29.

d'époque — la photo du régent Paul, à la veille de l'invasion allemande d'avril 1941, recevant le témoin de la main d'un jeune *Sokol* — qu'avait ironiquement reproduit *Mladina*. Politiquement l'opération de mise au pas des *Sokols* ne fut pas un succès ; elle encouragea l'adhésion de nombre des membres du *Sokol* croate aux thèses ultra-nationalitaires et fascistes de *l'ustaša* d'Ante Pavelić [11].

L'établissement d'une filiation *Sokol-Štafeta* reste problématique. A la libération les communistes obligèrent les *Sokols* à se dissoudre pour se fondre dans les organisations sportives de masse nouvellement créées ; le nouveau régime ne pouvait tolérer le pluralisme associatif, ni qu'une association soit autre chose qu'une émanation du parti-État. Les classes d'âge nées dans les années trente, celles des premiers contingents de la *Štafeta*, n'avaient guère eu d'expérience des *Sokols*. On supposera en revanche les dirigeants communistes conscients de l'efficacité sociale du *Sokol* et intéressés à les reprendre sous une forme adaptée à leurs objectifs ; ce fut le cas en Tchécoslovaquie avec les *Spartakiada*, instituées à l'imitation du *Slet* qui, tous les cinq ans, rassemblait les *Sokols* tchèques en une grande manifestation commune. Quant au lien qu'étaient à même d'établir les générations d'âge à avoir connu les *Sokols* entre ces derniers et les manifestations sportives de masse organisées au lendemain de la guerre, voilà qui demanderait à être élucidé.

---

11. Fred SINGLETON, *A Short History of the Yugoslav Peoples*, Cambridge Univ. Press, 1985, p. 160, ainsi que Bernard GEORGE, *L'Occident joue et perd : la Yougoslavie dans la guerre*, La Table Ronde, 1968, p. 50-51. Sur les relations entre Croates, Slovènes, Serbes jusqu'en 1972, voir Ante CILIGA, *Crise d'État dans la Yougoslavie de Tito*, notamment ch. VI, « La biographie de Tito... » (p. 211-345), Denoël-Lettres Nouvelles, 1974. Sur Ante Pavelić et sa mort dans l'Espagne de Franco en décembre 1959, on lira l'article de Maneš SPERBER, « Un contemporain ordinaire », dans la revue *Preuves*, mars 1960 (n° 109), rééd. Julliard, 1989 : « Cette terre est peuplée de bourreaux et de victimes complices. C'est pourquoi les Pavelić y meurent paisiblement. »

UN SYMBOLE FÉDÉRAL

La *Štafeta* oubliée dans un coin du Musée du 25-Mai, que faire avec la célébration de l'anniversaire de Tito ? Dans la Fédération yougoslave, les fêtes institutionnelles sont d'abord propres à chaque république fédérée, chaque peuple se référant à une histoire séparée. Pous les fêtes religieuses, non institutionnelles mais de fait largement célébrées, la divergence entre calendriers orthodoxe (Serbes, Macédoniens) et catholique (Croates, Slovènes) fait que les dates de Noël et de Pâques ne coïncident pas d'une confession chrétienne à l'autre ; et l'islam a son propre cycle festif (les musulmans constituent en Bosnie-Herzégovine une « nationalité »). L'anniversaire de la fondation de la Yougoslavie monarchique, le 1er décembre 1918, n'est pas acceptable pour un régime communiste. La célébration du 29 novembre 1943, jour où fut proclamé le second État yougoslave, paraîtrait logique ; mais, nous l'avons vu, dès l'origine, l'État comme représentation s'est trouvé confondu avec la personne du leader. Finalement la Yougoslavie n'a guère que deux fêtes fédérales communes à l'ensemble de ses ressortissants : le 1er et le 25 Mai. Il ne serait pas facile de trouver un substitut à l'anniversaire de la naissance de Tito dans la symbolique du régime.

Les autorités s'emploient à en moderniser la célébration. A la radio, en mai 1989, une émission spéciale jeunesse se partageait entre débats sur les problèmes brûlants de l'heure (chômage, Kosovo, etc.) et musique rock. Le jeudi 25 mai à Belgrade le bel aménagement piétonnier qui va des jardins du Kalemegdan, la vieille forteresse, à la place de la République, par la rue Kneza-Mihaila, était prolongé par l'interdiction aux véhicules de la Terazije et de la rue du Maréchal-Tito ; la foule des promeneurs y afflua jusqu'à tard dans la nuit ; la musique dans la rue — un orchestre rock, de petits groupes de musiciens et chanteurs populaires, des orchestres plus classiques devant le théâtre national —, des animations théâtrales ou plastiques montées par les étudiants, des jeux pour les enfants créaient une ambiance — au milieu d'un groupe, jeunes et vieux dansent le *Kolo*. Les citadins ne boudaient pas une journée chômée de beau temps. L'aspect désidéologisé de la célébration traduisait la volonté officielle de s'adapter à un nouveau climat social.

La ferveur des foules, à Belgrade et généralement en Serbie, irait désormais vers le renouveau religieux orthodoxe et le retour aux sources nationalitaires, comme il apparut avec éclat un mois plus tard, lors de l'inauguration dans la capitale de la cathédrale Saint-Sava, et plus encore avec l'énorme assemblée commémorant le sixième centenaire de la bataille de Kosovo-Polje contre les Turcs. Par contraste avec cette exubérance populaire — et sa manipulation politicienne —, le 25 Mai semble un rituel dévitalisé, un espace vide. Il n'en continue pas moins à jour son rôle, car il répond à une nécessité : indiquer le lieu symbolique de la Fédération. Aussi longtemps qu'elle survivra les enseignants continueront d'emmener les enfants en excursion de fin d'année au *Memorijalni Centar Josip Broz Tito*. Dans l'entre-deux-guerres, le décor proposé aux écoliers était autrement planté. C'était, à quatre-vingts kilomètres au sud de Belgrade, près de la petite ville de Topola, l'église Saint-Georges d'Oplenac — sépulture de la dynastie des Karadjordjević.

Pologne

Quels monuments reconstruire après la destruction de Varsovie ?*

par Anna Sianko

Le 17 novembre 1989, à Varsovie, la statue de Dzerjinski fut démontée. Dzerjinski, noble polonais, collaborateur de Lénine et créateur de la Tchèka — le futur NKVD —, était le symbole de l'amitié entre les nations polonaise et russe. En tant que noble, il personnifiait le rattachement des traditions polonaises au courant révolutionnaire international tout en symbolisant l'apologie des services de sécurité — fondement de la continuité du système. Les habitants de Varsovie l'ont tout de suite baptisé le « sanglant Félix ». Il fut installé sur une place nouvellement créée, devant un palais du XVIIIe siècle , magnifiquement restauré. Avec le temps et les besoins de la ville, la place s'est transformée en nœud des transports urbains et le monument devint progressivement un repère pour les personnes cherchant les arrêts de bus, particulièrement nombreux dans sa proximité. Probablement, un grand nombre parmi elles ne savaient plus qui était Dzerjinski. Le monument éveilla de nouveau l'intérêt lorsque les autorités firent savoir qu'il serait démonté, et conservé au dépôt. Décision qui n'avait rien de politique puisque personne n'en avait spécialement exigé la démolition. La raison en était plutôt la construction du métro. Le moment du démontage a cependant revêtu un caractère symbolique. Le monument n'a pas résisté à l'opération. Construit en ciment et seulement

---

* Traduit du polonais par Paul ZAWADZKI.

recouvert de cuivre, il se brisa en morceaux. Lorsque la tête du « sanglant Félix » a roulé sur la place, la foule réjouie riait et applaudissait. Sur le socle, quelqu'un a gribouillé en grosses lettres : « Eh oui, Félix. Cela devait finir ainsi ! »

La statue fut érigée en 1951, période où le pouvoir populaire semblait invincible. Il était de ces monuments qui devaient symboliser les temps nouveaux, la recherche de nouveaux courants dans la tradition, et la transformation de la conscience nationale. Ceux qui en avaient pris la décision et disposaient des moyens de le faire estimaient certainement que Dzerjinski était un Polonais illustre, dont il convenait d'immortaliser la mémoire. Ce qu'il représentait par son action était conforme à leurs valeurs et à leur raison politique.

En plaçant le monument en plein centre-ville, ils témoignaient de cette conviction, en même temps qu'ils assumaient un rôle éducatif, indiquant les valeurs à suivre. Ils montraient par la même occasion qui est le vainqueur, qui est du côté de la cause juste, et qui en est le porte-parole légitime.

« Dzerjinski » n'était qu'un des soixante-dix monuments de Varsovie — certains furent érigés avant la guerre, d'autres après. Mais presque tous furent reconstruits après 1945.

Les villes qui ne furent traversées par aucun cataclysme cumulent dans leurs enceintes l'histoire de leurs habitants et de leur pays. Varsovie, pendant la dernière guerre, fut détruite trois fois : pendant les opérations de septembre 1939 (13 % des bâtiments détruits) ; en avril 1943, après l'insurrection du ghetto, les Allemands ont rasé le quartier juif (17 % des bâtiments) ; puis entre août et décembre 1944, pendant et après l'insurrection de Varsovie (45 % des bâtiments). Les lieux de culte, les archives, les bibliothèques, les monuments furent démolis. La population massacrée, déportée ou obligée de quitter la ville. La population juive n'y est jamais revenue.

Le retour de la population à Varsovie a commencé dès que cela fut possible. Au cours des quatorze jours qui ont

Statue de F. Dzierzynski inaugurée en 1951 et détruite en 1989.

suivi la retraite des Allemands, douze mille personnes sont revenues ; soixante-sept mille, le mois suivant. Au bout d'un an, la ville comptait près d'un demi-million d'habitants. Ces retours massifs ont créé un fait accompli rendant caduque toute discussion pour savoir si la ville devait être reconstruite et rester capitale du pays. Une fois les gens revenus, il fallait bien que la ville soit vivable. Et puisque le pays devait être un pays comme les autres, il devait aussi se doter d'une capitale.

Le rétablissement des fonctions normales de la ville s'effectuait parallèlement à l'installation du nouveau pouvoir. Selon le sentiment général, ce n'était pas le pouvoir souverain d'une Pologne indépendante, attendu pendant les cinq années de l'occupation allemande, pas plus que l'occupation du pays par l'armée soviétique — devançant l'établissement du pouvoir — n'était ressentie comme une véritable libération. Mais l'aspiration naturelle à revenir à une vie normale incitait les gens, faute d'autre choix, à coopérer avec les autorités en place. La reconstruction de Varsovie devint pour de longues années le lieu où les aspirations et les efforts de la société rencontraient ceux du pouvoir. Après les destructions de la guerre, c'était pour l'ensemble du pays un symbole de renaissance. « Toute la nation construit sa capitale » fut un des rares slogans de la Pologne d'après-guerre exprimant des aspirations sociales authentiques et réellement mis en œuvre. Pendant de longues années, la reconstruction de Varsovie fut pour le pouvoir la carte de visite de ses réussites, témoignage de la réalisation conséquente des ambitions et des besoins sociaux et nationaux.

COMMENT RECONSTRUIRE ?

Dès avant la reconstruction, durant le déblayage de la ville s'engagea une discussion sur ce que serait la nouvelle Varsovie. Avec le recul des années, il semble que la pression du quotidien, la nécessité du rétablissement rapide des fonctions urbaines fondamentales et la pénurie des moyens techniques et matériels aient préjugé du choix de la conception urbanistique, ou, selon certains, de l'absence d'un tel choix. Cependant, les discussions étaient très vives et embrassaient de larges secteurs de l'opinion publique, bien que la primauté revînt aux architectes et aux urbanistes de différents bords artistiques et politiques. Ceux-ci entreprenaient des démarches pour convaincre et obtenir le soutien des autorités qui disposaient du pouvoir de décision ainsi que des moyens pour mener à bien les projets. Par ailleurs, les différents cercles du pouvoir avaient aussi leurs propres notions de ce que devait être la capitale d'un nouvel État populaire. La discussion se polarisait autour de la question de savoir si, profitant de l'immense chantier ouvert par la guerre, l'on devait construire une ville dont la structure spatiale et fonctionnelle serait entièrement nouvelle, ou bien recréer au contraire l'ancien système historiquement constitué.

Selon le sociologue Stanislaw Ossowski (prenant part à la discussion), « pour les urbanistes désireux de mettre en œuvre leurs conceptions, la destruction de Varsovie peut constituer une grande opportunité sur le plan technique et économique mais non sur le plan psychologique. Le fait que Varsovie ait été détruite par l'ennemi provoque une résistance aux conceptions urbanistiques qui tentent de mettre ce fait à profit ». Évidemment, recréer une ville à l'identique n'était ni sensé ni surtout possible. La reconstruction de Varsovie s'effectuait dans un système politique et socio-économique nouveau, même s'il n'était qu'en formation. Le projet de reconstruction socialiste pouvait s'effectuer ici plus rapidement que dans d'autres villes du pays. En même temps que les bâtiments et les rues, fut en effet détruit le système social traditionnel. La production privée et le commerce sont rapidement devenus des activités marginales, bien que les ateliers, petits commerces et restaurants aient souvent aidé ceux qui revenaient à subsister durant la première période de réorganisation de la ville. Rapidement, le décret sur l'appropriation par l'État de tous les sols de

Varsovie rendit impossible la construction privée. L'étatisation de la propriété, la monopolisation par l'État et les municipalités des décisions concernant la construction, le fait que les quartiers de grands ensembles, tous semblables, deviennent prédominants, et surtout l'uniformisation de l'emploi — tout le monde devenait tôt ou tard employé de l'État —, enfin l'effacement de la différenciation sociale, tout cela préjugea du caractère de la ville. Celle-ci se trouvait privée de la diversité, de la mobilité, et de l'aspect bigarré de la Varsovie d'avant-guerre.

La population juive n'est jamais revenue. Les quartiers juifs ne furent ni recréés ni reconstruits sous une forme nouvelle. Sur leur emplacement se dresse aujourd'hui le Palais de la Culture et de la Science — naguère baptisé du nom de Staline —, cadeau offert à Varsovie par l'Union soviétique. Autour s'étend une immense place qui se prolonge en blocs d'habitations anonymes. Synagogues et témoignages de la culture juive ont disparu de la carte de la ville.

La rue Mordechaj-Anielewicz, du nom du principal dirigeant du ghetto de Varsovie, conduit du cimetière juif au monument des héros du ghetto, inauguré le 19 avril 1948 pour le cinquième anniversaire de l'insurrection, où s'agenouilla le chancelier Willy Brandt. Ce fut longtemps un monument mal accepté par la population, car il masquait celui que le pouvoir ne voulait pas ériger, celui de l'insurrection de Varsovie. On ne l'accepta en fait que fort tard, quand émergea une vague de remémoration des juifs de Pologne. Plus précisément quand fut organisée, par *Solidarnosc* clandestin, en 1983, la commémoration du quarantième anniversaire de l'insurrection du ghetto, par opposition aux initiatives du général Jaruzelski qui, pour acquérir une légitimité internationale, avait invité des dirigeants juifs du monde entier. A cette occasion, nombre de Polonais redécouvraient un monde englouti. Ils ne comprirent pas pourquoi de nombreuses voix juives, qui rappelaient combien faible avait été l'aide aux insurgés du ghetto et exigeaient le silence, s'étonnèrent de leur manifestation. Mais ils comprirent aussi que ce monument du ghetto était finalement le seul qui rappelait une trace d'une communauté qui représentait 30 % de la population de la ville avant-guerre. Pour restaurer cette mémoire, un second bâtiment fut d'ailleurs érigé en 1987, à l'Umschlagplatz, là où les juifs partirent massivement vers Treblinka. L'absence de mémoire, s'agissant des juifs de Pologne, peut s'observer dans ces deux monuments, l'un édifié durant la période stalinienne, l'autre peu de temps avant l'effondrement du socialisme réel. La dimension de ces symboles apparaît donc progressivement, tardivement : il reste à en expliquer les fondements.

Dans une ville qui fut détruite et quasi reconstruite de toutes pièces, chaque fragment conservé de l'ancienne construction revêt une signification particulière, expression de la continuité historique. A travers le choix de ce qui serait reconstruit, on pouvait aussi sélectionner les courants de la tradition nationale à conserver et en condamner d'autres à l'oubli. La singularité des gens qui ont pris le pouvoir en Pologne était leur conviction d'avoir le droit de contrôler la pensée d'autres gens. La bataille pour la reconstruction des consciences était aussi importante que la reconstruction de la structure économique et sociale. Elle constituait un outil indispensable de la reconstruction de cette structure même et du maintien du pouvoir. Les mêmes gens cherchaient aussi à montrer que non seulement ils n'étaient pas étrangers à la tradition nationale mais qu'ils en perpétuaient les meilleurs courants, réalisant la volonté historique de la nation de vivre dans un pays libre, juste et indépendant. Sans doute est-ce à cette volonté du pouvoir de s'enraciner dans la tradition nationale que la ville doit la reconstruction de certains fragments de l'ancienne Varsovie, avec ses églises et ses monuments. Rebâtis à grands renforts de moyens et d'efforts humains, ils en constituent aujourd'hui les parties les plus belles, les plus harmonieuses et les plus accueillantes.

Tout comme la pression de l'opinion publique a fini par imposer la reconstruction de certains monuments, avant tout des églises (ce qui fut présenté ensuite comme une preuve de la loyauté du pouvoir face aux désirs de la

252

nation), les autorités, elles, comptaient à des degrés divers avec la voix de l'opinion publique.

Les concessions étaient d'importance variable selon les périodes. Elles s'exprimaient parfois « en douce ». On peut penser qu'il en fut ainsi avec le monument à Staline qui ne vit jamais le jour. Scellée dans le mur, la plaque portant l'indication « ici s'élèvera le monument à Staline » fut discrètement enlevée après sa mort. Parfois aussi les concessions étaient considérées comme le signe d'un consensus social et national atteint après une période d'« erreurs et de déviations » et une crise consécutive du pouvoir. Exemple : l'accord pour la reconstruction du Palais-Royal, obtenu en 1971, après de nombreuses années de démarches, de mise en place et de dissolution de comités sociaux, de refus et même d'interdiction des discussions publiques à son propos.

Cependant dans certains domaines le pouvoir se montra inflexible.

Parmi ceux-ci, l'attitude à l'égard de l'Union soviétique était un des plus essentiels. L'Union soviétique devait constituer dans la conscience de la société le garant de l'indépendance de la Pologne et de ses frontières, en même temps que son libérateur et protecteur face à l'ennemi éternel, les Allemands. Dans cette perspective, l'amitié et l'aide de l'Union soviétique devenaient pour le pays un facteur de succès parmi lesquels figurait la reconstruction de Varsovie. De plus, l'amitié avec les nations de l'Union soviétique, supposée « éternelle », devait englober non seulement l'avenir mais aussi le passé. Dans la nouvelle légende du combat pour la « libération nationale et sociale », les forces progressistes des nations russe et polonaise avaient de tous temps coopéré. Quant aux faits contradictoires avec cette thèse, ils devaient disparaître de la mémoire historique de la nation.

LEURS MONUMENTS, NOS MONUMENTS, CEUX DE PERSONNE

A cet égard, la situation était particulièrement inconfortable et la tâche bien difficile. En effet, la trame des conflits

«Les tristes» - monument à la fraternité d'armes, erigé à la «gloire des héros de l'armée soviétique», inauguré le 18 novembre 1945.

Monument aux héros du ghetto de Varsovie, inauguré le 19 avril 1948.

avec les deux voisins, allemand et russe, se profile à travers toute l'histoire de la Pologne. La mémoire des luttes pour l'indépendance de l'État et l'identité nationale est fortement enracinée dans la tradition historique, dans les œuvres d'art, la littérature et toute la culture nationale.

Évidemment, la dernière guerre introduit un changement de proportions. L'existence nationale fut biologiquement menacée par les Allemands, et la participation de l'Union soviétique à leur défaite ne pouvait qu'être perçue comme décisive. Mais les Allemands étaient vaincus et cessèrent de menacer directement l'existence de la nation. Dès lors, le sentiment d'une menace pesant sur l'identité nationale et l'indépendance se tourna contre le pouvoir dont la domination tenait au soutien de l'Union soviétique, et il sembla dorénavant qu'une des principales tâches des autorités fût, des années durant, de convaincre la société que ce qui était ressenti comme menaçant pour l'existence nationale devait plutôt être perçu comme bienveillant.

Il peut paraître grotesque aujourd'hui que des adultes, ayant la responsabilité de l'armée et de la police, discutent sérieusement de l'emplacement adéquat d'un monument au héros national, afin que l'épée brandie par celui-ci ne soit pas pointée vers l'Est, et qu'elle ne puisse évoquer une quelconque expédition militaire en Russie.

Il est donc parfaitement compréhensible que le premier monument élevé à Varsovie après la guerre ait été le monument de la *Fraternité des armes*. Il représente sept soldats : cinq soviétiques et deux polonais — l'armée soviétique n'était-elle pas plus grande et plus puissante que l'armée polonaise qui collaborait avec elle ? —, personnages lourds et statiques aux visages inexpressifs. Ils furent immédiatement affublés du surnom de « *Tristes* ». Pendant de longues années, lorsqu'à une question portant sur le chemin à suivre on s'entendait répondre dans le tramway : « Descendez près des Tristes », on savait à quoi s'en tenir.

Les monuments à la « fraternité des armes », l'« armée soviétique », la « reconnaissance » ont rapidement couvert le pays et il est difficile de trouver une petite ville dont ils n'orneraient pas la place centrale. A Varsovie, en dehors de ce monument, dont l'objet était de rappeler *qui* fut le vainqueur de cette guerre et *qui* y a subi les plus grands sacrifices, on trouve également des monuments glorifiant l'héroïsme et les victoires de l'armée polonaise venue de l'Est. Il paraît tout à fait naturel que les gens qui jouissaient de la possibilité de décider quels événements seraient commémorés commémoraient ceux auxquels ils avaient participé eux-mêmes. Mais le choix de ces événements remplissait encore d'autres fonctions. Premièrement, on devait toujours *entretenir* la mémoire de la *guerre* et de ses *victimes*. Pendant de longues années l'invocation des destructions de guerre servit à justifier la pénurie. Deuxièmement, il s'agissait de rappeler sans cesse le souvenir de la menace allemande en indiquant *qui* savait le mieux s'en défendre. On devait enfin équilibrer et, avec le temps, probablement effacer le souvenir du combat des armées polonaises aux côtés des Alliés et du gouvernement de Londres en exil. Au cours des différentes étapes du « dialogue du pouvoir avec la société », les noms de ces champs de batailles furent intégrés au panthéon officiel (de la gloire) mais cependant jamais commémorés par des monuments. Le dernier monument — jusqu'à présent — à la gloire des unités entrées en Pologne aux côtés de l'armée soviétique fut solennellement inauguré en présence du général Jaruzelski en 1985, après la première période de *Solidarnosc*, après la proclamation et la levée de l'état de guerre.

Cette fonction de rappel de qui est le vainqueur et qui doit gouverner, on la retrouve dans le monument commémorant *le combat pour la consolidation et la fixation du pouvoir populaire*. Il est consacré aux miliciens, soldats et militants tués dans les luttes contre l'opposition clandestine, menées juste au lendemain de la guerre, au moment de l'installation du nouveau pouvoir. Indirectement il devait rendre hommage aux miliciens et soldats des unités spéciales qui défendirent le pouvoir à partir du 13 décembre 1981, période passée dans la tradition populaire sous le nom de

« guerre polono-jaruzelskienne ». On n'osa pas célébrer leur mémoire ouvertement.

Quant au monument, la même tradition populaire le baptisa *« Fixateur »* mais son emplacement n'est pas connu de tout le monde.

Il est plus facile de bâtir des monuments que des villes, et leur construction semble un moyen commode d'influer sur ce qui doit perdurer dans la mémoire ou s'enfoncer dans l'oubli.

Mais l'expédient se révèle illusoire. Tout pouvoir totalitaire se convainc tôt ou tard que la mémoire d'événements, contre lesquels toutes sortes de « ministères de la mémoire » ont lutté des années durant par l'interdiction et la persuasion, l'image et la parole, resurgit. Le monument a ceci de particulier qu'il éveille des émotions au moment de sa construction et quand il est encore nouveau. On va le voir, on en discute, il plaît ou non, il est rejeté, tourné en dérision, ou au contraire adopté et considéré comme « sien ». Lentement, au fur et à mesure que le temps s'écoule, il cesse d'être associé aux événements qu'il était censé commémorer.

LA STATUE DE MICKIEWICZ

Certains se transforment en signes de mémoire privée, souvenirs d'une rencontre, d'un événement de jeunesse. D'autres sont réduits à n'être que des signes commodes dans nos pérégrinations urbaines quotidiennes, d'autres encore ne se remarquent même plus. En tout cas, leur sens se dévalue en tant que symboles d'une mémoire collective. Ces monuments qui jadis étaient « à nous » ou « à eux » deviennent les monuments de personne. Ce fut le sort des « vieux » monuments, reconstruits après la guerre. Jadis, ils étaient tous perçus comme les « nôtres », car symbolisant la reconstruction de la ville ; chaque nouvelle pose était une véritable fête. C'étaient des moments où l'on célébrait ensemble : les habitants de la ville et le pouvoir, même si chacun fêtait autre chose. Puis, lorsque les monuments étaient érigés, on cessait de s'en préoccuper.

Mais parfois ils revivent, chargés d'une signification nouvelle. Il en fut ainsi de la statue de Mickiewicz, poète emblématique national. L'autorisation d'élever ce monument en 1898, anniversaire du centenaire de la naissance du poète, fut arrachée aux autorités russes qui régnaient à l'époque à Varsovie. Détruit pendant la dernière guerre et reconstruit en 1950, il évoquait davantage, dans son square, les lectures scolaires obligatoires que la lutte pour l'identité nationale. Il redevint le symbole de cette lutte en mars 1968.

La censure avait alors interdit les *Aïeux*, drame de Mickiewicz, jugeant une fois de plus sa mise en scène antisoviétique. Ce qui déclencha une manifestation étudiante sous le monument, coup d'envoi des événements appelés « événements de mars ». Nous n'avons pas la place ici de les commenter. Toutefois, il peut être utile de préciser qu'ils furent à l'origine d'importants clivages au sein de la génération qui entrait dans la vie adulte. Les choix politiques et moraux arrêtés à ce moment-là ont pesé sur les attitudes de ceux qu'on a ensuite appelés la « génération de *Solidarnosc* ».

Il est des jours où s'anime également la tombe du Soldat inconnu. Elle est un lieu où des personnalités étrangères visitant la Pologne viennent déposer des fleurs et où se déroulent des cérémonies de relèves de garde les jours de fêtes officielles. Bien sûr, cela éveille un certain intérêt et des groupes de curieux s'y rassemblent comme devant tout spectacle. Parfois, lorsque l'hôte est perçu avec bienveillance par la population, comme par exemple lorsqu'il s'agit du président Bush, il y a un peu plus de spectateurs. Mais le lieu devenait véritablement « à nous » lors des manifestations à l'occasion des fêtes interdites, comme lors de l'anniversaire de l'indépendance polonaise (1919), considéré comme concurrent et menaçant pour la fête commémorative du premier acte constitutif du nouveau pouvoir. Avec le temps, même la fête de l'indépendance a été, sinon reconnue, du moins tolérée.

Il est un lieu que les autorités n'ont jamais osé tenter de s'approprier et qui n'est jamais devenu un lieu « commun » : c'est la tombe du père Popieluszko, assassiné par des officiers de la police secrète en 1984. Ses sermons ainsi que ses messes pour la patrie rassemblaient de larges foules de Varsovie et de tout le pays. Son enterrement a donné lieu à une manifestation nationale antigouvernementale et religieuse qui traversa la ville sans être inquiétée. Les insignes de *Solidarnosc* étaient arborés ostensiblement pour la première fois depuis la proclamation de l'état de guerre. Embarrassé et effrayé, le pouvoir s'efforçait de convaincre la société qu'il n'avait pas commandité l'assassinat de l'abbé. Le parvis de l'église où se trouve sa tombe est devenu un lieu spécifique, à la fois sanctuaire religieux où l'on a enfoui le corps d'un martyr, et oasis de liberté politique. Interdit partout ailleurs, l'insigne caractéristique de *Solidarnosc* s'affichait ici au grand jour. Il était le principal symbole des banderoles couvrant les grilles du parvis et les rubans des couronnes, alors que, habituellement, elles étaient signées du nom des entreprises, institutions, écoles, et localités. Cette église est devenue un lieu de pèlerinages pour tout le pays, on y fête massivement les anniversaires d'événements importants et on y participe aux « messes mensuelles pour la patrie ». Le caractère spécifique de *Solidarnosc* ainsi que le rôle particulier de l'Église ont fait que c'est par cette messe solennelle que commençaient les défilés non officiels du 1er Mai. Ceux-ci défiaient tout particulièrement les autorités qui considéraient cette fête comme la leur et craignaient la concurrence avec le défilé officiel. C'est pourquoi, dès que les manifestants s'éloignaient de l'église, les cérémonies indépendantes se terminaient toujours par des attaques de la milice, des tabassages et des arrestations. La tombe de l'abbé Popieluszko devint rapidement un lieu visité par certaines personnalités en voyage officiel en Pologne. Le fait de déposer des fleurs sur la tombe de l'abbé était ressenti comme un message indiquant que, tout en discutant avec les officiels, ces personnalités rendaient également ment visite à la nation, non représentée par ce pouvoir. Ces visites étaient donc source de grande satisfaction, alors même que les autorités, en ces occasions, déployaient beaucou d'efforts pour séparer l'église de la ville par des cordons de milice.

Un conflit symbolique : l'insurrection de Varsovie

A Varsovie, il y a environ soixante-dix monuments, on ne retracera donc pas l'histoire de chacun d'eux. Difficile d'omettre cependant le conflit autour du monument de l'insurrection de Varsovie, qui traverse toute l'histoire de la cité après la guerre.

Lorsque les habitants de Varsovie sont revenus dans leur ville, ils devaient avant tout s'assurer un toit et enterrer leurs morts. Il y avait des tombes partout. Dans les cours, dans les squares, sous les décombres. C'étaient les tombes des victimes de l'insurrection. Leurs corps furent exhumés et transportés dans les cimetières. Restait le besoin de commémorer leur sacrifice, et de rendre hommage à l'insurrection, nouvel épisode de la lutte pour l'indépendance. Les discussions sur la finalité et la signification de l'insurrection de 1944 ont débuté avant son éclatement, se sont multipliées après son écrasement et ont perduré jusqu'à nos jours avec une acuité variable. Ces discussions seraient parfaitement naturelles puisque chaque génération voit les événements du passé sous un autre angle et chaque courant politique cherche des soutiens à travers la condamnation ou l'approbation de certains événements majeurs. Dans cette discussion cependant intervint la logique du nouveau pouvoir en situation de force. Pour celui-ci, dans une perspective large, l'insurrection — destruction de la capitale et des structures organisées de l'armée et des mouvements clandestins — était susceptible de constituer un événement profitable. Mais dans une perspective plus rapprochée, l'événement était très gênant. En effet, l'insurrection éclata alors que les troupes soviétiques atteignaient Varsovie. Par conséquent, contre qui était-elle dirigée ? Au lieu d'attendre l'arrivée des

«Les Observateurs» de l'insurrection de Varsovie. Monument érigé à la «gloire de l'armée polonaise alliée des Soviétiques», censée venir en aide aux insurgés. (Inauguration en 1985).

vainqueurs et des libérateurs, la ville voulait se libérer toute seule et négocier sur un pied d'égalité avec les armées qui arrivaient et le nouveau pouvoir qu'elles apportaient dans leurs fourgons. L'insurrection fut préparée et dirigée par l'Armée du pays (AK), liée au gouvernement de Londres en exil, principale force de la résistance pendant l'occupation. Comment le gouvernement de Londres avec qui Staline avait rompu les relations diplomatiques déjà un an auparavant pouvait-il avoir raison ou entreprendre quoi que ce soit qui puisse concurrencer la légende du nouveau pouvoir ? D'autre part, l'insurrection était une preuve flagrante de l'existence et de l'action de l'Armée du pays, cet « infâme nabot de la réaction », comme le proclamaient les affiches placardées au lendemain de l'entrée des troupes soviétiques. Sur quoi pouvait-on bâtir la légende de l'Armée populaire, organisation militaire de faible importance, liée au parti communiste, à laquelle on préparait le rôle de principale force de résistance pendant l'occupation allemande, dans la nouvelle histoire de la Pologne ? Pendant l'insurrection, chacun voyait bien le nombre respectif des uns et des autres. Enfin, comment répondre à cette question : pourquoi l'Armée rouge a-t-elle arrêté son offensive de l'autre côté de la Vistule en laissant la ville se vider de son sang ? Le mieux eût été de ne pas du tout accorder d'attention à l'insurrection tout comme on s'efforçait de ne pas du tout remarquer d'autres batailles de moindre importance livrées par l'Armée du pays, de diminuer son rôle ou encore de la condamner complètement. Ce n'était bien sûr pas possible. Les tombes étaient trop nombreuses et la mémoire trop fraîche. On choisit par conséquent une autre variante : reconnaître l'héroïsme des soldats tout en condamnant la sottise politique des dirigeants. Quant au gouvernement de Londres, on lui assigna un rôle de manipulateur indifférent au sort de la ville et de ses habitants, qui aurait détourné à ses propres fins politiciennes le désir de combattre l'occupant, sans se soucier de l'intérêt historique de la nation, supposé lié au nouveau régime, à la nouvelle forme d'État et à la nouvelle configuration des frontières ainsi qu'à l'amitié avec l'Union soviétique. On a donc autorisé les hommages rendus aux victimes mais refusé de reconnaître l'insurrection comme un épisode de la lutte pour l'indépendance. Cependant même l'hommage aux victimes fit problème. On ne peut élever des monuments ni reconnaître l'héroïsme d'une armée dont on nie l'existence et dont on réprime les membres. Ce n'est que progressivement, au fil du temps et des différentes étapes du « dialogue du pouvoir avec la société », que sont apparus des monuments substitutifs.

Le premier projet de commémoration de l'insurrection de Varsovie fut élaboré dès 1945. Il s'agissait d'un monument et d'un tertre. Le tertre devait être élevé par toute la population. L'idée ne fut jamais réalisée et le comité de construction fut dissous par les autorités. L'affaire fut reprise en 1956 quand il semblait que la nouvelle équipe, renonçant au stalinisme et promettant de nouvelles relations avec l'Union soviétique, était susceptible d'accepter la réalisation des aspirations sociales. Un nouveau comité social fut formé et on lança un concours international. Le concours et l'initiative en tant que telle ont soulevé un grand intérêt. On organisa une collecte d'argent, on reçut de nombreux projets. Aucun n'a cependant rencontré l'assentiment des autorités.

L'objet du conflit restait inchangé. D'aucune façon, le monument ne pouvait symboliser un élan héroïque ni témoigner de l'aspiration sans cesse renaissante à l'indépendance. En revanche, il devait rappeler la mémoire du désastre et l'absurdité du sacrifice. D'autre part, il devait être expurgé de toute référence à l'Armée du pays. Un deuxième concours fut donc lancé.

Entre-temps fut inauguré le monument aux insurgés de Czerniakow[1], et aux Soldats de la 1re Armée polonaise[2]. Il remplissait deux tâches. Il rendait hommage aux insurgés, mais d'un seul quartier seulement, et soulignait que l'Armée

---

1. Quartier de Varsovie.
2. Armée, sous direction communiste et formée en URSS, intégrée à l'Armée rouge.

polonaise immobilisée avec l'Armée soviétique de l'autre côté de la Vistule faisait tout ce qui était en son pouvoir pour voler au secours de l'insurrection.

Un autre monument, érigé beaucoup plus tard, exprimait la même idée, en commémorant la 3e division d'infanterie, venant, selon l'histoire officielle, à l'aide des insurgés. L'opinion des habitants sur la question fut remarquablement synthétique : l'ouvrage fut surnommé monument des « *Observateurs* » de l'insurrection de Varsovie, opinion fondée aussi sur la position de ces soldats, regardant la capitale, main levée.

Plusieurs fois cependant la faiblesse et l'incertitude du pouvoir furent mises à profit. En 1958, grâce aux démarches d'une mairie de quartier, on a financé une stèle sur laquelle une inscription mentionnait qu'elle était dédiée aux soldats de l'Armée du pays. Il est vrai que, complétée par un visage pensif de femme, on l'associait peu à l'insurrection et à ses soldats. Autre exemple, l'installation près d'une horloge publique d'un carillon ponctuant chaque heure de l'hymne des insurgés de l'Armée du pays. Pendant longtemps, la mélodie de ce chant passé dans la légende de l'insurrection a provoqué de vives émotions parmi les passants. Puis elle se fondit dans les bruits de la rue.

Mais il ne s'agissait là que de signes discrets, situés dans des endroits peu fréquentés de la ville. Le conflit pour un véritable monument consacré à l'insurrection se poursuivait.

Les pressions constantes de l'opinion publique rappelant la question ouverte du concours aboutirent enfin, en 1964, à l'érection d'un monument. Subrepticement, on le baptisa monument des *Héros de Varsovie des années 1939-1945*. La silhouette de femme allongée et attachée, nue selon le projet, ensuite couverte — l'habillage avait été une des conditions de la réalisation du projet — n'évoquait pas vraiment l'élan héroïque.

Le monument éveilla un certain intérêt parmi les habitants, on l'appelle parfois la « *Niké de Varsovie* ». Cependant sa localisation, sur une des places les plus centrales mais peu fréquentées de Varsovie, la hauteur et l'énormité du socle ne l'ont guère rendu sympathique aux yeux des habitants. On y dépose des couronnes lors des cérémonies d'anniversaires officiels, mais la place ne devint jamais un lieu de rassemblements spontanés.

En 1979, on a inauguré enfin un monument appelé monument de l'insurrection. L'intention était de représenter une barricade insurrectionnelle, mais sa réalisation évoquait plutôt des tombeaux. Pas plus que les autres, il ne fut considéré comme le monument adéquat de l'insurrection.

Après la formation de *Solidarnosc*, les anciens soldats de l'Armée du pays fondèrent leur organisation, enfin considérée comme authentique, et présentèrent un projet de construction du monument. Cette fois ce devait être le véritable monument à l'insurrection. On constitua de nouveau un comité social, de nouveau on annonça une collecte pour la construction — les fonds nécessaires furent rassemblés rapidement — et un nouveau concours fut lancé. Et de nouveau le monument ne fut pas édifié. La raison, cette fois, fut la proclamation de l'état de guerre. L'affaire, reprise par les autorités deux ans plus tard, en signe de réalisation de l'entente sociale, traîna jusqu'en 1989, où le monument fut enfin érigé.

Répondant à un projet contesté, le pouvoir dut céder sur plusieurs points. Le monument étant gigantesque et composé de plusieurs éléments, on supprima les parties évoquant la déroute de l'insurrection, ajoutant en revanche un muret sur lequel fut placé l'emblème de l'Armée du pays. Selon la rumeur — *si non e vero e bene trovato* — fut ajouté également un personnage de prêtre qui n'existait pas dans le projet initial. Devant le monument inauguré solennellement, une messe fut prononcée par le cardinal Glemp, en présence du général Jaruzelski, déjà président mais encore en uniforme militaire, et de Mieczyslaw Rakowski, encore Premier ministre mais déjà après le fiasco électoral. L'association des soldats de l'Armée du pays ne prit pas part aux cérémonies.

Difficile de dire aujourd'hui s'il s'agissait là du dernier

épisode de la lutte pour le véritable monument de l'insurrection de Varsovie.

Durant toute cette période de démarches et de marchandages avec le pouvoir, les gens ont transporté leurs souvenirs et commémorations de l'insurrection dans les églises et les cimetières, lieux où le pouvoir n'avait pas accès, ou du moins n'avait qu'un accès limité.

Ainsi, chaque année, on a célébré l'anniversaire de l'insurrection au cimetière militaire. Les rassemblements autour des tombes des insurgés à cette occasion sont une des traditions de la ville. Après la proclamation de l'état de guerre, ces rencontres étaient particulièrement nombreuses. La diffusion par des haut-parleurs ce jour-là, et pour cette occasion, d'un discours de Zbigniew Bujak, dirigeant clandestin de *Solidarnosc*, a provoqué une grande émotion.

A cette période, les commémorations de l'anniversaire de l'insurrection se polarisaient autour du monument de Katyn, ou plutôt autour du lieu qui lui était destiné.

Pour les autorités polonaises d'après-guerre, l'affaire était absolument tabou et le mot « Katyn » disparut du langage officiel. Il faut avouer qu'il s'estompait également dans la mémoire de la société. Mais certains en ont préservé le souvenir et, en dépit des interdictions, on essayait de rendre hommage à la mémoire des victimes, ne serait-ce que par une croix au cimetière. La croix et les fleurs déposées à son pied disparaissaient à chaque fois, mais chaque fois elles étaient remplacées.

Dans la seconde moitié des années soixante-dix, lorsque l'opposition a pris des formes organisées, et qu'apparurent les publications clandestines, les problèmes d'histoire contemporaine, les faits niés ou ceux dont l'interprétation était falsifiée sont devenus objets d'un intérêt plus large. L'affaire de Katyn en faisait partie. L'intérêt porté à l'affaire s'accrut encore pendant la période de *Solidarnosc* légal, lorsque ces questions étaient évoquées ouvertement, et qu'elles commençaient à pénétrer lentement les publications officielles.

En juillet 1981, on réussit à placer au cimetière militaire

un monument à la mémoire des officiers polonais assassinés par le NKVD. La nuit même, il fut volé par des « auteurs inconnus » — récemment, après les élections, les mêmes « inconnus » ou leurs pairs l'ont ramené au cimetière — et l'endroit fut entouré d'une palissade. A son tour, la palissade fut démontée par des manifestants à l'occasion de l'anniversaire de l'insurrection de Varsovie. Au même endroit, les autorités placèrent ensuite leur monument dont l'inscription indiquait que le crime avait été commis par les fascistes allemands. L'inscription fut couverte par des fleurs.

Mais à ce moment-là, les vrais auteurs du massacre étaient largement connus, et les agissements du pouvoir ne faisaient qu'exacerber l'aspiration à le dire haut et fort.

Depuis, peu d'années se sont écoulées, mais il s'est passé beaucoup de choses. La question de savoir qui fut responsable du crime a cessé d'être une question pour qui que ce soit et la seule chose qui empêche le problème de devenir historique est le refus des auteurs de reconnaître leur culpabilité.

Cependant l'opinion publique exige la commémoration des victimes d'autres crimes. Près du monument de Katyn, apparut une croix en hommage aux « soldats de l'Armée du pays et aux héritiers de leurs idées », assassinés par les services de sécurité (UB). Il apparaît d'ailleurs que le « ministère de la Mémoire » qui semblait en déroute veille encore : quelqu'un a effacé tout ce qui, dans l'inscription, concernait la police secrète.

UNE VACHE

Aujourd'hui le pays est traversé par une vague de revendications concernant des changements de noms de rues, d'universités et d'entreprises, ainsi que le démontage de statues. Les gens exigent que l'on évacue de la mémoire les symboles mis en place par un pouvoir non voulu. Maintenant qu'il est en déroute, il paraît encore plus honni qu'auparavant, à l'époque où, pour vivre, il fallait passer des compromis avec lui. Mais, en supprimant les signes de sa puissance, on ne fera pas disparaître de l'histoire de la Pologne près d'un demi-siècle de dépendance.

Pour finir, l'auteur de cet article s'autorisera une réflexion personnelle.

Dans une petite ville américaine de l'État du Wisconsin, j'ai vu la statue d'une vache. Les habitants de cette région, qui vivent de la production de fromages, doivent leur bien-être à la vache ; c'est pourquoi ils lui ont érigé un monument. Témoin d'une époque où les événements se précipitent, où certains symboles sont détruits et remplacés par d'autres, je pense avec émotion à cette statue. Il se peut qu'un jour elle tombe en miettes, de vieillesse, mais personne ne la démolira afin de gommer de la mémoire ceux qui l'avaient érigée, pas plus que ceux qui l'avaient érigée ne l'ont fait pour en faire un instrument de pouvoir.

RDA

Des commémorations pour surmonter le passé nazi

par Sonia Combe

S'il est vrai que, généralement, ce sont les victoires et non les défaites que l'on célèbre, les événements dont la nation peut s'enorgueillir, et non les autres, que l'on met de la sorte en relief, la part importante, dans le calendrier des « fêtes » de la RDA, de commémorations en référence au passé nazi peut sembler paradoxale. Témoignant d'une remarquable maîtrise de la technique commémorative, l'État est-allemand convie régulièrement sa société à se livrer à un exercice de mémoire apparemment exemplaire sur le passé proche. C'est ainsi que le 8 mai 1945, jour de la capitulation sans condition du IIIᵉ Reich, fut pendant longtemps pour 17 millions d'Allemands une *fête nationale*, que ces mêmes Allemands rendent hommage tous les mois de septembre aux « victimes du fascisme » ou encore, qu'ils commémorent, le 9 novembre, la nuit de Cristal, ce gigantesque pogrom qui déferla à travers l'Allemagne dans la nuit du 9 au 10 novembre 1938 et fut le prélude à Auschwitz. A titre de comparaison, soulignons que, à l'exception de cette dernière commémoration dont c'était en 1988 le cinquantième anniversaire (un chiffre rond) et qui s'est déroulée dans les deux parties de l'Allemagne, la RFA ne s'est jamais sentie tenue de fixer par des cérémonies nationales le souvenir d'« épisodes » du passé nazi ni même celui de cet événement tout aussi fondateur pour elle que pour la RDA que fut assurément le 8 mai 1945. Ce qui ne signifie pas qu'il y ait là forcément volonté d'oubli mais qu'il y a, en revanche, refus d'ériger, par ce geste officiel, ces dates et événements en « lieux de mémoire » de la nation.

UN PATRIOTISME DE SUBSTITUTION

La RDA a donc adopté une attitude inverse. Il faut admettre qu'elle y était particulièrement intéressée car, en fin de compte, c'est sa propre mémoire qu'elle agitait ainsi ou, plus précisément, celle des hommes qui l'ont dirigée jusqu'à l'automne 1989. Quels grands noms, quelles grandes journées pouvait inscrire dans son calendrier cette Allemagne « nouvelle » — donc en rupture avec l'histoire allemande — qui avait à ses postes de commande des hommes arborant pour la plupart un passé d'antifascistes ? La réappropriation par la RDA de l'histoire allemande (qu'il s'agisse de Luther ou de Bismarck) dans sa totalité est un phénomène récent. Jusqu'à la moitié des années soixante-dix, la RDA fixait l'origine de son histoire à 1945. Alors même que l'idée nationale perdait sa légitimité, il convenait de lui substituer un patriotisme compensateur. Sur le patriotisme idéologique que proposait le nouvel ordre social allait se greffer un patriotisme moins abstrait autour d'une communauté d'hommes, ces Allemands qui furent victimes de la terreur nazie pour avoir combattu Hitler. C'est sur le culte de ces héros (dont l'autre Allemagne néglige la mémoire) que la RDA assoit en grande partie sa légitimité. Fort de ce martyrologe, l'État est-allemand encercle la société de lieux de mémoire de la résistance à Hitler, quadrille l'espace de mémoriaux, de statues de héros. Les usines, les rues, les stades, les écoles, les parcs portent les noms de ces hommes. Mais ce culte culmine dans le rappel régulier, orchestré de leur combat qui s'effectue à l'occasion des commémorations. Au demeurant, cesser d'entretenir la « tradition antifasciste », c'était courir le risque de voir la RDA basculer dans un vide idéologique que n'auraient su combler les réalisations du « socialisme réel »... Avec l'éviction, à l'automne 1989, des « pères fondateurs » des lieux du pouvoir, la question de la survie de ce rituel commémoratif se pose. Son avenir dépend pour une large part des empreintes qu'il aura laissées dans la conscience historique, du degré d'identification de la société est-allemande à un passé qui n'était pas le sien, mais qui lui fut « offert » (non sans arrière-pensées ni démagogie) par ses dirigeants, de l'authenticité de cette cohabitation apparemment harmonieuse de la mémoire d'un peuple vaincu avec la mémoire de vainqueurs des antifascistes qui édifièrent le pays. Mais à suivre chacune des quatre principales commémorations qui font référence au passé nazi dans leur déroulement et leur mise en scène, on en apprend peut-être autant sur les buts recherchés par les « metteurs en scène » que sur l'écho qu'elles rencontrent chez les « figurants »...

« LA RDA, LE PREMIER PAYS ENVAHI PAR HITLER »

Dans la langue de la rue, on dit le « 8 Mai » ; ou l'« effondrement » *(Zusammenbruch)* ; ou, plus souvent encore : « Quand les Russes sont arrivés. » Dans la langue officielle, on dit le « jour de la Libération ». A chacun sa mémoire que le langage trahit. L'affrontement semble affleurer sous les mots et pourtant le 8 Mai, en RDA, n'a rien d'une commémoration conflictuelle. Pendant longtemps, il a même joui d'une sympathie particulière auprès de la population car il était jour férié. Aujourd'hui seules des délégations d'entreprises, d'administrations et bien sûr les écoles, qui forment à l'Est le public assuré de toute commémoration, se rendent sur les lieux de la cérémonie.

La capitulation du IIIe Reich s'est opérée en deux temps : d'abord, le 7 mai, à Reims et, le lendemain tard dans la soirée, à Berlin-Karlshorst, dans le quartier où était stationné l'état-major soviétique. Signée le 8 mai à Berlin à 23 h 01, avec le décalage horaire la capitulation n'interviendra pour Moscou que le 9 mai au matin, plus précisément à 0 h 16. La RDA s'alignera jusque dans les détails, et c'est donc le 9 mai qu'elle commémore le 8 mai. Dans toutes les

271

Treptow, mémorial aux soldats soviétiques.

Place de Potsdam à Berlin en avril 1945.

villes de RDA possédant un monument érigé à la gloire des soldats de l'armée soviétique morts sur le sol allemand, des gerbes de fleurs sont déposées, des discours sont prononcés. Mais c'est devant le plus grand monument élevé en l'honneur de l'armée soviétique situé dans le parc de Treptow, à Berlin, que la véritable commémoration a lieu. L'immensité du mémorial, l'étendue du lieu — un vaste parc à l'orée de Berlin —, le gigantisme des statues se prêtent à un spectacle grandiose.

En ce 9 mai 1988 où Berlin connaît un avant-goût de temps estival, c'est d'un pas léger que les délégations se rendent à la cérémonie. On traverse en petits groupes le bois qui mène de la station de métro *Treptower Park* au lieu commémoratif « en l'honneur des soldats, officiers et généraux soviétiques tombés au cours de la libération de Berlin ». Le silence ne devient obligation qu'une fois franchie l'entrée proprement dite du mémorial. C'est là que s'élève l'impressionnante sculpture de la « mère patrie », symbolisant, par l'inclinaison de sa tête, la douleur de la mère soviétique dont le fils est tombé ici. De part et d'autre de l'allée centrale qui mène au mausolée, des sculptures de bronze représentent des soldats dans la posture agenouillée de l'homme frappé d'une balle en plein cœur. Ici la symbolique est double : il s'agit autant des pères morts au cours de la révolution d'Octobre et de la guerre civile que des fils, tombés vingt-cinq ans plus tard en luttant contre le fascisme : sur les huit sarcophages de pierre qui entourent le mausolée, des bas-reliefs retracent cette reprise du flambeau du soldat de l'Armée rouge par le soldat de l'armée soviétique [1], à Leningrad, Odessa, Stalingrad, Sébastopol. Ce n'est qu'au faîte du mausolée que les architectes (soviétiques) du mémorial réintègrent l'Allemagne : une sculpture de 11 mètres de haut représente un soldat soviétique tenant de sa main gauche l'enfant qu'il vient de sauver et de l'autre l'épée avec laquelle il a brisé la croix gammée. Cet homme a un nom, une légende. Il s'appelle Trifon Lukjanovitsch, sergent-chef

---

1. En 1945 l'Armée rouge avait déjà été débaptisée.

de son état, et a été immortalisé par l'écrivain Boris Pole-voï pour avoir sauvé, le 29 avril 1945, un enfant allemand. A l'intérieur du mausolée, on peut lire les noms des 5 000 soldats soviétiques enterrés dans le parc même de Treptow.

Aujourd'hui, les soldats de l'armée soviétique et ceux de la Nationale Volksarmee (NVA) de RDA commémorent ensemble l'abnégation de ces héros morts en donnant le coup de grâce à la bête fasciste. Les uns commémorent leurs pères, leurs compatriotes, les autres les adversaires de leurs pères, de leurs compatriotes. Ces jeunes gens de la NVA considèrent-ils les soldats de la Wehrmacht, les membres du NSDAP qui se sont battus jusqu'au dernier jour, comme leurs pères, leurs compatriotes? Rien n'est moins sûr. « C'étaient des Allemands, pas des Allemands de RDA », répond l'un d'eux. Le corpus commun « allemand » ne lui échappe pas mais, pour lui, l'histoire de son pays a commencé avec la lutte antifasciste. Comme si, pour reprendre la boutade d'un historien est-allemand, « la RDA avait été le premier pays envahi par Hitler »... Disposés en rangs serrés autour du mausolée, les soldats soviétiques et est-allemands sont tous très jeunes, ils ont 18, 20 ans tout au plus, comme ceux morts ici-même il y a quarante-trois ans. La fanfare joue les chants du mouvement ouvrier international, de *Bandiera rossa* aux chants révolutionnaires allemands interprétés par Ernst Busch. Le spectacle est irréprochable dans sa gravité et sa fixité. La musique ajoute la touche d'émotion qui a depuis longtemps abandonné les acteurs du recueillement organisé.

Ce soir la communauté soviétique de Berlin-Est retiendra les tables dans les meilleurs restaurants de la ville. Les Berlinois, eux, ne sont pas particulièrement de sortie.

« LA JOURNÉE DES HÉROS »

Chaque année, au mois de septembre (la date varie mais elle correspond toujours au deuxième dimanche du mois), la RDA commémore les « victimes du fascisme et du militarisme ». Cette appellation « fourre-tout », puisque chacun y retrouve les siens, est récente. A l'origine, cette commémoration ne concernait que les victimes du fascisme persécutées en raison de leur activité d'opposants au système nazi. Peu à peu, l'esprit œcuménique l'emporta et l'on décida de rendre hommage à tous ceux qui, d'une manière ou d'une autre, périrent par la faute du régime nazi, que ce soit sur un champ de bataille ou dans un camp de concentration voire d'extermination. Concession à la mémoire collective d'un peuple dont l'« égarement » a été condamné par l'histoire mais qui n'en eut pas moins à souffrir, le monument à la mémoire des « victimes du fascisme et du militarisme » qui se dresse sur la grande artère Unter den Linden concrétise la réconciliation dans l'évocation d'une souffrance qui n'épargna aucun Allemand : à équidistance de la flamme éternelle, la tombe du « soldat (de la Wehrmacht) inconnu » et celle du « résistant inconnu » se côtoient... Sous les tombes se trouvent les urnes remplies pour la première de la terre des champs de bataille de Stalingrad, El-Alamein et Monte-Cassino, pour l'autre de celle de Buchenwald et de Mauthausen.

Cette concession ne s'exprime cependant que dans sa forme. Pour ce qui est du fond, du contenu que lui donnent les discours prononcés ce jour-là, rien n'a changé : les « pères fondateurs » de la RDA persistent à commémorer « leurs morts », ces communistes allemands qui eurent moins de chance qu'eux. Le poids moral de ces hommes dont la vie a inspiré tant de cinéastes et d'écrivains est-allemands était si fort qu'on pouvait leur adjoindre ces soldats de la Wehrmacht morts par millions sans qu'ils ne leur fassent de l'ombre. D'autant que la cérémonie en elle-même les oublie volontiers. Ce sont les exclus de la commémoration. Dans son discours d'ouverture, le dimanche matin sur la Bebelplatz, le chef de l'État les évoque en passant. Sa pensée, même si elle n'est plus que pur automatisme, va aux autres. Dans la presse, à la radio et à la télévision, c'est la vie des héros de la résistance antifasciste qui sera rappelée. Le 10 septembre 1988, l'organe du Parti, *Neues Deutsch-*

land, titre : « L'héritage des antifascistes se perpétue à travers nos actes. » Comme chaque année, c'est l'occasion de
marteler une page d'histoire, celle du combat communiste
pendant les douze années de terreur hitlérienne, un combat mené de façon exemplaire et qui ne souffre aucune critique. Longtemps présenté comme seule composante du
combat antifasciste, le KPD (Parti communiste allemand
avant la guerre) a fait l'objet d'une histoire taillée sur
mesure, celle d'un parti qui n'aurait jamais baissé les bras
et qui, dans l'illégalité, continuait, malgré l'ampleur de la
répression, à vivre et à agir. On peut mobiliser autour des
souffrances humaines, non des défaites et encore moins des
erreurs.

« SOUVENEZ-VOUS ! »

A ne vouloir célébrer que les héros, en dépit de son nom
la journée en l'honneur des « victimes du fascisme et du
militarisme » en oublie les « simples » victimes de la terreur
nazie. A commencer par les juifs dont la mémoire de la persécution et du génocide n'a été pendant longtemps préser-
vée que par l'Église évangélique est-allemande qui, elle, a
de tout temps commémoré la nuit de Cristal. L'éclat avec
lequel l'État est-allemand a, à son tour, organisé en novembre 1988 la commémoration de la nuit de Cristal ne doit pas
masquer l'oubli dans lequel la RDA a, pendant longtemps,
tenu les juifs. Ni le vingtième ni le trentième anniversaire
du pogrom nazi du 9 au 10 novembre 1938 n'ont été ne
serait-ce que mentionnés par les médias est-allemands. En
1978, la presse signale rapidement le quarantième anniversaire du pogrom nazi mais aucune cérémonie officielle n'est
organisée pour autant. C'est seulement vers le milieu des
années quatre-vingt que l'État est-allemand « se découvre »
soudainement une sensibilité particulière au génocide juif.
Paradoxalement, la commémoration la plus spectaculaire
organisée cette année-là en RDA fut aussi la plus spontanée. Il faut dire qu'une fois n'est pas coutume, l'État sol-
licitait à cette occasion les initiatives privées et se donnait

les moyens de remobiliser une mémoire présente encore dans tous les esprits. En « décorant » les façades de monuments du slogan incantatoire « Souvenez-vous ! » il adressait un message direct à la société. A l'emplacement de ce qui correspondrait en Occident à des panneaux publicitaires dans le métro, on pouvait lire un poème d'... Elie Wiesel, un écrivain qui n'a certainement jamais été publié en RDA ! Dans le palais Efraim, imposante construction rococo du nom de son propriétaire, un banquier de Frédéric II, une exposition intitulée *Et lui enseigne la mémoire* (d'après le poème d'Erich Mühsam), retraçant le passé juif à Berlin, ne désemplissait pas.

Mais, cette exposition, autant que les discours prononcés durant la cérémonie officielle ou que les articles de presse et les émissions de télévision, s'ils prenaient comme point de départ le sort que l'Allemagne réserva aux juifs, s'ils insistaient sur l'apport des juifs à la culture allemande, avaient surtout un objectif : celui de rappeler, une fois encore, le rôle du KPD dans la résistance contre Hitler et, par voie de conséquence, dans l'opposition à la persécution antisémite. A son tour cette commémoration fit l'objet d'un détournement. Elle servit de prétexte à l'écriture d'une nouvelle page de l'histoire du parti communiste, à savoir son combat contre l'antisémitisme et les persécutions raciales.

Pourtant, parce qu'elle nécessitait la collaboration active de la société, la RDA laissera à cette occasion libre cours à d'autres mémoires. Les initiatives locales, émanant de municipalités ou de paroisses, seront fort nombreuses. Soustraite aux exigences directes d'objectifs idéologiques, la mémoire qui s'y est exprimée y est aussi plus spontanée. Le passé que viennent évoquer des habitants du quartier dans une paroisse de Pankow n'a rien à voir avec la gloriole des souvenirs d'anciens combattants. Ce soir-là, les discours que l'on entend n'ont pas été préparés. Certains relatent leurs souvenirs péniblement, comme s'ils dévoilaient un secret de famille. Ressaisi soudain par des scrupules idéologiques, l'un des témoins dérape vers une attaque virulente contre l'État d'Israël. Le jeune pasteur de la paroisse lance un

Dresde, mai 1945, tombe de Herbert Baum.

regard suppliant à l'historienne conviée au débat. Mais celle-ci est venue pour écouter, non pour parler. Dans l'important service religieux de la *Sophienkirche* du pasteur Hildebrandt, le public entend là encore autre chose que ce qui est dit dans les discours officiels. Le thème de la commémoration de la *Sophienkirche*, c'est celui du silence des chrétiens face aux persécutions raciales.

Procession au flambeau à travers le Scheunenviertel (l'ancien quartier juif de Berlin), dépôts des bougies sur la plaque commémorative qui se trouve à l'emplacement de l'ancien cimetière juif de la Grosse Hamburgerstrasse, devant la synagogue de l'Oranienburgerstrasse, lectures publiques d'écrivains, concert de rock au bénéfice de la reconstruction de la synagogue, dépôt de gerbe en présence du chef de l'État, Erich Honecker, au cimetière juif de Weissensee, apposition de plaques commémoratives sur des lieux juifs jusque-là restés dans l'anonymat, colloque sur la nuit de Cristal organisé par le département de théologie de l'université Humboldt, c'est à une véritable « explosion de mémoire » que l'on assiste au cours de cette commémoration. La participation importante de la population à toutes les cérémonies, qu'elles aient été impulsées par l'État ou par l'Église, atteste de l'écho que rencontre cette commémoration dans la société.

Pour l'État est-allemand, ce fut un succès complet puisqu'il s'attira les félicitations de la presse israélienne elle-même. Cette mise en scène bien rodée ne laissait place à aucun couac à la Jenninger, comme cela se produisit en RFA. Tentant de faire comprendre par une périlleuse technique de rhétorique qu'il maîtrisait mal le pourquoi de l'adhésion de la société allemande à l'idéologie nazie, le président du Bundestag énuméra de telle sorte les raisons du ralliement à Hitler qu'il finit par donner l'impression de les justifier. Ce « faux pas » l'obligea à démissionner. Rien de semblable ne pouvait arriver à son homologue est-allemand, le président de la Chambre du peuple, Horst Sindermann. Contrairement à Jenninger et conformément à la version officielle de la RDA concernant l'histoire de l'Allemagne

nazie, Sindermann n'a jamais admis l'impact de l'idéologie raciste dans la société allemande. L'historiographie est-
allemande reste fidèle à sa thèse initiale d'un peuple allemand fondamentalement progressiste, séduit, violé et ter-
rorisé par quelques desperados en chemise brune conduits
au pouvoir conjointement par une bourgeoisie monopoliste,
le capital financier et les junkers. Cette version simplifica-
trice s'oppose radicalement à l'autre version, bien plus proche de la réalité, que Jenninger avait, avec une maladresse
peut-être suspecte, tenté de refléter. Fort de ses années de
détention à Sachsenhausen et Mauthausen, Sindermann
n'avait, quant à lui, nul besoin de recourir à une quelconque « grâce de la naissance tardive » pour évoquer sans
malaise ce sujet. Il se contenta de réaffirmer les faits d'armes
des héros antinazis et la seule variante dans ce discours type
de toutes les commémorations fut l'accent qu'il mit, ce jour-
là, sur l'ignominie des persécutions antisémites.

Réunis dans un même élan commémoratif, l'État et la
société n'ont que partiellement commémoré le même objet.
Les cérémonies officielles ont été perçues, malgré la récep-
tivité à ce thème, comme toutes les autres commémorations : un rituel qui sature un public recherchant en vain sa
mémoire dans la solennité des discours officiels. « Les gens
n'étaient pas préparés du tout à cette soudaine attention
accordée aux juifs. Au bout de quelques semaines, ils
dirent : ''Nous en avons assez.'' Les juifs eux-mêmes s'irri-
taient que l'on parle tant d'eux », devait expliquer le philosophe Vincent von Wroblewsky dans une interview
accordée le 19 avril 1989 au *Jerusalem Post*.

DRESDE, LA COMMÉMORATION IMPOSSIBLE

Sur le bombardement anglo-américain de Dresde le
13 février 1945, l'histoire, qu'elle ait été écrite à l'Est ou
à l'Ouest, ne s'est guère attardée. Si les Soviétiques en ont
contesté l'utilité, ce n'est pas tant pour dénoncer l'ampleur
du châtiment infligé à l'Allemagne nazie que parce qu'ils

comprirent ce bombardement comme une démonstration à leur égard de la supériorité militaire des Alliés occidentaux. Bien que reprenant à leur compte la thèse soviétique de l'inutilité du bombardement, les autorités est-allemandes préfèrent aujourd'hui encore en minimiser les conséquences. Ce sont elles qui avancent les chiffres les plus bas de victimes, soit 35 000 personnes [2], alors que les historiens occidentaux [3] s'accordent sur un nombre bien supérieur (de 135 000 à 250 000). C'est dire la circonspection dont s'entoure la RDA concernant la destruction d'une ville qu'elle a pourtant transformée en symbole de la barbarie guerrière.

Le bombardement de Dresde n'a jamais été prévu au programme des commémorations de la RDA. Il s'est imposé peu à peu puis a été récupéré par le discours pacifiste officiel. Il n'entrait nullement dans la conception des dirigeants communistes est-allemands de convier la population à un acte de deuil officiel qui se révélait gratuit puisqu'il ne visait pas à légitimer le nouvel ordre social. Hissée au rang de spectacle dissuasif de la guerre, Dresde se contentait de sauvegarder quelques ruines témoins dans cette immense cité de blocs de béton qui allait être reconstruite en toute hâte.

C'est ainsi que, jusqu'au début des années quatre-vingt, seule l'Église évangélique est-allemande a évoqué régulièrement le souvenir du bombardement de Dresde, de la même manière qu'elle fut pendant longtemps la seule institution à évoquer celui de la nuit de Cristal. L'État est-allemand lui laissait volontiers le soin de répondre à sa place au besoin commémoratif de la population de Dresde et ce, d'autant plus qu'elle relayait, à sa manière, le discours pacifiste officiel. Mais lorsque, sous la pression du mouvement pacifiste indépendant qui a tenté de s'organiser au début des années quatre-vingt, la commémoration de Dresde par

---

2. Walter WEIDAUER, *Inferno Dresden. Uber die Lügen und Legenden um die Aktion Donnerschlag*, Dietz, Berlin-Est, 1965.
3. Götz BERGANDER, *Dresden im Luftkrieg*, Böhlau, Cologne.

l'Église prit une ampleur nationale, le pouvoir réalisa le danger qu'il y avait à s'être déchargé de cette commémoration sur une Église qu'il ne contrôlait que partiellement. Le 13 février 1982, pour le 37ᵉ anniversaire du bombardement de Dresde, l'Église réunissait 5 000 personnes. La plupart des participants, souvent venus d'autres villes de RDA, utilisaient alors la tribune qui leur était offerte pour dénoncer les différentes lois sur la « militarisation » de la société que venait de promulguer la RDA. Dès l'année suivante, l'État organisait ses propres commémorations. Des cérémonies bien pâles au regard de celles organisées par l'Église qui connaissent un succès croissant.

Le samedi 13 février 1988, à 10 heures du matin, le Parti organise un rassemblement devant la mairie. Hans Modrow, le responsable du Parti à Dresde — et futur chef du gouvernement est-allemand —, tient un discours devant un millier de personnes. Massées sous leurs parapluies, les délégations assistent dans le calme à une cérémonie qui n'excède pas quarante-cinq minutes. Seule dérogation au discours pacifiste type, Hans Modrow, que l'on soupçonne déjà de sympathies envers le nouveau cours soviétique, insiste peut-être un peu trop sur les efforts de Mikhaïl Gorbatchev en matière de désarmement. Depuis qu'ils ont pris de la distance vis-à-vis des évolutions en cours en URSS, les dirigeants est-allemands évitent toute louange superflue du chef de l'État soviétique. La dispersion est rapide. La vraie commémoration, chacun le sait, et l'Église qui connaît les risques de débordement qu'elle encourt la redoute tout autant que l'État, aura lieu ce soir.

Comme chaque année, la commémoration débute par un concert dans la *Kreuzkirche* de Dresde située dans le centre de la ville, l'un des rares endroits où la restauration a tenté de préserver le cadre ancien. Il n'y a pas que dans le choix des lieux que l'Église manifeste son bon goût. Au programme de ce soir, le *Requiem* de Fauré. Un public très chic, bien qu'hétérogène, y assiste. Des croyants sans doute mais surtout les couches cultivées de la population dresdoise, des artistes, des universitaires, des hauts fonctionnaires du Parti, tous réunis dans le même amour de la musique et qui pensent que le bombardement de Dresde vaut bien le *Requiem* de Fauré dans l'antre d'une institution vestige de l'ordre ancien. Un service religieux prolonge le concert. Les costumes et les robes élégantes quittent l'église, croisant sur le parvis un tout autre public qui a battu la semelle en attendant la fin du concert, un public souvent jeune dont la tenue vestimentaire indique les idées : en jeans, parkas verts, kefiehs autour du cou, ils entrent à leur tour dans l'église. Les fidèles sont désormais habitués à les fréquenter. Un jeune homme interroge son voisin : « Qu'est-ce que c'est, cette église, une église protestante ou catholique ? Je crois bien que c'est une église œcuménique », répond ce dernier. L'église, ils ne la fréquentent que pour le 13 février... Les sermons succèdent aux prières, mais l'aspect ludique de la commémoration n'est pas oublié. De jeunes guitaristes s'essayent à la chanson engagée. Des slogans pacifistes « païens » et chrétiens ornent la nef centrale. L'atmosphère est à l'espoir, celui que suscite Gorbatchev, à mots couverts chez les représentants religieux, plus ouvertement chez les guitaristes et représentants des groupes pacifistes indépendants. Les cantiques sont bientôt submergés par de vibrants *We Shall Overcome*. L'Église sait respecter les équilibres. Jusqu'à présent, le bombardement de Dresde n'a été, tout comme le matin même, que prétexte à l'énoncé d'un discours pacifiste, cette fois plus humaniste que politique. C'est maintenant que commence le spectacle qui doit raviver la mémoire du bombardement. A 22 heures, tandis que la *Kreuzkirche* se vide, les cloches sonnent le glas : la première attaque aérienne est intervenue à cette heure-là. Bougies à la main, la foule se dirige vers la *Frauenkirche*, église dont seule la Vierge qui la surplombait est miraculeusement restée intacte et que Dresde préserve en son cœur comme l'emblème de la destruction. Plus de cinq mille personnes traversent Dresde en silence. Seules les chandelles éclairent leur trajet. Ce soir-là, la police arrête les voitures pour laisser passer le cortège. Les bougies sont alors déposées au pied de la *Frauenkirche*, mais, contrairement à la cérémonie du matin, la dispersion sera longue. Si longue qu'elle gênera les forces de police en civil qui ont charge de procéder à l'arrestation des personnes qui brandissent des pancartes « provocatrices » exigeant que l'on ne détruise pas ici les « droits de l'homme comme jadis à Dresde ». Un incident devenu fréquent et auquel l'Église sait faire face. Demain, elle interviendra pour que tous ceux qui ont été interpellés soient relâchés.

L'ANTIFASCISME, UN INSTRUMENT PÉDAGOGIQUE

Réactivant un passé qui n'a pu être vécu que de façon diamétralement opposée par la société et par ses dirigeants, chacune de ces commémorations renvoie donc à des mémoires différentes : celle de la défaite et de ses conséquences pour la population allemande, d'une part ; celle de la répression de la résistance au régime nazi et de la persécution antisémite, d'autre part. Mais ces mémoires sont-elles pour autant antagoniques ?

Ces commémorations ne se rencontrent, comme nous venons de le voir, que dans la finalité que leur a assignée l'État, ce rappel inlassable des origines idéologiques d'une Allemagne investie d'une mission socialiste et qui se veut l'héritière du combat antifasciste. Quel que soit son point de départ, toute commémoration tourne à l'apologie de la Résistance et du KPD. Dès lors tout ce qui sépare la mémoire des dirigeants de celle de la société doit être gommé. L'adhésion de la société allemande à l'idéologie nazie n'est évoquée que pour mettre en relief l'héroïsme des résistants. Elle ne fait pas l'objet d'une réflexion mais constitue, bien au contraire, l'une de ces « pages blanches » qui émaillent l'histoire écrite « sous surveillance ». Il en est de même de la lutte contre Hitler dont sont tus toutes les erreurs, tous les conflits, qu'elle a pu susciter au sein du Parti. A peine mentionné dans l'historiographie, cet épisode tragique que fut pour les communistes allemands la signature du Pacte germano-soviétique en août 1939 ne doit pas avoir ébranlé un seul instant la foi des antifascistes. Bien souvent, à entendre le récit des actes de bravoure du KPD dans l'illégalité, on se demande pourquoi l'Allemagne ne s'est pas libérée elle-même.

Certes, il revient à toute commémoration officielle de promouvoir et d'illustrer des valeurs simples et fortes. Dans son principe la commémoration vise au consensus, elle n'est pas le cadre de batailles de mémoires : « Les politiques de commémoration ne réussissent que si elles confirment le plaisir de la société à écourter la mémoire de ses lâchetés et à éterniser ses courts instants de grandeur », écrit Gérard Namer dans son étude sur les commémorations en France [4]. Mais ce qui fait la différence, dans le cas d'un pays comme la RDA où la fonction de l'histoire est d'être avant tout un *instrument pédagogique*, c'est la prérogative que s'octroie l'acte commémoratif à s'inscrire dans le débat historiographique. C'est lui qui fixe, en dernière analyse, le rapport de la société à la mémoire historique.

Il y aurait bien sûr quelque naïveté à parler d'un « débat historiographique » en RDA sur le rôle du KPD. Cette histoire-là a été depuis longtemps figée en dogme, constituant la légitimité sur laquelle les dirigeants s'adossaient. Mais, si les travaux des historiens ne s'opposent pas explicitement à cette version officielle, ils introduisent bien des nuances dont le discours commémoratif n'a cure. A moins, comme cela fut le cas à l'occasion du cinquantième anniversaire de la nuit de Cristal, que ces travaux puissent alimenter une nouvelle commémoration. Plus précisément : ce ne sont pas les recherches menées dans le cadre de l'université ou de l'Académie des sciences sur la persécution des juifs qui ont conduit les dirigeants est-allemands à introduire la commémoration de la nuit de Cristal. Cette décision n'est pas le résultat d'une prise de conscience soudaine de ce qu'avait d'immoral et d'intolérable le refus d'admettre dans

4. Gérard NAMER, *Batailles pour la mémoire. La commémoration en France de 1945 à nos jours*, SPAG/Papyrus, 1983.

l'histoire de la Seconde Guerre mondiale la spécificité de la persécution antisémite et du génocide. Ce sont des considérations d'ordre politique et principalement le souci de la RDA d'améliorer ses relations avec les États-Unis — qu'autorisait désormais la nouvelle politique internationale impulsée par M. Gorbatchev — qui ont incité les dirigeants est-allemands à réinsérer la mémoire juive dans l'histoire allemande. Apparemment, la RDA se rachetait par une commémoration exemplaire d'un silence que seule l'Église évangélique et certains de ses grands écrivains (Christa Wolf, Franz Fühmann, Heinz Knobloch, Jurek Becker par exemple) ou des cinéastes (Konrad Wolf, Frank Beyer, Konrad Weiss) s'étaient autorisés à enfreindre [5]. Elle se rachetait mais non sans en tirer profit. Il est intéressant de noter l'utilisation qu'a faite l'État est-allemand des travaux d'histoire qu'il avait tolérés davantage qu'encouragés. L'exploitation de cet embryon de résistance que fut le groupe de communistes d'origine juive autour de Herbert Baum en est un excellent exemple. Sur les activités de ce groupe nous savons peu de choses, en dehors de cet acte suicidaire qui le conduisit à incendier le 18 mai 1942 à Berlin l'exposition antisoviétique intitulée *Le Paradis soviétique.* En elle-même cette action est la preuve que ce groupe, qui fut immédiatement décimé, mena son combat de façon isolée, loin d'être encadré par un Parti communiste allemand qui, l'eût-il voulu, eût été bien en peine de diriger les opérations ! Longtemps célébré comme un héros de la Résistance parmi d'autres, Herbert Baum recevait, en 1988, les honneurs de la RDA non plus seulement comme communiste, mais comme juif, une particularité que l'on avait omis de mentionner jusque-là. Grâce à lui l'histoire du KPD s'enorgueillissait de sa « composante » juive et les articles de presse conféraient à son groupe un tel rôle dans la résistance que, paradoxalement, c'est à l'historien Helmut Eschwege, auteur d'un ouvrage sur la résistance juive refusé en RDA

---

5. Sonia COMBE, « La Mémoire du nazisme en RDA », *Esprit*, octobre 1987.

au début des années quatre-vingt[6] mais publié en RFA, qu'il revenait d'en appeler à plus de vraisemblance : « On tombe désormais dans l'excès inverse et l'on oublie que la résistance juive n'a été l'œuvre que d'une poignée d'hommes désespérés »... Cette réserve que l'on retrouve dans les derniers travaux des historiens est-allemands, que ce soient ceux de Klaus Mammach sur la résistance ou ceux de Kurt Pätzold[7], s'intégrait mal dans les discours commémoratifs de la nuit de Cristal. Après avoir fait des juifs des victimes parmi d'autres de la terreur nazie, l'État est-allemand trouvait ainsi l'occasion de les réintroduire dans sa version de l'histoire, mais sous forme de *héros* (communistes, en outre) et non plus seulement de *victimes*.

Cette distinction n'est pas anodine. Elle a imprégné tout le culte organisé en RDA autour des héros. Ce sont les combattants que l'on célèbre, les *Widerstandskämpfer*.

Cet hommage rendu aux seules victimes du nazisme auxquelles l'État s'arroge le droit d'attribuer le qualificatif de « héros » est loin d'avoir rencontré l'assentiment de la société. Pourtant la contestation ne porte pas sur les noms de ceux qui sont déjà entrés au panthéon de l'histoire. Elle porte sur leur sélection. Si rien n'autorise à parler de véritables « contre-manifestations » en réponse aux commémorations que nous avons analysées, bien des tentatives existent qui tendent à imposer l'extension du martyrologe. C'est ainsi que chaque année, pour le 8 Mai, des gerbes sont déposées à Buchenwald ou Sachsenhausen à la mémoire des homosexuels persécutés par le nazisme, ces derniers ne bénéficiant que d'une mention rapide dans les livres d'histoire, d'aucune place dans les discours officiels et, à ce jour, d'aucune plaque commémorative dans les camps où ils furent déportés. A l'initiative cette fois de l'Église évangélique, c'est la mémoire du génocide tsigane

---

6. Helmut ESCHWEGE, Konrad KWIET, *Selbstbehauptung und Widerstand*, Hamburg, Christians, 1984.

7. Klaus MAMMACH, *Widerstand 1939-1945*, Akademie-Verlag, Berlin-Est, 1987, et Kurt PÄTZOLD, Irene RUNGE, *Pogromnacht 1938*, Dietz, Berlin-Est, 1988.

qui a été récemment commémorée. En septembre 1986, une plaque commémorative était apposée dans le quartier de Marzahn à Berlin, en présence de représentants du Parti, de l'Église et de la communauté tsigane, à l'emplacement même où furent parqués, en 1943, 1 200 Tsiganes avant d'être envoyés à Auschwitz [8]. Cette évocation de victimes autres que communistes est peu à peu devenue plus fréquente, sans qu'elle ait fait l'objet pour autant de consignes officielles. C'est ainsi que l'exposition organisée en mai 1988 sur *La Résistance à PrenzlauerBerg*, dans le parc Ernst-Thaelmann de Berlin, présentait un important panneau sur la persécution des homosexuels mais, à l'inverse, ne mentionnait nulle part les Tsiganes. Interrogé à ce sujet, l'organisateur de l'exposition regrettait son oubli et semblait sincèrement désolé. Il avait pensé aux homosexuels mais les Tsiganes ne lui étaient vraiment pas venus à l'esprit...

Bien que périphériques et marginales, ces tentatives témoignent d'une volonté de se ressaisir du mode commémoratif monopolisé par l'État, de lui assigner d'autres objectifs que les siens. Mais aucune d'elles ne conteste la mémoire officielle. Elles veulent seulement lui adjoindre d'autres mémoires, principalement celles des victimes du nazisme non communistes, celle des victimes « passives ». En reconnaissant les souffrances des juifs, des Tsiganes et des homosexuels, on reste sur le terrain d'une même mémoire, celle des persécutés du régime nazi.

LES SOUFFRANCES DU PEUPLE ALLEMAND SOUS LE NAZISME

Avec la commémoration du bombardement de Dresde, ce sont en revanche d'autres victimes qui entrent en scène, des victimes auxquelles s'identifie cette fois la majeure partie de la société. Or, quel que soit le lieu où la commémoration se déroule (sous le chapiteau de l'Église ou celui de l'État), on évite de s'appesantir sur les souffrances du

---

8. *Die Weltbühne*, 13 juillet 1989.

peuple allemand sous le nazisme. Que l'on juge toujours suspect de raviver le souvenir de ce bombardement, dont la décision reste une énigme, est la preuve que la « mauvaise conscience » allemande n'a pas disparu. Dans son ouvrage *Inferno Dresden*, publié en 1965[9], le maire de l'ancienne « Florence de l'Elbe », Walter Weidauer, se fixe essentiellement pour objectif d'innocenter l'URSS. Il réfute la thèse émise au lendemain de la guerre par les Occidentaux selon laquelle ce serait l'URSS qui aurait demandé aux alliés de bombarder la ville. Sa mission consiste autant à blanchir l'URSS de ces accusations qu'à démontrer l'inutilité du bombardement. Ce n'est d'ailleurs qu'à un seul monument, de taille modeste au demeurant, qu'ont droit, à Dresde, les 35 000 victimes (selon les sources est-allemandes) du bombardement.

Mais si elles sont tues, les souffrances de Dresde n'en sont pas pour autant niées à l'instar de celles qui accompagnent forcément le souvenir du 8 Mai avec l'arrivée de l'armée soviétique. Par quel miracle les Berlinois de l'Est, par exemple, auraient-ils d'autres souvenirs de la défaite que ceux de l'Ouest ? Que l'intense propagande antisoviétique menée à l'Ouest au moment de la guerre froide ait contribué à renforcer dans un sens négatif le souvenir des troupes soviétiques ne suffit pas à expliquer une telle disparité de mémoire. L'armée soviétique a envahi l'Allemagne et il est rare que l'envahisseur laisse de bons souvenirs. Alors qu'à l'Ouest les témoignages abondent sur cette période, les mémoires publiés à l'Est sont *pratiquement tous* l'œuvre d'antifascistes, de communistes libérés des camps ou rentrés d'exil qui ont, par la force des choses, une tout autre mémoire de l'entrée des troupes soviétiques dans Berlin ! En dehors d'échos transmis par la littérature, il n'existe, à notre connaissance, aucun témoignage de la « libération » de l'Allemagne émanant d'un Allemand « ordinaire ». Une scène décrite par l'écrivain Christa Wolf dans *Trame d'enfance*[10], au cours de

---

9. Walter WEIDAUER, *op. cit.*
10. Christa WOLF, *Trame d'enfance*, Alinéa, 1988.

laquelle une famille de réfugiés de Prusse orientale se barricade dans une ferme contre les soldats soviétiques, eut en RDA la résonance d'un scoop... connu de tous mais jamais formulé ! Tout est peut-être contenu dans cette obstination à désigner cette période par la périphrase : « Quand les Russes sont arrivés. » En disant les « Russes », chacun entend la connotation qu'avait alors ce mot — synonyme d'une insulte — dans l'idéologie nazie. Le « Russe », c'était le barbare, l'Asiate. Aujourd'hui, on ne dit plus les « Russes » mais les « Soviétiques ». Dire les « Russes » n'est donc pas un langage neutre.

La mémoire collective serait-elle muette sur ces « Russes » ? Nous trouvons-nous en présence d'un exemple parfait de refoulement de souvenirs que l'on n'avait pas le droit d'évoquer ou s'agit-il d'une rationalisation *a posteriori* ? Les exactions auxquelles se sont livrées de façon notoire les troupes soviétiques en Allemagne furent, d'emblée, un sujet tabou. Mieux : elles furent farouchement niées, pas seulement par les Soviétiques mais par les nouveaux dirigeants est-allemands. Dans ses mémoires [11], Wolfgang Leonhard, qui quitta la RDA au début des années cinquante, raconte le refus d'accorder le droit d'avorter aux femmes violées par des soldats soviétiques qu'opposa le premier dirigeant allemand de la zone d'occupation soviétique, Walter Ulbricht. Il ne s'agissait pas tant de la question de l'avortement — pour la libéralisation duquel le KPD avait mené un combat avant-guerre — que de la reconnaissance que de tels écarts de conduite avaient eu lieu. Dans la population, le souvenir de ces viols (qui ne sont un sujet tabou que s'ils sont consignés par écrit) reste toutefois vivant, mais ils sont évoqués avec une sorte de gêne et l'on s'empresse de confirmer la rapidité avec laquelle les autorités soviétiques auraient tenté de les enrayer par des sanctions immédiates allant jusqu'à la peine de mort.

---

11. Wolfgang LEONHARD, *Un enfant perdu de la Révolution*, éditions France-Empire, 1983.

UNE IMAGE ACCEPTABLE DU RUSSE

Au cours d'une enquête qu'elle effectuait sur l'histoire du quartier de PrenzlauerBerg à Berlin [12], l'écrivain Daniela Dahn accédait, il y a quelques années, aux archives de l'école Lothar-Cohn. Compulsant les réactions des élèves rédigées dans l'immédiat après-guerre, elle s'interrogeait sur l'une d'elles qui avait précisément pour thème : « Les Russes arrivent. » Témoignant d'événements douloureux tels que la découverte d'un parent mort sous les décombres à la suite d'un bombardement, de l'errance à travers les ruines, de la faim qui les tenaillait, ces enfants ne s'autorisent cependant aucune plainte ; ils se contentent de livrer un récit précis, sobre et presque distant des événements, mais surtout ils ont déjà le souci de donner une image acceptable du « Russe » : « Le 22 avril 1945, vers 11 heures, les Russes sont arrivés dans la Kopenhagenerstrasse. Nous étions tous dans la cave et avions peur. [...] Trois soldats russes ont fait signe à des civils. Ces derniers avaient peur et n'ont pas répondu. Alors des locataires de notre immeuble sont allés à la rencontre des Russes. Ils sont revenus avec du pain que les Russes leur avaient donné. Alors ma mère et moi sommes sortis dans la rue. [...] Mon père a dit : "Des occupants qui font un signe amical aux civils, je n'en ai encore jamais vus." Il ne pouvait pas croire au début que les Russes étaient animés de bonnes intentions. Le lendemain les SS ont repris possession de la Gleimstrasse. Alors que les Russes nous laissaient aller et venir, les SS nous ont tiré dessus » (Werner B.). « Les derniers jours de la guerre étaient arrivés. Tout le monde pensait que la dernière heure était venue. Dans les appartements il n'y avait ni eau, ni gaz, ni électricité. [...] Mon grand-père avait mis cinq heures à aller chercher de l'eau. A en juger d'après les tirs, les Russes ne devaient pas être loin. C'était vrai. Soudain la porte s'ouvrit et quelques Russes pénétrèrent ; ils ont exigé des bicyclettes mais ils nous ont laissés tranquilles. Nous étions

---

12. Daniela DAHN, *PrenzlauerBerg-Tour*, Mitteldeutscherverlag, Leipzig, 1987.

heureux car on racontait que les Russes tuaient tout ce qui se trouvait à leur portée » (Ruth S.). « Il faisait nuit lorsque les premiers Russes sont arrivés à notre maison. Deux d'entre eux sont venus nous voir dans la cave. Ils cherchaient les soldats et les armes. Un monsieur a demandé une cigarette que le Russe lui a donnée volontiers. Lorsqu'il a allumé sa cigarette, le Russe a levé son revolver et exigé sa montre. Ensuite les Russes ont disparu » (Werner K.) [13].

Quelle différence avec d'autres récits de cette période, que ce soient les mémoires de Margaret Boveri, *Tage des Uberlebens*, ou l'ouvrage du dissident soviétique Lev Kopelev, *A conserver pour l'éternité*, deux ouvrages considérés l'un comme l'autre comme les meilleurs témoignages et qui d'ailleurs ont eu un grand écho en RDA où ils circulaient sous le manteau [14] ! En 1988 l'exposition réalisée à Berlin-Ouest sur *L'image des Russes à Berlin en 1945*, qui accordait une large part à la question des viols, fut transportée au musée militaire soviétique de Karlshorst, à Berlin-Est, au grand dam des autorités est-allemandes indignées de voir le commandant des troupes soviétiques stationnées en RDA admettre ce qu'elles avaient toujours refusé d'entendre [15].

Lorsque Daniela Dahn se demande si ces écoliers dont elle lit les rédactions rédigées en 1945 « ne sentaient pas, avec leur instinct d'enfants, que leur peur du Russe n'était qu'un pâle reflet de l'angoisse de mort qu'avaient apportée leurs pères dans les familles russes, polonaises, juives, françaises », nous touchons peut-être aux raisons de cette acceptation de la « mémoire d'État » par la société, une soumission qui permettait d'en « oublier » une autre, celle à l'ordre hitlérien. Comme si, mue à la fois par une sorte de fatalisme et un sentiment de culpabilité implicitement entretenu par le discours officiel, la société est-allemande s'était réappropriée les lieux de mémoire que lui a imposés l'État

---

13. Daniela DAHN, *op. cit.*
14. Margaret BOVERI, *Tage des Uberlebens*, Piper Verlag, Munich, 1968, et Lev KOPELEW, *A conserver pour l'éternité*, Stock, 1975.
15. *Tageszeitung*, 3 janvier 1989.

faute de pouvoir lui opposer les siens. La célébration d'une mémoire se fait toujours au détriment d'une autre. En l'occurrence, c'est celle de l'adhésion à l'idéologie nazie qui a été *sacrifiée* dans la politique commémorative de la RDA. Et cette mémoire-là, aucune composante représentative de la société ne la revendique.

LA MÉMOIRE FONDATRICE

Est-ce au nom de cet accord tacite sur l'*oubli* que la référence aux origines idéologiques de l'État semble admise en RDA ? Il suffit que le chancelier ouest-allemand, Helmut Kohl, traite la RDA de « camp de concentration » (comme il le fit en janvier 1987), pour que des voix — dont celles notamment de dissidents est-allemands comme Wolf Biermann — s'élèvent contre ces propos : « Les camps de concentration, ce sont Auschwitz et Birkenau, Buchenwald et Mauthausen, ce sont les camps staliniens du Goulag. Que les autres parlent de leur propre honte mais, pour un Allemand, ''camp de concentration'' est un terme allemand. Et lorsque Kohl et consorts comparent Bautzen [célèbre prison de RDA, *NDLR*] à Auschwitz, ils propagent de manière perverse la légende nazie du prétendu ''mensonge d'Auschwitz'' [16]. » Plus récemment, après que les anciens dirigeants de la RDA eurent été destitués, la profanation en janvier 1990 du mémorial de l'armée soviétique à Treptow a entraîné la protestation de 250 000 personnes venues rappeler leur attachement à ce qui fut la mémoire officielle des quarante premières années de la RDA.

Certes, l'automne de 1989 a démontré que le prestige des résistants ne constituait plus une base de légitimation suffisante du pouvoir. Les antifascistes qui prirent les rênes de l'Allemagne « nouvelle » à la fin de la guerre voient à leur tour leur passé dévoilé. Les comptes qu'ils vont devoir rendre sur le stalinisme risquent fort d'éclabousser leur passé

---

16. *Die Zeit*, 23 janvier 1987.

d'antifascistes, ce passé remodelé, idéalisé, revu et corrigé par leurs soins, mais le seul passé respectable dont l'Allemagne pouvait se prévaloir. A travers l'écriture de l'histoire qu'ils ont commandée, le dispositif commémoratif qu'ils ont mis en place, ils ont préservé une mémoire, en ont étouffé d'autres, ont inséré des mythes dans l'histoire. La commémoration est un acte politique dont ils ont pleinement utilisé la portée. Pourtant, davantage que l'adhésion à l'ordre social qu'ils ont instauré, l'adhésion à ce qui fut la mémoire fondatrice de la RDA aura peut-être été la composante principale de l'identité est-allemande.

RDA

La génération des pères fondateurs*

par Annette Leo

Les héros de mes rêves d'enfant, c'étaient ceux qui avaient combattu Hitler. En premier lieu, mon père [1], bien sûr, ce partisan qui, armé d'un pistolet, échappa à la mort en s'enfuyant dans une forêt. Son ami Rudi s'était jeté par la fenêtre dans la cour intérieure d'une préfecture de police alors qu'on le conduisait à un interrogatoire de la Gestapo. Il était resté en vie par miracle. Günter avait rejoint les rangs des combattants pour la liberté en Grèce et Emil avait été opéré de son œil bigleux sans anesthésie dans le camp de concentration de Buchenwald.

J'ai grandi dans le récit de leurs histoires dramatiques qui toutes eurent une fin heureuse et qui, à vrai dire, ne furent jamais réellement racontées. Lorsqu'ils se retrouvaient certains soirs et que j'avais la permission de rester auprès d'eux à condition de ne pas faire de bruit, le passé était toujours présent, dans les allusions, les demi-mots, les anecdotes. Parler du passé de façon détaillée ne leur semblait pas indispensable. Ces souvenirs qu'ils partageaient étaient le ciment de leur communauté. Et moi aussi j'avais le sentiment de tout connaître et de tout savoir. Ma vie était imprégnée du souvenir du combat antifasciste. Pas seulement à la maison mais également à l'école, lorsque chaque matin on hissait

---

* Traduit de l'allemand par Sonia COMBE.

1. L'auteur est la fille d'un antifasciste allemand réfugié en France pendant la guerre, Gerhard Leo, dont les mémoires, *Un train pour Toulouse*, ont été traduits aux éditions Messidor, 1989.

le drapeau, dans les manifestations lorsque les portraits des héros flottaient au-dessus de nos têtes. Les films et les livres racontaient le combat et les souffrances de Ernst Thaelmann, de John Schehr, de Hans Beimler...[2]. Dans mon esprit le fascisme était une période noire, lointaine, à laquelle presque plus rien ne nous rattachait. Une époque au cours de laquelle il devait avoir été facile de faire la distinction entre le Bien et le Mal, une période au cours de laquelle des événements excitants avaient eu lieu. En comparaison, ma propre vie m'apparaissait ennuyeuse, trop simple. Peut-être ai-je cru être née trop tard. La vraie vie avait déjà eu lieu sans moi.

Aujourd'hui, cette pensée me fait sourire, mais j'ai conservé le sentiment que notre présent est régi par le souvenir des années de fascisme ; que cette situation historique extrême demeure une référence pour ma génération. L'État dans lequel je vis est fondé sur la tradition du combat antifasciste. C'est dans cet héritage qu'il puise sa légitimation du nouvel ordre qu'il a instauré, un ordre supérieur qui a rompu avec le passé criminel de l'Allemagne. Pourtant plus cette tradition est réaffirmée, moins nous en savons vraiment sur ce passé. Le souvenir érigé en doctrine d'État dans les discours solennels, les chants, les dépôts de gerbes encourt le risque d'être dépouillé de son aspect vivant. Dès lors que sa transmission est subordonnée aux nécessités politiques conjoncturelles, il se fige en rituel. Une part importante de son message est ainsi perdue. Longtemps j'ai cru que le peuple allemand n'avait été composé que de valeureux héros et de quelques criminels fascistes. Ayant désormais un regard d'historienne sur le passé, je réalise combien ces figures de héros que l'on nous décrit sont éloignées de la réalité. Ces hommes ne connurent-ils vraiment ni doute ni faiblesse, mus seulement par une foi inébranlable dans l'avenir ?

---

2. Ernst Thaelmann, dirigeant du KPD (Parti communiste allemand), arrêté en 1933 et liquidé à Buchenwald en 1944. John Schehr, dirigeant du KPD, assassiné en 1934. Hans Beimler, dirigeant du KPD, mort sur le front de Madrid en décembre 1936.

Les survivants des camps de concentration et des prisons, ceux qui combattirent dans l'illégalité et les anciens des Brigades internationales en Espagne, tous ceux qui sont rentrés de l'émigration ont aujourd'hui entre 70 et 85 ans. J'hésite un peu à parler d'eux comme d'une génération. Ils ne représentent qu'une minorité de la population allemande d'autrefois. Mais leur poids moral est sans commune mesure avec leur importance numérique : à une époque où la majorité du peuple suivait les nazis ou courbait l'échine sous la terreur, ils ont conservé l'espoir et fait preuve de courage. Une fois le fascisme vaincu, ce sont eux finalement qui ont représenté un ordre nouveau dans la zone d'occupation soviétique devenue plus tard la RDA.

Les interroger aujourd'hui, c'est notre unique chance de remobiliser l'image du passé fixée par l'écrit. Ils incarnent l'histoire vivante, celle que nous ne trouvons pas dans les livres et sur laquelle souvent il n'existe même pas de documents. D'ici quelques années il n'y aura pratiquement plus de témoins de cette période ; leur histoire sera à jamais transformée en légende. C'est dans leurs souvenirs que nous, la génération de leurs enfants, trouverons aussi les clefs de notre propre histoire. Vivant dans l'ombre de nos pères, nous sommes devenus adultes beaucoup trop tard. Ce monde qu'ils nous avaient créé semblait si bien réglé, si bien ordonné qu'il ne nous restait que peu d'espace pour agir par nous-mêmes. Ils nous ont appris à voir ce monde à travers leurs yeux et le respect que nous leur portions nous a pendant longtemps empêchés de voir les contradictions dans leur façon d'agir. Mais si nous voulons préserver leur héritage, c'est leur mémoire qu'il faut interroger.

UN MAINTIEN RIGIDE

Il y a deux ans, je suis partie à la recherche des héros de mes rêves d'enfant. Je me suis assise en face d'eux dans leurs appartements modestes, j'ai regardé les livres — toujours les mêmes — dans leurs bibliothèques et, pour la première fois, j'ai réellement parlé avec eux. Ces hommes âgés ont en commun une façon d'être particulière. Un maintien rigide, une grande maîtrise de soi. Leur passé se lit sur leur visage et pourtant, d'une certaine façon, ils manquent de personnalité, comme s'ils ne pouvaient exister que comme partie d'un tout.

Retraités pour la plupart aujourd'hui, ils ont du mal à vivre en dehors du travail et de l'engagement politiques. Alors ils entretiennent activement leurs souvenirs qui prennent une place de plus en plus importante dans leurs vies. Ils font des conférences dans les écoles, dans les usines. Ils sont présents lorsque les jeunes soldats prêtent serment, ils commentent les visites des lieux de mémoire et des musées. Certains d'entre eux ont rédigé leurs mémoires, d'autres sont en train de le faire. Sur la question du passé, ils sont parfaitement rodés. Et c'est précisément la raison pour laquelle, au début, malgré leur bonne volonté et leur sens de la discipline, ils semblaient ne pas comprendre mes questions. Ils pensaient avoir déjà tout dit. Ce n'est que peu à peu qu'ils réalisaient que cette fois il s'agissait d'eux, de leur expérience personnelle, de leurs sentiments et qu'on ne leur demandait pas de se lancer une fois de plus dans un abrégé de l'histoire du mouvement ouvrier, en donnant quelques exemples frappants destinés à illustrer la dureté de l'exploitation capitaliste, l'idée de solidarité, l'amitié avec l'URSS. Je leur posais des questions auxquelles ils n'avaient pas l'habitude de répondre. Sur leurs parents, leur enfance, leur jeunesse, sur leur première expérience amoureuse, leurs espoirs, leurs doutes, leurs peurs, leurs échecs. A chaque fois ils objectaient que ces questions étaient sans importance, qu'elles n'intéressaient personne.

Albert E., né en 1912, un Berlinois vif et joyeux, avait quitté la maison de ses parents à l'âge de 16 ans et s'était frayé un chemin dans la vie seul, sans qualification, sans travail, parfois même sans logement. Lorsque je lui demandai comment il avait supporté la solitude, s'il avait eu un ami ou une amie, il répondit qu'il ne s'était jamais senti seul car il était engagé dans le travail politique. Ernst J. estimait que le Parti avait occupé la première place dans sa vie. C'était une chose que sa première femme n'avait pu comprendre. Après leur séparation, il s'était engagé davantage encore dans le militantisme. Né en 1905, Werner P. ne se souvenait qu'à grand-peine de son enfance. « Tout a été enseveli », disait-il simplement. Mais en revanche il se souvenait parfaitement quand et comment, à l'âge de 12 ans, il avait entendu un prisonnier de guerre russe lui parler de la révolution d'Octobre... N'ont-ils vraiment pensé qu'au combat politique, sans se soucier de leur vie privée ? Ou bien ont-ils oublié et refoulé ce qui n'est pas conforme à la version officielle de l'histoire ? Tout au long de ce jeu de questions/réponses qui durait souvent des heures, traversant avec eux chaque phase de leur vie, j'ai réalisé combien les choses étaient bien plus complexes. Ils avaient grandi et mûri dans un contexte tellement différent de celui de ma génération que nous ne parlions plus la même langue, qu'il nous était difficile de trouver des critères qui nous soient communs.

La plupart d'entre eux ont vu le jour au début du siècle dans des familles d'ouvriers pauvres qui avaient six à huit enfants. Ils ont grandi parfois en orphelinat ou bien ils ont dû s'occuper des frères et sœurs plus jeunes. Peu scolarisés, ils ont très tôt contribué à l'entretien de la famille. Lorsque — dans le meilleur des cas — ils avaient appris un métier, c'est le chômage qui les attendait à la fin de l'apprentissage. Ces conditions d'existence ne favorisaient guère l'éveil individuel. Sans travail, sans argent, ils n'avaient pratiquement aucune autre perspective pendant la crise des années vingt que celle de se rallier à un mouvement qui se prononçait pour un changement radical. Le plus souvent ils considéraient leur entrée dans le Parti communiste comme allant de soi. Au sein de cette communauté, ils se sentirent enfin forts et en sécurité, protégés de l'humiliation. L'organisation de jeunesse et le KPD représentaient pour eux à la fois la famille, la maison, la patrie. C'est à peine s'il existait une séparation entre l'engagement politique et la vie privée. La solidarité entre camarades était ce qu'ils avaient de plus précieux. Aucune autre génération — que ce soit après ou avant — ne s'est identifiée aussi inconditionnellement à un mouvement politique. Aucune autre génération ne s'est ralliée avec autant de confiance et de discipline à une idée qui signifiait pour elle la solution à tous les problèmes de l'humanité. Lorsqu'ils disent aujourd'hui encore le « Parti », ce mot vibre en eux d'une manière si difficilement compréhensible pour nous. Il signifie le sentiment d'appartenance à une communauté d'amis, d'idées. Mais le « Parti », c'est aussi à leurs yeux l'instance infaillible qui pense et décide à leur place, l'instance dont les actes échappent à leur jugement et à leur contrôle, l'instance à laquelle ils persistent à croire quand bien même elle contredit leurs propres expériences. Fidèles et disciplinés, ils ont accepté depuis 1933, presque naturellement, tous les dangers et les privations qu'exigeait la résistance alors que la plupart de leurs compatriotes affirmeront ultérieurement qu'il était impossible de combattre le régime fasciste.

LES SOUFFRANCES OUBLIÉES...

La plupart des personnes que j'ai interviewées furent arrêtées dès les premières semaines, voire les premiers mois qui suivirent la prise du pouvoir par Hitler, pour avoir distribué des tracts, s'être rendues à un rendez-vous. Relâchés des caves de torture de la SA, ces militants poursuivirent le travail illégal. Certains émigrèrent, participèrent à la guerre d'Espagne, se retrouvèrent plus tard dans des camps de concentration allemands. Ceux qui étaient restés en Allemagne furent bientôt à nouveau arrêtés, jetés en prison puis en camps de concentration. Ils prirent part à la « marche de la mort [3] » ou furent peu avant expédiés dans la

---

3. En avril 1945, à l'annonce de l'arrivée de l'armée soviétique, les autorités du camp de Sachsenhausen évacuèrent les prisonniers. La « marche de la mort » — celui qui ne pouvait plus avancer était exécuté sur place — prit fin à Schwerin où les Américains libérèrent les prisonniers.

division punitive Dirlewanger[4]. L'incarcération, la faim, la peur de la mort, le travail le plus dur, l'humiliation, la torture, ils les ont endurés, sans le moindre trouble, disent-ils, convaincus que la cause allait triompher. Dans toutes ces situations, seules l'appartenance à l'organisation, la solidarité entre les camarades garantissaient la survie, physique comme morale. Celui qui perdait l'espoir, celui qui se laissait envahir par le doute, celui qui s'attendrissait sur son sort ne pouvait résister longtemps. « On n'avait pas le droit de s'apitoyer », disent-ils, sans pouvoir davantage préciser ce qu'ils entendent par là. Est-ce ainsi que l'on se protégeait de ses émotions, des souffrances, du chagrin lorsque la fiancée n'écrivait plus, du sentiment d'impuissance lorsqu'un camarade mourait ? Mes questions ont porté sur ces souffrances et elles ont souvent brisé ce « mur » de protection qu'est l'oubli, elles ont ravivé le souvenir et, avec lui, la douleur... De quel droit l'ai-je fait, de quel droit les ai-je dérangés, leur ai-je infligé des nuits d'insomnies ? Probablement pour saisir, comprendre ce qui leur est arrivé, pour que le véritable héroïsme resurgisse derrière l'image usée.

Je voulais savoir comment ils avaient réagi lorsque, après avoir purgé une peine de prison, ils avaient été envoyés pour une durée indéterminée dans un camp de concentration. Peu d'entre eux avouèrent leur tristesse ou leur désespoir. D'autres ne savaient que répondre à une telle question : « Nous étions des résistants et il fallait bien se débrouiller », me dit Fritz K. Se sentirent-ils abandonnés, trahis à l'annonce du Pacte germano-soviétique ? Le pays sur lequel reposaient tous leurs espoirs s'était allié avec l'ennemi mortel et ils n'avaient aucune information sur les raisons de cette alliance. Tous, presque sans exception, affirmaient n'avoir eu aucun doute, déclaraient qu'ils avaient continué à faire confiance à Staline et à l'Union soviétique. De même les victoires successives de la *Wehrmacht* à travers l'Europe au début de la guerre n'avaient pas ébranlé leur

---

4. Division créée à l'initiative du SS Dirlewanger pour les actions de « choc » et constituée de criminels.

assurance. Walter R. expliquait que c'était ça, précisément, ce qu'il y avait de merveilleux dans la vision marxiste-léniniste, que l'on ne puisse être ébranlé par rien. Il se souvenait bien d'une nuit d'insomnie au camp, où il avait médité sur son sort. Mais il s'était dit que, malgré tout, il avait de la chance car il savait pourquoi il endurait tout ça.

C'est cela qui nous effraie, nous la génération de leurs enfants, ce fait qu'ils n'aient jamais été ébranlés. C'est devenu la grille de lecture de leurs souvenirs. Leur mémoire n'a conservé que le sentiment d'être ensemble qui réconfortait et rendait fort, les petits et les grands succès du travail illégal en prison et dans les camps, les moments où l'on avait eu de la chance et dont on pouvait rire. Ils ont oublié et refoulé le quotidien du camp de concentration, les rapports avec les SS, la lutte avec les détenus de droit commun, le sort réservé aux homosexuels, aux gitans, les nombreux camarades qu'ils ne purent aider car les suppléments de ration alimentaire obtenus grâce à des trésors d'ingéniosité et de courage étaient insuffisants.

Et la réalité, au-delà des barbelés, la classe ouvrière qui ne se soulevait pas, l'armée qui combattit jusqu'au dernier moment, le peuple qui obéissait aux fascistes et qui regardait les silhouettes livides revêtues de la tenue des prisonniers avec crainte et hostilité lorsqu'il les rencontrait ? Quand je posais des questions sur d'éventuels contacts lors de travaux effectués dans des commandos affectés à l'extérieur ou bien à l'occasion d'un transport, peu d'entre eux pouvaient relater un geste de compassion ou un signe amical. Beaucoup se souvenaient avec amertume : pas une seule fois, ils ne nous ont donné de l'eau dans les villages pendant la « marche de la mort ». Se trouvant durant l'hiver 1944 accompagné d'un SS sur le quai d'une gare berlinoise, Walter R. entendit le conseil que de jeunes soldats de la *Wehrmacht* donnèrent à son gardien : « Descends le salaud ! » Pendant la marche de la mort, Franz D. vit des femmes cravachées par les SS pour avoir jeté du pain à la colonne de détenus. Il vit également les paysans auxquels en chemin il demanda des pommes de terre refuser énergiquement :

« La canaille, ça n'a pas besoin de bouffer. » Après sa libération, il est resté dans une petite ville ingrate du Mecklembourg où les Soviétiques le nommèrent policier. Il savait que la plupart des habitants de la ville le considéraient comme un criminel. Est-ce la raison pour laquelle il n'est pas retourné dans sa ville natale au sud de l'Allemagne, pour prouver à ces gens-là qu'ils avaient eu tort ?

PROPULSÉS AU POUVOIR

Tout cela ils l'ont vécu et ne l'ont pas oublié. Mais comment se sont-ils accommodés de ces souvenirs ? Qu'est devenu ce fossé entre eux et le reste de la population, qu'est-il advenu de cette méfiance réciproque lorsque, en 1945, ils se sont retrouvés sans transition chefs de la police, bourgmestres, directeurs d'usine, responsables de l'économie ? Leurs réponses suggèrent presque toujours un rapide dénouement. Qu'il s'agisse là d'un problème qui jusqu'à aujourd'hui laisse des traces, ils ne l'évoquent pratiquement pas. Autrefois, lorsqu'ils furent pour ainsi dire propulsés au pouvoir et durent ordonner des changements — dont ils avaient toujours rêvé mais qu'ils s'étaient imaginés dans un contexte totalement différent — à une population repliée sur elle-même, apathique, ils n'eurent guère le temps d'y réfléchir. Dans leurs souvenirs, la rééducation de ces hommes influencés par l'idéologie fasciste fut l'œuvre de peu d'années. Walter R. disait qu'ils avaient réussi à « balayer les décombres » de l'ancienne idéologie, Kurt S., qu'il avait gagné d'anciens responsables de la jeunesse hitlérienne au socialisme. Avec fierté, il énumérait les fonctions qu'un certain nombre d'entre eux occupent aujourd'hui. Hans L. admettait qu'ils n'avaient pu s'offrir le luxe de choisir les gens avec qui ils devaient travailler. Après une brève hésitation il avouait qu'à la vérité il ne leur avait jamais fait confiance...

Je me demande s'ils sont jamais sortis de ce rôle d'éducateur qui leur fut assigné. Comment ont-ils surmonté ces

1

2

3

4

Héros antifascistes, fondateurs de la RDA : 1 - Hans Beimler ; 2 - John Schehr ; 3 - Ernst Thälmann. 4 - Affiche antifasciste : «La patrie détruit la famille».

doutes et ces peurs à prendre des fonctions de direction pour lesquelles ils n'avaient, en guise de qualification, que leur intégrité morale ? Ces sentiments qu'ils ont refoulés, n'ont-ils pas continué à agir de façon souterraine, expliquant ce besoin démesuré de sécurité, cette incapacité à exercer leur sens critique ? Envers nous, la génération de leurs fils, ne se sont-ils pas finalement conduits en pères sévères, n'agissant certes que pour notre bien mais voulant encore et toujours décider à notre place de notre bonheur ?

Les héros de la résistance antifasciste ont fondé cet État. Jusqu'à leur retraite ils nous ont gouvernés, à la place qu'on leur avait assignée sans s'enquérir de leurs préférences, de leurs vœux. Sur cette période où ils furent au pouvoir, ils ne sont guère prolixes. Ils auraient préféré terminer leur récit en 1945 ou peu après. Lorsqu'ils écrivent un livre ou donnent une interview, leurs souvenirs s'achèvent là. Parfois, ils peuvent encore relater des aventures, des choses cocasses survenues lors des premières années mouvementées de la RDA, raconter comment, grâce à leur volonté et leur débrouillardise, ils sont parvenus à rendre possible l'impossible. Mais la fin des années cinquante, les années soixante et soixante-dix ne se résument le plus souvent qu'à une énumération des fonctions diverses, des titres honorifiques qu'ils ont reçus. La vie sur des rails, le travail dans des instances déjà en place ne sont-ils pas dignes d'être gardés en mémoire ? Fut-elle ennuyeuse, voire décevante cette existence-là ? Ne veulent-ils pas s'avouer que la société est-allemande est autre chose que ce qu'ils avaient souhaité ?

LES ANNÉES CINQUANTE

Les années cinquante avant tout : j'ai mis longtemps à comprendre la double signification de ces années dans leurs consciences. D'un côté, ce fut le moment d'un nouveau départ, la période de changements considérables auxquels ils prirent part de façon active ; de l'autre, ce fut la période du stalinisme, chargée d'erreurs, d'injustices, de décisions arbitraires, autant de choses qu'ils auraient préféré effacer de leur mémoire. Ces erreurs, ces fautes et même ces crimes, ils ne les apprirent que plus tard, en 1956. Mais la plupart d'entre eux ne surent que faire de ce qu'ils apprirent alors. Après les révélations du XXe congrès du PCUS, aucune discussion publique ne fut menée sur la période stalinienne. Les vieux camarades disciplinés se sont alors sentis seuls avec leurs conflits intérieurs, leurs expériences douloureuses qui ne cadraient pas avec la version officielle de l'histoire. Ils ont préféré se taire « pour ne pas nuire au Parti », comme ils disent, ou encore « pour ne pas donner d'arguments à l'ennemi de classe », plutôt que de remettre en cause leurs croyances, leur nécessaire identification. Ils ont finalement choisi de sacrifier leur mémoire.

Au cours de mes entretiens avec ces hommes âgés, je me suis sentie partagée entre la compréhension et le rejet d'une attitude qui me semblait un mélange de sincérité et de mensonge à soi-même. Lorsque je parvenais réellement à démasquer cette image sans faille et sans tache de la construction socialiste qu'ils voulaient donner, les souvenirs de conflits, de doutes resurgissaient. Ils avaient tout su et malgré tout ils étaient parvenus à nous faire grandir dans une image idéalisée du passé. Avec stupéfaction, j'appris que la majorité de mes interlocuteurs avaient été victimes de mesures disciplinaires dans la période stalinienne, qu'ils avaient été l'objet de suspicion. Ils furent relevés de leurs fonctions, blâmés par le Parti, voire exclus pour un certain temps. D'autres, à l'inverse, avaient siégé dans les commissions qui décidaient les exclusions. Visiblement, c'était le hasard qui faisait d'eux des juges ou des accusés. Tous avaient tenu leur rôle consciencieusement.

Hans S. revint de vacances en été 1951 pour apprendre qu'il avait perdu son poste dans une importante institution de l'État. A la place, il fut nommé enseignant dans une école supérieure. Personne ne voulut lui fournir d'explications. Des années plus tard, il comprit qu'il s'agissait alors d'un ordre de Moscou d'éloigner des postes de direction les anciens des Brigades internationales en Espagne, ceux qui avaient passé l'exil à l'Ouest ainsi que les juifs. Ce fut pour lui une période terriblement triste. Sans doute aurait-il pu connaître un sort pire encore, mais il avait énormément souffert de ce climat où les doutes étaient aussi incompréhensibles qu'imprévisibles. Werner P. me raconta combien il fut durement blessé dans sa sensibilité de résistant antifasciste. En 1953, l'association des victimes du régime nazi (VVN) fut dissoute. A partir de ce moment-là on cessa d'une certaine manière d'entretenir la mémoire de la tradition de la lutte antifasciste et d'y consacrer des recherches. Les groupes d'anciens résistants et détenus des camps de concentration ne purent plus organiser de rencontres officielles. Amer, il disait que les anciens officiers et soldats de la Wehrmacht rentrés des camps de rééducation en Union soviétique jouissaient de davantage de confiance que les vieux communistes qui avaient souffert et combattu pour leurs convictions. Le comité des résistants antifascistes qui remplaça le VVN n'eut dans un premier temps qu'une fonction de représentation pour l'étranger. C'est seulement après le VIIIᵉ congrès du SED, en 1970, que l'on se mit à prendre en considération ce qui avait été négligé et que commença un travail de recherche sur la Résistance.

LA PEUR

Gustav R. s'était lié d'amitié au camp de concentration avec un codétenu tchèque. Ils travaillaient ensemble dans un atelier et organisaient des actes de sabotage mineurs. Je connaissais le nom de ce camarade tchèque, je savais qu'il avait été condamné à mort en 1952 au cours du procès Slansky et qu'il avait été pendu. Quand j'interrogeai Gustav sur son attitude à ce moment-là, face au destin de son ami, il secoua seulement la tête, hagard, incapable de répondre. C'est seulement lorsque j'arrêtai le magnétophone qu'il me dit combien cela avait été terrible. Bien sûr, il savait que Karol était innocent. Aujourd'hui encore, on pouvait deviner à quel point ce souvenir lui pesait. Mais il refusait de dire pourquoi il n'avait pas tenté de sauver son ami. « C'était exclu », se contentait-il de répéter. Par peur ? Difficile d'imaginer que cet homme débrouillard, sûr de lui, qui avait risqué sa vie pendant des années dans le travail illégal, avait pu avoir peur.

Et pourtant la peur était toujours là, pas seulement dans l'entretien avec Gustav R. Je pouvais la sentir pendant toutes mes interviews où jamais le magnétophone n'était oublié. A de nombreuses questions, ils ne répondaient que lorsque le magnétophone était débranché. Parfois, ils me faisaient signe en désignant l'appareil par un battement de cil ou un geste implorant, signifiant qu'ils voulaient dire autre chose que ces mots évasifs. Jamais ils n'oubliaient la ligne de démarcation entre leurs souvenirs et l'histoire. Il me semblait que cet appareil qui se trouvait entre nous et consignait chacun de leurs propos incarnait l'instance par laquelle ils se sentaient contrôlés. Peu à peu, j'ai pu mesurer dans quel climat cette peur avait grandi lorsque les procédés d'humiliation et les dénonciations régnaient dans le Parti dans les années cinquante. Le principe stalinien de « la critique et l'autocritique » avait de toute évidence permis d'étouffer tout débat d'idées, toute discussion réelle parmi les camarades. Quiconque était soupçonné de s'écarter de la ligne devait se soumettre en réunion à une séance dégradante. Il devenait coupable, s'accusait lui-même, s'abaissait d'une façon inconcevable pour nous aujourd'hui. Et celui qui n'approuvait pas la condamnation devenait à son tour suspect. Mais ce qui constituait une faute ou une déviation, personne ne pouvait le savoir à l'avance. Les directives changeaient rapidement. Les héros de la résistance antifasciste devaient apprendre que l'on exigeait d'eux désormais d'autres vertus et d'autres capacités que celles dont ils avaient fait preuve jusqu'à présent. La sincérité et l'indépendance d'esprit devaient faire place à la servilité et à la faculté d'adaptation. Celui qui ne se soumettait pas à ce rite risquait d'être exclu de la communauté. Le choc que cela a signifié pour eux, on ne peut le comprendre que si l'on sait la place qu'a occupée le Parti dans leur vie.

Ces pratiques ont désormais disparu. Pourtant elles ont marqué cette génération dans cette façon qu'elle a de ne pas se sentir en sécurité, dans son interprétation erronée de ce qu'est la discipline. C'est par la presse qu'Anton H. apprit en 1953 son exclusion du Parti. Pendant des mois il fut sans travail. Il écrivit des lettres à la direction du Parti pour demander des éclaircissements, mais il ne reçut jamais de réponse. Après un certain temps, il fut convoqué par les instances de contrôle les plus haut placées où on lui communiqua de façon lapidaire que s'il désirait s'acquitter des cotisations manquantes, il pourrait continuer à se considérer comme membre du Parti. Il accepta sans exiger de réhabilitation. Il avait tellement intériorisé cette cassure dans sa carrière de militant qu'il redoutait un entretien avec moi. Il avait peur, disait-il ouvertement, d'avoir des ennuis. A la fin de sa vie, il voulait avoir la paix.

Après dix ans d'incarcération sous le fascisme, le communiste Erwin K. dut passer quatre années supplémentaires dans une prison de RDA. Sur ce chapitre de sa vie, je n'apprendrai rien de lui, insista-t-il dès le début de notre entretien. En parler ne servirait à personne. Il ne voulait même pas dire les raisons pour lesquelles il avait été arrêté. Lorsque finalement sa femme voulut parler des mois où elle était restée sans nouvelles de son mari, ne sachant où il se trouvait, il lui coupa la parole et se mit à pleurer. Visiblement c'était la seule façon pour lui de continuer à vivre avec ce souvenir sans être brisé.

Tandis que je menais mes entretiens, en URSS le débat sur le stalinisme commençait à s'engager. Des crimes ont été découverts dont on avait jusque-là seulement pressenti l'ampleur. Bien que la discussion n'eût pas encore gagné la RDA, ce qui se passait en URSS n'était pas sans influencer mes interlocuteurs. On pouvait voir leur inflexibilité faiblir lorsqu'on abordait le thème du stalinisme et surtout celui des fautes commises par leur propre Parti. Pour certains le fossé entre l'histoire officielle et leurs souvenirs personnels commençait à se combler. Des épisodes dont ils pouvaient désormais parler librement leur revenaient en mémoire. Walter R. racontait combien il avait vénéré Staline, combien il avait pleuré à sa mort. Connaissant aujourd'hui tous les crimes commis en son nom, il avait honte de s'être levé dans les réunions chaque fois que son nom était prononcé. Helmut S. racontait qu'au début des années cinquante un de ses bons amis avait été arrêté. Il lui avait fallu beaucoup de courage pour saluer la femme de cet ami dans la rue et l'assurer de son soutien.

D'autres cependant réagissaient en avançant des justifications d'un type nouveau : il s'agissait des problèmes de l'URSS, qui n'avaient rien à voir avec notre histoire. En RDA, il n'y avait pas eu de répression de masse, les quelques procès qui avaient eu lieu ne méritaient même pas que l'on s'y arrête. Ils estimaient qu'en rendant public ce chapitre du passé on nuisait à la cause du socialisme, qu'on devrait toujours et encore se poser la question du bien-fondé et de l'utilisation qui pouvait être faite d'une telle discussion.

Avaient-ils peur, à la fin de leur vie, de faire le constat que tout cela n'avait pas valu la peine, que l'on risque d'ébranler tout l'édifice lorsqu'on en remet en question ne serait-ce qu'une partie ? Aussi compréhensible qu'elle soit sur le plan psychologique, cette attitude est inadmissible. Nous refusons ce silence. Nous avons droit à la vérité sur le passé. D'ailleurs, comme l'ont prouvé mes entretiens, la règle du silence ne peut pas être entièrement observée. Parfois inconsciemment, souvent avec hésitation, mes interlocuteurs m'ont concédé des parcelles de vérité qui m'ont encouragée à continuer mon travail. Certes, tout ce que j'ai appris, je l'avais déjà pressenti. J'éprouvais déjà un malaise face à cette image lisse, figée du passé. Si c'est un sentiment de peur mélangée de curiosité qui m'a dominée au début — alors que je quittais le terrain solide et balisé de l'Histoire officielle —, l'étonnement et la stupéfaction que je ressentais face à ce que je découvrais se sont progressivement dissipés. J'éprouvais cette sorte de joie mauvaise de l'enfant qui ouvre une porte interdite pour y découvrir les choses tristes et horribles qui devaient lui être cachées.

Ces choses tristes et horribles appartiennent à notre passé.
Le passé ne se partage pas en Bien et en Mal. Il est contradictoire, complexe. On n'en vient pas à bout en s'en remettant aux classifications et jugements schématiques préétablis.
Le gain de ces entretiens avec les pères fondateurs de la
RDA, ce n'est pas tant la découverte de faits, de destins,
d'événements, mais une autre relation à l'histoire, une relation plus réfléchie, plus circonspecte.

Statue de E. Thälmann dans le «Thälmann park» à Berlin-Est.

Tchécoslovaquie

Le musée juif de Prague[*]

par Elisabeth Kiderlen

Prague, le 6 avril 1943. Le *Sturmbannführer-SS* Günter
« inaugure » au « Musée central juif » l'exposition *La Vie
juive du berceau à la tombe*. Le nazi s'est fait accompagner des
chefs du conseil des anciens de la communauté juive, Salo-
mon Krämer et Herbert Langer. Cet étrange musée (non
seulement inaccessible au public, mais tout à fait *secret*) est
installé dans l'ancienne synagogue Pinkas, restaurée pour
les besoins de la cause début 1942.

A en croire le seul témoin survivant de cette scène insolite, Hana Volavkova, l'officier SS, entré dans l'exposition
avec beaucoup d'allant, en ressortit passablement irrité.
Pourquoi ?

Dès le début de l'année 1942, les dirigeants nazis avaient
émis des directives afin que soit établi à Prague le musée
juif le plus complet du monde, éloquemment baptisé
« Musée d'une race éteinte » *(Museum einer untergegangenen
Rasse)*. A cette fin, un certain nombre de juifs tchèques
avaient été réquisitionnés, chargés de mener à bien ce projet
muséographique conçu, sans l'ombre d'une ambiguïté,
comme pendant à la mise en œuvre de la « solution finale ».
Les directives sont claires : « Le musée juif ne vise pas à
créer la sensation en rassemblant des objets rares, mais à
donner une vue d'ensemble du développement social, économique et culturel de la vie juive en rassemblant d'une

---

1. Traduit de l'allemand par Alain BROSSAT.

manière complète et mûrement réfléchie des objets s'y rapportant » ; c'est sous la haute surveillance de l'Office central pour l'émigration juive dirigé par Adolf Eichmann que ces directives sont exécutées par des collaborateurs (juifs) du musée de Prague — ils n'ont pas le choix.

Les autorités nazies leur facilitent la tâche à leur manière : en mars 1942, sur leur ordre, toutes les synagogues du protectorat de Bohême et Moravie sont fermées. Une circulaire est émise, demandant que l'ensemble des objets de culte soient expédiés à Prague — afin d'y être répertoriés et, bien sûr, « protégés du vandalisme » ; il y est également précisé, dans l'esprit méthodique de la bureaucratie nazie, que l'ensemble des bâtiments, cimetières, monuments, vestiges de ghettos doivent être photographiés ; dans les 153 communautés juives, les rouleaux de la Thora sont enlevés des châsses, les chandeliers des pupitres, les rideaux du temple déposés, les *talits* soigneusement pliés et les archives vidées. Tous ces objets convergent vers l'ancienne école juive de Prague où ils sont officiellement enregistrés non pas comme objets du culte mais comme relevant des « arts décoratifs ». Une quarantaine de collaborateurs du musée travaille sans relâche à répertorier les quelque 100 000 objets ainsi rassemblés, constituant pour chacun d'entre eux une petite fiche signalétique...

Tandis que, dans l'ensemble de l'Europe occupée, les nazis s'activent à mettre en œuvre les décisions fraîchement prises à la conférence de Wannsee (janvier 1942), ils restaurent donc une synagogue dans la capitale du Protectorat et la transforment en musée.

Hana Volavkova se souvient combien l'atmosphère était tendue lorsque le SS Günter visita l'exposition, s'attardant dans chaque salle. Qui sait si le cœur de l'ennemi n'allait pas se laisser émouvoir par cette présentation de la vie juive, conçue par les collaborateurs du musée, en dépit des circonstances, avec soin ?... En tout état de cause, l'exposition se prêtait bien mal à la démonstration qu'entendaient en faire les nazis : que les juifs étaient bien des sous-hommes. D'où l'humeur morose de l'officier SS lorsqu'il quitta les

Ancienne synagogue Pinkas, à Prague. Construite en 1535, restaurée début 1942 pour héberger le musée nazi de «La race éteinte». Aujourd'hui, musée et monument commémoratif des victimes juives (77 297) des nazis.

lieux... non sans avoir donné l'ordre de la compléter en présentant le « rituel sanglant » de l'abattage kascher. .

De 1942 à 1944, quatre expositions eurent lieu au musée. La cinquième qui devait évoquer l'histoire des juifs de Bohême et Moravie ne put se tenir : la plupart des collaborateurs du musée avaient été déportés ; en août 1944, l'un de ses animateurs, le Dr Polak, fut emprisonné, soupçonné d'être en contact avec la Résistance. Le dernier objet enregistré l'est à la date du 4 janvier 1945. Lorsqu'ils furent chassés de Prague par l'insurrection tchèque et l'armée soviétique, les nazis brûlèrent les archives de l'« Office central pour le règlement des questions juives en Bohême et Moravie » — et du coup, les motivations de leurs intentions muséographiques demeurent, pour une part essentielle, une énigme. Les collaborateurs juifs du musée, eux, pensaient qu'ils faisaient œuvre utile en conservant les objets — souvent uniques — centralisés à Prague, dans l'espoir de les restituer par la suite à leurs communautés d'origine. Bien sûr, au fur et à mesure que prennent consistance les rumeurs concernant l'extermination massive des juifs dans les camps de concentration (77 297 juifs du Protectorat ont été déportés et assassinés), cette entreprise, avec son aspect « scientifique » de catalogage et de recensement de ce « fonds » de la culture juive, apparaît sans cesse plus absurde et désespérée à ceux qui la mènent.

Mais le plus extraordinaire est que le musée conçu et fondé par les nazis aux fins « ethnographiques » que l'on sait existe toujours. Chaque année, plus d'un demi-million de personnes, venues du monde entier, le visitent. Il a changé de nom et s'appelle, sous le « socialisme réel » [1], « Musée juif d'État ». Rien n'en indique les origines douteuses : ni dans le vieux cimetière juif, ni dans la salle de cérémonie de la société des obsèques, ni dans les cinq synagogues (les origines de certaines remontent au Moyen Age) où sont exposés les objets appartenant au musée ne figure le moindre panneau, la moindre inscription indiquant les

---

1. Cet article a été rédigé, bien sûr, avant les événements de l'automne 1989. *[NdT.]*

sinistres origines de ce musée, haut lieu du tourisme pragois ; pas davantage le plus récent des catalogues du musée ne fait mention de cette surprenante métamorphose du musée nazi en musée « antifasciste »...

Au lendemain de la guerre, une petite communauté juive s'est reconstituée à Prague ; c'est elle, tout d'abord, qui se trouva à la tête de cet héritage nazi : des collections d'une extraordinaire richesse, huit bâtiments appartenant à la communauté juive pragoise, cinquante entrepôts remplis d'objets de culte, une synagogue pleine jusqu'au plafond de rouleaux de la Thora. Mais, composée pour l'essentiel de personnes âgées, réduite à un millier de personnes à peine et soumise à la pression d'un appareil communiste qui la sommait de s'assimiler ou de « prendre ses distances », la communauté « fit don » en 1950 du musée à l'État. Hana Volavkova qui avait assisté à la visite du *Sturmbannführer* Günter en ces mêmes lieux en fut la première directrice. Dans un texte rédigé en 1965, elle décrit l'activité des collaborateurs juifs du musée qui y ont travaillé sous la férule nazie comme une activité relevant tout à la fois du désespoir et d'un certain esprit de subversion : quelles qu'aient été les intentions des nazis, cela gardait un sens de conserver ces signes de la vie juive dans le contexte de l'extermination.

Aujourd'hui, les visiteurs flânent dans le vieux cimetière juif, déposent selon la coutume juive ancestrale de petits billets sur lesquels ils ont inscrit un vœu, auprès de la tombe érodée par le temps du fameux Rabbi Loew, ils cherchent, le guide à la main, les cinq synagogues où sont présentées les différentes expositions du musée — sous une forme toute différente, il faut le dire, de celle qu'avaient conçue les nazis.

En 1950, la synagogue Pinkas fut transformée en mémorial et les noms des dizaines de milliers de victimes juives du Protectorat y furent gravés sur les murs. Depuis près de vingt ans, pourtant, ce lieu du souvenir est fermé ; officiellement, il est en réparation, suite à des dégâts causés par des infiltrations d'eau ; mais des bruits circulent avec insistance selon lesquels les fonctionnaires de la culture communiste ne parviendraient pas à se mettre vraiment d'accord sur un point d'importance : faut-il vraiment que figurent sur les murs de la synagogue les noms de *toutes* les victimes de l'entreprise nazie d'extermination — ou bien ne serait-il pas bon d'en effacer les noms de ceux qui *coopérèrent* avec les nazis ?...

Les quelques juifs religieux qui fréquentent le centre communautaire font un peu figure d'excentriques parmi la cohue de touristes venus des quatre coins du monde, un peu comme s'ils étaient chargés d'assurer la « couleur locale » dans la ville de Kafka, de Max Brod et du Golem. La tradition juive, naguère si importante à Prague, est irrémédiablement perdue. « En soi, ce n'est pas une mauvaise chose que le gouvernement ait repris en charge le musée après la guerre », dit Karol Sidon, juif religieux, ancien signataire de la Charte 77, émigré en Allemagne de l'Ouest en 1983. « Ce qui est mauvais, c'est que le musée ait tout absorbé, y compris la synagogue Alt-Neu où a lieu le service religieux du shabbat ; ainsi, on a le sentiment désagréable de prier dans un musée ; on a le sentiment que les touristes viennent précisément pour voir ça : nous, les juifs, qui prions, dans le rôle des derniers Mohicans... » N'est-ce pas, en fin de compte, ce que voulaient les nazis ?

III

La mémoire disputée

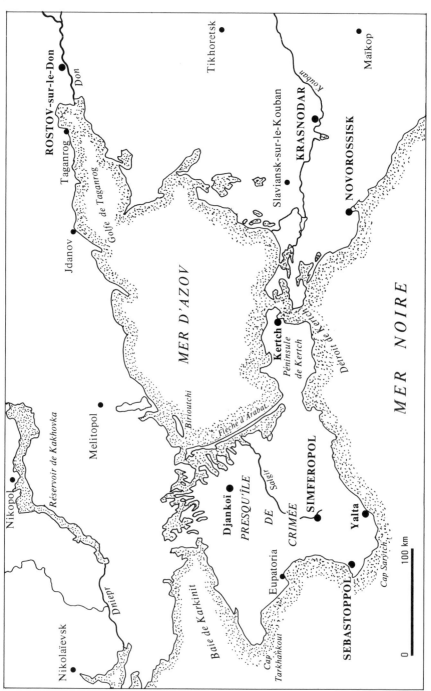

URSS

Le long exil des Tatars de Crimée[*]

par Evgueni Kojokine

L'occupation de la Crimée par les Allemands, pendant la Seconde Guerre mondiale, a duré longtemps : de la fin d'octobre 1941 à avril-mai 1944. Durant cette période, les nazis tentèrent d'embrigader la population tatare (représentant alors 25 % de la population globale de la péninsule) dans des « détachements d'autodéfense » destinés, notamment, à lutter contre les partisans soviétiques. Mais la plupart des Tatars de Crimée refusèrent de collaborer avec l'occupant. Des milliers de Tatars furent liquidés par les nazis en Crimée, des milliers d'autres furent déportés en Allemagne.

Et pourtant, dès avant la fin de la guerre, commencent à circuler en URSS des rumeurs insistantes concernant une prétendue collaboration de la population tatare de Crimée avec les Allemands. Cette légende tenace — qui se perpétue jusqu'à nos jours — trouve sa source dans la politique de « débauchage » pratiquée par l'occupant à l'endroit de la population tatare de Crimée, dans des informations erronées alors répandues par les chefs du mouvement partisan de Crimée et dans la méfiance atavique des Russes envers les non-Russes. Les Tatars de Crimée sont généralement musulmans, ils descendent des Mongols de la Horde d'Or.

Les 17 et 18 mai 1944, toute la population tatare de Crimée est déportée. Les hommes sont séparés des femmes et des enfants, expédiés dans des bataillons de travail. Tous les Tatars servant dans l'armée soviétique sont démobilisés et envoyés dans des unités de travaux publics. Les Tatars de Crimée sont confinés dans des « zones

---

[*] Traduit du russe par Marie KHERASKOFF.

321

de peuplement spéciales » en Asie centrale et au Kazakhstan. Le 20 octobre 1944, le bureau du comité régional du Parti de Crimée rédige une résolution exigeant que l'on « rebaptise les villages, rivières et collines dont les noms reflètent une origine tatare, grecque ou allemande ».

En 1967, le Présidium du Soviet suprême édicte un décret restaurant les Tatars dans tous leurs droits civils. Et pourtant, « peuple puni » parmi d'autres (Kalmouks, Allemands de la Volga) et boucs émissaires des grossières erreurs d'appréciation de Staline et de son entourage durant l'été 1941, les Tatars de Crimée se voient toujours privés du droit de rentrer chez eux et discriminés pour une faute collective qu'ils n'ont pas commise...

A.B. *

Phanagoria, 1987. Les collines descendent en terrasses irrégulières vers la route. Une herbe poussiéreuse et fatiguée qui se confond presque avec elle. Un acacia... Plus loin, la mer, comme canalisée par le détroit de Kertch. La rive sablonneuse descend en pente douce. On y trouve souvent des débris d'amphores. Il y a ici, sous l'eau et le sable, les vestiges d'une ville antique. Les méduses sont les seuls habitants du port. Leurs corps bleuâtres sont comme suspendus au-dessus du tapis d'algues vertes. La vague, parfois, les rejette sur la rive où elles se transforment en petites flaques de gelée opaque.

Un petit bras de mer tranquille. Sur les coteaux, les tentes aux couleurs défraîchies des archéologues. Les dessins géométriques réguliers des fouilles. Des jeunes bronzés qui astiquent des morceaux d'argile, bien décidés à leur faire avouer tous leurs secrets.

Ici se sont dressées les maisons des Grecs ioniens, sur les bords du Pont-Euxin. Les Perses les ont dévastées, pillées. Jour après jour, armé d'une pelle, j'aide les archéologues à plonger dans l'abîme des siècles.

Il y a là un petit cochon noir, nommé Bormann, qui

---

* D'après Aleksandr NEKRITCH, *Les Peuples punis*, Maspero, Paris, 1982.

Grève de la faim d'un Tatar de Crimée, devant l'immeuble des PCUS à Moscou (1989).

galope à travers le camp, un berger allemand et un colley roux et idiot ; il y a aussi le chef, Dolgorukij, dont l'haleine fleurie trahit son penchant pour le cru local surnommé « pisistrate » par les archéologues ; il y a aussi Jimmy, un drogué qui pratique l'autothérapie en travaillant aux fouilles ; et puis Lekha, le « braconnier-archéologue » local — qui nous approvisionne en « pisistrate ».

Les amphores, les pièces de monnaie, les sépultures — c'est cela, le butin des « braconniers ». Nous, nous étudions les égouts.

Pour Jimmy, Lekha et les autres, grands pêcheurs mais pas méchants, l'histoire s'arrête là où portent leurs coups de pioche, au bord des tranchées. Pour moi, c'est là qu'elle commence...

Été 1987. Moscou grouille de rumeurs. Les petites vieilles sur les bancs, les hommes dans les fumoirs reprennent le refrain : « Tatars de Crimée... Veulent l'autonomie... Vendus aux fascistes... Ça, jamais ! » « Ils vont tout nous mettre par terre », se plaignent les intellectuels libéraux. Et d'autres, plus expéditifs : « Qu'on les renvoie d'où ils viennent ! Une république autonome ? Et puis quoi encore ! Pendant la guerre ils massacraient les nôtres, et maintenant, il leur faudrait une république ! »

Tout avait commencé au printemps. En Crimée, en Ouzbékistan, dans la région de Krasnodar[1], les Tatars avaient tenu des rassemblements. Ils avaient rédigé des pétitions, élu des délégués. En juillet, deux cents d'entre eux étaient « montés » à Moscou pour exiger le droit de retourner en Crimée et le rétablissement de la République autonome de Crimée. Ils avaient cherché des soutiens : du côté des écrivains, des metteurs en scène, des représentants des républiques fédérées. Le 1er juillet, leurs délégués furent reçus par le premier adjoint du président du Soviet suprême de l'URSS, P. N. Demičev, accompagné de quelques huiles. Des artistes de renom comme le poète E. Evtouchenko, le

---

1. Sur le Kouban, dans le Caucase du Nord.

chanteur et écrivain B. Okoudjava, le romancier A. Pristavkine intervinrent auprès du Soviet suprême.

Le 6 juillet, les Tatars manifestèrent sur la place Rouge. Demičev reçut une nouvelle fois leurs délégués et leur promit que la question serait résolue dans un délai d'un mois. A la fin de l'année 1989, elle était encore à l'étude...

« Mais réponds-moi, qu'est-ce qu'ils faisaient, pendant la guerre ? S'ils massacraient les nôtres, s'ils étaient dans les milices collabos, alors qu'ils la ferment, qu'ils nous fichent la paix ! » Le regard de Lekha se perd sur la route couverte de poussière. Quelques fines gouttes de pluie tombent.

« S'il pouvait faire une bonne averse ! Là-bas, à côté de la source, il y avait la rue principale de Phanagoria, elle conduisait au port ; souvent, après une averse, on trouve des pièces de monnaie. Peut-être qu'on aura de la chance, aujourd'hui... Après la tempête, on a trouvé de belles choses, à gauche du platane ; et sur l'autre coteau, un Allemand : il y avait ses bottes, une gourde, une mitraillette et même un morceau d'uniforme — qu'est-ce qu'on a pu se battre, ici ! Des nôtres aussi, on en trouve encore maintenant... Et qu'est-ce qu'ils faisaient, pendant ce temps-là, tes Tatars de Crimée ?... Bon, je t'ai dit que je t'aiderais, alors viens, je vais t'aider. »

Je le suis.

Du Komsomol au Kazakhstan

Le vieil homme a les larmes aux yeux. Il porte une calotte noire sur sa grosse tête rasée. Il ne parle pas. D'un pas lent, hésitant, il se dirige vers le potager. Enfermé dans sa surdité, il est plus proche d'Allah que de moi, infidèle au visage pâle venu là avec mes questions. « Où est grand-mère Sonia ? » demande mon guide. Silence, comme si le vieillard était absent. Et pourtant, il sait où il va, de son pas si lent. Les plates-bandes sont bien entretenues. La maison est blanchie de frais.

En 1930, cet homme était secrétaire du comité de région du Parti en Crimée. Sa femme, grand-mère Sonia (Solia, en tatar), était entrée au *Komsomol* en 1926, devenue membre du Parti en 1931. En 1930, elle avait achevé l'école du Parti : une biographie de citoyenne soviétique.

Lui, il a fait la guerre, du premier au dernier jour, la « Grande Guerre patriotique ». Lorsqu'il a été démobilisé, avec le grade de capitaine, il est parti à la recherche de sa famille déportée au Kazakhstan... C'est sa femme, Solia Khalilova, qui raconte.

« Notre passé a trop longtemps été un secret honteux.

« Je travaillais comme instructrice au comité régional du Parti. Quand la guerre a commencé, mon mari a été appelé au front. Moi, je n'ai pas pu être évacuée. Il n'y avait pas assez de voitures. Je suis partie à pied, avec mes trois enfants. Impossible de rester. Les réfugiés voulaient quitter la Crimée, mais la Crimée ne les laissait pas partir.

C'est un Russe qui nous a cachés. Il savait qui j'étais. Quand les Allemands sont arrivés, il m'a dit : ''Détruis ta carte du Parti ; s'ils la trouvent, ils nous pendront, toi et moi — et ce sera la mort de tes enfants comme des miens...'' »

Solia pousse un profond soupir et reprend son souffle :

« Un jour, j'ai voulu regagner mon village natal, Sjultas, près de Bakhcisaraj [2]. Sur la route, je suis tombée sur des potences. J'ai reconnu les pendus : un Russe, un Tatar, un Tsigane. J'ai pris peur, j'ai fait demi-tour. J'avais peur de tout le monde : des Allemands, des Tatars, des Russes, des volontaires (collabos), des partisans. Je n'avais qu'une idée en tête : nourrir mes enfants. On a brûlé plusieurs villages tatars... terrible !

« On a fini par chasser les Allemands de Crimée. Je suis rentrée dans mon village. Quelques jours plus tard, des soldats sont arrivés : ''Préparez-vous à partir, on vous dira où vous allez...'' J'ai habillé les enfants. Un soldat m'a dit : ''Attends, tu as des haricots, là ; mets-les dans un sac et prends-les avec toi.'' Il a eu pitié. Moi, je ne comprenais

_____

2. Au nord de Sébastopol.

pas ce qu'il voulait. Sans lui, nous serions morts de faim. Nous avons roulé vingt-trois jours. Un jour, le train s'est arrêté et nous a débarqués au milieu de la steppe — au Kazakhstan. »

Elle essuie ses yeux avec son tablier et regarde son mari sourd sans mot dire.

« Lui, il était au front. Il combattait, et il ne savait pas où nous étions... Un jour, on m'a appelée à la commandanture : on m'a posé des questions, demandé dans quel comité de région je travaillais — je me suis fait engueuler parce que j'avais jeté ma carte du Parti. Ensuite, on m'a donné deux pains tout en me disant de revenir rapporter ce que les Tatars déportés racontaient entre eux. J'avais peur, j'avais faim. Et les enfants eux aussi avaient faim. Je n'ai pas dit non.

« Deux semaines plus tard, le type qui m'avait proposé ce marché m'a retrouvée. Il m'a posé des questions sur les réactions des gens. Qu'est-ce que j'aurais bien pu lui raconter ? Ils disaient tous la même chose, les gens ! Alors j'ai répondu : ''Non, je n'ai rien entendu...'' Bien sûr que j'avais envie qu'on me donne du pain — mais raconter des histoires sur les autres... On m'a encore convoquée deux ou trois fois — sans me donner de pain — et puis on m'a oubliée. »

Solia est fatiguée. Cela fait longtemps qu'elle n'a pas autant parlé. Mais elle est prête à mobiliser sa mémoire et, docile, elle attend mes questions. « Allez donc trouver l'institutrice, Gazia Dzamileva, finit-elle par me dire, elle sait tout, Gazia. »

Sur le chemin du retour, Lekha garde le silence. Suivant la route poussiéreuse, nous nous dirigeons vers le camp... quel mot horrible, il faudrait le supprimer de la langue russe.

UNE VOIX MÉTALLIQUE

Le lendemain matin, je n'ai pas attendu Lekha et je suis parti tout seul chez Gazia Dzamileva. Tout le monde la connaît au village, l'institutrice.

Ses mains trient des graines brunes. Le cercle familial se tient autour de la lumière. Les volubilis, la vigne enclosent cet îlot de chaleur. Entrer chez des inconnus et devenir leur débiteur, pour longtemps... Se charger de leurs souffrances, sans les partager... Un observateur de la ville est là, parmi ces nomades qui, il y a un siècle, sont devenus paysans.

Moi, je restais dans l'ombre, sans oser entrer, aller vers la lumière. Qu'est-ce qui me séparait de ces gens ?

Les yeux sombres, méditerranéens des Tatars m'interrogent. Je suis venu pour écouter, pas pour parler.

— Qu'est-ce qui nous vaut votre visite ? Nous sommes habitués aux visites, à toutes sortes de visites... Dernièrement, nous avons eu droit à une perquisition...

C'est une belle maison en crépi, dans le village de Sennaja. Que vient-on y chercher ? Des Tatars de Crimée. Mais nul besoin de les chercher, ils sont tous assis devant la maison : les enfants, une vieille, une femme, un homme. Ces terribles Tatars qui ont fait trembler Moscou en été 1987.

Ils attendent. On me propose des fruits. Il y a quelque chose d'un peu dédaigneux dans cette hospitalité que j'accepte. Je suis là, debout, et je crois entendre une voix, comme sortie d'un haut-parleur. On dirait ma voix, mais ce n'est pas ma voix : une voix métallique, et qui martèle :

« Par décret du comité d'État à la Défense, adopté le 11 mai 1944, les Tatars de Crimée ont été expatriés de Crimée vers l'Asie centrale. Cette décision fut motivée par la collaboration d'une partie de la population tatare avec l'occupation fasciste allemande. Elle reflétait les circonstances difficiles de l'état de guerre, les conditions concrètes prévalant en Crimée à l'époque et l'atmosphère du moment... »

La voix s'enfle, emplit tout l'espace de cette petite cour noyée dans la vigne, elle s'élève au-dessus du village, s'envole au-dessus du détroit de Kertch, de la mer Noire, au-dessus du silence de la nuit.

« Sur le territoire de la Crimée, des nationalistes tatars

ont constitué des unités d''"autodéfense" ; selon les chiffres dont nous disposons, il a existé dix bataillons de "volontaires" tatars, regroupant de 200 à 300 hommes, ainsi que quatorze compagnies similaires. Ces formations ont contribué à détruire les bases de partisans, à déloger les habitants réfugiés dans les bois et à les exterminer. De la sorte a été créée une "zone morte" autour des unités de partisans...

« Selon les chiffres dont nous disposons »... Et qui en dispose ? Où ? Secret, mystère. Mais voyons, il est de notoriété publique que « lors des opérations de représailles auxquelles ont participé les nationalistes tatars, 86 000 civils ont été massacrés en Crimée et que 47 000 prisonniers de guerre et 85 000 civils ont été déportés en Allemagne. Ce furent, pour la plupart, des Russes, des Ukrainiens, des Grecs, des juifs, des Tsiganes qui furent ainsi exterminés. Au sovkhoze Rouge, les criminels des 147e et 152e bataillons tatars ont installé des fours où étaient, jour et nuit, brûlés des êtres vivants... »

Eh oui, comment oublier de tels faits ? Mais est-ce que ce sont des *faits* ? Et c'est à moi de répondre : je suis moscovite, membre du Parti et, qui plus est, historien... Face à cela, il y a la déportation de centaines de milliers d'innocents, les persécutions et les mensonges que l'on colporte depuis des années. Et le dernier acte de la tragédie, cette déclaration de l'agence Tass qui résonne encore dans mes oreilles : « Dix bataillons volontaires de Tatars de Crimée... » C'est cette dépêche qui a tout déclenché : les rumeurs les plus sombres se sont mises à circuler, des articles ont paru dans la presse locale et centrale, la télé, la radio ont pris le relais, échauffant l'atmosphère, déchaînant les passions... En Crimée, sur un chantier, une Tatare a été rouée de coups pour avoir tenté de défendre son peuple et de raconter ce qui s'est vraiment passé.

Mais que s'est-il vraiment passé ?

Deux jeunes gens se sont joints à nous : Servir, un garçon fort et trapu, et Medjid, maigre, aux gestes vifs.

Une fois de plus, donc, nous voyons tout un peuple accusé pour le compte de criminels qui ont collaboré avec

Ancienne Russie : convoi de Tatars en Crimée. Gravure par Valentin, 1862.

les fascistes. Y en eut-il donc tant que ça ? Même si l'on prend en compte les chiffres de Tass, cela ne représenterait qu'un sixième de la population tatare dans les bataillons de volontaires. Et ce serait pour eux que tous les autres auraient souffert... Tass dit que les formations tatares ont contribué à l'établissement d'une « zone morte » autour des unités de partisans. Mais dans cette zone, il n'y avait pratiquement que des villages tatars...

Gazia Dzamileva disparaît dans la maison et revient avec un paquet de feuilles jaunies, tapées à la machine.

« Voilà, c'est un texte du professeur Muzafarov, au sujet de la déclaration de Tass. Tout y est repris de façon très détaillée. Le professeur a étudié l'histoire des Tatars de Crimée pendant de longues années. Il connaît la vérité, lui. »

Servir, Medjid et Gazia sont membres du Groupe d'initiative du mouvement des Tatars de Crimée pour le retour sur leur terre et la restauration de la République autonome de Crimée. Ils faisaient partie de la délégation qui s'est rendue à Moscou. Ils se sont fait coffrer, les menottes aux poignets. On les a chassés de Moscou. Dès son retour, Medjid qui était chauffeur de camion a été licencié.

Medjid et Servir sont nouveaux dans le mouvement. Servir admet même qu'il connaît assez mal la langue tatare. La question de son identité nationale ne le préoccupe que depuis peu. C'est l'attitude des autorités qui a fait de lui un Tatar de Crimée.

Je suis un citadin, né loin de la terre. Je ne la sens pas, je ne la comprends pas, seule une très grande fatigue peut me pousser à rechercher l'ombre des arbres, les senteurs de la campagne. Il en va de même des villes étrangères. C'est à Paris, à l'occasion d'un voyage touristique, que j'ai soudainement senti que jamais je ne pourrais échanger la chaude exiguïté et la magnifique démesure de cette ville contre mon désordre moscovite. Il y a, ainsi, de ces liens intérieurs qui tiennent l'homme, ce patriotisme inconscient, inexplicable, et qui vous prend aux tripes.

Et c'est pour cela qu'en entendant les Tatars de Crimée

j'ai compris leur nostalgie, cette sensation qui, en leur montant à la gorge, peut se transformer en haine.

ILS AVAIENT FAIM

La moto de Servir fonce, le long des longues rues de Sennaja. Un rapide virage à gauche, Servir a tout organisé — on nous attend. Assis devant une table, derrière un pêcher, deux vieillards : Zakir-Aga, grand et fort, et Khalil-Aga, grand et décharné, lui. Ils nous offrent du *plov*, de la pastèque, sans hâte. Servir est reparti à ses affaires. La pluie s'est mise à tambouriner sur les feuilles, sur la table de bois. La maison est en travaux, toute en désordre, avec des tas de ciment partout. Il n'y a pas de place pour s'y installer, nous ressortons donc sous la pluie — qu'importe. Zakir tente de comprendre ce que j'attends de lui, et finalement se met à parler comme il l'entend.

Il raconte comment ses aïeux, des paysans de Kapsikhor, ont sauvé la mise aux troupes rouges de Mokrousov, Papanin, Beljakov [3] qui débarquaient, en 1919 ; il raconte aussi comment sa famille a été déportée au nord du Kazakhstan ; son père a été « dékoulakisé [4] » pour s'être querellé avec un « activiste » local ; il raconte comment une tempête de neige a arraché leur tente et comment ils ont dû passer leur premier hiver au Kazakhstan avec un fossé pour tout domicile ; comment, avec son ami Michka Zaikin, il vola un pot de beurre à un paysan — il se le rappelle comme si c'était hier.

Le convoi de « koulaks » dont il faisait partie avait été débarqué à la gare de Sakhtanda [5]. Ils s'installèrent au « point n° 33 » — qui fut promptement entouré de barbelés. Ils construisirent des cabanes, avec du foin, et se mirent

---

3. Chefs partisans.
4. Réprimé comme « koulak », paysan riche.
5. Au Kazakhstan.

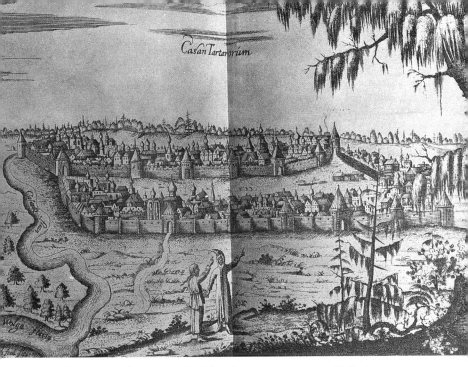

Le khanat tatare de Kazan sur la Volga. Gravure ancienne par O. Koch.

à travailler la terre. Ce furent les premières terres défrichées dans la région. Ils avaient faim.

Au printemps, lorsque l'oseille eut poussé, Zaikin proposa à son ami de se glisser sous les barbelés pour aller chercher à manger dans la steppe — puis de revenir. Ils y trouvèrent toutes sortes de baies, des herbes. Mais l'un des surveillants du camp les repéra ; il envoya un homme à cheval qui, les ayant pris avec une corde, les attacha à sa selle. C'est ainsi qu'ils revinrent au camp, courant derrière le cheval ; au camp, ils furent battus, tout comme leurs parents qui étaient accourus.

Zakir-Aga se languit au Kazakhstan. Avec son frère, il s'enfuit, en 1937. En chemin, ils se perdent. Bien plus tard, Zakir apprendra que son frère a été rattrapé et placé dans un camp, dans la région de la Petchora[6]. C'est la guerre qui le libère : on l'envoie au front dans un bataillon disciplinaire.

---

6. Au nord de l'Oural, près de la mer de Barents.

Zakir, lui, est arrivé à Petropavlovsk[7] ; il a faim, il se voit déjà crever de faim. A la gare, un inconnu lui donne trois roubles. Il mange et repart. A Gorki, on lui donne de la pastèque. C'est ainsi qu'il est resté en vie. Il a peur de Moscou et saute du train, juste avant d'arriver. Il se blesse. On le ramasse et l'envoie au refuge pour enfants de Danilov. C'est sa première rencontre avec Moscou. Il dort tout son soûl, rêvant de ses montagnes, de la mer. Il ne dit pas d'où il vient. On le nourrit, on l'habille, on l'envoie en Crimée, dans un refuge. A cette époque, les enfants vagabonds étaient encore protégés par un décret de Lénine. En Crimée, le directeur de l'orphelinat le conduit dans son village où est restée sa tante ; elle est contente qu'il soit là, mais au bout d'un moment, ses parents et son frère manquent trop à Zakir et il retourne à Sakhtanda. A son retour, son père lui administre une correction avec son ceinturon. Pourquoi ? Parce qu'il a quitté la Crimée pour retourner au Kazakhstan...

Zakir n'a jamais revu son frère. Celui-ci a brûlé dans son tank, lors de la libération de Belgrade. Zakir aussi a été tankiste et a été blessé ; puis il a commandé un peloton de mitrailleurs. Il a participé à la prise de Berlin. Il se rappelle les soldats allemands sortant des maisons, déposant leurs armes sur le bord de la route, les salves de la victoire tirées en l'air, le 2 mai, dans un vacarme assourdissant. Ensuite, il a été planton, au nord de Berlin, à l'ancienne « datcha » de Goering ; il y côtoyait des soldats américains et garde un bon souvenir d'eux... Démobilisé, il a travaillé à Saratov, dans la prospection géologique, puis à la construction de route. Il a fait des études par correspondance, acquis des responsabilités...

A l'évidence, la narration du vieillard vise un objectif avant tout : me prouver qu'il est vraiment soviétique, un bon citoyen soviétique ! Comme si nous ne l'étions pas tous, que nous le voulions ou pas ! Nous avons tous le même pays, un pays qui n'a pas d'autre nom. Et si un jour nous

---

7. Dans le Kazakhstan du Nord.

faisons en sorte qu'il tombe en morceaux, eh bien nous deviendrons ouzbèques, ukrainiens, lituaniens, russes, etc. Certains devront partir — où ? — et, de toute façon, nous resterons voisins...

En 1955, Zakir est parti pour Tachkent[8]. Il a dirigé un parc d'autobus, exercé diverses responsabilités. Il fréquentait le beau-frère de Rašidov, le maître de l'Ouzbékistan. Il vivait bien.

Mais avec l'âge, son état de santé a commencé à se dégrader, sa blessure s'est réveillée, il tombait de bronchite chronique en gastrite... Cela faisait longtemps que son oncle Tokhtar lui disait : « Toi, tu n'as vraiment rien à te reprocher, tu peux rentrer en Crimée. » En 1972, il a eu un contact avec un haut responsable de la police de Sébastopol. Il lui a demandé de l'aider. L'homme l'a écouté, mais n'a rien pu faire. En 1979, Zakir a laissé tomber ; comme il n'y avait pas moyen de s'installer en Crimée, il est allé s'établir à Taman[9] — le plus près possible de sa terre natale. Il lui a néanmoins fallu trois mois de démarches administratives pour y parvenir. Il a trouvé un petit emploi de gardien. Il se sent mieux, physiquement.

À LA RUE

Khalil-Aga a, lui aussi, connu le front. Deux fois blessé, il était lieutenant à la libération de la Crimée. Il a voulu alors retrouver les siens. Il a découvert sa maison vide et dévastée. Par terre étaient dispersées les photos de ses enfants. En partant au front, il avait laissé sa femme enceinte et deux enfants... Quelqu'un lui a dit que tous les Tatars avaient été déportés. Il est parti sur les traces de sa famille, à Simféropol[10], puis sur la Belbek[11]. À la gare

---

8. Capitale de l'Ouzbékistan.
9. Face à la Crimée, de l'autre côté du détroit de Kertch.
10. En Crimée, au nord-est de Sébastopol.
11. Une rivière de Crimée.

il a rencontré des Tatars de Kazan qui lui ont indiqué que le dernier convoi venait de s'en aller. Le lieutenant s'est assis sur les rails et s'est mis à pleurer.

A la fin de la guerre, après bien des pérégrinations et des recherches, Khalil apprend que ses trois enfants sont morts mais que sa femme, elle, a survécu et qu'elle a été déportée dans la République autonome des Mariis [12]. A la commandanture de Joskar-Ola [13] où il se trouve alors installé, on lui conseille de commencer par se soucier d'abord de trouver du travail — et d'aller retrouver sa femme ensuite. S'il part sans autorisation, le prévient-on, il en prendra pour vingt-cinq ans. Il passe outre, retrouve sa femme et il ne lui arrive rien. Il s'intègre dans une brigade de travail communiste, reçoit des distinctions.

En 1967, il part en Crimée, avec ses deux petites filles nées entre-temps. Il s'y installe chez un vieillard qui s'apprête à vendre sa maison. Ses fils adoptifs ont signé un papier, stipulant leur accord. Mais la machine s'enraye. L'ingénieur principal et le comptable du kolkhoze dont fait partie la maison arrivent et exigent que Khalil quitte les lieux : elle appartient au kolkhoze qui, justement, a décidé de la repeindre. Arrive un milicien qui expulse le vieil homme, avec toutes ses affaires. Il est à la rue avec ses petites filles.

Le même scénario se reproduit à diverses reprises : Khalil s'entend avec des gens pour qu'ils lui cèdent une maison, mais ce sont les autorités qui mettent leur veto. Finalement, il trouve une institutrice à la retraite qui s'est installée chez ses enfants et n'a plus besoin de sa maison. Khalil paie et s'installe avec ses petites filles. Et tout recommence. Le président du kolkhoze lui interdit de cultiver le potager ; puis on lui coupe l'eau, l'électricité ; les enfants font leurs devoirs à la lumière d'une lampe à huile. On lui supprime sa retraite, il n'a pas d'adresse officielle, il n'existe plus. Il écrit à tout le monde, au comité local du Parti, à Brejnev, à

---

12. Dans le bassin du cours moyen de la Volga.
13. Capitale de la République autonome des Mariis.

Kossyguine, à la *Pravda* — rien. Pour survivre, il ramasse des fleurs, des plantes dans les montagnes et les vend sur le marché. Il s'accroche, mais en vain. Effrayée, l'institutrice finit par venir lui rendre son argent...

« Et pourquoi tout cela ? se demande-t-il. N'ai-je pas fait la guerre, construit le socialisme comme tout le monde ? Je ne comprends pas quelle est ma faute, et mon cœur saigne. Je veux regagner ma patrie et je ne peux pas... »

Il regarde la Crimée au loin, par-dessus le détroit.

LA CRIMÉE INTERDITE

C'est une grosse écriture ronde qui court sur un cahier d'écolier. L'histoire naïve d'un homme naïf — et qui est restée pour ceux à qui la naïveté a fait défaut toute leur vie. C'est l'écriture d'un homme habitué à d'autres instruments qu'une plume et du papier...

Nous aimons à répéter : « Les manuscrits ne brûlent pas. » Mais ce n'est pas vrai ! Ils brûlent ! Et pas seulement les manuscrits, mais les hommes aussi ! Et cette grosse écriture ronde en témoigne.

Moussa Mamut est né en 1931 dans le village de Undzi (en 1944, le village a été débaptisé ; il s'appelle maintenant Kolkhoznoc), dans le rayon [14] de Balaklavskij au sud de la Crimée. Son père, Jagija Mamut, était berger. Toute la famille est partie en déportation en Ouzbékistan. Très rapidement, deux sœurs et deux frères de Moussa sont morts de faim. En Ouzbékistan, les Tatars étaient accueillis de manière tout à fait contrastée : parfois on partageait avec eux jusqu'à la dernière miette, et parfois on les battait comme plâtre pour avoir volé quelques melons ; on adoptait les orphelins, et on refusait les malades à l'hôpital — qu'ils crèvent, ces vendus de fascistes !

Moussa a commencé très jeune à travailler comme chauffeur dans la culture du coton ; une fois, on l'a battu jusqu'à

_____

14. Unité administrative.

URSS - Yalta (Ukraine) vers 1935 : le marché tatare.

ce qu'il tombe sans connaissance — tout cela parce qu'il était arrivé en retard à la commandanture où il devait se présenter chaque mois. On enfonçait dans le crâne de ces « colons spéciaux » qu'ils n'avaient aucun droit.

Après 1956, Moussa connut l'existence d'un citoyen soviétique moyen : il est serrurier, technicien, honnête travailleur — sans jamais être un citoyen à part entière.

En 1975, Moussa et sa famille partent pour la Crimée où ils achètent une maison au village de Beş-Terek (aujourd'hui Donskoe), dans le rayon de Simféropol. Mais on lui refuse l'acte notarial, on l'accuse, ainsi que sa femme, d'avoir enfreint la loi sur les passeports. Il est arrêté, le tribunal de Simféropol le condamne à deux ans de prison. Libéré avant terme pour « bonne conduite », il rejoint sa famille à Beş-Terek où on lui refuse une nouvelle fois la permission de s'installer. Les autorités locales exigent qu'il quitte la Crimée. Il s'adresse à toutes les instances — en vain. On intente à nouveau une action en justice contre lui : mêmes inculpations. La loi sur les passeports est comme une corde autour de son cou.

338

Le 23 juin 1978, un milicien vient chercher Moussa pour le conduire devant le juge. Moussa s'arrose d'essence et allume une allumette. Juste devant « sa » maison. Cette mort terrible, il l'a choisie au nom de tous les Tatars de Crimée, au nom de leurs droits bafoués.

C'est cette histoire que raconte le cahier à la grosse écriture ronde. Il y avait aussi des vers, un poème écrit par un *zek* [15] :

> *Celui qui s'est immolé par le feu*
> *Demeurera dans les mémoires*
> *Et vivra éternellement.*

« Nous rentrerons chez nous »

Comme la mémoire est accablée par ces pierres noires du malheur ! Comme notre vie, cette lutte incessante (pour la recherche d'un logement et tout le reste) est encore alourdie de la souffrance des autres ! Et s'il faut une histoire, que ce soit, au moins, celle, radieuse, de l'Antiquité, si belle avec ses divinités et leurs exploits. Lutter contre Xerxès, ce n'est pas la même chose que se battre contre un milicien...

Même en expédition archéologique, on s'ennuie beaucoup. On boit, on se baigne, on échange des propos futiles. Aujourd'hui, une voiture de police s'est arrêtée près des fouilles et un capitaine, avec une mèche à la khazak dépassant de sa casquette, a manifesté quelque intérêt pour l'archéologie : « Alors, ça avance ? Beaucoup de boulot, les gars ? — Ah, du boulot, c'est plutôt vous qui en avez ! » a lancé Jimmy, du fond de la fosse. Et quelqu'un a complété : « Et en plus, avec les Tatars de Crimée ! »

— Ah oui, a acquiescé le capitaine, c'était pas malin de les avoir laissés venir ! Mais t'en fais pas, ajoute-t-il, s'adressant à nous tous, on les aura ! »

Il a jeté un coup d'œil à la ronde, posé encore quelques questions et s'en est retourné vers sa voiture.

---

15. Détenu dans un camp.

« Sale flic ! » a fait Jimmy, faisant mine de le viser avec sa pelle.

Vladik a poussé un gros soupir et demandé si les Tatars de Crimée n'étaient pas les descendants de ces juifs qui avaient fondé le khanat khazar [16] et tant de fois envahi la *Rous* (l'ancienne Russie) avant d'être définitivement anéantis par le prince Oleg.

« Arrête ! a répondu Lekha qui, sombre, creusait un peu plus loin. Viens ce soir, je vais t'en montrer, des ''Khazars''... »

Un tournant, une rue, encore un tournant. Un village dans l'obscurité. D'autres rues. Des jardinets, des fleurs d'automne. Une voiture noire nous dépasse... Quelqu'un appelle Servir. La steppe, des buissons. Des gens sortent des maisons, saluent Servir et dévisagent les inconnus que nous sommes.

Une cour entourée de vigne vierge, des bancs, des planches sur des briques : c'est une salle de réunion improvisée, avec une table où donne la lumière. Devant la table s'asseyent des vieillards — le conseil des anciens ; les plus jeunes sont au fond de la cour.

Devant la table : Gazia, Servir, Medjid — les membres du Groupe d'initiative. Dans le silence, le souffle des hommes et les effluves de la mer. On sent dans ses poumons l'iode un peu frais de la mer Noire, en ce mois de septembre.

Le président annonce l'ordre du jour : accepterons-nous la proposition faite par les autorités de tenir les prochaines réunions au club du village ? Proposition rejetée. Tous ceux qui veulent venir le peuvent. Mais nous n'irons pas au club — on est plus libre ici. Des rangs viennent ensuite les informations : un paysan aux cheveux gris raconte qu'il a reçu une lettre de parents vivant en Crimée. Il y a eu une réunion, dans leur village, la milice s'en est mêlée, a encerclé le local, mais les gens se sont dispersés pacifiquement et il n'y a pas eu de heurts.

---

16. Fondateurs d'un empire au Caucase du Nord, en Crimée, au VIIe siècle.

Tout intimidé, Servir lit un extrait du roman de T. Aït-matov, *Une journée plus longue qu'un siècle*. « On a essayé de faire de nous des *mankurt* [17], explique-t-il ensuite. On nous a privés de notre patrie, on a voulu nous faire oublier notre langue, nos coutumes, oublier la Crimée. Mais ils n'y arriveront pas ! Nous sommes demeurés des Tatars de Crimée et nous rentrerons chez nous ! »

En Crimée ! en Crimée ! — des voix s'élèvent sur les bancs.

Et, comme pour prouver que le passé ne s'oublie pas, les vieillards entrent un à un dans le cercle de lumière et entreprennent de raconter comment l'on a tenté de les détruire... Soudain, près du mur, une femme éclate en sanglots : « Je suis mathématicienne, professeur. Pourquoi ne me laisse-t-on pas exercer mon métier ? Je ne peux plus aller travailler dans les vignobles. A quoi bon, alors, avoir fait des études ? »

On la console.

Khalil-Aga prend alors la parole, d'une voix douce, sereine qui fait encore monter la tension d'un cran. Le récit de cet homme deux fois chassé de son pays semble appeler à la vengeance. Soudain un cri jaillit : « S'il y a une guerre, qu'ils ne comptent pas sur nous pour les défendre ! » Qui ça, *ils* ? Les Russes ? Les Soviétiques ? Ce n'est que l'un d'entre eux qui a crié. Mais qu'en pensent les autres ? La tension retombe, le vieillard poursuit son récit.

Le meeting est terminé. Une jeune femme me demande comment s'abonner à la revue *Glasnost* [18].

C'était en 1987. Depuis, la haine a explosé, le sang a coulé, la terre s'en est gorgée. A nouveau, les aveugles conduisent les aveugles et le matin gris peut retomber dans la nuit.

C'est bien le matin, pourtant. Et le poème dédié à Moussa Mamut, recopié à la main, c'est un Russe qui l'a écrit.

---

17. Voir note p. 11.
18. Revue d'opposition « dure », à l'heure de la *perestroïka*, dirigée par S. Grigoriants.

Pologne

Le 1ᵉʳ ou le 3 Mai ?
Un chassé-croisé commémoratif

par Paul Zawadzki

Curieux hasard de calendrier polonais, que cette mise en regard de deux fêtes que tout sépare.

Car une série d'oppositions leur confèrent une symbolique, des fonctions et des enjeux multiples qui se croisent ou s'inversent suivant les contextes. D'un côté, une fête internationale de revendications sociales, historiquement « de gauche ». De l'autre, une célébration nationale, historiquement « de droite ». A l'échelle d'un siècle, la proximité des deux dates a davantage accentué leur caractère conflictuel que complémentaire. Il est donc possible, bien que chacune ait sa propre histoire, véhiculée par une tradition authentique, de les appréhender à travers leurs interactions ou leur concurrence.

Quel est le référent historique du 3 Mai ? Le 3 mai 1791, soit près de vingt ans après le premier partage de la Pologne, la Diète promulgue une Constitution qui, rétablissant l'hérédité du trône et renforçant le pouvoir central, détruisait les structures de la « Respublica » nobiliaire pour jeter les bases d'une monarchie parlementaire. Progressiste, mais non démocratique, si l'on entend par là l'égalité des droits [1], la Constitution, dite du 3 Mai, s'inscrit dans le mouvement de modernisation entrepris par les réformateurs

---

1. N'étaient émancipés ni les paysans ni les juifs. En revanche la bourgeoisie bénéficiait de l'acquisition des droits, ce qui l'intégrait à la « nation » polonaise jusque-là limitée à la noblesse.

Varsovie, 1ᵉʳ mai 1982 : contre‑manifestation de *Solidarnosc*.

du XVIIIe siècle, pour sauvegarder l'indépendance menacée. Ce mouvement fut rapidement contrecarré par la « Confédération de Targowica », résistance d'une fraction de la noblesse assise sur ses anciens privilèges et qui, bien que très minoritaire, avait l'appui de Catherine II. L'intervention militaire de la Russie mit fin à la guerre civile en procédant au second partage, bientôt suivi d'un troisième, rayant cette fois la Pologne de la carte de l'Europe [2].

Geste réformateur brisé par les partages de la Pologne, devenu le testament de l'indépendance ou la « dernière volonté de la patrie agonisante » — selon le réformateur Hugo Kollataj —, le 3 Mai a occupé une place constante tout au long du XIXe siècle dans l'imaginaire et les aspirations indépendantistes. Présence dont témoigne la production artistique qui l'a elle-même largement entretenue voire mythifiée, tant la thématique de la Constitution du 3 Mai y est fréquente [3]. La Constitution et les réformateurs des Lumières ont été diversement jugés selon les courants idéologiques, on notera cependant qu'ils devinrent immédiatement l'objet d'une attitude apologétique qui, d'une manière générale, au lendemain de la disparition de l'État polonais, transfigurait le passé national et son histoire en paradis perdu. Dans cette vision, persistante jusqu'à nos jours, les malheurs de la nation ont toujours relevé d'une causalité extérieure, ici, en l'occurrence, la rapacité des puissants voisins. Une des œuvres maîtresses, aux origines de la propagande politique moderne en Pologne, est d'ailleurs intitulée *De la promulgation et de la chute de la Constitution polonaise du 3 Mai (1793)* [4], signée par quatre auteurs ayant participé

---

2. Sur la Constitution du 3 Mai voir : J. LOJEK, *Geneza i obalenie konstytucji 3 Maja* (Genèse et abolition de la Constitution du 3 Mai), W.L., Lublin, 1986 ; A. AJNENKEL, *Polskie Konstytucje* (Les Constitutions polonaises), W.P., Varsovie, 1982.

3. Depuis les tableaux de J.P. Norblin, K. Wojniakowski, J. Peszka à la fin du XVIIIe siècle jusqu'à J. Matejko (1891), pour ne citer que les plus connus.

4. A. ZAHORSKI, « Poczatki nowoczesnej propagandy politycznej w Polsce : O ustanowieniu i upadku Konstytucyi polskiej 3-go Maja » (Les débuts de la propagande politique moderne en Pologne : A propos de la proclamation et de la chute de la Constitution du 3 Mai), in *Kultura polska a kultura europejska* (La Culture polonaise et la culture européenne), P.W.N., Varsovie, 1987, p. 99-108.

de près à l'élaboration de la Constitution. Bien qu'il s'agisse d'une œuvre apologétique de propagande (déchargeant de la responsabilité du partage de 1793 une nation polonaise malheureuse mais courageusement déterminée à tous les sacrifices pour sauver la patrie), elle influença des générations de lecteurs, parmi lesquels Lelewel et... Marx [5].

Quelle que soit l'appréciation portée, il faut cependant partir du constat que la Constitution du 3 Mai est, selon le mot d'un historien, une des « bornes milliaires » de la conscience polonaise [6], et donc, avant tout, partie intégrante de son patrimoine culturel.

UNE FÊTE NATIONALE POUR UN SYNDICAT OUVRIER : LE 3 MAI

« 1ᵉʳ Mai-3 Mai », le chassé-croisé commémoratif apparaît avec netteté, comme l'a montré B. Baczko, en 1981 au cours des seize mois de *Solidarnosc*, qui sont « une période ''chaude'' dans l'histoire de la mémoire collective des Polonais [7] ».

Vu de l'Ouest, curieux paradoxe en effet, que celui d'une organisation syndicale forte de plus de 9 millions de membres, laissant le 1ᵉʳ Mai au pouvoir, pour se consacrer à la commémoration d'une Constitution votée cent quatre-vingt-dix ans plus tôt. Plus exactement, le 1ᵉʳ mai 1981, il fut décidé de n'organiser ni manifestations publiques ni défilés aux couleurs de *Solidarnosc*. En soulignant la « position apolitique du syndicat », le comité de Gdansk proposa « de donner à la fête un caractère éminemment ouvrier en laissant pleine liberté du choix des formes aux équipes des

---

5. *Ibid.*, p. 108.
6. J. TAZBIR, « Kamienie milowe polskiej swiadomosci » (Les Bornes milliaires de la conscience polonaise), *Polityka* n° 53, 31 décembre 1988, p. 14.
7. B. BACZKO, *Les Imaginaires sociaux. Mémoires et espoirs collectifs*, Payot, Paris, 1984, p. 192. Voir en particulier le chapitre « La Pologne de Solidarnosc : une mémoire explosive », la partie intitulée « Le 1ᵉʳ Mai et le 3 Mai », p. 210-212.

entreprises[8] ». Le message était donc double, puisqu'il signifiait aussi le boycott des cérémonies officielles du pouvoir[9].

En revanche, dans tout le pays, divers rassemblements furent organisés par *Solidarnosc* en l'honneur du 3 Mai. Dans le même bulletin, où le 1er Mai était abandonné à l'initiative individuelle, on lit : « Le mouvement de renouveau national qui a débuté avec les événements d'août 1980, ainsi que le ''contrat social'' passé entre le pouvoir et la société nous incitent à l'expression publique de nos sentiments patriotiques, étouffés dans notre pays au cours des trente-cinq années passées, et liés à la Constitution du 3 Mai[10]. »

Ainsi, on peut suivre Baczko sur ce point : le clivage le plus manifeste, entre le 1er Mai et le 3 Mai, s'inscrit, en premier lieu, dans celui qui oppose pouvoir et société civile, et révèle la volonté de celle-ci de reprendre en charge une parole et un passé confisqués. D'où les slogans de type : « Nous avons le droit à la vérité ! » « La jeunesse se souvient ! » « Eux aujourd'hui, nous demain[11] ! » Rien d'étonnant par conséquent si une des propositions de modification des manuels scolaires, rédigées par la section de l'éducation et de l'instruction de Solidarnosc en 1981, concerne le 3 Mai : « Nous exigeons une présentation plus détaillée et plus approfondie de la Constitution du 3 Mai en tant que sujet permettant l'acquisition de notions fondamentales de droit constitutionnel, mais aussi comme événement ayant une signification européenne et témoignant d'une conscience patriotique et politique très développée chez les auteurs[12]. »

---

8. « 1 Maja » (Le 1er Mai), *Solidarnosc*, n° 13/43/23 avril 1981, Gdansk, p. 4.

9. Comme le remarque B. BACZKO, *op. cit.*, p. 212.

10. « 3 Maja » (Le 3 Mai), *Solidarnosc, op. cit*, p. 5.

11. *Solidarnosc*, n° 15/45/6 mai 1981, p. 1-2.

12. *Propozycje doraznych zmian w materiale nauczania historii w szkolach podstawowych i ponadpodstawowych* (Propositions pour des changements immédiats en matière d'enseignement de l'histoire dans les écoles primaires et les collèges), NSZZ « Solidarnosc », Krajowa Rada Sekcji Oswiaty i Wychowania (Conseil national de la section de l'éducation et de l'instruction), 1981, p. 11.

De toute évidence, en 1981, le 3 Mai fonctionne d'abord comme fête d'opposition visant à délégitimer le régime en place par une réappropriation du passé national et de la mémoire collective.

TRADITION OUVRIÈRE, TRADITION NATIONALISTE

On ne saurait pour autant réduire le jeu des deux fêtes au rapport entre pouvoir et société, gouvernants et gouvernés. Tout d'abord, l'objet « 1ᵉʳ Mai-3 Mai » fut déjà un lieu de polémiques, aux sources de la modernité politique. Autour, s'affrontaient, il y a un siècle, les mouvements socialiste et nationaliste naissants.

Le 3 mai 1891, centenaire de la Constitution, est la date choisie par les nationalistes groupés autour de la Ligue polonaise pour passer à l'action ouverte, inaugurant ainsi la « politique active » de leur mouvement [13]. Et c'est précisément à Roman Dmowski, chef du futur parti national-démocrate (Endecja) jusqu'en 1939, que revient, en grande partie, l'organisation de la manifestation étudiante à Varsovie [14]. Se réclamer de la Constitution du 3 Mai était, pour les nationalistes, une manière de s'investir d'une mission nationale et, en approfondissant la critique du système nobiliaire, de poursuivre le projet d'instaurer en Pologne un État fort [15]. Il faut d'ailleurs croire que cette symbolique a séduit le général Jaruzelski, puisque, au lendemain du coup d'État (13 décembre 1981), le 3 Mai (1982) fut choisi pour ouvrir la session de la Diète, et que son discours, outre une apologie nationaliste de l'unanimité, attribuait à

---

13. B. TORUNCZYK, *Narodowa Demokracja. Antologia mysli politycznej « Przegladu Wszechpolskiego »* (La Démocratie nationale. Anthologie de la pensée politique de « Przeglad Wszechpolski »), Aneks, Londres, 1983, p. 7.

14. A. MICEWSKI, *Roman Dmowski*, Verum, Varsovie, 1971, p. 31 ; R. WAPINSKI, *Roman Dmowski*, W.L., Lublin, 1988, p. 45 ; K. BEYLIN, *Dni powszednie Warszawy w latach 1880-1900* (La Vie de tous les jours à Varsovie dans les années 1880-1900), P.I.W., Varsovie, 1967, p. 302-305.

15. *Ibid.*, p. 21.

la Constitution de 1791 cette volonté de renforcer l'État en situation d'urgence [16].

Quant aux socialistes, bien que partagés, ils étaient, à l'heure du centenaire, généralement hostiles au 3 Mai [17]. Luttant à la fois pour la libération nationale et l'émancipation sociale, ils reprochaient à la Constitution d'être « une création de la noblesse pour la noblesse », de n'améliorer que le sort de la bourgeoisie et surtout de ne pas émanciper la paysannerie. « Le paysan, même comme Polonais, n'avait pas de quoi se réjouir. Car le paysan à cette époque n'était pas encore polonais, et il ne commence à l'être qu'aujourd'hui », lisait-on dans la presse socialiste tournée vers la paysannerie [18]. Certains enfin, citant l'article 1 (qui interdisait d'abandonner la religion catholique, affirmée religion nationale dominante, pour une autre religion), dénonçaient dans la Constitution l'œuvre d'évêques et de prélats [19].

D'autre part, derrière les propositions des nationalistes visant à réunir les 1er Mai et 3 Mai en une seule fête, les socialistes voyaient une atteinte portée au « jeune » 1er Mai, (proclamé par la IIe Internationale deux ans plus tôt), un moyen utilisé par les « brailleurs patriotiques » pour « briser la fête ouvrière [20] ». Tout au plus, ils considéraient le 3 Mai comme un « souvenir historique », et ne dissuadaient pas ceux qui le commémoraient comme tel. Cette méfiance à l'égard de la possibilité d'une dérive nationaliste des commémorations patriotiques et de leurs conséquences politiques n'est pas sans analogie avec celle exprimée par le

16. *Trybuna Ludu* du 4 mai 1982.

17. H. WINNICKA, « *Socjalisci wobec obchodow setnej rocznicy uchwalenia konstytucji 3 Maja i wybuchu powstania kosciuszkowego* » (Les Socialistes à l'égard des célébrations du centenaire de la proclamation de la Constitution du 3 Mai et de l'insurrection de Kosciuszko), in *Edukacja historyczna spoleczenstwa polskiego w XIX w.* (L'Éducation historique de la société polonaise au XIXe siècle), sous la direction de J. MATERNICKI, P.W.N., Varsovie, 1981, p. 317-354.

18. Signé probablement par K. KELLES-KRAUZ, cité par H. WINNICKA, *ibid.*, p. 325.

19. J. LORENTOWICZ cité par H. WINNICKA, *ibid.*, p. 327.

20. I. DASZYNSKI cité par H. WINNICKA, *ibid.*, p. 329.

Le 3 mai 1981 dans la presse de *Solidarnosc*.

KOR[21], face aux différentes manifestations patriotiques et religieuses organisées par la mouvance nationaliste du Ropcio[22], à la fin des années soixante-dix[23]. Dans les deux cas, elles apparaissaient comme utiles face à un pouvoir jugé despotique ou totalitaire mais l'on se méfiait des dangers qu'elles recélaient.

Il importe donc de rappeler que le 3 Mai a toujours été un lieu polémique, par rapport auquel les traditions socialiste et communiste polonaises ne pouvaient éviter de prendre position. C'est pourquoi, dans un entretien réalisé dans les années quatre-vingt, l'ancien cadre stalinien que fut Jakub Berman se souvient encore qu'en 1941 « [son] plus grand exploit a été la publication, le 1ᵉʳ mai, d'un article sur le 3 Mai [...] ». Comme il le raconte lui-même, « c'est sous un nouvel angle et dans une situation nouvelle que je devais méditer sur les thèses de la Constitution en me référant à la discussion qui s'était déroulée avant le VIIᵉ congrès du KPP. Nous en avions eu pendant longtemps une approche assez sectaire et nous la discréditions. Pendant l'entre-deux-guerres, la Constitution du 3 Mai était le domaine réservé de la nationale-démocratie et de tous les groupes de la bourgeoisie. J'en ai parlé cette fois-là assez chaleureusement, dans l'esprit du retour à notre ligne de front populaire. L'article a fait une assez grande impression[24] ».

L'ambiguïté du 3 Mai est donc de faire partie intégrante de la conscience historique des Polonais, et en ce sens d'être une fête idéologiquement neutre, tout en se trouvant historiquement liée au courant nationaliste. Exemple de cette filiation symbolique, le nom « Éditions de la Constitution du 3 Mai » fut choisi à la fin des années soixante-dix par une maison d'édition clandestine, liée (au début) au Ropcio.

---

21. Komitet Obrony Robotnikow [Comité de défense des ouvriers], constitué en 1976.
22. Ruch Obrony Praw Czlowieka i Obywatela [Mouvement pour la défense des droits civiques], créé en 1977.
23. J.J. LIPSKI, *KOR* (Le KOR), Aneks, Londres, 1983, p. 297-298.
24. T. TORANSKA, *Oni (Des staliniens polonais s'expliquent)*, Flammarion, Paris, 1986, p. 205-206.

1er mai 1983 : manifestation de *Solidarnosc* devant la tribune officielle à Wroclaw.

1er mai 1983 : affrontements à Gdansk.

Mais surtout, la première initiative non officielle d'organiser une commémoration publique du 3 Mai est issue, en 1980, d'un groupe « néo-endécien », le Mouvement Jeune Pologne (RMP), qui dans l'éventail politique de l'opposition des années soixante-dix assumait l'héritage de Dmowski [25]. Bien qu'écourtée par une intervention brutale de la milice, la commémoration eut lieu devant le monument de Jean III Sobieski, à Gdansk, lieu de naissance du Mouvement Jeune Pologne [26]. Le même mouvement, très actif dans la préparation des cérémonies, cette fois autorisées, de 1981, fut également à l'origine d'un « club de pensée politique » baptisé « Constitution du 3 Mai », créé en juin 1981 [27].

Insistons sur l'ambiguïté : le lien génétique entre la commémoration du 3 Mai et la tradition dmowskiste ne signifie pas qu'aujourd'hui manifester ce jour-là c'est donner son adhésion au nationalisme endécien. C'est surtout *Solidarnosc*, en tant que mouvement social, au sein duquel la tradition de Pilsudski est restée vivace, qui insuffla de la vie à la commémoration. En réalité le couple « 1er Mai-3 Mai » engage les catégories du « social » et du « national », mais celles-ci ne coïncident pas avec le clivage Pilsudski-Dmowski dans la culture politique des Polonais.

CÉLÉBRATION DU POUVOIR OU FÊTE D'OPPOSITION ?

Le 3 Mai, une fête interdite ? Sur ce point, il y eut inversion de rôles par rapport à la situation de l'entre-deux-guerres. Dès 1919, le 3 Mai fut institué fête nationale fériée, symbolisant la continuité nationale et étatique. Son importance, à ce moment-là, était comparable à celle de l'anni-

---

25. En se démarquant néanmoins de l'antisémitisme de la démocratie nationale, comme l'observe J.J. LIPSKI, *op. cit.*, p. 108.

26. J.J. LIPSKI, *ibid.*, p. 303.

27. *Biuletyn Informacyjny Klubu Mysli Politycznej im. Konstytucji 3 Maja* (Bulletin d'information du club de pensée politique de la Constitution du 3 Mai), n° 1/juillet 1981, Gdansk.

versaire de l'indépendance (11 novembre). La Constitution de mars 1921 enjambait plus de cent vingt ans, pour s'y référer explicitement : « Au nom de Dieu Tout-Puissant ! Nous, nation polonaise, remerciant la Providence de nous avoir délivré d'un siècle et demi de servitude, [...] renouant avec l'excellente et séculaire tradition de la Constitution du 3 Mai... [28]. »

Le 1ᵉʳ Mai, au contraire, depuis les grèves de 1890 et surtout de 1891 (à Varsovie, Lodz, Zyrardow) en passant par la fameuse « révolte de Lodz » noyée dans le sang en 1892, était une journée de revendications ouvrières, ce qui n'excluait pas, à l'occasion, de crier sa haine du tsar. Dans les années trente, elle fut le lieu de grands rassemblements de l'opposition de gauche. Des manifestations de quatre-vingt mille personnes à Lodz, quarante mille à Varsovie réunissaient, en 1936, socialistes, communistes, bundistes, certaines composantes des sionistes et différents syndicats, contre un régime autoritaire, dont le nationalisme et l'anti-sémitisme ne suffisaient plus à combler la perte de légitimité, ni à sortir le pays de la crise économique.

L'immédiat après-guerre se caractérise encore par un certain flottement. Le calendrier officiel du ministère de l'Information et de la Propagande prévoyait, pour mai 1946, trois fêtes officielles : le 1ᵉʳ, le 3 et le 9 (« jour de la Victoire » de 1945) [29].

Les événements de mai 1946 ont clarifié le paysage. Bien que le 3 Mai fût autorisé, on a interdit les défilés, qui en constituaient la forme traditionnelle. Dans l'incertitude politique du moment (veille du référendum de juin 1946), le pouvoir préférait éviter les manifestations trop bruyantes en faveur du parti populaire PSL, dirigé par Mikolajczyk récemment de retour au pays, et qui représentait la légitimité du gouvernement de Londres. Cela n'a pas empêché

---

28. A. AJNENKEL, « Konstytucja marcowa » (La Constitution de mars), in *Historia Polski* (Histoire de la Pologne), t. 4, vol. 1, P.W.N., Varsovie, 1984, p. 475.

29. W. MAZOWIECKI, *Wydarzenia 3 Maja 1946* (Les Événements du 3 mai 1946), Libella, Paris, 1989, p. 26.

que des rassemblements publics se tiennent dans plusieurs grandes villes, aux cris, notamment, de « Vive le 3 Mai libre ! » « Vive la Constitution du 3 Mai ! » « Vive l'Armée du pays [AK] ! » « A bas le communisme ! » « Vive Miko- lajczyk, Mikolajczyk président ! » mais aussi parfois « Les juifs dehors ! » ou « A bas la "judéo-commune" ! » Les cor- tèges les plus importants eurent lieu à Cracovie où, par peur du débordement, les forces de l'ordre ont tiré sur les mani- festants, et arrêté près d'un millier de personnes [30].

Le 3 Mai fut donc relayé dans sa fonction de fête officielle par le 1er Mai, avec l'entrée de la Pologne dans l'orbite soviétique. La fête du Travail n'était-elle pas portée histo- riquement par la tradition ouvrière dont le nouveau pou- voir se réclamait ?

En quête de légitimité, celui-ci a toujours déployé de grands efforts de mobilisation pour susciter une participa- tion massive le 1er Mai. Quelques jours avant l'ouverture des festivités, le Parti publiait les fameux slogans, sorte de catéchèse vulgarisant les grandes orientations idéologiques du moment. D'un côté, on désignait les objets d'amour (le « chef du camp mondial de la paix et de l'humanité progres- siste — le camarade Staline », le Grand Parti communiste [bolchevique], Bierut [31] et l'alliance des démocraties popu- laires, le plan, etc.) ; de l'autre, on stigmatisait les objets de haine (les « instigateurs de guerre anglo-saxons suppôts de l'impérialisme allemand, les fascistes, titistes, révisionnis- tes et autres sionistes, etc.). Aux beaux temps du stakha- novisme, de meetings en défilés, on décorait les héros du travail, glorifiant les exploits de certaines équipes ouvriè- res qui dépassaient les prévisions du plan.

Alors que le 1er Mai tirait son origine d'un mouvement social cristallisé au XIXᵉ siècle autour de la revendication

---

30. Sur tous ces points, le livre de W. MAZOWIECKI cité ci-dessus apporte d'innombrables documents d'archives.

31. Boleslaw Bierut (1892-1956), « petit Staline » polonais, succède à Gomulka comme secrétaire général du POUP entre 1948 et 1956, tout en étant président de la République (1947-1952), puis Premier ministre (1952-1954).

des « huit heures » et donc d'une législation du travail [32], l'émulation socialiste au travail consistait à pulvériser les normes, dans un geste productiviste « en l'honneur du 1ᵉʳ Mai ». On défilait sous les bannières du « front national pour la paix et le plan sexennal ». Ces immenses célébrations, où, comme le décrivait la presse, « le rouge des étendards enflammait les villes, les bourgades et les campagnes de toute la Pologne [33] », rassemblaient toutes les tranches d'âge de la population depuis les organisations de jeunesse, scouts, écoliers, étudiants, jusqu'aux anciens combattants. Sous le stalinisme, c'est-à-dire avant la « routinisation » du 1ᵉʳ Mai, « le mot mobilisation est à prendre au sens fort : dans les entreprises le contrôle de la présence à la manifestation [était] strict. Slogans sur des banderoles, conformément aux consignes venues d'en haut, portraits des dirigeants, enthousiasme sur commande [34] ».

La fête de l'émancipation sociale et de la solidarité ouvrière est ainsi devenue l'instrument de soutien plébiscitaire du pouvoir en place, et l'occasion pour celui-ci de mises en scène d'autoglorification.

Reste qu'il était difficile, ou du moins peu rentable dans l'économie des commémorations de laisser celle du 3 Mai vacante. Date inévitable dans l'histoire et la mémoire des Polonais, elle gênait bien sûr le nouveau pouvoir en tant qu'héritage d'un passé qu'il voulait révolu. Fête anciennement officielle, célébrée par des gouvernements « réactionnaires et bourgeois », elle représentait une continuité incompatible avec la volonté de rupture radicale du stalinisme. Impossible également de commémorer le 3 Mai sans évoquer son indissociable antithèse, la « Confédération de Targowica », derrière laquelle, plus qu'une réaction d'un groupe social hostile aux réformes, les Polonais voient souvent la Russie. On pourrait d'ailleurs constituer une

---

32. M. Dommanget, *Histoire du 1ᵉʳ Mai*, Éd. de la Tête de Feuilles, Paris, 1972, chap. 2.
33. *Trybuna Ludu* du 2 mai 1949, p. 3.
34. B. Baczko, *op. cit.*, p. 211.

véritable anthologie des réponses, pour chaque anniversaire du 3 Mai, à la question : « Qui représente Targowica ? » Reprendre à son compte la tradition du 3 Mai permettait par la même occasion de stigmatiser ses ennemis identifiés à « Targowica » comme, par exemple, les « réactionnaires » de Londres pour le PPR en 1946, le général Jaruzelski pour *Solidarnosc* et *Solidarnosc* pour le général Jaruzelski, après le coup d'État, etc. Quelles que soient les réponses, la référence aux partages de la Pologne, qui firent passer la Constitution du 3 Mai à la trappe, ne se prêtait que trop aux actualisations antisoviétiques.

Pourtant la commémoration de l'événement historique « Constitution » n'était pas inassimilable par le nouveau régime. En dépit du fait que les drapeaux exposés aux façades des immeubles le 1er Mai étaient méticuleusement enlevés le 2, afin qu'aucun doute ne soit permis sur le 3, la position idéologique du pouvoir à l'égard de la Constitution de 1791 consistait à l'estimer globalement progressiste, l'histoire se trouvant réduite à l'affrontement entre forces progressistes éclairées et réactionnaires obscurantistes. Le 3 Mai était un premier pas vers la sortie de l'ère féodale. Cette position tirait d'ailleurs ses lettres de noblesse des appréciations très positives de Marx qui, « au milieu de la barbarie russo-prusso-autrichienne », voyait dans la Constitution du 3 Mai, et « en dépit de toutes les lacunes de celle-ci », « la seule œuvre de liberté jamais érigée par l'Europe orientale [35] ».

C'est pourquoi, en mai 1945, B. Bierut ne se compromettait pas trop, lorsque, ouvrant les cérémonies officielles, il déclarait que le nouveau pouvoir allait continuer l'œuvre de la Constitution du 3 Mai [36]. Il réitérait en 1946 : « [...] aucune force, ni dans le pays, ni à l'étranger ne pourra nous détourner de la seule et unique voie, sur laquelle nous nous sommes engagés en suivant les traces des créateurs de la

35. Voir sa contribution à l'histoire de la question polonaise, in MARX, ENGELS, *La Russie*, UGE, Paris, 1974, p. 76.
36. W. MAZOWIECKI, *op. cit.*, p. 26.

Constitution du 3 Mai... [37]. » Lorsque, en 1981, le 3 Mai fut de nouveau fêté officiellement et que le chef du Conseil d'État, H. Jablonski, déclarait : « C'est nous, [...] les générations contemporaines des bâtisseurs du socialisme, qui sommes les continuateurs de l'œuvre entreprise il y a 190 ans [38] », il pratiquait la même forme de rhétorique. Et chaque fois la responsabilité de la Russie dans les partages de la Pologne était soit ignorée soit évoquée par euphémisme ou simple allusion.

Même sous le stalinisme, alors que le 3 Mai n'existait plus comme fête, l'anniversaire n'était pas passé sous silence. Le 2 mai 1949, à l'occasion de l'inauguration d'une bibliothèque populaire dans une usine, B. Bierut lui rendait hommage : « Demain ce sera le 158e anniversaire de la Constitution du 3 Mai [...]. Tirant les enseignements de l'histoire des luttes sociales, non seulement nous avons repris le slogan de la diffusion de l'instruction et de la culture parmi les masses populaires, lancé encore timidement par les fondateurs de la Constitution du 3 Mai, mais en tant que leurs héritiers, nous réalisons ce slogan à une échelle incomparablement plus large... [39]. » Ce faisant Bierut opérait un certain détournement : il réduisait la polysémie du 3 Mai à une seule dimension, la démocratisation de l'instruction, et noyait la Constitution dans l'œuvre globale des réformateurs éclairés du XVIIIe siècle. La Commission de l'Éducation nationale, à laquelle on rend désormais hommage chaque fois que l'on évoque le 3 Mai, est effectivement emblématique des Lumières polonaises mais date de 1773. C'est ainsi que, à l'occasion de l'anniversaire de 1951, *Trybuna Ludu* estime que « la nation polonaise édifiant le socialisme est fière des traditions de la Commission de l'Éducation et de la Constitution de Mai comme de tout l'héritage de l'époque des Lumières [40] ».

---

37. Cité par W. MAZOWIECKI, p. 38.
38. Discours prononcé au concert d'anniversaire à Varsovie, *Trybuna Ludu* du 4 mai 1981, p. 2.
39. *Trybuna Ludu* du 3 mai 1949, p. 2.
40. *Trybuna Ludu* du 3 mai 1951, p. 3.

Depuis la fin des années quarante, en jour et place de la fête de la Constitution, le 3 Mai donne le coup d'envoi des annuelles « Semaines de l'instruction, du livre, et de la presse » placées sous le signe de la lutte contre l'analphabétisme en 1949, puis tout simplement de la culture pour tous, avec des slogans de type : « L'instruction, la culture, hier privilège des riches, aujourd'hui propriété des masses. »

Une double orientation semble donc guider le pouvoir. La fête est interdite, mais *Trybuna Ludu*, aux dates rondes du moins, rappelle l'anniversaire. La censure retient pendant dix ans l'édition critique du texte de la Constitution parue finalement en 1981 (est-ce à cause de son préambule qui, affirmant la pleine souveraineté du législateur, visait le protectorat russe ?[41]), mais dans les écoles, on évoque sa tradition progressiste.

Il faut attendre 1981, pour qu'un changement se produise. Sérieusement concurrencé sur le terrain des commémorations nationales par un mouvement social puissant, pour la première fois depuis 1946, le pouvoir organise à l'occasion du 190e anniversaire des célébrations officielles. Un parti de la coalition gouvernementale, le Parti démocrate (SD), va même, lors de son XIIe congrès de 1981, en faire sa fête statutaire, symbolisant la tradition démocratique polonaise. Chaque année désormais, sous ses auspices, expositions, concerts, colloques sont organisés dans tout le pays en l'honneur du 3 Mai. On ne manque aucune opportunité pour discuter dans les colonnes de sa presse d'une possibilité, prévue pour le bicentenaire en 1991, de modifier la Constitution actuelle.

Le coup d'État du 13 décembre 1981 ne remet pas en question cette évolution. Bien au contraire. Le 3 Mai prend place dans la panoplie de « sauveur de la nation » du général Jaruzelski, qui, en 1982, hisse en personne et pour la

---

41. Il s'agit du texte édité par J. KOWECKI, avec une introduction d'un historien pourtant orthodoxe, B. LESNODORSKI : *Konstytucja 3 Maja 1791* (La Constitution du 3 Mai 1791), P.W.N., Varsovie, 1981. Voir à ce sujet le compte rendu dans *Przeglad Historyczny* (La Revue historique), n° 1-2/1982, p. 162.

première fois le drapeau national sur une tour du Palais-Royal où fut promulguée la Constitution. Alors que, dans la rue, la milice charge les manifestations indépendantes, le 3 mai 1982 est explicitement le jour choisi pour ouvrir la session de la Diète, et l'occasion, pour le général, de lancer un appel à « un mouvement patriotique général pour la renaissance nationale [42] ». « La philosophie du ''moindre mal'' patriotique [43] », qui devait légitimer l'écrasement du mouvement de *Solidarnosc*, n'était pas incompatible avec la commémoration du sursaut national du XVIIIᵉ siècle. Mieux, en l'intégrant dans sa phraséologie nationaliste, le pouvoir espérait en tirer un supplément de légitimité. En 1983, le Parti démocrate plaçait la commémoration sous le slogan « L'unité maintient et renforce les républiques... les désaccords internes sont la cause de leurs chutes », se disant inspiré de S. Staszic, réformateur du XVIIIᵉ siècle. A chaque anniversaire, on insiste désormais sur le caractère complémentaire des 1ᵉʳ et 3 Mai.

LE 1ᵉʳ MAI RETROUVÉ

Si le pouvoir, depuis 1981 surtout, cherche à récupérer le 3 Mai, *Solidarnosc*, en revanche, se réapproprie la tradition ouvrière du 1ᵉʳ Mai. Proposition qui reste sans doute à nuancer tant il est vrai que, dans la partie de bras de fer que se sont livrée pouvoir militaire et *Solidarnosc* après le 13 décembre 1981, les deux fêtes ont été particulièrement instrumentalisées. Face à un projet de contrôle politico-militaire de la société, il était aussi important de manifester son autonomie, que de manifester du sens. Pour faire échouer la normalisation, l'essentiel, pour l'opposition, était de compter ses forces et d'affirmer sa présence massive hors

---

42. *Trybuna Ludu* du 4 mai 1982.
43. G. MINK, *La Force ou la Raison. Histoire sociale et politique de la Pologne (1981-1989)*, La Découverte, Paris, 1989, p. 14.

des manifestations et des cortèges officiels. Peu importait, dès lors, que ce fût le 1ᵉʳ ou le 3 Mai.

Cette mobilisation tous azimuts se reflète dans la presse clandestine qui le plus souvent associe les appels à manifester pour le 1ᵉʳ et le 3 Mai. Coïncidence de dates qui révèle plus profondément l'imbrication dans le mouvement de *Solidarnosc* de revendications ouvrières ou syndicales, politiques et nationales, particulièrement marquée en période de fermeture politique. Bien sûr, des différences régionales subsistent. Ainsi, les bulletins de *Solidarnosc* de Lodz[44] se réfèrent surtout au 1ᵉʳ Mai, tandis que dans la région de Cracovie, où la mémoire de la répression du 3 mai 1946 est encore présente, et entretenue[45], les deux fêtes font souvent l'objet d'un même article[46].

C'est l'ampleur des « contre-défilés », malgré la loi martiale, qui permet à Michnik de conclure du fond de sa prison, qu'« après le 1ᵉʳ et le 3 mai 1982 plus personne de sensé ne pouvait nier que l'opposition clandestine était un fait[47] ». Comme en témoigne Walesa : « Si chaque 1ᵉʳ Mai était un examen que je devais passer, c'était aussi un baromètre grâce auquel je pouvais mesurer le soutien qui nous était accordé, ainsi que le moral de la population[48]. » Même logique en 1989 : alors que les rassemblements indépendants n'étaient plus interdits, du moins pour l'opposition dite « constructive », manifester le 1ᵉʳ Mai était pour *Solidarnosc* une manière de mesurer ses forces avant les élections[49].

Pour autant, le contenu significatif du 1ᵉʳ Mai ne dispa-

---

44. Cf. *Biuletyn Lodzki* (Le Bulletin de Lodz).

45. Cf. « 3 Maj 1946 roku w Krakowie » (Le 3 Mai 1946 à Cracovie), *Kronika Malopolska* (La Chronique de Petite Pologne), n° 51, 12 avril 1984, p. 1. L'article se termine par un appel aux témoignages et informations concernant les événements du 3 mai 1946.

46. Cf. *Kronika Malopolska* (La Chronique de Petite Pologne).

47. « Analiza i perspektywy » (Analyse et perspectives), *Kultura*, n° 7/8, 1983, p. 70.

48. L. WALESA, *Un chemin d'espoir, autobiographie*, Fayard, Paris, 1987, p. 486.

49. Cf. le reportage de *Libération* du 2 mai 1989, p. 22.

raît pas au profit de ses fonctions et de la dynamique politique des mobilisations. L'expérience des années quatre-vingt redonne du sens à une fête du Travail qui se trouve réinscrite progressivement dans sa tradition historique. Selon un témoignage rapporté dans l'autobiographie de Walesa, « la période de *Solidarnosc* a transformé cette fête qui ressemblait jusque-là à une kermesse sans contenu, aux allures de pique-nique ''pittoresque et joyeux'', en une occasion d'exprimer les choses importantes sur la condition et la dignité de l'homme au travail[50] ». S'il est vrai qu'en 1981, et pour des raisons stratégiques, le syndicat n'a pas organisé de défilés, privant le 1ᵉʳ Mai de sa dimension publique et collective, la direction de Gdansk tenait cependant à lui rendre hommage en manifestant sa participation sous d'autres formes : « Nous allons renouer avec nos propres expériences douloureuses des années 1956, 1968, 1970, 1976. Le 1ᵉʳ Mai, à partir de 10 heures, nous déposerons des fleurs, comme symboles de notre mémoire, sous les monuments, aux endroits où les défilés de nos frères furent interrompus par la mort, où ils ont donné leur vie, pour que nous, nous puissions vivre dignement[51]. »

Le coup d'État n'a fait que surdéterminer ce mouvement. Quelques mois après la « délégalisation » de *Solidarnosc*, sa direction clandestine publie une déclaration où le 13 décembre est assimilé à « une contre-révolution » : « Le 1ᵉʳ Mai est né de la lutte pour la dignité du travail humain [...]. En 1886, à Chicago, les ouvriers ont payé de leur vie le droit d'avoir leur propre représentation syndicale. Pour nous, Polonais, Chicago s'est répété lors du Décembre de Gdansk en 1970, dans les mines de Silésie en 1981, à Lublin en 1982, et nous savons que cela peut se reproduire encore [...]. Le 13 décembre 1981, ... le sang ouvrier a coulé

---

50. L. WALESA, *op. cit*, p. 487.
51. « Uchwala 12/81, Plenum MKZ NSZZ Solidarnosc, Gdansk z dnia 15/04/1981 w sprawie obchodow 1 Maja » (La résolution 12/81, Plénum MKZ NSZZ *Solidarnosc*, Gdansk du 15/04/1981 concernant la célébration du 1ᵉʳ Mai), *Solidarnosc*, n° 13/43/23 avril 1981, Gdansk, p. 4.

comme il y a cent ans [52]. » En 1983, on rappelle que « le 1er Mai est la fête des travailleurs, et non une journée d'hommage rendu au pouvoir [53] ». « Le 1er Mai, c'est notre fête », tel est le titre qu'on lit souvent dans les publications clandestines de *Solidarnosc*, avant ou après les manifestations. Titre qui fut l'un des slogans des manifestants de Lodz en 1983 [54]. A la veille du 1er mai 1983, *Robotnik*, l'organe du courant socialiste de *Solidarnosc*, publie un article intitulé « Nos traditions », rappelant les manifestations du 1er Mai organisées par le PPS sous la domination russe, et qui se termine par un appel à manifester signé en 1895 par... J. Pilsudski [55].

Reprendre à un pouvoir qui se dit populaire la tradition dans laquelle il se drapait est une entreprise qui, fût-elle symbolique, n'en vise pas moins les fondements de la légitimité du régime. Précisément, il arrive que, dans leur déroulement même, les manifestations de *Solidarnosc* viennent doubler le pouvoir sur son propre terrain. A Gdansk et à Wroclaw, le 1er mai 1984, les cortèges de l'opposition ont réussi à se mêler aux cortèges officiels puis à défiler quelques instants devant les tribunes des autorités, brandissant des banderoles de *Solidarnosc* ou faisant le « V » de la victoire, avant d'être chargés par la milice [56].

Si l'on en juge d'après les moyens utilisés (s'ajoutant à la répression purement policière) par les autorités militaires pour sauver les formes du 1er Mai, il apparaît que le régime n'était pas insensible aux pratiques de délégitimation symbolique. En 1982 dans les aciéries Lénine, on distribuait des bons permettant l'acquisition de chaussettes en échange d'une déclaration de participation au meeting

---

52. « Do ludzi pracy » (Au monde du travail), *Wola*, n° 14 (56), 11 avril 1983.

53. Déclaration du comité régional exécutif (RKW) de *Solidarnosc*, région de Mazovie, faite le 24 mars 1983, et publiée par exemple dans *Robotnik* n° 5, 28 mars 1983, p. 1.

54. « 1 Maja w Lodzi » (Le 1er Mai à Lodz), *Biuletyn Lodzki* (Bulletin de Lodz), n° 18, 9 mai 1983.

55. « Nasze tradycje » (Nos traditions), *Robotnik* n° 7, 28 avril 1983.

56. Pour Gdansk voir L. WALESA, *op. cit.*, p. 486.

officiel du 1er Mai[57]. En 1983, la milice piratait une radio clandestine de *Solidarnosc* pour appeler à ne pas participer aux manifestations indépendantes du 1er Mai[58]. Dans les commissariats, lors des gardes à vue avant ou après le 1er Mai, on faisait parfois signer aux suspects des déclarations de non-participation aux manifestations indépendantes[59].

Du côté officiel, sur le « front » du 1er Mai, les années quatre-vingt se caractérisent par un certain repli, particulièrement accusé en 1981 et 1989, années de *Solidarnosc* légale. Le rituel coutumier est réduit au minimum. Pour *Trybuna Ludu*, le 1er mai 1981 « a confirmé la continuation du processus du renouveau socialiste », mais « du point de vue de sa forme et de son climat, cette fête s'est déroulée autrement que celles auxquelles nous étions habitués les années précédentes ». En soulignant l'absence de « modèle schématique et général » des cérémonies, dépourvues de « cadre décoratif coûteux », le journal conclut pathétiquement : « C'était plus modeste mais, de ce fait, peut-être aussi plus digne[60]. » De même pour le 1er Mai 1989, les autorités ont renoncé pour la première fois au défilé central, alors qu'au même moment eut lieu à Varsovie le plus grand rassemblement de l'opposition depuis 1981 — ont même défilé des groupes sous le drapeau noir — avec notamment un slogan inédit : « Venez avec nous, aujourd'hui ils ne frappent pas[61] ! »

Croisements, inversions, confiscations, détournements, c'est tout cela qui alimente le jeu du « 1er Mai-3 Mai ». En s'affrontant autour des deux fêtes, les acteurs politiques les instrumentalisent à outrance, mais leur action met en jeu une mémoire sans cesse réitérée. Leur confrontation puise dans les ressources culturelles et symboliques, et ce faisant

---

57. « Kalendarium » (Calendrier), *Kontakt*, n° 3-4/1982, p. 4.
58. « Kalendarium » (Calendrier), *Kontakt*, n° 10/1983, p. 7.
59. *Kronika Malopolska*, n° 33, 30 mai 1983, p. 1.
60. « 1-Majowe obchody » (Les Célébrations du 1er Mai), *Trybuna Ludu* du 4 mai 1981, p. 1.
61. « 1 Maja 89 » (Le 1er Mai 89), *Wola*, n° 18 (282), 8 mai 1989.

produit des significations nouvelles, elles-mêmes réintégrées dans le circuit culturel de la mémoire. Tant qu'un jeu politique dynamique subsiste, tant qu'aucun acteur politique n'avale les autres, tant que tous ne chantent à l'unisson, les deux fêtes resteront un lieu polémique.

Ier mai 1983 à Gdansk, manifestation de *Solidarnosc.*

URSS

Figures de la mémoire :
Mémorial et *Pamiat'*

par Denis Paillard

Pendant longtemps (aujourd'hui encore ?) la *perestroïka* s'est présentée comme un long travail d'exploration des limites du système né de la révolution d'Octobre 1917, avec au départ une focalisation sur la période stalinienne. Cette présence du passé n'est encore que très partiellement le fait des historiens professionnels ; en première ligne on trouve des écrivains, des publicistes, mais aussi de simples « témoins de leur temps » qui par lettres à la presse, mémoires, initiatives collectives de toutes sortes cherchent à faire partager une expérience singulière et témoignent de la volonté d'être partie prenante de cette réappropriation du passé. Un passé qui revient non pas dans sa totalité, mais par élargissements successifs, par fragments. Du nœud initial que sont les années trente, par un mouvement en spirales, on a assisté à une remontée vers un passé plus lointain : la collectivisation, la NEP et, plus récemment, 1917 ; mais aussi vers le présent : progression non linéaire où la période 1956-1963, celle des premières réformes, est longtemps demeurée tache blanche. La guerre de 1941-1945, dernière tranchée des staliniens dans la bataille sur les « mérites » de Staline, a également cédé, y compris le pacte Molotov-Ribbentrop, à l'automne 1989, alors même que des pays baltes à la Moldavie, en passant par l'Ukraine occidentale, des centaines de milliers de manifestants commémoraient à leur manière le pacte Molotov-Ribbentrop.

Exposition du *Mémorial* à Moscou (hiver 1988-1989).

Mais par-delà la rupture de 1917, s'est aussi amorcé un retour en force du passé « national », russe en premier lieu. Les pompes de la célébration en 1988 du millénaire de la christianisation de la Russie ont consacré définitivement la légitimité de ce passé.

Dans ce retour désordonné, multiforme du passé, la linéarité que confère normalement la chronologie fait défaut. Comme l'écrit l'historien M.Ia. Gefter, l'histoire est devenue « horizontale » :

> « Ces périodes sont également présentes en dehors de toute chronologie. La "verticale" est devenue "horizontale". Et on ne sait plus si la christianisation de la Russie a eu lieu avant ou après la révolution d'Octobre, ni qui des deux, de Staline ou d'Ivan le Terrible, a précédé l'autre [1]. »

---

1. Cette citation est extraite d'une interview accordée à un journaliste de la télévision suisse (texte ronéo). Cf. également son interview dans *Vedomosti Memoriala*, janvier 1989. Un autre texte de GEFTER, « Staline est mort hier », avec une présentation par V. Garros de cet historien qui occupe une place tout à fait centrale dans la réflexion en cours en URSS sur les enjeux de la mémoire, a été publié dans la revue *L'Homme et la Société*, 1988, 2-3.

On est encore loin de l'histoire qui dit « ce qui a été » *(wie es eigentlich gewesen)* ; l'heure est à la mémoire, cet « océan sans rivages », elle s'intéresse au *passé*, pris au sens littéral de ce que les uns et les autres ont traversé[2].

Une mémoire qui dans ses formes d'expression, de manifestations, de débats a, littéralement, fait explosion : publications de toutes sortes, géographies des camps et mise à jour des charniers (Kuropaty, Leningrad, Kiev, Irkoutsk), réhabilitations, débats sur les toponymes[3], etc. Une entreprise, celle du *Mémorial* qui se définit comme le lieu d'une mémoire vivante, loin des musées et des monuments en bronze et en pierre, résume bien ce foisonnement de la mémoire antistalinienne.

Il serait profondément illusoire de penser que la dimension plurielle de la mémoire, son morcellement ne sont que des phénomènes passagers. Par rapport aux clivages, aux ruptures qui se font jour dans le cadre de la *perestroïka*, la mémoire est de plus en plus un enjeu contradictoire. Cette contradiction s'organise autour de la distinction mémoire antistalinienne/mémoire nationale, termes insatisfaisants pour désigner une réalité beaucoup plus complexe, mais qui par la simplification abrupte qu'ils entraînent cernent des lignes de force et des lieux d'ancrage privilégiés. Ces deux « formes » de la mémoire s'incarnent — sans s'y ramener, loin de là — dans deux organisations : le *Mémorial* pour la mémoire antistalinienne, *Pamiat'* pour la mémoire nationale russe.

---

2. Cette distinction « ce qui a été »/« passé » est également empruntée à Gefter qui dans la même perspective souligne la nécessité impérieuse de se redonner une généalogie.

3. Il serait intéressant d'étudier pourquoi le nom de Jdanov (théoricien stalinien de l'art et initiateur de persécutions contre les écrivains dans les années quarante), donné à un nombre considérable de lieux et institutions (université de Léningrad, ville de Crimée possédant son musée, station de métro à Moscou, innombrables rues), a si longtemps résisté. Sur ce point, cf. l'article de Iou. KARIAKINE, « Le Liquide jdanovien » dans le recueil *Le Seul Chemin*, Flammarion, 1989.

RETROUVER LA MÉMOIRE

Mémorial signifie en russe « ensemble architectural et artistique construit en l'honneur des héros tombés au combat, de personnalités ou d'événements exceptionnels ». Né en 1987 au sein du mouvement informel, le groupe *Mémorial* se donne au départ le projet d'inscrire dans l'espace la mémoire des victimes du stalinisme, reprenant l'idée avancée en 1961 par Khrouchtchev au XXIIᵉ Congrès. Après une période difficile où les collecteurs de signatures sont en butte aux tracasseries de la milice, les soutiens se sont multipliés (notamment en provenance des Unions artistiques et de journaux comme *Ogoniok* et *Les Nouvelles de Moscou*[4]). Le travail sur la répression stalinienne demeure l'essentiel de son projet ; en même temps, le *Mémorial* a aussi un projet politique, « contribuer à une transformation démocratique, au développement de la conscience civique et juridique des citoyens dans l'esprit de la condamnation du stalinisme ».

L'organisation *Pamiat'* (littéralement « mémoire ») est issue de la Société panrusse de sauvegarde des monuments historiques et de la culture (VOOPIK), organisation (reconnue officiellement) de bénévoles se mobilisant pour la sauvegarde du patrimoine historique. Créée en 1965, elle regroupe en 1977 douze millions de membres, dont 800 000 pour la seule ville de Moscou. Cette organisation a été le principal creuset où se sont reconstitués différents courants du nationalisme russe. *Pamiat'* s'est développée au départ au sein de la section moscovite du VOOPIK, mais très vite un conflit a éclaté et les animateurs sont dénoncés comme des « usurpateurs ». En 1989, *Pamiat'* comptait plusieurs milliers de membres, malgré une série de scissions. Des organisations similaires existent dans un grand nombre de villes de la RSFSR, notamment en Sibérie, terre d'élection du nationalisme russe. Les thèmes développés par *Pamiat'* (écologie et sauvegarde des monuments, nationalisme, anti-

---

4. Organisation multiforme, le groupe *Mémorial* existe dans une centaine de villes au moins, chaque groupe local ayant sa propre identité.

sémitisme) sont largement repris dans des revues comme *Moskva, Nach Sovremennik* et *Molodaïa Gvardija.* Présentés comme réponses à la crise, ils ont une audience de masse non négligeable, en tout cas bien supérieure à celle dont on peut créditer *Pamiat'*. Dans la perspective des élections au niveau local et à celui des républiques du printemps 1990, un regroupement d'organisations nationalistes et « patriotiques » a eu lieu début janvier 1990 à Moscou, sous l'étendard de la « sainte Russie prolétarienne » : on y trouve à la fois le Front unifié des travailleurs, très proche de l'aile conservatrice du pouvoir et des syndicats, mais aussi une série d'organisations culturelles et politiques très comparables à *Pamiat'* (Conseil unifié de Russie, Union pour la renaissance spirituelle de la patrie, Amicale des peintres russes, etc.).

Ces deux mémoires, loin de se nourrir, s'excluent et se combattent, prêtes, au nom même de ce combat, à des alliances tactiques qui les dénaturent. Ce sont des mémoires moins partielles que mutilées. Dans leur fragmentation, leur exclusion mutuelle, elles sont le reflet et le produit contradictoire de la « question russe » telle qu'elle s'est nouée en soixante-dix ans de pouvoir soviétique [5].

Mémoire antistalinienne et mémoire nationale relèvent de deux logiques radicalement différentes. Ce sont ces cohérences d'ensemble que je cherche à expliciter, tout en étant très conscient du coup de force que peut signifier une telle polarisation des enjeux. Qu'il soit clair — et j'y reviendrai — que chacune de ces mémoires se présente en fait comme un lieu complexe, hétérogène, traversé par des courants contradictoires. Par ailleurs, il existe des lieux hybrides articulant de façon singulière chacun des éléments de l'une et l'autre mémoire. Une personnalité comme l'académicien Dimitri Ligatchev, baptisé par certains « conscience du peuple russe », ou encore les revues *Rodina, Novy Mir* sont représentatives de démarches empruntant à l'une et à

---

5. On peut se demander (personnellement je n'ai pas les éléments de réponse) si, dans les républiques non russes, mémoire antistalinienne et mémoire nationale sont dans des rapports aussi antagoniques. Il est permis d'en douter.

l'autre[6]. Enfin cette représentation polarisée des deux mémoires n'a pas pour objectif d'opposer une bonne mémoire progressiste (antistalinienne) à une mémoire négative réactionnaire qui serait ce que je désigne comme la mémoire nationale[7]. Comme je l'ai dit ci-dessus, l'une et l'autre dans leur pratique restent très largement des mémoires partielles et amputées.

Afin d'expliciter les traits constitutifs de ces deux figures de la mémoire, je partirai de deux acceptions possibles de « mémoire ».

« Mémoire » peut signifier « ne pas oublier » où la négation a une valeur déontique : « ce qu'on n'a pas le droit d'oublier[8] ».

A la mémoire comme activité, résistance à l'oubli, s'oppose la mémoire comme corpus constitué, comme acquis. Une mémoire qui est déjà passée par l'épreuve du temps ; l'oubli y est second, absence provisoire, non-actualité.

---

6. On notera par ailleurs que l'écologie culturelle et naturelle (on sait l'imbrication des deux aspects) est un lieu où s'inscrivent de façon spécifique l'une et l'autre mémoire.

7. La question russe (que l'on pense simplement à la confusion entre le plan pansoviétique et le plan russe, c'est-à-dire celui de la RSFSR pour ce qui est de toute une série d'institutions, Parti, Komsomol, Académie des sciences, KGB, ou encore à la russification et à l'utilisation du russe comme langue officielle) recouvre un ensemble complexe de problèmes réels et aigus. Il convient toutefois de distinguer les rapports complexes Russie-peuple russe/révolution d'Octobre-système soviétique de leur « traitement » par certains courants nationalistes russes.

8. Cette lutte contre l'oubli, beaucoup d'ouvrages ont tenu à l'inscrire dans leur titre même. Référence au combat quotidien contre la fragilité de la mémoire avec *Les Nœuds de la mémoire* de M. SANDLER : détenu, il a noué sa mémoire sur des fils, supports fragiles, mais matériels d'une mémoire retrouvée lorsque, sorti du camp, il l'a « dénouée ». Ce thème du support, y compris matériel, de la mémoire occupe une place décisive dans les récits des rescapés, ces gens « venus du pays de la mémoire » (GEFTER), de A. Soljenitsyne à Anna Larina, la veuve de Boukharine, récitant des années durant le Testament de Boukharine. Mais aussi affirmation d'une impossibilité d'oublier : Anna LARINA, intitule ses mémoires : *L'Inoubliable* ; L. KOPELEV : *A conserver pour l'éternité*. Quant au film *Le Pouvoir des Solovki*, il se termine par : « il n'est pas possible de ne pas se souvenir » (la traduction française : « il n'est pas possible d'oublier », affaiblit cet impératif de la mémoire).

Ces deux mémoires sont à l'œuvre en URSS bien avant le démarrage de la *perestroïka* qui, avant tout, a signifié la possibilité d'une manifestation sans entraves (au moins par comparaison avec la période précédente). A la fin des années soixante-dix deux ouvrages portant le même titre *Pamiat'* circulent en Union soviétique[9].

Le premier est un recueil dont les maîtres d'œuvre sont des historiens dont beaucoup travaillent à Leningrad, le second est un roman-essai de l'écrivain Tchivilikhine. Le premier a circulé dans le *samizdat* et a été publié à Paris[10]. Le second est paru par fragments dans *Nach Sovremennik*, où depuis une dizaine d'années se sont regroupés les écrivains « paysans », comme V. Raspoutine, V. Belov[11].

Les deux ouvrages s'ouvrent par un texte « définitoire », articulant mémoire individuelle et mémoire collective.

> Recueil *Pamiat'*. « Il existe une maladie grave : la perte de mémoire. Elle condamne l'individu à la perte des qualités qui sont très précieuses et importantes : le sentiment d'avoir des ancêtres, le lien personnel avec son propre passé. Mais que dire lorsqu'une telle maladie frappe la société dans son ensemble [...].
>
> Il est vrai qu'il n'y a pas toujours dans ce cas de symptômes apparents. Il existe des substituts à la mémoire collective et leur utilisation prolongée crée une accoutumance aux blancs, aux silences, aux falsifications.
>
> « L'oubli (dans l'historiographie de la période soviétique) n'est plus un procédé utilisé de façon sélective. Non, c'est la règle obligatoire de toute recherche historique. [...] La rédaction considère comme étant de son devoir de sauver de l'oubli tous les faits historiques et les noms voués à disparaître, et en premier lieu tous les noms de ceux qui ont disparu tragiquement, ont été

---

9. On ne saurait y voir la première manifestation de ces deux mémoires ; simplement ils me paraissent particulièrement représentatifs, y compris dans leur simultanéité.

10. En fait, c'est le premier volume d'une longue série : six recueils ont été publiés sous ce titre à Paris.

11. Sa publication au départ suscita de violentes attaques dans la presse, mais, rapidement, l'ouvrage est reconnu et, en 1982, son auteur se voit attribuer un prix. Réédité à plusieurs reprises, il reste aujourd'hui un ouvrage symbole du combat pour la mémoire nationale russe. Cf. la préface à l'édition de 1988 ainsi que la notice nécrologique consacrée à Tchivilikhine dans *Nach Sovremennik* (3, 1988).

persécutés, calomniés, les destins des familles brisées ou anéan-
ties, individu par individu, ainsi que les noms de ceux qui ont
réprimé, puni, dénoncé. »

Dans cette démarche l'oubli est analysé comme une entreprise délibérée, organisée à l'échelle de la société. Il est premier, et les objectifs sont formulés en termes de résistance ;
il faut arracher à l'oubli organisé.

La justification définitoire du titre *Pamiat'* est tout autre
chez Tchivilikhine. Le point de départ n'est pas l'oubli
organisé, mais une mémoire constitutive de chaque membre de la communauté nationale :

> « Avez-vous pensé un jour, cher lecteur, comme il y a solidement
> en vous tout le passé qui nous a faits ce que nous sommes ? [...]
> Voilà que soudain, d'on ne sait où, surgit devant les yeux une
> vision fugitive : mot, geste, tableau, personnes, occasions oubliées
> si profondément qu'on pourrait penser qu'elles n'ont jamais
> existé [...].
>
> « Chacun d'entre nous, au moment qui est le sien, s'engage
> dans l'existence, y suit un chemin qui lui est propre, acquiert une
> expérience totalement personnelle, mais cette expérience est aussi
> intéressante pour les autres car la force des personnes, leur foi
> dans l'avenir se fondent sur l'expérience de chacun, qui inclut
> les connaissances (l'expérience de l'esprit) et les sentiments
> (l'expérience du cœur), sur ce trésor, qui, en se constituant,
> forme la mémoire du peuple, se transmet de génération en géné-
> ration, et devient expérience historique. »

Ici la mémoire enfouie mais présente est première, elle
remonte du fond de l'individu, des siècles. Et le livre (1 400
pages au total) décrit une longue quête qui se fait retrouvailles, célébration d'un passé glorieux, celui du « grand
peuple russe », mémoire vivante... [12].

---

12. « Aucun événement historique n'échappe au peuple, chaque événement
y conserve sa fraîcheur et sa force ! Dans sa vie spirituelle, il peut y avoir des
changements ; par contre, rien ne disparaît ni ne meurt, rien ne tombe au
royaume des ombres désincarnées, tout vit d'une vie pleine et entière », Fateï
CHIPUNOV, *Nach Sovremennik*, 10, 1989.
On notera également que beaucoup de textes évoquent la renaissance (ou
encore le *réveil*) de la conscience nationale du peuple russe.

Les enjeux, les cohérences, les divergences (encore faiblement esquissées) se retrouvent aujourd'hui cristallisés, explicités, déployés. L'entreprise du *Mémorial* prolonge directement (y compris pour les individus) le recueil historique *Pamiat'*. Quant à la célébration du passé national russe, elle se poursuit dans les revues *Moskva, Nach Sovremennik*, mais aussi avec l'organisation *Pamiat'* [13].

PRÉSENT ET PASSÉ

Dire que la mémoire articule présent et passé, qu'elle est présence du passé ne suffit pas à caractériser le rapport présent-passé. Le poids respectif des deux termes varie, primauté du présent ou primauté du passé.

Dans la mémoire antistalinienne, il y a prédominance du présent. La maîtrise du passé est une garantie que l'avenir sera autre, différent. Je cite une fois encore l'interview de Gefter évoqué plus haut :

« Cet homme sait que derrière lui il y a des événements, des personnes, des époques qui sont définitivement révolues et qu'on ne peut ni revoir ni corriger. Et tout en sachant cela, il ramène l'irréversible et le non-corrigeable. Il le ramène en soi, comme gage ou comme croyance dans le fait que lui (qui est, par son existence, inscrit dans des limites temporelles) saura construire quelque chose qui n'existe pas encore, qui n'a pas encore existé. Autrement dit, l'avenir. [...] Nous avons presque perdu le passé et, par conséquent, nous-mêmes. Mais heureusement seulement presque. [...] Pour redevenir libres, nous devons retrouver notre généalogie. »

---

13. D'une revue à l'autre, d'un auteur à l'autre, se font jour des sensibilités très différentes. En même temps, il y a des convergences fondamentales. Il sera surtout question de ces dernières. Cela explique pourquoi je privilégie les expressions « centrales » (revues, organisations) et récentes car plus explicites, tout en étant conscient que ces manifestations sont souvent très directement réinvesties dans les jeux de pouvoir.

En d'autres termes, le passé est nécessaire pour l'avenir, en tant que l'avenir signifie construire quelque chose d'autre, de différent. Pour une société sans passé, l'avenir ne relève d'aucune nécessité. Et en même temps, l'avenir ne peut être que dépassement du passé [14] (dépassement signifie que l'on est « passé » par là au sens d'une appropriation). Cela permet de comprendre pourquoi la *perestroïka* conçue au départ comme mouvement de réformes (tourné vers l'avenir) s'est très vite transformée en travail sur le passé, sur les limites du système ; de quel avenir peut-il être question s'il n'y a pas de passé, ne serait-ce que pour formuler la différence ? La mémoire apparaît donc comme un point de passage obligé entre le passé et l'avenir, lieu d'une appropriation, dans toute sa complexité, de ce qui est révolu. Moment profondément subjectif, en deçà de l'histoire. La mémoire n'est ni « ce qui a été », ni l'histoire. Elle est ce que dans le présent je m'approprie du passé pour un avenir autre et en même temps totalement modelé, dans sa différence même, par le passé. Primauté du présent, face à un passé qui, irrémédiablement, n'est plus. Et comme c'est l'avenir qui est en jeu, la mémoire se fait exigence radicale face au passé : rien ne saurait être livré à l'oubli, car l'avenir en dépend. Et on saisit l'extrême importance de l'entreprise du *Mémorial* comme entreprise de la mémoire vivante, d'une mémoire à cent lieues des stèles funéraires [15] et autres musées stérilisant le passé : une mémoire qui se définit comme recherche au cœur du présent.

---

14. Y compris sous la forme du « jamais plus » qui dit et le passé et son dépassement.

15. Dans les débats autour du monument aux victimes du stalinisme revient sans cesse l'idée d'un monument où les morts s'adressent aux vivants. Idée toutefois extrêmement difficile à réaliser comme en témoignent les premiers résultats du concours organisé. En septembre 1989, s'est achevée la première étape : plus de deux cents projets ont été soumis. Rendant compte de cette première étape, N. VORONOV décrit dans la *Literaturnaïa Gazeta* (37, 13 septembre 1989) la manière dont ces projets investissent la ville (de la Loubianka à la place Rouge en passant par la datcha de Staline). Analysant le symbolisme des projets eux-mêmes, Voronov souligne à quel point en majorité les auteurs sont encore prisonniers des canons du réalisme socialiste, même si, le paradoxe n'est qu'apparent, clochers et croix abondent.

La mémoire nationale inverse le rapport, au sens où le présent n'est que le lieu d'actualisation d'un passé qui de toute façon transcende instants particuliers et individus. Le passé se fait acquis, système de valeurs. Ce passé est, dans le temps, radicalement extérieur au présent. Seul mode de présence : les traces que sont les monuments, les commémorations des batailles, les anniversaires des saints et des héros, les figures emblématiques. Cette extériorité radicale fait que le présent n'est pas le lieu d'une appropriation, point de passage entre ce passé et un avenir qui se définit par différence. Immuable, le passé devient pôle de référence, hors du temps, par rapport auquel d'autres périodes, et notamment le présent dans ses différentes composantes, sont rapportées, évaluées, jugées en termes de conformité ou non-conformité. Les sujets de la mémoire ne sont pas le « nous » du présent, mais ceux qui se nomment gardiens de la mémoire car la mémoire est un lieu, fort semblable à un temple ou à une forteresse assiégée.

Ainsi donc, la primauté du présent renvoie à la mémoire comme activité ; au contraire, la primauté du passé reprend directement l'idée de la mémoire comme acquis, comme corpus de référence.

QUEL PASSÉ ?

Chaque mémoire découpe le passé selon des pointillés correspondant à des enjeux fondamentaux.

Pour la mémoire antistalinienne, le travail a d'abord/surtout porté sur les années trente, c'est sur cette période que s'est ancré le mouvement du *Mémorial*, travail essentiel de collecte des données dont l'exemple le plus impressionnant sont les 123 000 fiches accumulées à partir de 1981 par un jeune historien, Dimitri Iourassov, lorsqu'il travaillait à l'Institut central des archives de la révolution d'Octobre puis aux archives du Tribunal suprême d'URSS. Ensuite, on assiste, en liaison directe avec les débats des historiens, à un élargissement ; d'un côté, remontée vers la collectivisation et la NEP ; de l'autre, mouvement vers un passé plus récent, que ce soit la période khrouchtchévienne, longtemps passée sous silence, mais désormais lieu d'une investigation extrêmement active, ou la période de la dissidence, avec ses va-et-vient entre l'émigration et les camps. En revanche, 1917 et, mais à un degré moindre, la période de 1917 au milieu des années vingt reste une zone très peu travaillée par la mémoire, comme si c'était (encore ?) une période de légitimité, sur laquelle s'étend l'ombre de Lénine. Plus généralement, ce travail de la mémoire entre dans un rapport complexe avec le pouvoir et les rapports de force qui s'y jouent. Cela explique certains déplacements, les zones d'ombre maintenues sur des périodes par ailleurs explorées [16].

Face au pouvoir, la mémoire est aussi prise dans des rapports de force, allant de la tolérance aux victoires et aux défaites. Ainsi, à propos des réhabilitations [17], on ne peut qu'être frappé par les à-coups et les interdits encore effectifs. L'exemple le plus net est celui qui a frappé Trotski : il a fallu attendre 1989 pour que soient publiés ses premiers textes et que commence une timide réévaluation de son rôle, y compris pour les années d'exil. En revanche, Boukharine a été réhabilité à un moment où il fallait chercher des « ancêtres » à la *perestroïka*. Mais de quel Boukharine était-il question ? La victime de Staline uniquement ou également celui qui longtemps a hurlé avec les loups ? Autour du personnage, les discours se clivent, à l'exception (il faut le souligner) de Anna Larina qui dans ses *Mémoires* ne cherche pas

---

16. Exemple récent : le soulèvement de Novotcherkassk frappé d'interdit, en termes de publication, jusqu'à juin 1989, alors même que, depuis plusieurs années, un travail important concernant ces événements a été effectué (enquêtes, collectes des témoignages des survivants d'un des premiers soulèvements ouvriers de l'ère post-stalinienne en juin 1962). Soljenitsyne, dans le tome 3 de *L'Archipel du goulag*, donne une version, discutée, des événements.

17. Les tenants de la mémoire nationale sont radicalement hostiles à toute réhabilitation, avec une hostilité particulière pour Leïba Davidovitch Bronstein (Trotski) pour des raisons qui ne sont pas sans rapport avec la thèse du complot judéo-maçonnique (sur ce point cf. ci-dessous).

à le peindre en héros [18]. Ainsi, la mémoire se fait souvent sélective, que ce soit dans le découpage des périodes — j'aurais davantage envie de dire des « zones » — ou encore dans la prise en charge des personnages.

Le passé pour la mémoire nationale est encore plus circonscrit : c'est le passé lointain et glorieux du peuple russe, avec ses héros, ses martyrs et ses saints [19]. Plus le passé est lointain plus il est présenté comme le lieu de toutes les vertus [20].

Il serait intéressant d'étudier ce que l'on peut désigner comme le « refus de mémoire » pour la période stalinienne. Les défenseurs de la mémoire nationale et notamment les écrivains participant à ce courant ont toujours refusé de contribuer (au moins centralement) aux initiatives du *Mémorial*. Le problème n'est pas simplement un problème de personnes même si une série d'écrivains, d'Evtouchenko à Rybakov, détestés de longue date par les nationalistes [21], y exercent des responsabilités. L'argumentation qui est déve-

---

18. A paraître en français aux éditions Gallimard (1990). Sur les personnages historiques et leur « retour en scène », cf. l'article « Portraits et retouches », *Literaturnaïa Gazeta*, 32, 1989.

19. Un journal comme *Literaturnyj Irkutsk* consacre presque chacune de ses premières pages à l'évocation des saints du passé. Le tableau du peintre Ilya Glazounov, *Cent siècles*, donne une image globale de la Russie nationale : au centre, dominés par le Christ en croix, les saints et martyrs inondés de lumière, Dostoïevski et le prince Gleb entourent le tsarevitch ; sur les côtés, dans des lueurs rougeoyantes, flammes et sang mêlés, les ennemis — de Tolstoï (portant les insignes de la franc-maçonnerie) à Staline et Trotski et aux hordes tataro-mongoles. Ce tableau est en vente, sous forme de calendrier, dans tous les métros de Moscou.

20. L'Age d'or est — le plus souvent — situé avant Pierre Ier. Il faudrait étudier comment dans la mémoire se superposent, s'enchaînent ou s'excluent Russie d'avant Pierre le Grand (la Vieille Russie), Russie impériale et Russie de la période révolutionnaire (avant la glaciation stalinienne).

21. Parmi les accusations les plus fréquentes qui leur sont adressées, il y a celles d'avoir toujours été de « loyaux sujets » du pouvoir en place, alors que des écrivains comme Raspoutine, Belov, Astafiev n'auraient pas attendu la *perestroïka* pour « résister » et dénoncer le système et sa négation de toutes valeurs morales en prônant le retour à des valeurs éthiques incarnées par les paysans. On leur reproche aussi leur « occidentalisme », c'est-à-dire de se faire les vecteurs de valeurs étrangères à la tradition russe, importées d'Occident. Dernière accusation : ils monopolisent, détournent à leur profit la presse et les autres médias.

loppée est différente. Ainsi V. Solooukhine, dans un texte où il explique pourquoi il refuse de s'associer au *Mémorial*[22], récuse la notion de « victimes du stalinisme » comme n'étant pas réellement fondée ; il considère que la seule démarche cohérente est celle qui s'attache à toutes les victimes du système soviétique : c'est de 1917 qu'il faut partir (il faut d'ailleurs signaler que ce débat a lieu également parmi les membres du *Mémorial*[23]). Chez lui, mais chez d'autres auteurs aussi, on note une volonté très forte de relativiser la période des années trente comme période de répression[24], en insistant, chiffres à l'appui, sur le fait que les victimes de la période précédente (guerre civile, années vingt, collectivisation) sont beaucoup plus importantes que celles des années trente. Bien plus, dans les années trente, parmi les victimes il y a beaucoup d'anciens bourreaux. On pourra se reporter aux articles de V. Kojinov (*Nach Sovremennik*, 4, 88), de M. Antonov (*Nach Sovremennik*, 8-9, 1989) ou encore aux déclarations de S. Kouniaev[25], nouveau

---

22. *Nach Sovremennik*, 12, 1989.

23. Dans le journal publié par le *Mémorial* à l'occasion de son congrès de constitution *Vedomosti Memoriala*, Larissa Bogoraz s'oppose sur ce point à Anatoli Rybakov. L'enjeu de ce débat a des conséquences non négligeables sur le plan idéologique : doit-on faire une distinction entre stalinisme et socialisme ? Par ailleurs, il faut souligner qu'à partir du moment où la révolution d'Octobre n'est plus tabou, les débats se font plus idéologiques (cela est vrai aussi bien de la mémoire nationale que de la mémoire antistalinienne). La disparition de ce cadre imposé de l'extérieur tend à signifier la perte de la mémoire, comme si tout redevenait possible. Je reviendrai sur ce dernier point.

24. Eduard SKOBELEV, dans *Nach Sovremennik*, 10, 1989, dans un article intitulé *« V poiskax istiny »* (« A la recherche de la vérité »), réintroduit la théorie des « copeaux » (ce terme sert à désigner les victimes innocentes de la répression) aux membres du NKVD : « Pour moi, il est tout à fait évident que les organisateurs des différentes répressions ce n'est ni le Parti ni l'appareil de la Tchéka, du Guépéou ou du NKVD en tant que tel, c'est la couche restreinte de ceux qui ont participé à l'organisation des campagnes. Je ne mettrai jamais sur le même plan Béria et un agent de base du NKVD qui exécutait en toute conscience les ordres de ses chefs, Kaganovitch et un ouvrier moscovite, accusé de soutenir les trotskystes contre lesquels il menait une lutte quotidienne avec son aspiration à la culture et aux succès économiques. »

25. Dans un article récent (également dans *Nach Sovremennik*, 8, 1989) KOUNIAEV a fait l'éloge du *Protocole des sages de Sion*, « classique » de l'antisémitisme russe.

rédacteur en chef de *Nach Sovremennik* : parlant des publications envisagées pour 1990, Kouniaev oppose à la publication par *Neva* (revue libérale de Leningrad) de *La Grande Terreur* de R. Conquest (qui traite de la répression dans les années trente) la publication de toute une série de textes, notamment de Soljenitsyne, qui s'attaquent à 1917. De fait, à l'aune du passé national, la rupture et la négation sont constituées par Octobre 1917 et la période qui a suivi immédiatement. Pour des raisons relativement évidentes de légitimation du pouvoir, la révolution de 1917 a été longtemps tabou. D'où un discours à première vue paradoxal visant à « minimiser » les années trente ; en fait, l'objectif premier est de signifier que l'essentiel (de l'horreur) était ailleurs. De fait, la période noire pour la mémoire nationale est celle des années vingt, celle, j'y reviendrai, du « révolutionnarisme cosmopolite » triomphant, que ce soit en politique ou en art [26]. Aujourd'hui le verrou a sauté. Ce qui était dit soit à l'extérieur de l'URSS, soit dans certaines publications du *samizdat* [27] est publié en pleines pages dans *Nach Sovremennik* et *Moskva*. Maintenant la thèse est formulée de façon explicite : la révolution de 1917 a constitué une attaque formidable contre la tradition russe. Et la publication (annoncée) tant des principaux textes idéologiques de Soljenitsyne que de dissidents « ultra-nationalistes » (Ossipov, Borodine) pour 1990 dans *Nach Sovremennik* est de ce point de vue hautement symbolique [28].

---

26. Cela a été dit depuis longtemps. Ainsi Raïssa LERT dans un texte (« Le dit et le à-moitié dit » (en russe), *Poïski*, 2, 1980, Paris), consacré à un débat surcodé sur les « classiques et nous » à l'Union des écrivains en 1978, avait clairement montré ce que recouvre la dénonciation du « révolutionnarisme » en art. Le sténogramme de ce débat a été publié par la revue (nationaliste russe) *Moskva* (1, 1990), qui le présente comme un témoignage (censuré à l'époque) de la résistance nationale face au cosmopolitisme dans les années soixante-dix.

27. Sur la droite nationaliste tant dissidente qu'officielle dans les années soixante-dix, on peut lire l'ouvrage de A. IANOV, *The Russian New Right*, Institute of International Studies, Berkeley, 1970.

28. I. CHAFAREVITCH, ancien dissident proche de A. Soljenitsyne, a publié cet été dans la revue de Kouniaev un article intitulé « Russophobie » *Nach Sovremennik*, 6, 1989.

RETOUR A L'OUBLI

Lorsque la mémoire se veut activité, la lutte contre l'oubli, en premier lieu contre celui organisé par le système, est centrale. Mais, et le paradoxe n'est qu'apparent, qu'il y ait oubli est la garantie qu'il y a du réel, que l'on n'est pas dans le pur fantasme ou encore le mythe. C'est aussi accorder une place décisive aux sujets : ce sont eux les porteurs de mémoires ; pour peu qu'ils se taisent, une part de réel sera définitivement, irréversiblement perdue : les témoins disparaissent, les archives brûlent. La mémoire n'est pas un simple jeu d'étiquetage de faits établis par ailleurs, elle est dire d'un réel.

La mémoire nationale n'est pas lutte contre l'oubli. Elle désigne un corpus constitué, même si tout un travail se mène sur ce corpus. Moins un travail d'exploration qu'un travail d'épuration. Et s'il y a perte du passé, la menace n'est pas l'oubli. Les ennemis sont tous ceux qui veulent effacer, détruire, déformer ce passé érigé en référence. Ces ennemis se heurtent à la vigilance des combattants des tranchées de la mémoire nationale, écrivains, publicistes, militants de toutes les associations nationalistes et patriotiques. Et surtout cette mémoire est proclamée *mémoire du peuple.* Peuple/passé, le couple est indissociable, le passé recevant sa légitimité du peuple, et le peuple n'accédant à la légitimité que par le passé qui est le sien. Rapport nécessaire, au sens d'une fermeture qui justifie toutes les exclusions. Ce qui n'est pas la mémoire du peuple n'est pas mémoire, mais simple bavardage d'intellectuels déracinés dont la qualité première est la complicité avec tous les pouvoirs [29].

---

29. Ainsi le critique V. BONDARKO (*Literaturnaïa Rossia*, 21, 26 mai 1989), parlant de la littérature consacrée aux camps, oppose la *Journée d'Ivan Denissovitch*, expression de la résistance et de la souffrance du peuple, aux mémoires d'intellectuels, anciens complices (actifs ou passifs) de la terreur qu'ils dénoncent.

LA MÉMOIRE DES AUTRES

L'histoire officielle, entreprise de légitimation et camouflage d'un pouvoir illégitime, a toujours fonctionné comme exclusion de l'autre. Récusant toute rupture et alternative, elle se place sous le triple mot d'ordre :

« nécessité — continuité — légitimité »

Dans leur rapport à l'histoire officielle, mémoire antistalinienne et mémoire nationale se constituent au départ comme discours de l'autre : les taches blanches d'un côté, le passé de la Russie, de l'autre. Mais ce point de départ commun a donné lieu à des trajectoires profondément divergentes.

Dans le travail d'exploration du système soviétique, s'est mise en place toute une réflexion sur les ruptures réelles et fictives, et sur les alternatives. En même temps, comme l'indiquait la citation de M. Gefter évoquée plus haut ainsi que son article « Staline est mort hier », le passé est irréversible, il ne saurait être ni revu ni corrigé : il est donc nécessité. Aussi la notion d'alternative s'attaque-t-elle à la nécessité formulée par l'histoire officielle comme continuité et légitimation du pouvoir. Elle considère que le cours des événements (qui a pris la forme d'une nécessité à un moment donné) n'était qu'un possible parmi d'autres, et que l'important, pour saisir pleinement cette nécessité, est non pas d'ériger d'autres possibles en nécessités fictives, mais de montrer comment s'est fait ce travail d'élimination des possibles, comment l'on est passé du possible au nécessaire. Ce travail sur les possibles permet de comprendre ce que recouvre réellement la nécessité : elle n'a plus rien à voir ni avec la continuité ni avec la légitimité. Et si l'avenir est construction du différent à partir de l'appropriation/dépassement du passé, ce travail est aussi travail sur les possibles (et leur élimination). En d'autres termes, la mémoire est mise à nu de la « nécessité », c'est là sa radicalité. Défiance systématique face à tous les discours du pouvoir, elle ne saurait être réécriture de l'histoire (même si elle n'échappe pas toujours à ce genre de tentations).

382

La mémoire nationale se présente également au départ comme mémoire de l'*autre* face à l'occultation systématique que pratique le discours officiel, mais ce rapport d'altérité débouche très vite sur la mise en place d'une autre nécessité, dans un rapport d'exclusion avec la nécessité du discours officiel. La mémoire nationale n'est pas ce que j'ai désigné comme travail sur une nécessité comprise comme élimination/négation des possibles. Elle est première, car elle proclame un possible comme nécessité autre, elle aussi fondatrice d'une continuité et d'une légitimité, mais contradictoires avec celles du discours du pouvoir. Cette nécessité se formule en termes de conformité au passé national de la Russie. Quant à la révolution de 1917, et au cours des événements postérieurs, ils sont désignés comme la négation de cette nécessité. En même temps, cette nécessité fictive reste à chaque instant disponible pour définir un avenir renouant le fil cassé en 1917. Sous cet angle, l'autre ne peut être que le lieu, l'agent d'un complot visant à porter atteinte à l'intégrité de la nécessité nationale. Ici se met en place aussi bien la thèse du complot judéo-maçonnique, qui a connu un regain de vigueur et couvre désormais toute la période du pouvoir soviétique, d'octobre 1917 à la *perestroïka*, en passant par la stagnation brejnévienne[30], que la dénonciation

---

30. V. PIKUL, auteur de romans historiques à succès (plusieurs ont été publiés en français), déclare dans une interview récente : « La négation de l'amour de la patrie, de la mémoire historique, la destruction de la famille, du sentiment national et patriotique est une des tâches principales des francs-maçons de notre temps » (*Nach Sovremennik*, 2, 1989). Pikul est également l'auteur d'un roman où Raspoutine (le moine !) est présenté comme agent du sionisme international.

A. KUZMINE, collaborateur régulier tant de *Molodaïa Gvardia* que de *Nach Sovremennik*, écrit dans le numéro 8 (1989) de *Molodaïa Gvardia* : « De mes propres yeux j'ai lu la liste du premier Conseil des commissaires du peuple avec à sa tête Lénine. Dans cette liste on trouve également les noms des membres des directions collégiales des commissaires du peuple, en tout 545 noms. Combien de noms russes dans cette liste ? 30 au total [sous-entendu tous les autres ou presque sont des juifs. D.P.] Et est-ce que la lutte à mort entre Bronstein et Djougachvili pour le contrôle du Kremlin ne vous incite pas à la réflexion ?

« Et chacun sait parfaitement qui a littéralement submergé les organes répressifs de la République des Soviets. Des vagabonds cosmopolites, parlant les

du cosmopolitisme et de la « culture de masse », perçus comme lieu des possibles, du « un parmi d'autres », et donc comme dissolution et perte de l'identité nationale. L'activité de mémoire devient une longue traque de tous ceux qui sont désignés comme les ennemis déclarés ou secrets de la tradition [31].

---

différentes langues européennes ! Ils ont sans le moindre regret entrepris de détruire la population de Russie couche après couche : la noblesse, les marchands, le clergé, l'intelligentsia, les militaires, puis ce fut le tour de la paysannerie. C'est un véritable génocide.

« Pour déterminer la situation qui est faite à une nation, un indicateur important est le nombre de diplômés de l'enseignement supérieur. D'après des données récentes, pour les Russes le chiffre est de 17 pour 1 000, pour les juifs de 600 pour 1 000.

« De temps à autre, on voit apparaître dans la presse le petit mot judéomaçons. Pas un seul Russe n'a utilisé ce mot... Divisons-le en deux. La première partie nous la laisserons à ceux qui écrivent trop vite. Mais prenons les (francs-) maçons... Cette notion n'est pas née du néant. Récemment j'ai acheté un livre sur la franc-maçonnerie. On y trouve des documents d'un immense intérêt. Toutefois en ce qui concerne la Russie il est dit : "La franc-maçonnerie en Russie est le thème d'un livre spécifique." J'en déduis que le sujet existe, simplement il est obstinément passé sous silence. Rappelons-nous qu'au cours des soixante-dix années du pouvoir soviétique pas un mot n'a été publié chez nous sur la franc-maçonnerie. Qu'est-ce que cela cache ? »

A. IVANOV a publié un roman où la stagnation brejnévienne est dénoncée comme le résultat d'un complot de la CIA, infiltrée par les francs-maçons, eux-mêmes à la solde du sionisme international (*Nach Sovremennik*, mai 1988).

Le mensuel *Literaturnyj Irkutsk* (dont le comité de rédaction inclut *et* l'écrivain V. Raspoutine *et* l'archevêque Chrisostome) a publié en juillet de cette année l'éloge funèbre de V. Begun, un des auteurs antisémites les plus virulents. « Dans ses ouvrages, avec talent et conviction, V.JA. Begun a démasqué les menées antipopulaires des forces obscures, qui se drapent souvent dans le habits du "progrès", des "droits de l'homme", du "socialisme à visage humain". Dans le livre *Récits des enfants de la veuve*, Vladimir JAKOV-LEVITCH, en se basant sur une quantité considérable de matériaux, a mis en lumière l'essence antipopulaire de l'activité séculaire intarissable des loges maçonniques. »

31. S. KOROLEV, dans *Molodaïa Gvardia*, 5, 1989, explique que si l'« on » a longtemps dissimulé les noms des commissaires du peuple (surtout dans les années vingt), c'est dû au fait que dans une proportion importante c'étaient des juifs : l'objectif était de dissimuler le complot. L'affirmation selon laquelle Kaganovitch était l'âme damnée de Staline, largement reproduite dans les milieux nationalistes, va dans le même sens.

MÉMOIRE, POUVOIR ET VÉRITÉ

La radicalité de la mémoire antistalinienne réside dans la mise à nu de la nécessité par le biais de ce travail systématique sur les possibles. On ne saurait ainsi trop insister sur les dangers d'une mémoire sélective, qui ne prendrait pas en charge le passé dans sa complexité et ses contradictions, qui opérerait un tri plus ou moins conscient. Ce tri est à l'œuvre aussi bien dans le discours officiel que dans la mémoire nationale : l'un comme l'autre fonctionnent sur la base d'une exclusion de toute forme d'altérité [32]. Cette parenté de démarche permet (peut-être) de comprendre l'alliance qui s'est nouée depuis bientôt deux ans entre conservateurs staliniens et tenants de la tradition nationale, alors que leurs points de départ idéologiques sont diamétralement opposés. Le discours de la légitimité fonde le même discours du pouvoir en termes de nécessité — continuité — légitimité [33] ; bien plus, dans le cadre de la décomposition du système et de sa légitimité, les nationalistes russes voient l'opportunité de mettre en place (au sens d'une substitution) une autre légitimité, fondée sur la tradition [34].

---

32. Dans un article intitulé « *Pamiat' i "Pamiat"* » (*Znamja*, 1, 1988), deux publicistes ont cherché à affirmer la nécessité d'une mémoire nationale démocratique, c'est-à-dire prenant en compte l'autre, y compris du point de vue de la tradition nationale. Cet article, à cause de son relativisme, a suscité un tollé de la part des nationalistes russes (cf. le Plénum de mars 1988 de l'Union des écrivains, consacré à la question nationale, sténogramme publié dans la *Literaturnaïa Gazeta*, 6 mars 1988).

33. Pour certains des tenants du nationalisme russe, la période stalinienne est jugée plus positive (retour à certaines traditions) que les années vingt, la *perestroïka* et la période khrouchtchévienne.

34. Cf. par exemple la conclusion de l'article de O. PLATONOV, « O Russie déploie tes ailes », *Nach Sovremennik*, 8, 1989 : « Aujourd'hui l'histoire une fois encore nous place devant un choix. Soit nous prenons la voie ancienne, en nous contentant de corrections minimes visant à l'actualiser, ignorant de ce fait même notre expérience économique séculaire, notre modèle national de développement économique, rejetant les fondements, traditions et idéaux populaires, pour leur substituer les idées, concepts et idéaux empruntés à l'étranger. Dans ce cas, immanquablement, nous répéterons le cycle commencé dans les années vingt et qui a débouché sur une impasse économique...

Mais la tentation d'une mémoire sélective est tout autant à l'œuvre parmi les tenants de la mémoire antistalinienne. Souvent, à lire les textes, on discerne une impatience face au passé, l'objectif étant de légitimer coûte que coûte une rupture avec le système présent[35]. Une deuxième faiblesse de la mémoire antistalinienne est l'abandon de la mémoire nationale (russe) aux nationalistes russes. Moins abandon que négation de la « question russe » au sens où l'on s'en tient à un discours simplificateur sur l'« arriération de la Russie » (par comparaison avec l'Ouest). En positif, cela revient à défendre la thèse suivante : la meilleure façon de dépasser à la fois l'arriération russe et l'héritage stalinien (le peuple russe étant désigné comme le principal responsable du stalinisme lui-même) se trouve en Occident : démocratie, marché, efficacité économique. Mais alors, n'y a-t-il pas là le danger d'ériger un autre possible en nécessité (fictive), en sautant allégrement par-dessus le passé : non pas dépassement sur la base d'une réappropriation du passé

« Soit nous nous attachons tous ensemble à la renaissance de nos valeurs si riches sur le plan historico-culturel et spirituel, accumulées par nos ancêtres et qui font partie intégrante de la psychologie du peuple, nous revenons aux fondements, traditions et idéaux populaires, nous prenons en compte les particularités historiques de notre développement économique, nous conjuguons cet énorme potentiel avec les acquis les plus importants de l'humanité. »

35. Sur les « coups de pouce au passé » de certains publicistes, on peut lire l'article de l'historien V. MILLER, « Vérité ou concession à la mode » dans *Ogoniok*, 36, 1989. « Depuis le printemps 1989, s'est développé un processus tumultueux de politisation de notre société. Il n'a pas épargné nos essayistes, qui écrivent sur des sujets historiques. Si auparavant leur expédition dans le passé avait, au moins en apparence, comme objectif la recherche de la vérité ("Nous voulons connaître toute la vérité"), les articles sur des thèmes historiques publiés récemment entraînent directement le lecteur à tirer des conclusions politiques. » Puis V. Miller analyse l'article d'un certain V. Kostikov, également publié dans *Ogoniok* : « La chose la plus simple à montrer est qu'en cherchant à donner une image négative de la Révolution, V. Kostikov déforme même des faits facilement vérifiables. Quel crédit, par exemple, accorder à ses paroles sur Trotski en octobre 1917, qu'il nomme l'"homme en bottes et casquette militaire" ? Il suffit de lire les mémoires de F.F. Raskolnikov, qui était à Kresty avec Trotski en juillet-août 1917 où l'on trouve un portrait haut en couleurs de Trotski en chapeau mou et en civil. » (L'article de V. Miller se poursuit sur deux pages, montrant comment souvent la critique de la Révolution se fait par omissions, déformations, ignorance, fort proches du refus de savoir.)

dans toute sa complexité, mais référence à une autre légitimité, « importée », elle aussi salvatrice (mais, urgence de la réforme, le marché ne s'intéresse qu'au présent) ? Et là aussi il y a, avant tout, discours du pouvoir.

Idéologisées, les deux mémoires basculent dans le débat du siècle passé entre slavophiles et occidentalistes (d'ailleurs les tenants de la mémoire nationale reformulent en permanence le débat en ces termes), mais envahissent aussi tous les autres débats, notamment économiques (le marché contre la tradition économique russe[36]). Toutefois, il ne peut s'agir que de raccourcis trompeurs rejoignant les illusoires nécessités du pouvoir, débouchant sur la négation du passé, alors que ce qui se joue dans la mémoire c'est précisément sa réappropriation. Si les enjeux de la mémoire, à l'échelle de tout le pays, se traduisent trop vite en enjeux de pouvoir, c'est qu'il est nécessaire — en fait cela a commencé il y a longtemps déjà — de se donner d'autres espaces.

Un des mots d'ordre les plus radicaux qui s'est mis en place dans le cadre de la *perestroïka* est : « Nous voulons être maîtres chez nous. » Il couvre aussi bien le domaine national que les champs socio-économique et politique : mot d'ordre des différents « Fronts populaires », c'est aussi un mot d'ordre central de la grève des mineurs de l'été 1989. Mot d'ordre « local », à l'échelle d'une région, d'une ville ou encore d'un village, là où se nouent, dans la force de leur immédiateté, problèmes économiques, sociaux, écologiques, politiques et nationaux. Cet espace est en fait celui de la mémoire, d'une mémoire où dimensions nationale et antistalinienne s'articulent, chacune apportant la radicalité qui lui est propre. C'est le lieu de la mémoire, comme urgence face à l'oubli, mais aussi comme patience et discours pluriel.

---

36. Là encore il faut se reporter aux récents numéros de *Nach Sovremennik*, notamment aux articles de O. PLATONOV et M. ANTONOV.

URSS

Irkoutsk, porte de l'exil sibérien

par Jean-Yves Potel

Imaginez Irkoutsk, capitale de la Sibérie centrale. C'est une ville d'environ 700 000 habitants : un centre avec des maisons en bois coloré datant du siècle dernier, entouré d'une quinzaine de grandes cités aux immeubles gris ou ocre. Un centre englouti à la belle saison par une forêt de peupliers chevelus qui perdent en juin leurs fleurs blanches — la « neige de printemps » ; des cités de banlieue entourées de terrains vagues ou de chantiers en ruine.

Imaginez cette ville à soixante kilomètres du lac Baïkal, un des plus grands lacs du monde ; au confluent de deux rivières (l'Angara et l'Irkout) ; une ville à mi-chemin entre Moscou et Vladivostok, au pied des contreforts mongols. C'est la seule, en Sibérie, qui ait conservé un centre historique comptant seulement une cinquantaine de maisons de pierre (sur un millier). Et regardez-la : elle est superbe. Elle efface immédiatement l'idée que l'Occidental se fait de la Sibérie — vaste étendue blanche où rôde la mort.

Lorsqu'il passait dans cette ville, il y a tout juste un siècle, Anton Tchékhov écrivait carrément : « C'est vraiment l'Europe. » Il abordait Irkoutsk comme une oasis au milieu de la taïga inconnue : « Qui vit dans la taïga ? Qu'est-ce qu'on y trouve ? Nul ne le sait ; mais l'hiver, on voit parfois arriver, tirés par des rennes, des gens qui descendent du Grand Nord et traversent la taïga pour aller chercher du blé. Quand on monte sur une hauteur et qu'on regarde devant soi ou en bas, on aperçoit une montagne, puis une

388

autre, puis une autre encore ; à droite et à gauche, de nouveau des montagnes. Elles sont toutes couvertes de forêts
épaisses. » Ce coup d'œil géographique, venu d'un temps
où ce chef-lieu de province comptait à peine plus de 50 000
habitants, donne la situation d'une ville née d'une citadelle
de cosaques, à la fin du XVIIᵉ siècle. « Cela en devient parfois angoissant », conclut Tchékhov [1]. Une oasis d'immi-
grants russes, ou une île au milieu de la taïga (plus habitée
aujourd'hui, il est vrai), telle pourrait être la forme traditionnelle de cette étape du Transsibérien.

Forme qui pourrait symboliser un lieu de rencontre entre
peuples, le terreau de mémoires mêlées, le havre ou le terme
de destinées tragiques. Telle serait Irkoutsk. Tête de pont
de la colonisation aux XVIIIᵉ et XIXᵉ siècles, mais également
tête de réseau dans les échanges commerciaux avec les
populations repoussées ou voisines (Bouriates, Toungouzes,
Mongols, etc.) et avec la Chine ; c'est d'abord une ville
russe à tradition rurale, marchande et militaire. A la porte
du Grand Nord, longtemps point d'aboutissement du
Transsibérien, elle sera ensuite un des lieux d'exil et de relégation pour les déportés russes, polonais, tchèques ou
autres. Ceux-ci en feront un grand centre culturel, la « perle
de la Sibérie ». Enfin, du fait de ce passé, Irkoutsk s'éten-
dra au XXᵉ siècle en accumulant tous les traits du nouveau
régime : elle sera à la fois lieu de transit pour les déportés
du Goulag, grand arrière industriel et énergétique (notamment de 1941 à 1945, pendant la guerre) de la Russie européenne, et principal centre culturel de la Sibérie orientale.
Sa population se multipliera par dix en moins d'un siècle
et, tout en restant principalement d'origine russe, elle s'enri-
chira de multiples influences parvenues jusqu'à elle de gré
ou de force.

Dès lors, ce métissage gravé dans la mémoire du conquérant, de l'exilé ou du déporté peuple à son tour celle des
natifs de la ville. Un va-et-vient qui fait d'Irkoutsk un lieu

---

1. A. TCHÉKHOV, *L'Amour est une région bien intéressante*, Grenoble, Cent
Pages, 1989, p. 83 *sq.*

complexe, aux multiples traces, le point de rencontre de mouvements subtils qui souvent s'embrouillent.

J'ai essayé de remonter quelques pistes sans garantie de dénouer cet écheveau : Que reste-t-il des premiers conquérants de l'Est sibérien ? Comment leurs traditions ont-elles survécu aux manipulations de l'histoire ? Qu'ont laissé les exilés du XIXᵉ siècle ? S'en souvient-on ? Et le Goulag ? En parle-t-on ?

TRADITIONS RURALES

La grande colonisation de la Sibérie connaît son principal essor au XIXᵉ siècle, comme aux États-Unis la conquête de l'Ouest. Cependant les conquérants russes se distinguaient totalement de leurs homologues en Amérique du Nord : « Tout à la fois nationale, agricole et pour une large part collective, cette entreprise contrastait trait pour trait avec le caractère international, individualiste et beaucoup mieux diversifié de la grande vague de départs vers les États-Unis. [...] D'un côté un moujik échappé et satisfait de peu, pitoyable aux faibles et tout pétri d'orthodoxie, avec son sens instinctif de l'entraide et de la charité, ou son indifférence pour la force ou le rendement ; de l'autre ces héros des premiers westerns, bretteurs et redresseurs de torts, et toute la pugnacité d'une civilisation protestante, éprise de risque, d'initiative et de réussite, commerciale ou non [2]. » Ils vont donc arriver avec leurs coutumes, ces composantes de la mémoire qui peuvent survivre dans une sorte d'inconscience de leurs origines. C'est le cas de certaines traditions rurales.

On les perçoit à travers mille détails quotidiens et ce, d'autant plus aisément qu'on peut en mesurer la pérennité en confrontant quelques impressions d'un voyage en 1989 avec celles d'autres voyageurs un siècle auparavant. Un

2. F.-X. COQUIN, *La Sibérie, peuplement et immigration paysanne au XIXᵉ siècle*, Paris, Institut d'études slaves, 1969, p. 744.

ingénieur des mines français, d'ailleurs assez condescendant pour le peuple russe, et qui traversait cette région en 1902, notait par exemple : la Sibérie est « lente », elle « a ses fleuves, mais ils sont gelés la moitié de l'année, et quand ils ne le sont pas, on dirait [...] que la torpeur de l'été produit sur ces gens un effet semblable à celui du gel sur les eaux[3] ». Cette torpeur n'a pas disparu, elle saisit immédiatement le voyageur, elle traduit les permanences d'un mode de vie que l'on met trop vite sur le compte des tracasseries bureaucratiques du système soviétique. Dans ce vaste ensemble urbain, où les moyens de transport sont pénibles, le téléphone aléatoire et les distances entre amis ou connaissances plutôt longues, la foule ne court pas, elle déambule tout aussi nonchalante qu'au XIXᵉ siècle. On se retrouve et on se rend visite comme dans un village, sans précipitation. Il y a dans ces comportements accordés aux rythmes de la nature une manière de vivre propre aux villes sibériennes, me dit une Moscovite. Vient-elle de ceux qui colonisèrent la Sibérie tout au long du XIXᵉ siècle ? Peut-être. Ces conquérants, pour la plupart des paysans, ne manquaient pas d'initiatives, mais ils recherchaient leur « antique liberté de mouvement » puis, passé 1861, ils espéraient « se soustraire aux savantes survivances du servage. Aussi la colonisation de la Sibérie avait-elle présenté cette double caractéristique d'être le fait des seuls paysans, et de paysans sans fortune qui [...] ne désiraient que réédifier plus ''au large'' et en ''toute liberté'' leur exploitation de toujours ». Cette population arrivée dans des contrées difficiles, souvent désertes, n'avait pas d'autre idéal que la terre, « la terre russe, pleinement russe[4] ». Constat qui suggère la quête d'une douceur de vivre, et partant d'une certaine « lenteur ».

Autre remarque, l'hospitalité. Le même ingénieur français note en 1902 : « Il semble que dans ce pays c'est plutôt l'invité qui fait honneur à son hôte car c'est celui-ci qui rend la visite que nous appelons la visite de digestion,

---

3. A. BORDEAUX, *Sibérie et Californie*, Paris, Plon, 1903, p. 2.
4. F.-X. COQUIN, *op. cit.*, p. 742.

comme pour remercier d'avoir bien voulu accepter à dîner[5]. » Ce comportement dépasse la simple hospitalité et n'implique aucun échange marchand (l'idée par exemple de « rendre » l'invitation), il est typique de certaines coutumes ancestrales (il n'exclut évidemment pas d'autres comportements mercantiles[6]). On reconnaîtra peut-être aussi, dans cette manière de recevoir, un élément de la culture rurale.

Ces remarques anodines (rythme de vie, hospitalité) pourraient être rapprochées d'autres pratiques populaires où, d'après mes interlocuteurs, la mémoire conserve plus sûrement encore de vieilles traditions. J'en citerai trois : la médecine parallèle, la religion et les rituels funéraires.

Ainsi cette femme de quatre-vingts ans, Elena Locha, qui officie au cœur de la ville. Phytothérapeute, elle exerce une médecine aux origines bouriate, russe, chinoise et mongole ; elle compose elle-même des mélanges de plantes dont le secret, me dit-elle, remonte à la nuit des temps : « Je soigne la stérilité féminine, l'asthme, la bronchite, diverses allergies, le stress et... la cirrhose du foie. » Elle parle calmement, avec l'assurance de la sagesse. Elle ne s'oppose pas à l'« autre médecine », elle se présente plutôt comme un dernier recours. La gardienne d'une tradition. Elle tient son art (ou sa science) de son mari arrêté en 1937 pour « exercice illégal de la médecine », et tué quatre ans plus tard. Après la guerre, elle a obtenu une licence, mais n'exerce normalement son activité que depuis dix ans avec, semble-t-il, un grand rayonnement. Au dire d'une amie, qui ne manque pas de dénoncer la mauvaise qualité du système sanitaire soviétique, cette femme est très populaire à Irkoutsk.

---

5. A. BORDEAUX, *op. cit.*, p. 14-15.

6. TCHÉKHOV, qui s'extasie devant cette hospitalité à Irkoutsk — « On m'a reçu aimablement, on m'a offert des cigarettes et on m'a invité dans une datcha. Il y a une pâtisserie extraordinaire » —, change de ton lorsqu'il ne trouve rien à manger au bord du Baïkal : « Pour un petit pain blanc, on nous a extorqué seize kopecks. [...] Le Russe est un joli cochon. Si on lui demande pourquoi il ne mange ni viande ni poisson, il avance, pour se justifier, l'absence d'arrivage, les voies de communication défectueuses ; cependant, dans les villages les plus retirés il y a de la vodka, et tant qu'on veut. » *Op. cit.*, p. 87.

Les attitudes religieuses sont plus ambiguës. Après avoir interrogé des personnes les plus diverses, il m'était apparu que la lutte contre la religion avait vraiment vaincu dans cette cité, que la sécularisation de la société y était effective. Pris d'un doute, je me suis quand même rendu chez un pope en exercice. Ni croyant ni d'origine orthodoxe, mon accompagnateur me fit immédiatement remarquer : « Ne dis pas ''pope'', mais prêtre. C'est plus correct... » Ah [7] ?

Nous voici donc en présence de Gennadi Iakovlev, prêtre d'une des trois églises ouvertes au culte, celle du monastère Znamenski. Il s'inquiète de la perte de mémoire dans la jeune génération, du manque de pratiquants et de vocations. Le dimanche, environ deux cents personnes assistent à la messe (50 à 70 communient), les deux autres églises ne rassemblant guère plus de six cents personnes. Ce qui est peu : « Actuellement, nous dit le prêtre, la fréquentation est plus faible qu'il y a cinq ans. » En revanche on noterait une augmentation des baptêmes (deux à trois fois plus) et des enterrements. Quant aux mariages religieux, ils sont très rares (deux couples par mois au maximum). Or l'Église orthodoxe possède depuis quelque temps des moyens plus importants (presse, lieux de culte). Comment expliquer ces paradoxes ?

Le prêtre — un homme de quarante ans, ancien militant des jeunesses communistes — invoque certes le passé de son Église, son rôle sous l'ancien régime, mais il y voit surtout le *retour de vieilles traditions païennes*. « Les gens qui baptisent leurs enfants ne viennent pas à la messe. Ils veulent seulement protéger leur nouveau-né contre les maladies. J'ai beau leur ·dire qu'avant 1917, quand tout le monde était baptisé, le taux de mortalité infantile était considérable, rien n'y fait. On ne sait jamais, disent-ils. Il en va de même pour

---

7. Pierre PASCAL notait déjà en 1923 dans une correspondance de Moscou : « Ce n'est pas une nouveauté pour le peuple russe de se moquer de ses prêtres. [...] Ce qui n'affecte aucunement (la) croyance assez vague (des paysans) et ne les empêche pas, jeunes et vieux, de porter fidèlement à leur pope pounds de farine, œufs et poulets », *Mon journal de Russie*, t. 3, Lausanne, L'Age d'homme, 1982, p. 87.

les cérémonies funéraires : ils demandent souvent ma bénédiction pour déjouer les mauvais esprits. Les gens sont superstitieux, ils ont peur des revenants, ils veulent se rassurer. »

A travers ces pratiques religieuses s'exprimerait plutôt la permanence de l'« amalgame magico-religieux » qu'évoque Moshe Lewin à propos du « christianisme rural » russe : « Lequel est, un peu comme l'islam rural, essentiellement un amalgame de symbolisme chrétien sur un soubassement de vieille civilisation agricole. [...] Dans ce contexte il est possible de se passer de l'Église officielle, et les paysans peuvent se rabattre sur d'autres ressources quand ils trouvent que l'Église laisse à désirer ou qu'elle est persécutée, ou encore quand les églises sont fermées. Il en va ainsi avec les sociétés paysannes dans la plupart des domaines de la vie [8]. » Dès lors on pourrait trouver un début d'explication au plus grand paradoxe constaté dans le domaine religieux — paradoxe qui n'est d'ailleurs pas propre à Irkoutsk ; je veux parler de l'assistance aux grandes fêtes religieuses.

Si à Noël seuls les croyants se réunissent, il en va tout autrement à Pâques et à l'Épiphanie, les deux principales fêtes orthodoxes. Le prêtre me décrit les cérémonies : « Pratiquement toute la ville se rassemble devant les églises. On organise des pèlerinages conduits par des prêtres, on chante des cantiques, et tout le monde converge vers l'église principale. Sur le perron la messe commence vers minuit (à Pâques), les gens sont endimanchés, on chante longtemps. Bien sûr, à la fin de la messe l'assistance a diminué. Le jour de l'Épiphanie il y a encore plus de monde, chacun vient chercher de l'eau bénite. C'est la plus grande fête. »

Toutes les personnes interrogées non pratiquantes (mais quelquefois croyantes) ont insisté sur l'aspect non religieux de ces habitudes, un peu comme les fêtes de Noël dans les sociétés catholiques mobilisent bien au-delà des croyants [9].

---

8. Moshe LEWIN, *La Formation du système soviétique*, Paris, Gallimard, 1985, p. 100.

9. Avec cette différence que les non-croyants ne vont pas aux messes catholiques.

Elles privilégient le festif sur le religieux. Elles expriment peut-être « un credo fondamentalement païen avec un vernis chrétien [10] », toujours est-il que cette tradition s'enracine dans une mémoire sociale, celle de la paysannerie russe conquérante de l'Est sibérien.

On retrouve la même ambivalence dans les rituels funéraires. De plus en plus de gens font appel au prêtre pour bénir leurs morts et, semble-t-il, pour se prémunir des mauvais esprits, mais de nombreuses tombes (chrétiennes ou non) que j'ai pu observer dans un cimetière d'Irkoutsk ont conservé les traces de vieux rites comme celui, par exemple, de boire et de manger avec le mort à l'occasion des fêtes. Les tombes sont pourvues d'une table et d'un banc à cet effet. Ces cérémonies et ces coutumes remontent, dans la mémoire paysanne russe, à des temps immémoriaux [11].

LIEUX SAINTS

Comme les traditions, les monuments sont appréhendés très au-delà de la réalité visible. Une promenade dans le centre d'Irkoutsk, et la mémoire entre immédiatement en communication avec les « oublis ».

Pour plus de précautions, je me suis muni d'un vieux guide d'avant la Révolution, le Baedeker, et j'ai suivi son circuit : « Du côté N. de la ville, la *douane* et, au milieu d'une grande place, la *cathédrale de la Ste-Vierge de Kazan*, à cinq dômes, avec un clocher isolé. En face de la cathédrale, une *église cathol.* Dans la Bolchaïa, rue qui traverse la ville du N. au S., l'*église luthér.*, le *théâtre*, achevé en 1897 sur les plans de Schroeter, et au bord de l'Angara, l'*hôtel du gouverneur général*. En face de cet hôtel, l'intéressant *musée* de la Société impériale de géographie (ouvert du 15 sept. au 15 mai, etc.) [12]. » Je marchais en lisant. Cependant, lors-

---

10. Moshe LEWIN, *op. cit.*, p. 99.
11. Moshe LEWIN, p. 90. Voir aussi : Pierre PASCAL, *La Religion du peuple russe*, Lausanne, L'Age d'homme, 1973.
12. BAEDEKER, *Russie*, Paris, 1902, p. 450.

que je levais les yeux de mon guide décidément très démodé, j'avais quelques surprises. Je me reportais alors — deux précautions valent mieux qu'une —, à un guide soviétique plus récent [13] et je tentais de comprendre les différences. En vain.

Baedeker nous promène dans deux rues qui se croisent devant l'église luthérienne. La Grand-Rue (Bolchaïa) est devenue, comme dans nombre de centres-villes soviétiques, la rue Karl-Marx : dès le départ on reconnaît l'hôtel du gouverneur général, plus connu sous le nom de « Maison blanche », où se trouve maintenant la principale bibliothèque universitaire de la ville. Une plaque signale les combats livrés ici, en décembre 1917, entre les junkers et les gardes rouges, elle rend hommage aux révolutionnaires morts héroïquement. En face, il y a bien le « musée des Études régionales » (ex-musée de la Société impériale de géographie) consacré à la découverte depuis deux siècles de la Sibérie (c'est le plus vieux du genre). En continuant, on reconnaît le théâtre de Schroeter, toujours en activité et bien conservé. Ensuite, plus rien. L'église luthérienne est introuvable, de même que la grande cathédrale.

Sans investigations approfondies, c'est-à-dire en interrogeant simplement des amis irkoutskiens nés après la guerre, non spécialisés dans l'histoire des monuments historiques, j'apprends que l'église luthérienne a été remplacée par la principale statue de Lénine, et la grande cathédrale, détruite en 1931, par l'immeuble (tout aussi grandiose) du comité régional du Parti et des Soviets. Quant à la seconde rue (anciennement rue Amour, du nom du fleuve), elle s'appelle Lénine.

Ainsi, en suivant le trajet suggéré par Baedeker, j'ai eu droit, un siècle plus tard, à un pèlerinage dans l'histoire soviétique. Je suis parti du siège du pouvoir actuel (l'immeuble des Soviets et du Parti), j'ai traversé l'immense place Kirov, remonté la rue Lénine, et stoppé devant la statue du fondateur du régime ; lequel désigne avec bonhomie

---

13. *Irkutsk, a guide.* English translation, Moscou, Raduga Publishers, 1986.

une polyclinique installée dans une belle réalisation de l'« art nouveau ». Il s'agit d'un édifice élégant, ancienne banque de la fin du XIXᵉ siècle, où fut proclamée en 1920 la victoire définitive de l'Armée rouge — c'est sans doute la signification du geste de Lénine. Cette symbolique, suggérée par mon guide récent, peut d'ailleurs en cacher une autre puisque cette banque fut aussi (ce que ne dit pas le guide, mais que savent tous les Irkoutskiens) le QG du général Koltchak, chef des armés blanches et du gouvernement contre-révolutionnaire formé en 1919 [14].

Finalement, en remontant la rue Karl-Marx sur la droite, j'ai abouti au point crucial de l'insurrection de 1917, la Maison blanche. Ce parcours touristique sur les lieux de l'histoire m'a aussi guidé vers des édifices religieux disparus, officiellement oubliés. Un oubli enfoui dans une super-position de lieux saints : la statue de Lénine à la place d'une église luthérienne et le siège du Parti justement là où se dressait la plus grande cathédrale d'Irkoutsk ; voilà de beaux exemples d'un phénomène classique dans de nombreuses sociétés. Il renvoie, entre autres, à la mémoire longue de l'espace urbain, mais il devient plus intéressant quand on confronte les « oublis » de l'histoire officielle (du moins celle racontée aux touristes) à la mémoire de la population. Je me limiterai, en guise d'illustration, au souvenir de la cathé-drale — on pourrait tenir un raisonnement analogue sur d'autres édifices.

Un écrivain, Dimitri Sergueiev, enfant de neuf ans à l'époque de la destruction, me dit : « Aujourd'hui, et je suis loin d'être le seul, il m'est difficile de passer devant l'immeuble du Parti sans penser à cette époque. Beaucoup de gens, quel que soit leur âge, y revoient les ruines de la cathédrale. » La spécificité de ce regard vaut d'être notée comme un retour imprévu du passé.

Il y avait de très nombreuses églises dans cette ville [15] ;

---

14. Après sa défaite, Koltchak fut exécuté à Irkoutsk, en 1920.
15. D'après les estimations les plus sérieuses, il y avait avant la Révolution plus de cinquante églises orthodoxes dans le district d'Irkoutsk ; en 1989 trois étaient ouvertes au culte, de même que la seule synagogue.

Cathédrale de la Sainte-Vierge-de-Kazan, Irkoutsk, 1912.

elles ont été rasées ou transformées en bâtiments ordinaires après suppression des coupoles [16], mais seules quelques-unes sont vraiment restées dans la mémoire, c'est le cas de la grande cathédrale ; ou plus exactement de sa destruction.

Elle a symbolisé la fin de l'Ancien Régime : « Pour la majorité des gens, continue Dimitri Sergueiev, c'était normal. Ils étaient favorables à la démolition, ils s'étaient mobilisés pour un monde nouveau. » Sergueiev évoque l'ambiance de ces journées dans une nouvelle autobiographique [17] : il y décrit une explosion spectaculaire et maladroite au milieu de l'été 1931 — les explosifs étaient insuffisants, les dômes trop résistants ; il y résume les réactions de la foule en imaginant une discussion entre une vieille femme et sa fille. La première crie : « C'est la fin du

16. Une vingtaine subsistent de la sorte : elles ont été utilisées comme hôtels ouvriers. La seule église catholique (construite par des exilés polonais au XIXe siècle) a été transformée en « salle d'orgue », après avoir longtemps servi de bureau.

17. Dimitri SERGUEIEV, *Sous l'asphalte*, 1980, Sovietskaia Russia.

monde ! » et l'autre lui répond : « Non. C'est le début du monde, de la vie. C'est la mort de l'obscurantisme. Maintenant on vivra mieux. Tu verras. » La mère n'est pas convaincue : « En quoi la cathédrale gêne-t-elle ? Les gens venaient ici pour se consoler. » Et la fille de rétorquer : « Qu'importe ! Cet hiver ils pourront aller au club de la culture, nous avons décidé de le construire avec les briques de la cathédrale. »

En fait, les briques ne bougeront pas. Lieu d'aventures pour les enfants et les amoureux, les ruines seront abandonnées jusqu'en 1936-1937, date à laquelle on entreprendra d'y construire un grand immeuble pour les organisations du Parti ; les briques serviront à paver la place Kirov couverte ensuite d'asphalte. Les travaux seront stoppés à plusieurs reprises, notamment à cause de la guerre ; les plans modifiés, et l'immeuble actuel sera inauguré en 1957.

« Il y a une vingtaine d'années, me dit Sergueiev, on a commencé à déchanter, le paradis ne tenait pas ses promesses. Alors, nous avons pris conscience de la rupture, ou du vide existant, entre aujourd'hui et notre passé. Où étaient les traces de notre histoire ? » Ce processus a fait du patrimoine non communiste un enjeu culturel. « La cathédrale ne se réduisait plus à un symbole religieux, elle devenait une œuvre d'art construite à l'aide d'une souscription populaire. Je sais que pour certains elle a d'abord un sens religieux. Mais je pense que la majorité des gens a surtout conservé, comme moi, la mémoire d'une œuvre perdue. » En vérité, au moins trois types de mémoire s'enchevêtrent en ce lieu : une mémoire *sacrée* que je distinguerai d'une mémoire *religieuse* et d'une mémoire *politique*.

La première renvoie à la vocation la plus ancienne de cette place qui fut, avant l'arrivée des Russes, un cimetière bouriate [18]. Il s'agissait d'un espace inviolable sur lequel les Cosaques, au terme de dix années d'une guerre impitoyable, bâtirent en 1661 un « kremlin » et, plus tard, des

---

18. De culte chamaniste, les Bouriates situaient les morts ou « survivants dans un univers semblable à celui des vivants avec possibilité de réincarnation ». Voir Louis-Vincent THOMAS, « Le temps, la mort et l'au-delà », in *L'État des religions dans le monde*, Paris, La Découverte/Le Cerf, 1987, p. 386.

églises (la première en 1686). C'était un lieu du souvenir des morts, de communion avec l'au-delà ; il n'a pas cessé de l'être avec les églises, ni avec les stèles : c'est justement là, derrière le bâtiment des Soviets, que s'élève le monument aux morts de la « grande guerre patriotique de 1941-1945 » ; et c'est en cet endroit qu'une partie des animateurs du mouvement indépendant *Mémorial* envisage d'ériger un monument à la mémoire des victimes du Goulag.

La cathédrale détruite dans les années trente datait du XIXᵉ siècle [19] et incarnait, bien entendu, la puissance de l'Église orthodoxe. Une puissance symbole de l'Ancien Régime et du nationalisme grand russe. D'où cette mémoire religieuse qui, contrairement à la précédente, ne semble concerner qu'une minorité. Mais une minorité très active. Une association indépendante proche du groupe *Pamiat'* [20] se consacre à Irkoutsk, avec l'appui d'artistes et d'intellectuels, à la rénovation du patrimoine religieux de la Sainte Russie. En 1989, elle restaurait une autre église et revendiquait, sans grand soutien semble-t-il, la reconstruction de la cathédrale.

Enfin, le siège du Parti est celui d'un pouvoir politique qui incarna de grands espoirs, des désillusions et maintenant de plus petits espoirs. En 1989, après les élections au Congrès des députés du peuple, il a commencé à s'ouvrir. Quelques réformateurs proches des radicaux de la *perestroïka* s'y sont installés.

Au total, ce lieu et cet édifice au cœur de la cité, en mêlant les regards, les mémoires, les souvenirs heureux et tragiques, sont chargés de significations si multiples qu'ils cristallisent tout. Ce sont des champs de bataille de la mémoire. Voilà un exemple de la manière dont, à Irkoutsk, ont survécu certaines traditions des conquérants de l'Est sibérien. Elles forment un des soubassements nécessaires à

---

19. De style néo-russe, elle ressemblait beaucoup à celle du Christ-Sauveur, également détruite à Moscou.
20. Voir l'article de Denis PAILLARD, p. 365 de cet ouvrage.

la reconstitution, contre toutes sortes de manipulations, d'une conscience historique.

LE SÉJOUR DES DÉCEMBRISTES

Toutefois, ces traditions s'étaient très vite imbriquées avec d'autres apports. Aux grandes migrations paysannes du XIXᵉ siècle se sont ajoutés les mouvements de déportations et d'exil d'intellectuels, qui ont contribué à faire d'Irkoutsk un centre culturel. D'Alexandre Raditchev, grande figure des Lumières russes exilé dix ans à la fin du XVIIIᵉ siècle, aux rescapés du Goulag dont de nombreux intellectuels qui restèrent à Irkoutsk, en passant par les Décembristes, Bakounine, les premiers sociaux-démocrates, des écrivains tchèques (Hašek), allemands, polonais ou baltes, cette ville a été un lieu de rencontre ou de relégation pour nombre de bannis du tsarisme et du système stalinien.

Et quand les paysans russes, généralement illettrés, amenaient leurs traditions nationales ancestrales, ces intellectuels venaient avec leur culture ouverte sur le monde occidental. Ils y rencontraient une bourgeoisie marchande issue, quelquefois, de grandes familles aristocratiques. Ce « mélange » a été décisif pour l'avenir d'Irkoutsk, il explique cette remarque de Tchékhov déjà citée : « Ici, c'est l'Europe. »

Parmi ces séjours celui des Décembristes, officiers libéraux qui, en décembre 1825, avaient tenté un coup de force contre le tsar Nicolas Iᵉʳ, laissa le plus de traces. Déportés en Sibérie, puis relégués à Irkoutsk, les survivants furent amnistiés en 1856. Ils avaient été rejoints par leurs femmes juste après leur condamnation (ce qui nourrira de nombreux récits), ils avaient vécu dans des villages et organisé des écoles. Ainsi, les Décembristes introduisirent les idées libérales et démocratiques des Lumières, dans ces régions reculées de la Russie.

Ils furent, disait Lénine, les « premiers révolutionnaires russes ». Aussi pouvait-on s'attendre à les retrouver au pinacle de la Révolution dans cette ville où ils avaient si longtemps séjourné. Eh bien non. Leur mémoire a fait l'objet depuis les années vingt d'âpres batailles, au point qu'il faudra attendre les années soixante-dix pour que s'ouvre à Irkoutsk le premier musée des Décembristes, d'ailleurs le seul existant en URSS à l'époque. L'histoire de cette longue bataille m'a été rapportée par Eugène Jatchméneff, conservateur du musée des Décembristes[21]. Elle est significative des enjeux de mémoire dans ce pays.

Avant la Révolution existait une vieille tradition de commémoration des Décembristes. En 1856, Serge Troubetskoï a quitté Irkoutsk parmi les derniers, au mois de décembre. Ensuite, tous les 1er décembre, de petites fêtes familiales ont été organisées pour célébrer sa mémoire. Les gens se rendaient au monastère de Znamenski où est enterrée la jeune femme de Serge Troubetskoï, et y déposaient des fleurs. En décembre 1905, par exemple, pendant la première révolution russe, une manifestation et un meeting révolutionnaires ont eu lieu là, devant les tombes décembristes. Parmi les manifestants — des employés de la poste, des télégraphes, des étudiants —, il y avait beaucoup de femmes. Cette manifestation fut, à Irkoutsk, un événement marquant de la révolution de 1905. Les occupants du monastère eurent d'abord très peur, ils croyaient qu'on allait les attaquer, puis en apprenant le but de la manifestation, ils ont ouvert les portes.

« Ces commémorations ont été respectées jusqu'en 1917, me précise le conservateur du musée. Ensuite, sans doute à cause de la fermeture du monastère, la tradition s'est perdue. Une grande partie des collections appartenant aux Décembristes (livres, tableaux, etc.) a été déposée, après leur départ, au musée de la Société impériale de géographie. Malheureusement, beaucoup de choses ont disparu lors de l'incendie de 1879[22]. Il ne reste que quelques papiers et

---

21. Le récit ci-dessous résume une partie de ce long entretien enregistré sur magnétophone (cassette intégrale déposée à la BDIC, Nanterre, Fonds « Mémoire grise »). Seuls les propos entre guillemets peuvent être attribués au conservateur.

22. Le 22 juillet 1879, un violent incendie a détruit les deux tiers de la ville.

La maison du prince Trubetskoï, musée des Décembristes.

des portraits. » Il me cite également des initiatives de sauvegarde plus récentes. Par exemple, « lorsqu'on a construit
la centrale électrique (été 1952), deux tombeaux de Décembristes qui devaient être submergés par le lac artificiel ont
été déplacés *secrètement*. Des experts ont aidé les habitants du
village concerné ».

Au début des années vingt, une équipe s'est constituée
à Irkoutsk autour d'un jeune chercheur, Boris Koubalov
(mort à Moscou en 1966), et a mené des enquêtes auprès
de ceux qui conservaient des souvenirs de l'activité des
Décembristes en Sibérie. Et en 1925, ils organisèrent au
musée de la Révolution [23] une exposition pour le centième
anniversaire de l'insurrection de Saint-Pétersbourg. Ce fut
la première du genre et elle obtint un grand succès. Cette
date a également été fêtée à Leningrad ou dans d'autres villes mais sans grand faste. A Irkoutsk, les dirigeants de la
région soutenaient cette manifestation dont l'initiative

23. Musée ouvert en 1923 dans l'actuel palais des Pionniers et fermé en 1928.

revenait surtout à Boris Koubalov et à ses collaborateurs. Cette exposition permit de rassembler les fonds du musée actuel. Le « Comité pour la commémoration du centenaire de l'insurrection » avait réuni dans le musée régional le maximum de documents et d'objets. Mais surtout, ils avaient rassemblé des souvenirs dans les villages de la région. Ce dernier travail, commencé en 1923-1924, a duré jusqu'au milieu des années trente. Plusieurs livres ont été édités [24].

Ce travail, me précise Eugène Jatchméneff, était de « très bon niveau. [...] Presque tous les villageois ayant rencontré des Décembristes ont été interrogés, ce qui donne plusieurs centaines d'entretiens ». Le contenu de ces témoignages est caractéristique des traces (sinon des mythes) que ces hommes ont laissées dans la mémoire populaire : « Ils en on fait des héros révolutionnaires, des justes — les pionniers de la culture en Sibérie. Très proches du peuple, ils avaient de bonnes relations avec les paysans. Par exemple, on a rapporté à Koubalov cette anecdote : lorsque Serge Troubetskoï quitta le village où il avait été relégué après les travaux forcés, il donna sa propriété à un berger, nommé Bergozine. Celui-ci aurait dit à ses parents : ''Nous sommes avec le prince Serge Troubetskoï, mais seulement de cette manière.'' Lors d'un voyage d'études, en 1981, j'ai interrogé des paysans sur les Décembristes. L'un deux, qui habitait non loin d'Irkoutsk, m'a parlé de Vladimir Rajevski. Il l'a même comparé à Lénine, ''qui fut lui aussi un exilé''. Il s'en souvenait : la mémoire était passée par les légendes, des récits transmis oralement de générations en générations. D'ailleurs, Boris Koubalov avait trouvé, dans chaque village, des récits sur l'histoire des Décembristes, y compris dans ceux que les Décembristes ne visitaient jamais. C'est qu'ils avaient organisé des écoles primaires contre l'avis du pouvoir central. Nous connaissons bien l'activité d'une dizaine de ces écoles. Elles permirent, pendant la

---

24. Les travaux de Koubalov ont tous été publiés à Irkoutsk. Ce sont aujourd'hui des raretés bibliographiques.

grande réaction des années 1840 en Russie européenne, à de jeunes Sibériens d'accéder aux universités de Moscou, Saint-Pétersbourg et Kazan. C'était la nouvelle vague. Les Décembristes ont formé toute une génération de jeunes que l'on retrouvera plus tard. Par exemple, un des élèves de Troubetskoï, Gorbatchevski, fut un des organisateurs des premières grèves dans la principale usine de la région, à la fin du XIXe. »

Ces travaux historiques ont repris à la fin des années cinquante, sous la direction d'un étudiant de Koubalov, Feodor Koudziavtsev, devenu professeur à l'université. Il fut un des initiateurs du musée au milieu des années soixante. Depuis, la mémoire des Décembristes était devenue un enjeu historiographique : « En Sibérie, nous considérons nécessaire d'intégrer l'histoire du séjour sibérien des Décembristes dans celle de la Russie, tandis que les historiens de la Russie européenne s'y refusent. Ce débat est très important, il remonte au commencement de l'histoire soviétique (années vingt). A Moscou ou à Leningrad, on s'intéressait surtout à l'insurrection, tandis qu'ici Boris Koubalov rassemblait des matériaux sur le séjour sibérien. Ainsi l'école historique sibérienne ajoutait une dimension fondamentale sur l'impact culturel des Décembristes, dimension que l'histoire centrale n'a jamais voulu intégrer. »

Il faudra attendre la fin des années soixante pour que recommence une véritable activité muséographique avec la réhabilitation de la maison de Serge Troubetskoï, inaugurée en décembre 1970. A cette époque il faut croire que le sujet demeurait « subversif » en URSS. « A Leningrad, par exemple, au moment du 150e anniversaire de l'insurrection (1975), il était impossible de visiter la place du Sénat (qui, depuis 1925, s'appelle place des Décembristes !) pour y déposer ne fût-ce que des fleurs. C'était dangereux ; la place était truffée d'agents de la Sécurité. Il y eut même quelques arrestations. »

En 1965, la restauration de la maison de Serge Troubetskoï avait donné lieu à des conflits entre le premier secrétaire du comité régional du Parti qui était contre, et le maire d'Irkoutsk. Pour le secrétaire, un proche de Brejnev, il s'agissait d'un musée à la gloire de princes et d'aristocrates, ce qui était intolérable dans un pays socialiste. Le maire, qui évita de porter sur la place publique cette polémique, tint bon. Il prit appui sur les intellectuels de la ville et le chef du Parti dut céder. De même, la restauration d'une seconde maison, celle de Serge Volkonski, demanda onze années d'efforts de la part d'un petit groupe de fidèles (du printemps 1974 à décembre 1985).

Ainsi, conclut Eugène Jatchméneff, « le soutien officiel à l'étude des Décembristes a varié selon les époques : les années vingt sont les plus favorables, ensuite c'est le grand trou noir ; la situation ne s'est vraiment améliorée qu'à partir du milieu des années soixante-dix. En revanche la mémoire des Irkoutskiens leur resta fidèle. On peut la tester à partir de l'histoire du musée : actuellement, en 1989, malgré la profusion de nouveaux centres d'intérêt historiques, je constate chaque jour le maintien d'une grande curiosité parmi la population. Elle n'a pas oublié. Les répressions des années trente ont sans doute contribué à bloquer les études de l'école historique de Sibérie, elles n'ont pas réussi à supprimer l'intérêt de la population. De même, la tradition de l'école historique s'est maintenue. Ce qui nous a permis de reprendre ce travail dans les années 1960-1970, et a fait d'Irkoutsk le centre, en Union soviétique, des études sur les Décembristes. Certes, je n'affirmerai pas que tout le monde est d'accord. Si on ne reproche plus aux Décembristes d'avoir été des aristocrates, certains intellectuels ''néo-slavophiles'' leurs sont plutôt hostiles. Ils refusent d'admettre leur rôle progressiste, ils les accusent d'avoir importé ici une culture européenne dont les Russes n'avaient pas besoin. Valentin Raspoutine, le principal d'entre eux, s'est jusqu'à présent refusé d'entrer dans ce genre de critique. Il m'a dit personnellement que les Décembristes avaient été des héros, des hommes de haute culture, que je ne devais pas prendre au sérieux ceux qui disent le contraire. Mais les autres écrivains néo-slavophiles évitent le sujet ».

EN ROUTE POUR LA KOLYMA

Héros, justes, les insurgés de 1825, condamnés aux travaux forcés en Sibérie, sont entrés dans la légende *malgré* les autorités soviétiques. On dirait même, à certaines époques, *contre*. Ce fut le cas pendant la grande répression des années 1930-1940.

En juillet 1939, il était possible de rencontrer le souvenir de Décembristes dans un wagon de détenues étiqueté « outillage spécial ». Le train s'est peut-être arrêté à Irkoutsk avant de déposer son chargement à Vladivostok. Des femmes en route pour la Kolyma, parmi lesquelles Evguénia S. Guinsbourg. Elle raconte comment elle a récité à ses compagnes un long poème évoquant les femmes de Décembristes qui rejoignirent leurs maris en Sibérie. « Non, pour nous, il ne s'agissait pas de vers d'anthologie ! C'était un rêve auquel nous participions, qui accompagnait chacune des soixante-treize détenues. Tandis que je déclame, je rencontre des yeux douloureux, émus. Les femmes des Décembristes sont nos compagnes. Personne ne s'étonnerait si (à nos côtés) apparaissaient tout à coup Macha Volkonskaia et Katia Troubetskaia. […] Je continue de réciter. Un silence profond règne […], et ma voix résonne avec une force étrange. Soudain je comprends : le bruit des roues a depuis longtemps cessé de m'accompagner. Un arrêt ! Qu'avons-nous fait ? Nous avons oublié l'interdiction de parler pendant les arrêts. Que va-t-il se passer ? L'outillage spécial a bavardé... Nous entendons le bruit du boulon de bois qu'on desserre, puis l'ordre brutal du chef de convoi : Donnez le livre [25] ! »

Irkoutsk fut, aux grandes heures des déportations par le Goulag, un lieu de transit vers des camps proches, ou plus lointains, où les détenus travaillaient dans des mines, des forêts, ou à la construction de la ligne de chemin de fer Baïkal-Amour. On possède plusieurs témoignages sur ces transits. Celui-ci par exemple, où Karlo Stajner suit le

---

25. E.S. GUINSBOURG, *Le Vertige*, Paris, Le Seuil, 1967, p. 281-282.

407

Un «corbeau noir» ; cars de police achetés à l'Allemagne par l'URSS vers 1930.

parcours de Baedeker dans un étrange moyen de transport. C'est en 1937 : « Quand nous arrivâmes à Irkoutsk, après un voyage de douze heures, nous vîmes le ''corbeau noir'', nom donné par les détenus à la voiture fermée destinée au transport des hommes. Nous y entrâmes avec deux soldats et un officier. Le ''corbeau noir'' roula à travers la cité. Aux petites maisons de bois succédèrent les solides constructions en pierre du centre-ville. C'était tout au bout de celle-ci [sans doute la rue Karl-Marx] que se trouvait la prison de transit [26]. »

Et puis il y a ceux que l'on tuait dans les locaux du NKVD, sans jugement ; notamment les victimes de la terrible « Ejovchtchina », du nom du prédécesseur de Béria, durant laquelle on fusilla de janvier 1937 à décembre 1938 près d'un million de personnes [27]. Dans la région

26. K. STAJNER, *7 000 Jours en Sibérie*, Paris, Gallimard, 1983, p. 292.

27. D'après les estimations de R. CONQUEST qui cite aussi le chiffre de deux millions, d'après un fonctionnaire du NKVD central, pour la période de 1936 à la fin 1938, *La Grande Terreur*, Paris, Stock, 1970, p. 491.

d'Irkoutsk plusieurs dizaines de milliers ont été exécutées de la sorte.

Jusqu'aux années soixante la population pénitentiaire est demeurée très importante dans cette zone. En 1989, il est toujours impossible de connaître le nombre exact de prisonniers qui y ont séjourné. Un membre de l'administration pénitentiaire (OUID, successeur du GULAG) m'assure qu'en 1989 il n'y a plus que... 2 000 prévenus dans la prison d'Irkoutsk. Et combien dans les camps de travail ? Il refuse de répondre. Les conditions de vie et de discipline s'y seraient améliorées, des prisonniers travailleraient encore dans une usine de la ville.

Pourtant, depuis janvier 1989, il existe à Irkoutsk une organisation affiliée au *Mémorial* ; indépendante, elle a été fondée dans les locaux même du Komsomol. Elle tente de rétablir la vérité historique. Un de ses responsables, Alexsandr L. Alexsandrov, géologue, me précise : « Les gens en avaient assez d'être mal informés sur le passé. Nous nous sommes réunis à l'occasion d'un meeting sur la réhabilitation de Boukharine et, après une concertation rapide, nous avons déposé nos statuts. Le groupe s'est fixé plusieurs objectifs : établir la liste des réprimés, obtenir leur réhabilitation, mais aussi défendre la mémoire. Pour cela il faut être certain de ce qu'on avance, prouver. Nous collectons des témoignages, cherchons des preuves. Nous voulons ériger un monument aux victimes du stalinisme à partir de ces recherches, un monument financé par une souscription populaire. »

L'organisation étend ses ramifications dans toute la région et s'occupe plus particulièrement des victimes des années trente et quarante. Plus surprenant, elle a noué des relations avec le KGB local, lequel a envoyé un délégué au comité exécutif régional du *Mémorial* (ce qui n'est pas allé sans longues et difficiles discussions). Cette collaboration leur a été utile pour retrouver les traces des personnes fusillées dans les années trente.

Selon le KGB, environ dix mille personnes auraient été fusillées en 1937. Il a indiqué au *Mémorial* une zone de

4 km² où, de 1933 à 1937, ces fusillés étaient enterrés. Et, pendant plusieurs mois, des recherches ont été entreprises par les militants du *Mémorial*, sur la base d'indices fournis par la population. Il y aurait six lieux d'enterrement : les prisonniers étaient abattus dans les locaux du NKVD et, la nuit, on emmenait les corps à dix kilomètres, en camion.

Les informations et la mémoire des faits sont encore limitées. Je m'en suis rendu compte en discutant avec les animateurs du *Mémorial*, pourtant à la pointe des recherches :

« Des gens se souviennent des fusillades, me dit l'un. Une femme est venue hier, elle a connu des témoins des enterrements et nous a fourni des indices.

— Certains fonctionnaires du KGB savent, insiste un autre. Ils ont peur de parler. Ils disent avoir signé une promesse de se taire.

— Tout était secret, sauf la répression elle-même. Comment l'ignorer dans les villages où, sur soixante hommes, cinquante étaient arrêtés ? Au début, le NKVD publiait des listes de fusillés et de personnes arrêtées. Du moins jusqu'en 1937. Puis, sans doute sous la pression de l'opinion mondiale, ils sont devenus plus discrets.

— Ce qui ne les empêchait pas de citer en exemple leurs meilleures réalisations ! Chaque matin, dans les entreprises, il y avait des réunions pour stimuler la délation des ''ennemis du peuple''.

— Les équipes du NKVD se livraient à une sorte de compétition.

— Mais, alors, pourquoi enterrer les gens en cachette, la nuit ?

— Pour masquer les résultats d'un crime, faire complètement disparaître les fusillés des mémoires. Dans les usines ils donnaient des instructions pour que les traces des arrêtés soient supprimées. Leurs noms, leurs documents, leurs effets personnels, tout devait être effacé.

— Pendant les fusillades, au siège du NKVD local un tracteur tournait en permanence, de l'autre côté du mur, pour étouffer le bruit (le bâtiment existe toujours, c'est le siège du KGB). »

Le 29 septembre 1989, un groupe composé de chercheurs du *Mémorial* et du KGB découvrait un premier charnier : une botte de feutre, un tibia et, plus loin, un crâne, des cheveux. Immédiatement, une déclaration est déposée à la procurature régionale : deux juges sont désignés pour suivre les fouilles avec une délégation du *Mémorial* (dont Eugène Inéchine, archéologue professionnel) ; des troupes du ministère de l'Intérieur servent de main-d'œuvre. D'après les premières constatations d'Inéchine, il est évident que de très nombreux corps ont été entassés dans cette fosse qui date de 1937-1938. Certaines personnes auraient été exécutées sur place, au bord des tranchées.

Les caractéristiques du terrain, où prédomine l'argile, et la période tardive de la découverte rendent la progression délicate. Aussitôt la nouvelle connue, des centaines de gens sont venues d'Irkoutsk se recueillir auprès du charnier ; certaines perdent connaissance. D'autres, dont le père ou la mère a été abattu par le NKVD, participent aux fouilles, ou simplement y assistent en leur mémoire.

Trois cent quatre crânes ont été déterrés. Une commission comprenant des membres du *Mémorial* et des représentants du Soviet local a décidé d'arrêter les recherches avec la venue de l'hiver. Et le 5 novembre 1989, les ossements étaient réinhumés lors de funérailles solennelles.

DOULEUR ET CULPABILITÉ

Quelles traces cette « histoire pénitentiaire », incarnation de la terreur stalinienne, a-t-elle laissées dans la mémoire de la population d'Irkoutsk ? Sans prétendre répondre à cette question (qui le peut ?), je voudrais évoquer deux dimensions de cette mémoire, que j'ai fortement ressenties lors de mon séjour : la douleur et la culpabilité.

La douleur impose un silence. Silence face aux morts, aux victimes ; un silence sur soi, ou sur sa famille. Or Irkoutsk est peuplée de familles aux histoires complexes ; les anciens prisonniers ou leurs descendants y cohabitent avec d'anciens geôliers ou leurs enfants. Une telle proximité pourrait être explosive, elle m'a plutôt paru source d'une douleur singulière ; celle qui protège des conflits.

J'ai par exemple rencontré deux septuagénaires ayant vécu l'essentiel de leurs années en Sibérie, particulièrement à Irkoutsk. Ils ne se connaissent pas. Elle, c'est la veuve d'un colonel ordinaire du NKVD ; lui, c'est un ancien *zek*, il a passé dix années (1937-1947) dans les camps. L'un et l'autre sont bavards sur le subsidiaire et muets sur le principal. On sent en les écoutant combien ils se sont protégés de leur mémoire à mesure que le temps avançait. Pour vivre leur présent, ils se sont tus.

Lui, il s'est marié douze ans après sa sortie du camp, il est père de trois enfants ; or ni avec sa femme ni avec ses enfants il n'a parlé de ces années. Il protégeait ainsi sa famille vis-à-vis des autres (à cette époque il était difficile de vivre normalement pour la femme ou les enfants d'un « ennemi du peuple »), et il se protégeait lui-même. La *glasnost* ne change guère son attitude. Il soutient le *Mémorial* en disant : « C'est un travail pour les jeunes. Si la génération précédente s'y mettait, elle devrait toujours répondre à cette question : Et vous, où étiez-vous à cette époque ? Moi-même on peut me questionner. J'ai fait dix ans de camp mais ensuite ai-je résisté ? Ai-je dénoncé cette répression ? Non. » D'où son silence.

Elle, elle passe son temps à broder des portraits de Gorbatchev, comme hier ceux de Staline. Elle vit modestement, s'occupe d'enfants qu'elle adore. Elle me montre les portraits du dictateur qu'elle envoyait chaque année à Gori. Elle a passé une bonne partie de son existence dans les camps, mais *de l'autre côté*. De 1937 à 1967, son mari assurait le contrôle des organes de sécurité sur l'encadrement du Goulag. Elle admet, en 1989, beaucoup de « révélations » mais, dit-elle, « on exagère. Les conditions de vie dans les colonies de travail étaient meilleures qu'on ne le dit. Il y avait des innocents injustement condamnés, c'est exact ; mais les autres, la majorité, c'étaient des bandits ». Cette femme se raconte à proprement parler des histoires avec ses souvenirs de la propagande de l'époque, une histoire ou un silence pour camoufler une mémoire insoutenable à partir du moment où l'on admet la terrible réalité. Il lui faut, pour tenir, un noyau de coupables.

Il serait injuste, bien entendu, de situer ces deux témoins sur le même plan. Tandis que le premier errait de relégation en relégation, cherchait à se faire réhabiliter, la seconde goûtait les plaisirs de la vie ordinaire d'un cadre du régime. Pourtant, en 1989, au soir de leurs existences, quand on montre à la télévision les crimes de ces années, quand la jeune génération condamne ou rejette le passé, ils vivent tous les deux un drame personnel.

La douleur est forte, me semble-t-il, parce qu'il ne suffit pas dans ce pays, et plus particulièrement dans cette ville, d'être en accord avec soi-même. Le crime a traversé toutes les vies, il peut diviser toutes les familles, il concerne un peuple immense *sur une longue période*. Ainsi, quand la mémoire bouscule l'histoire manichéenne des discours, quand elle devient plus proche, c'est en ravivant les conflits. Elle est douloureuse. Et elle appelle, ou justifie la culpabilité. La mémoire n'est jamais neutre.

Un dernier exemple : ce dialogue entre l'ancien prisonnier septuagénaire évoqué plus haut et un jeune responsable du *Mémorial*. Je les interroge sur l'attitude de la population d'Irkoutsk durant ces vingt-cinq dernières années. Comment traitait-elle les anciens prisonniers ? Réponse du jeune : « Dans la plupart des cas, la population exprimait de la pitié pour eux. » Réplique immédiate de l'autre : « Je n'ai jamais ressenti cette pitié. Les choses n'ont changé qu'en 1987 et encore. Les gens ont peur. Ils se disent : Aujourd'hui c'est Gorbatchev, mais demain ? »

Qui dit vrai ? Les deux probablement. Chacun à sa manière appelle le repentir : le vieux prisonnier exprime sa colère contre l'indifférence, il est culpabilisateur ; le jeune militant du *Mémorial* espère deviner, blottie au creux de ces longues années de peur, un peu de pitié. Ils semblent tous les deux vivre avec l'étrange espoir d'une mémoire contrite.

Cette manière de lier douleur et culpabilité, d'exprimer au présent le passé retrouvé m'a paru très forte dans cette ville sibérienne. On ne la trouvera pas seulement à Irkoutsk, loin s'en faut. Mais là, elle plonge ses racines dans une terre au passé chargé.

Pologne

La poste de *Solidarnosc*

par Jean-Louis Panné

On disait : *Poczta obozowa, wolna Poczta, podziemna Poczta, niezalezna Poczta pomorza, Poczta kolpoterow, Poczta solidarnosci walczacej, Poczta polowa*[1]. C'étaient les composantes de la « poste de *Solidarnosc* ». Une poste parallèle à celle de l'État, avec ses timbres, ses flammes et ses vignettes.

La poste de *Solidarnosc* est apparue dans les prisons et les camps d'internement ouverts en 1981 après le coup de force du général Jaruzelski. Elle renouait avec une tradition née pendant la Seconde Guerre mondiale dans les camps de prisonniers, les ghettos, lors de l'insurrection de Varsovie en 1944. Cette tradition avait resurgi à bord des navires polonais bloqués en mer Rouge pendant la guerre des Six Jours en 1967. C'est une tradition de résistance à l'ordre officiel même si, lors du 1er congrès de *Solidarnosc* (septembre-octobre 1981), un bureau de poste officiel permettait d'affranchir son courrier avec une flamme commémorant l'événement. Ce fut la seule fois. Ensuite, les timbres édités par les partisans de *Solidarnosc* se limitèrent à un rôle de vignettes de soutien (en Pologne et à l'étranger) au syndicat interdit. Avec l'arrivée de *Solidarnosc* au gouvernement en 1989, les vignettes sont désormais vendues dans les sièges locaux du syndicat relégalisé, comme bons de souscription des caisses syndicales.

---

1. « Poste des camps, Poste libre, Poste ''souterraine'', Poste libre du littoral, Poste des colporteurs, Poste indépendante, Poste de *Solidarnosc* combattante, Poste de campagne. »

JÓZEF PIŁSUDSKI

5 XII 1867 – 12 V 1935

W 50 – tą ROCZNICĘ ŚMIERCI

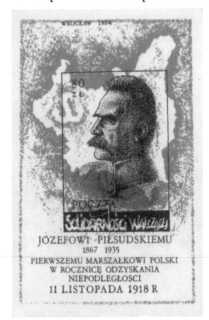

Vignettes à l'occasion du cinquantenaire de la mort du maréchal Pilsudski, évoquant son rôle pour l'indépendance de la Pologne.

AFFIRMER *SOLIDARNOSC*

Tout commence courant 1982. Les vignettes sont fabriquées dans les prisons de manière rudimentaire, elles sont gravées sur du linoléum avec des lames de rasoir, activité qui suppose une entente, sinon une organisation, entre les prisonniers et la mise en place d'une division du travail (gravure, impression, conservation). La vignette émise ne ressemble qu'approximativement à un timbre, mais elle pouvait être tirée à un millier d'exemplaires. Et en participant à cette activité, comme en faisant circuler le timbre, on affirmait son appartenance à *Solidarnosc*.

Hors des camps, l'apparition de cette poste parallèle fut précédée par la réactivation d'une autre tradition : la surcharge des timbres officiels à coup de tampons artisanaux. Ces timbres à la signification « détournée » étaient revendus plus chers que leur valeur faciale pour alimenter les caisses des commissions d'entreprise du syndicat interdit. Avec le développement de la presse clandestine, des réseaux de colportage, et surtout des moyens d'impression, l'impact de la poste de *Solidarnosc* s'épanouit en 1983-1984. Activité annexe des imprimeurs, les tirages atteignaient plusieurs milliers d'exemplaires, parfois dix mille. Leur vente jusqu'à épuisement révélait non seulement l'existence d'un marché mais surtout un intérêt très large dans la population. Les fabricants travaillaient pour une revue, un journal spécifique, une organisation clandestine qui, par ce biais, réalisaient des bénéfices substantiels indispensables à leur fonctionnement.

Une telle expansion imposa une certaine réglementation de la production, tâche rendue difficile par la jalouse autonomie que chaque structure clandestine entendait préserver. La commission exécutive régionale de *Solidarnosc* de Mazovie (RKW, région de Varsovie) tenta, par exemple, de formaliser des règles — pour certaines déjà appliquées. Chaque émission de vignettes devait être annoncée dans la presse clandestine, authentifiée par un avis de la RKW, précisant le coût de l'édition, le prix nominal, le tirage, la destination des fonds recueillis. Les producteurs s'engageaient à détruire les matrices après usage et, après trois mois de circulation, les invendus. Les autorités de *Solidarnosc* espéraient garder le contrôle du mercantile « génie farceur » réveillé par cette source de financement[2]. Sa réussite ne fut que partielle, certains groupes authentifiant leur production dans leur propre presse sans lui en référer. Avec le développement de la production et l'extension du marché apparut aussi l'exigence d'une production de qualité. Et certaines vignettes dentelées, gommées, certaines planches au graphisme travaillé approchaient, dans leur forme, la philatélie officielle.

Deux documents permettent d'examiner la symbolique de cette production. Le premier est un catalogue réalisé en France, par une association de soutien au syndicat[3], dans lequel près de trois cents références couvrant cinq années ont été recensées. Il s'agit bien sûr d'un choix dépendant des conditions d'« importation ». Le second est un catalogue photographique en trois volumes (environ mille références) réalisé en Pologne, de 1986 à 1988, par un philatéliste[4]. Ces deux catalogues diffèrent par leurs méthodes de recensement et apparemment dans leur finalité. Le français est destiné à susciter la vente (chaque vignette est présentée avec une valeur marchande) ; le polonais se veut un catalogue systématique de référence, susceptible de servir de véritable outil philatélique. Un classement en cinq thèmes permet d'établir une statistique[5] : *a) Solidarnosc* et tout ce qui s'y rattache ; *b)* l'histoire de la Pologne ; *c)* le catholicisme dans toutes ses manifestations ; *d) Solidarnosc* et le monde ; *e)* culture et caricature.

---

2. « Dès son apparition le timbre-poste fit l'objet de collections et le génie farceur des sociétés capitalistes imagina de renchérir sur des valeurs que l'administration prétendait oblitérer. » J. PERRET, *Les Collectionneurs*, Paris, Le Dilettante, 1989.

3. *Solidarité avec Solidarnosc*, catalogue de vente au profit du syndicat.

4. Nous ignorons si un quatrième volume est sorti en 1989. Un journal clandestin *Filatelystika podziemna* a également paru au cours de cette période. Il espérait recenser toutes les émissions de la poste de *Solidarnosc*.

5. Nous n'avons pas comptabilisé les vignettes de la Confédération de la Pologne indépendante, groupe politique préexistant à *Solidarnosc*.

la poste de Solidarnosc

D'ABORD LA MÉMOIRE NATIONALE

Dans ces deux catalogues, la part réservée au syndicat est sensiblement de même importance (39 % pour le polonais, 36,6 % pour le français), avec une place particulièrement importante faite aux prisonniers d'opinion (un quart). Le second thème couvre une proportion légèrement inférieure (33,6 % et 34,4 %) dont un quart centré sur la Seconde Guerre mondiale. Les vignettes spécifiquement religieuses atteignent respectivement 12,4 % et 13,5 % ; la moitié d'entre elle sont dédiées à Jean-Paul II. Ensuite, les timbres aux sujets extra-polonais ne représentent que 6,1 % et 9,6 % de la production dont près de la moitié sur les autres pays du bloc soviétique à l'exception de l'URSS. Dans cette thématique sont absents l'Afrique, l'Asie et le sous-continent latino-américain. Enfin, la défense d'une culture indépendante ne compte que pour 8,1 % et 5,6 %, avec une part notable réservée à l'écologie, suscitée en partie par la catastrophe de Tchernobyl. La culture indépendante ayant ses propres moyens d'expression (théâtre, chanson, livre, vidéo, etc.), la poste de *Solidarnosc* ne peut être qu'une illustration lointaine d'une réalité bien vivante par ailleurs. Les écrivains représentés sont significatifs de cette culture : Witold Gombrowicz, Czeslaw Milosz notamment...

Si l'on établit un hit-parade des personnalités, nous obtenons dans le catalogue français : Jozef Pilsudski (25,5 %) ; Jerzy Popieluszko (25,5 %) ; Jean-Paul II (19 %) ; Lech Walesa (8,5 %) ; le cardinal Wyszinski (10,6 %) ; le père Maximilien Kolbe (6,3 %) ; le général Jaruzelski (2,1 %)[6].

Dans le catalogue polonais, les proportions et le classement sont assez différents : Pilsudski est en tête, mais avec un meilleur score (30 %), tandis que Jean-Paul II (27,3 %) et L. Walesa (16,9 %) dépassent Popieluszko (13 %). Les autres conservent leurs rangs.

---

6. J. Pilsudski, fondateur et dirigeant de la République polonaise (1918-1939). J. Popieluszko : aumônier de *Solidarnosc* assassiné par la police politique en 1984. M. Kolbe : franciscain déporté à Auschwitz qui prit la place d'un condamné à mort, proclamé saint et martyr par Jean-Paul II.

"Polskie miesiące"

«Les mois polonais» : 1. Décembre 1918, 1970 et 1981 ; 2. Mai 1791, 1944, 1982.

Ces différences tiennent d'abord à une fonction classique de la philatélie — la commémoration —, que reprend la poste de *Solidarnosc*. Par exemple, le cinquantième anniversaire de la mort du maréchal Pilsudski (12 mai 1935) suscita une inflation de vignettes à son effigie. La présence très importante de Walesa commémore aussi l'histoire immédiate du syndicat : cinquième anniversaire des accords de Gdansk (31 août 1980) qui autorisaient la création de syndicats indépendants, ou sa proto-histoire : dixième anniversaire des premiers journaux clandestins nés après les émeutes de Radom et Ursus (1976). De même le voyage du pape en juin 1987 ne pouvait passer inaperçu. Cependant, à travers ce mode commémoratif, la part du spontané subsiste : les dates et les hommes célébrés renvoient à des traditions profondément ancrées dans la mémoire des Polonais. Si les choix idéologiques de minorités ont pu influencer telle ou telle émission, l'importance de ces deux catalogues, leurs convergences et, surtout, la popularité de ces timbres en Pologne même attestent de la puissance de leur symbolique. Ils privilégient les figures nationales (Pilsudski, Walesa) et catholico-polonaises (Wyszynski, Popieluszko, Kolbe) aux dépens de symboles universels ou proprement syndicaux.

Il faut d'ailleurs remarquer que ces priorités sont très différentes de celles d'avant le coup d'État de 1981. La composante nationale de *Solidarnosc* apparaît beaucoup plus marquée après son interdiction que lors de la première époque légale du syndicat [7]. Au fil des années, la revendication d'un syndicat indépendant restait certes une question de principe, mais ses manifestations subirent une érosion. Les participants encore actifs tiraient de l'expérience acquise

---

7. « Ces trois ordres d'action syndical, démocratique et national se combinent en *Solidarnosc* pour en faire ce qu'on peut nommer un mouvement social total... » (Alain TOURAINE, *Solidarnosc, analyse d'un mouvement social*, Fayard, 1982). Roman LABA a tenté une évaluation du même ordre que la nôtre à partir des badges, drapeaux, emblèmes divers du syndicat légal (1980-1981) dans son texte intitulé *The political symbolism of the « solidarity movement »* (1984, 37 p.). Il y met en évidence le régionalisme du mouvement qui y transparaît ainsi que les sentiments d'appartenance aux différentes corporations (mineurs, cheminots, etc.).

des conclusions divergentes. Certains, de plus en plus nombreux, pensaient alors qu'il était nécessaire d'investir le champ politique tandis qu'une minorité se consacrait au travail dans les entreprises. Cette différenciation, déjà repérable avant décembre 1981, s'affirme en 1983-1984. Des groupes politiques se constituèrent, certains liés à des structures syndicales clandestines (groupe Wola), d'autres a-syndicaux, les plus nombreux, nationalistes, tels *Politika Polska* (Politique polonaise), *Niepodleglosc* (Indépendance).

DES OUBLIS

Cette thématique nationale, au sens large, a d'ailleurs été traitée par la poste officielle. Elle correspondait à la volonté du pouvoir de se présenter comme authentiquement patriote. Ainsi, la poste de l'État polonais émettait en 1988 une série de timbres consacrée au soixante-dixième anniversaire de 1918, série de huit portraits d'hommes politiques parmi lesquels figurent Ignacy Paderewski (premier président de la République), Gabriel Narutowicz (président assassiné en 1922), Wincenty Witos (chef du Parti paysan, dirigeant du gouvernement de défense nationale en 1920), et le maréchal Pilsudski. De son côté, la poste de *Solidarnosc* reproduit le portrait du maréchal à partir d'un timbre à son effigie édité avant la Seconde Guerre mondiale par la République polonaise. Dans le même ordre d'idée, furent édités un bloc de deux timbres célébrant la Constitution du 3 mai 1791[8], un timbre sur le quarantième anniversaire de la bataille de monte Cassino où s'illustra l'armée polonaise du général Anders, une série consacrée à l'insurrection de Varsovie (1944).

Il existe cependant une série officielle très révélatrice — par comparaison avec la poste clandestine — des jeux de mémoire et de l'oubli volontaire ou involontaire. C'est une série de onze timbres, émis de 1984 à 1988, sur le thème

---

8. Voir l'article de Paul ZAWADZKI dans ce volume, p. 342.

Le souvenir de Katyn.

de la défense de la Pologne en 1939. Elle récapitule les grandes batailles entre l'armée polonaise et l'armée nazie ; ce qui ne pose guère de problème au pouvoir. Il n'existe cependant pas de timbres sur l'invasion de la Pologne par l'armée soviétique, le 17 septembre 1939. Les autorités peuvent certes arguer du fait qu'il n'y eut pas d'affrontement entre les deux armées, mais cela ne suffit pas. A l'inverse, parmi les timbres de la poste de *Solidarnosc*, on rencontre beaucoup d'émissions au sujet de l'entrée de l'armée soviétique en Pologne, mais très peu sur les autres combats.

La célébration des batailles de septembre 1939 par le pouvoir s'inscrit donc dans le droit fil du discours d'« union sacrée » autour du parti communiste que le général Jaruzelski a voulu imposer après le 13 décembre 1981. Tandis que celle de *Solidarnosc* se limite à l'invasion soviétique. Chacun retrace à sa manière une histoire de la Pologne. Des histoires où la propagande fait appel à des mémoires opposées.

Évidemment, l'importance de la thématique « nationale » a varié selon la situation du syndicat. On peut esquisser une évolution. Née de l'enfermement, la poste de *Solidarnosc* participa, quand elle sortit des prisons, aux campagnes en faveur des prisonniers politiques. Puis, avec les amnisties successives, cet aspect disparaît progressivement ; il n'était plus nécessaire de faire connaître les visages des leaders libérés. Le troisième voyage du pape fait l'objet d'une sorte de commémoration « immédiate » pour fixer l'événement dans les mémoires. A l'opposé les références au syndicat comme structure sociale d'entreprise ont, à de rares exceptions près, disparu à partir de 1985. Ainsi, et l'on pourrait multiplier les exemples, la poste de *Solidarnosc* traduit dans le choix de ses symboles les espoirs et les drames vécus par la société polonaise. Elle les met en communication avec la mémoire collective.

Durant la première période légale de *Solidarnosc*, de nombreux monuments furent érigés en souvenir des révoltes ouvrières à Poznan (1956), à Gdansk et Gdynia (1970), etc. Après le 13 décembre 1981, le pouvoir ne chercha pas à les détruire. Il aurait pu effacer l'inscription au cœur des villes de ces événements négateurs de sa légitimité. En ne le faisant pas, il trahissait sans doute une volonté de récupérer une certaine légitimité ouvrière (contre les « intellectuels mauvais » qui avaient dévoyé la révolte justifiée de 1980) ; mais il capitulait aussi devant la force d'une mémoire retrouvée par la population polonaise. Ce qui prenait, en quelque sorte, l'allure d'une défaite symbolique autour de symboles.

De ce point de vue, la poste de *Solidarnosc* prolongea la catharsis commencée en 1980-1981, qui voulait réconcilier les Polonais avec leur propre pays pour en faire une nation dont ils auraient dessiné eux-mêmes les contours et le visage. La recomposition de la conscience sociale et historique se déplaça dans une autre sphère : ce qui se montrait, s'affichait, se proclamait devait se cacher et disparaître sous la répression [9]. Les actes collectifs et publics laissèrent la place, pour l'immense majorité de la population, à des témoignages individuels et privés. Et combien d'appartements où l'on pouvait voir rassemblés en un endroit particulier un calendrier, des badges, des fanions de *Solidarnosc*, que l'on offrait aux regards de l'ami de passage, comme une sorte d'autel privé consacré à un culte collectif...

Collectionner des vignettes de la poste de *Solidarnosc* pouvait jouer comme un signe de reconnaissance, celui de l'appartenance à une communauté dont les valeurs symboliques étaient représentées sur ces vignettes mêmes. Mais, cette relation, qui répondait à l'interdiction de communiquer (censure du courrier postal, contrôle du téléphone, logorrhée des médias officiels démultipliés destinée à recouvrir toute autre parole), ne pouvait se rétablir qu'à une échelle réduite. De fait, la confrérie des collectionneurs fut restreinte. Pour les plus isolés, elle pouvait servir de substitut aux déploiements d'actions et de paroles sur le champ social. Le repli sur soi pouvait correspondre au repli sur la

---

9. Tout porteur d'insigne syndical était passible d'arrestation et devait payer une forte amende. Les badges, avec le logo *Solidarnosc*, furent remplacés pendant quelque temps par une résistance électrique.

collection. On ne peut cependant généraliser, car la meilleure situation pour accéder aux productions de vignettes était encore celle de participer aux réseaux militants occupés à l'impression et à la diffusion de la presse. Bien entendu, tous ne devinrent pas collectionneurs, et la poste de *Solidarnosc* s'adressait d'abord à la partie de la société qui soutenait le syndicat clandestin à la périphérie des activités illégales.

MYTHE ET REPLI

On peut se demander si le repli sur la collection, dans une Pologne soumise à l'état de guerre, correspond à un repli plus profond de la société polonaise sur les valeurs traditionnelles et spécifiques à la résistance. Le faible nombre de vignettes consacrées au monde extérieur, communiste ou non, le suggère. Une grande partie concerne soit les adversaires des systèmes communistes — dissidents russes (Sakharov, Soljénitsyne), tchécoslovaque (Havel) —, soit la commémoration des insurrections dans les démocraties populaires — Berlin (1953), Budapest (1956), Prague (1968) —, ou encore la lutte des Afghans (1979-1989). Le monde est perçu au travers de la question du communisme, ou plus exactement de la résistance à son pouvoir.

Cet enfermement pourrait correspondre à une tendance si présente en Pologne — ce polono-centrisme que dénonçait, en son temps, Witold Gombrowicz : « Il n'est pas toujours sain que la patrie devienne un paravent qui cache le monde, c'est malsain pour cette patrie elle-même [10]. »

Malgré tout, la poste de *Solidarnosc* illustre d'abord la relation particulière qu'entretiennent les Polonais à leur histoire. Relation qui se noue autour d'événements clefs, comme celui de la victoire de l'armée polonaise sur l'Armée rouge en 1920 (bataille de la Vistule) ou le massacre des officiers polonais à Katyn par le NKVD, etc. Ils possèdent tous une

---

10. W. GOMBROWICZ, *Souvenirs de Pologne*, Paris, Bourgois, 1984.

dimension politique dans le présent. A examiner l'ensemble des vignettes, on en retire l'impression que les Polonais avancent vers le futur le regard tourné en arrière. Aucune projection vers l'avenir, aucune utopie, d'où un certain pragmatisme [11]. Si la mémoire des Polonais est le « mystère de la Pologne » comme le dit C. Milosz, l'image proposée par la poste de *Solidarnosc* laisse entendre que ce mystère entretient plus d'un mythe politique ou autre. On peut citer : l'idéalisation de la République polonaise (1918-1939), première indépendance de la nation depuis le XVIIIᵉ siècle ; l'exaltation de Pilsudski et de ses faits d'armes ; la célébration des hommes politiques de l'entre-deux-guerres ; la revendication indirecte des frontières d'avant 1939 (nombreuses vignettes sur Wilno, Lvov) dans une sorte d'irrédentisme nourri par la présence de Polonais dans ces territoires des confins.

Il est particulièrement intéressant, à titre d'exemple de ces ambiguïtés, d'examiner la place respective du maréchal Pilsudski et de R. Dmowski (1864-1939) dans leur représentation postale. Venu du mouvement socialiste, lituanien, distant vis-à-vis de l'Église, le vieux maréchal avait une conception de la nation différente de celle de son rival, biologiste de formation, xénophobe et antisémite, qui prônait dès avant 1918 le compromis avec les autorités russes. Pour Pilsudski, la nation est une donnée de l'histoire, elle se constitue autour de valeurs culturelles, elle est ouverte ; pour Dmowski, admirateur du fascisme italien, la nation rassemble une race, un groupe biologique, elle est homogène, fermée. Deux conceptions radicalement opposées qui ont eu des conséquences très concrètes dans l'action politique des deux hommes [12]. Dans la production de la poste de

---

11. On ne rencontre la classique représentation de l'« avenir radieux » (un soleil levant et un flambeau transmis de main en main) que dans une vignette à propos des accords CFTC-*Solidarnosc* et du centenaire du premier syndicat chrétien.

12. Pour une analyse plus détaillée de cette opposition et de ses répercussions au sein de *Solidarnosc*, voir J.-Y. POTEL, « Solidarité et les traditions politiques polonaises », in *Pologne, Les Temps modernes, numéro spécial*, Paris, 1983, p. 241-274.

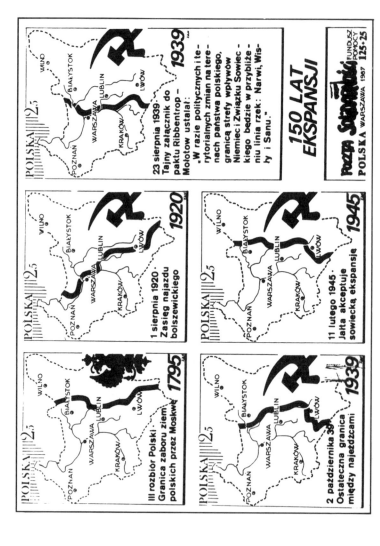

«150 années d'expansion.»

Solidarnosc, Dmowski est bien moins présent que Pilsudski (1/35e) et même que les généraux de l'armée polonaise de la guerre 1939-1945.

Rappelons que cette période de l'entre-deux-guerres, regardée avec tant de sympathie par la poste de *Solidarnosc*, avait connu une démocratie imparfaite, de plus en plus limitée à partir de 1926 (limitation du rôle du Parlement ; interdiction du parti communiste ; politique d'assimilation et/ou d'exclusion des minorités), mais où existait quand même une relative liberté de la presse et d'organisation. Cette situation ne cessa qu'à l'approche de la guerre. De plus, un tiers de la population du pays était composé de minorités nationales (ukrainienne, allemande, juive, biélorusse, lituanienne, et même tatare) tandis qu'aujourd'hui elle est pratiquement homogène [13]. Les références au pluralisme utilisées sont donc de préférence polonaises et non communistes, un pluralisme à l'usage des seuls Polonais. Les rares timbres commémorant l'insurrection du ghetto juif de Varsovie (avril 1943) apparaissent, de ce point de vue, a-typiques.

La représentation « postale » de l'imaginaire polonais nous transmet le signe d'un fort désir d'appartenance à une nation toujours bafouée et secrète. Cette recherche de valeurs propres destinées à fonder une communauté dépasse les questions sociales ou les contourne. De même les relations entre l'URSS et la Pologne sont réduites à une oppression séculaire ; l'URSS poursuivant dans ce domaine l'œuvre de la Russie des tsars. L'image peut devenir mirage pour permettre aux mythologies politiques de survivre en dépit de l'évidente réalité. La poste de *Solidarnosc* nous en offre l'illustration. Elle colporte les rêves et les cauchemars qui peuplent la conscience historique des Polonais.

---

13. Voir l'ouvrage de K. PODLASKI, *Bialorusini, Litwini, Ukraincy*, Londres, Puls, 1985, et le texte de J.-J. LIPSKI, « Examen de conscience », *in* le dossier KOR, Paris, *L'Alternative*, 1984.

URSS

Des romans contre
les tabous de l'histoire

par Alexis Berelowitch

Dans la redécouverte de l'histoire de la période soviétique, qui constitue un des moments forts de la *glasnost*, un rôle essentiel est joué par les œuvres littéraires. Pourquoi et comment la lecture de l'Histoire s'effectue-t-elle à travers des romans ? Telle est la question à laquelle nous essaierons de répondre.

Il serait hors de propos de nous interroger ici sur les raisons qui font que la littérature, en Russie, a joué un si grand rôle dans la vie intellectuelle, qu'elle a été un élément indispensable dans le développement du sentiment de l'identité nationale. Il ne s'agit pas, certes, d'un phénomène totalement original ; d'autres pays ont appris leur histoire à travers leur littérature, mais il semblerait que la Russie ait fait jouer à sa littérature le rôle de toutes les sciences humaines, des sciences politiques à la sociologie, de l'histoire à la philosophie. Il est certain que la guerre de 1812 contre Napoléon vit dans les esprits d'abord à travers *Guerre et paix*, et Pougatchev à travers *La Fille du capitaine*.

Cette tradition a été renforcée par la destruction quasi totale de l'historiographie dans la période stalinienne, puis par la censure qui empêchait, à de rares exceptions près, la publication de travaux historiques non conformes aux dogmes. En effet, la littérature, les romans historiques devinrent le lieu où on pouvait contourner plus aisément les interdits. Réciproquement, les lecteurs allaient y chercher ce que l'histoire officielle ne pouvait leur donner.

Ainsi, pendant la période du dégel mais également durant la période brejnévienne, le roman historique, mais aussi la biographie furent très en vogue. L'essentiel de cet engouement pour la prose historique était, comme le note V. Danilov dans un débat sur le thème « Histoire et *perestroïka*[1] », d'abord nourri par le mécontentement face à la vie actuelle, la recherche nostalgique d'une autre vie artificiellement interrompue (c'est également une des raisons du succès de films comme ceux de Kontchalovski par exemple) et, bien sûr, le mécontentement face à ce qu'offrait l'historiographie officielle. C'est ainsi que l'écrivain le plus populaire du début des années quatre-vingt (mais il reste aujourd'hui encore l'auteur le plus lu en URSS) est V. Pikoul, dont les romans sur la vie d'avant la Révolution sont pimentés de secrets d'alcôve.

Dans le même temps, une littérature qui se proposait de donner une description du réel explorait, dans la mesure du possible, les zones interdites auparavant. Pendant le dégel, on a vu des romans sur les défaites du début de la guerre (1941), sur la condition paysanne dans l'immédiat après-guerre, on a vu enfin des romans sur le stalinisme et les camps. A partir du milieu des années soixante, l'interdit sur le thème des camps et du stalinisme se renforce mais le rôle de la littérature reste important. Les écrivains qui veulent poursuivre explicitement leur investigation du stalinisme sont alors condamnés à se faire publier en Occident. Ce sont les œuvres de Soljenitsyne bien sûr, mais aussi les romans de You. Dombrovski, de G. Vladimov et bien d'autres. Cependant, d'autres écrivains parviennent à se faire éditer en URSS. V. Bykov continue son cycle de romans sur la guerre, et avec *Le Signe du malheur* (1983) aborde la collectivisation. Il montre la filiation entre ceux qui menèrent cette dernière en 1930 et ceux qui collaborèrent avec les Allemands pendant l'occupation de la Biélorussie. A. Kron évoque la destruction de la science soviétique sous

---

1. V. DANILOV dans la table ronde sur « Histoire et *perestroïka* », *Voprosy istorii*, n° 3/1988.

Moscou en 1928-1929 - la place Strastnaïa avec la statue de Pouchkine (d'Opedoukine 1880) - Le monastère de la Passion (détruit en 1930) et au fond au centre l'immeuble des *Izvestia* construit en 1927 (aujourd'hui place Pouchkine).

Staline[2]. Enfin, les écrivains paysanniers, après avoir — dans les années soixante — situé leurs romans dans la Russie des années cinquante, se tournent vers la collectivisation. C'est ainsi que, dans *Les Veilles* (1976), Belov montre la campagne du Nord, harmonieuse et heureuse, atteinte par les prémisses de la collectivisation, que I. Akoulov, dans *Kassian d'hiver* (1979), suggère le caractère forcé de la collectivisation.

PEUR ET OUBLI

Par ailleurs, le roman historique, pendant toute cette période, devient le genre préféré de la « langue d'Ésope » et, sous couvert de la Révolution française, du mouvement décembriste, du mouvement terroriste (*L'Impatience* de You. Trifonov), ou même du mazdakisme[3] (*Mazdak* de

2. A. KRON, *L'Insomnie*, in *Novy mir*, 4 juin 1977.
3. Doctrine née en Asie mineure au Ve siècle, dirigée contre la noblesse et prônant la communauté des biens.

M. Simachko), les auteurs cherchent à comprendre les mécanismes qui transforment un mouvement révolutionnaire et libérateur en un système totalitaire.

Il est un écrivain qui, selon nous, domine la période en URSS : il s'agit de You. Trifonov. Dans *La Maison sur le quai* (1976), il montre comment la peur, sous Staline, constitue le fondement de l'acceptation du régime. Dans *Le Vieillard* (publié en France sous le titre *Fumées et brouillards vers le soir*, 1979), Trifonov place au centre du roman le fonctionnement de la mémoire, mettant en scène un personnage qui, au soir de sa vie, « oublie » le rôle qu'il a joué dans l'exécution de son ami pendant la Terreur rouge, au cours de la Guerre civile.

Malgré tous les efforts du pouvoir pour reprendre en main les esprits que le XXᵉ Congrès avait éveillés, les écrivains poursuivirent leurs réflexions sur le stalinisme, tentant, malgré tout, d'explorer les « taches blanches » de leur histoire. Le thème de la mémoire devient omniprésent à la fin des années soixante-dix. Cela peut être sous la forme dévoyée d'un nationalisme exacerbé du roman-essai *Pamiat'* (*Mémoire*, 1978) de V. Tchivilikhine, qui fut, pour une part au moins, l'inspirateur du mouvement *Pamiat'* et lui a donné son nom ; c'est aussi la réaffirmation que l'humanité est mémoire. C'est ainsi que « mankourt », le nom que portent les esclaves privés de mémoire dans la légende racontée par T. Aïtmatov (*Une journée plus longue qu'un siècle*, 1980), devient un nom commun et est utilisé par des critiques pour dénoncer l'état de la société soviétique.

Il n'est donc pas aussi étonnant que certains le pensent qu'il ait suffi d'un simple allégement de la censure en 1986 pour qu'aussitôt paraissent des œuvres littéraires abordant les sujets jusqu'alors tabous. S'il est difficile à un historien, pris dans les institutions, de mener des recherches interdites (c'est d'ailleurs le sujet d'un des romans de Trifonov) — ce qui explique partiellement l'absence de travaux soviétiques sur le stalinisme — des écrivains ont pu écrire ou bien « pour le tiroir » en attendant des jours meilleurs ou bien pour le *samizdat* et les éditions russes en Occident. Il suffit

Anna Akhmatova.

pour s'en convaincre d'examiner les dates de rédaction des livres abordant la période stalinienne parus dans la dernière période. *Les Enfants de l'Arbat* de A. Rybakov étaient annoncés dans *Novy mir* de 1966, *Les Vêtements blancs* de V. Doudintsev ont été écrits dans les années 1960-1970, *La Nouvelle Affectation* [4] de A. Bek est achevé en 1964, etc. Autrement dit la *glasnost*, ici comme dans d'autres domaines, a permis de porter à la connaissance du grand public ce qui avait été pensé et écrit au cours de la période précédente. Ce sont donc les fruits tardifs du dégel, les œuvres d'hommes appartenant aux années soixante, les « chestidesiatniki [5] » qui permirent, pour commencer, aux Soviétiques de retrouver leur histoire.

Un des premiers signes du renouveau fut, en 1986, au moment où se déroule le XXVIIᵉ congrès du PCUS, la

---

4. A. RYBAKOV, *Les Enfants de l'Arbat*, in *Droujba narodov*, 4 juin 1987 ; V. DOUDINTSEV, *Les Vêtements blancs*, in *Neva*, 1ᵉʳ avril 1987 ; A. BEK, *La Nouvelle Affectation*, première édition en Occident en 1972 ; en URSS, *Znamia*, octobre 1986.
5. Les « Soixantards ».

mise en scène d'une pièce de Chatrov, *La Dictature de la conscience*. Située dans le présent, elle consistait en un procès du socialisme avec témoins, avocats et jury ; même si, comme on pouvait s'y attendre, le socialisme y est finalement acquitté, la pièce admet — ce qui était déjà d'une grande audace en l'an I de la *perestroïka* — qu'on pouvait s'interroger sur son bilan. Les témoins à charge y sont d'ailleurs souvent plus convaincants que les défenseurs. Ses pièces suivantes : *La Paix de Brest-Litovsk* et surtout *Plus loin, plus loin, plus loin*[6]..., profitant de l'élargissement des limites, mettent en scène, elles, tous les protagonistes de la Révolution, de Staline à Kerenski, de Trotski à Boukharine et, pour la première fois, n'en donnent pas une image caricaturale.

Dans *Plus loin*, Chatrov se demande, à la lumière de l'histoire soviétique, s'il n'aurait pas mieux valu ne pas faire la Révolution. L'image d'un Lénine s'excusant d'avoir déclenché un processus qui donna jour au stalinisme, la phrase de la fin où il est dit « qu'on souhaiterait très fort que Staline quittât la scène mais qu'il s'y trouve encore » ont déclenché la colère d'une critique officielle qui y a vu une attaque contre le socialisme[7]. Mais les attaques sont également venues de critiques qui accusèrent Chatrov de s'être simplifié le problème en opposant les bons bolcheviks à un mauvais Staline, et en réduisant l'analyse des causes du stalinisme au non-respect du « testament de Lénine », qui demandait au Comité central de déplacer Staline de son poste de secrétaire général, à cause de sa grossièreté. L. Ovroutski, par exemple, reproche à Chatrov de ne pas poser le problème de la bureaucratie, de ne pas s'inter-

---

6. *Dictature de la conscience*, in *Teatr*, juin 1986 ; *La Paix de Brest-Litovsk*, in *Novy mir*, avril 1987 ; *Plus loin, plus loin, plus loin...*, in *Znamia*, janvier 1988.

7. La *Pravda* publia une critique d'un groupe d'historiens, ce qui provoqua, en retour, une protestation d'hommes de théâtre (*Pravda* du 29 février 1988). L'aile ultra-conservatrice critiqua également les pièces de Chatrov, qui s'enorgueillit d'avoir été nommément attaqué par Nina Andreïeva dans son article « Je ne peux pas céder sur les principes » (la première offensive d'envergure des adversaires des réformes) dans *Sovetskaïa Rossïia*, 13 mars 1988.

roger sur la responsabilité du peuple, des traditions non démocratiques de la Russie[8].

La critique dans ces œuvres se situe donc bien au niveau des dénonciations du « culte de la personnalité » des années du dégel, quand le mauvais Staline s'opposait au bon Lénine.

UN ROMAN FÉTICHE

C'est, pour l'essentiel, la base conceptuelle de l'œuvre littéraire qui joua un rôle majeur dans la redécouverte du problème du stalinisme : *Les Enfants de l'Arbat*. On sait que ce roman, publié courant 1987, a été le grand succès de l'année et a été tiré à plus de dix millions d'exemplaires. Cet engouement pour une œuvre somme toute mineure, obéissant à la poétique du roman pour adolescent (le bon héros en lutte contre les méchants), s'explique tout d'abord par le fait qu'elle fut la première, dans les œuvres de la *glasnost*, à faire un portrait de Staline. Le portrait psychologique de Staline, les monologues intérieurs visant à reconstituer la logique de ses raisonnements politiques, l'opposition entre Staline et les dirigeants bolcheviques qui cherchaient à stopper la terreur grandissante (Ordjonikidzé, Kirov dont l'exécution par Staline clôt le roman), tout cela a constitué, pour une masse de lecteurs, une sorte d'introduction facile à la problématique du phénomène stalinien. La suite, *1935*, parue deux années plus tard, est passée inaperçue. La critique littéraire « libérale », même si elle voyait les faiblesses de l'œuvre, l'a soutenue car, dans les conditions de l'année 1987, elle constituait une avancée importante dans la dénonciation du stalinisme. Les attaques contre *Les Enfants de l'Arbat* vinrent, outre des forces conservatrices du Parti, du mouvement russophile : V. Kojinov dénonce l'opposition, factice selon lui, entre Kirov et

---

8. L. OVROUTSKI, « L'Histoire au conditionnel », *Sovetskaïa koultoura*, 4 février 1988.

Staline, entre le bon héros, militant des Komsomols, et les méchants arrivistes. Ils sont, laisse-t-il entendre, tous semblables et tous responsables des malheurs de la Russie[9].

A côté des *Enfants de l'Arbat* qui prétendait, dans la lignée de Tolstoï, livrer une image complète de l'époque — des ouvriers à Staline — de nombreuses autres œuvres, parues au début de la *perestroïka*, abordaient tel ou tel aspect du stalinisme. C'est ainsi que V. Doudintsev dans *Les Vêtements blancs*, D. Granine dans *L'Auroch*[10] abordent, par des biais différents, l'histoire de la destruction de la science à l'époque stalinienne. S. Antonov reconstitue l'atmosphère des premiers plans quinquennaux, de la construction du métro de Moscou et des phénomènes de masse du stalinisme dans *Vas'ka*. A. Pristavkine évoque la déportation des Tchètchènes-Ingouches par Staline pendant la guerre dans *Un nuage d'or sur le Caucase*[11], M. Kouarev montre la révolte de Kronstadt vue du côté des mutins dans *Le Capitaine Dikstein*. On pourrait multiplier les exemples.

La Nouvelle Affectation, de A. Bek dépeint, à partir d'un personnage réel, un ministre de l'Industrie lourde dévoué corps et âme à Staline. A l'opposé des bureaucrates brejnéviens, il ne cherche ni richesse ni honneurs ; il sert la cause et il la sert avec compétence. Mais le système lui-même fait de lui un être inhumain et, en fin de compte, un mauvais dirigeant, car il impose à ses subordonnés l'obéissance aveugle qui est la sienne à l'égard de son supérieur. Si ce roman est encore pénétré des idées des années soixante, l'image qu'il propose est si juste qu'elle a permis à l'économiste G. Popov, un des acteurs les plus actifs de l'aile radicale des réformateurs, de faire, dans un article consacré au roman, une analyse (une des premières en URSS) du système de pouvoir stalinien et de ses méthodes de direction définis comme un « système administratif de

---

9. V. KOJINOV, « Justice et vérité », *Nach Sovremennik*, avril 1988 ; voir également l'article de A. KAZINTSEV, « Histoire unificatrice ou séparatrice », *Nach Sovremennik*, novembre 1988.

10. D. GRANIN, *L'Auroch*, in *Novy mir*, 1er février 1988.

11. A. PRISTAVKINE, *Un nuage d'or sur le Caucase*, in *Znamia*, 3 avril 1987.

Trofim Lyssenko, biologiste russe né en 1898, croulant sous les honneurs.

commandement » (la formule a eu un succès foudroyant et est très largement utilisée pour caractériser le fondement du système stalinien [12] qui s'est maintenu jusqu'à nos jours).

En laissant publier seulement aujourd'hui des œuvres qui ont été parfois écrites il y a cinquante ou soixante ans, la censure a transformé des romans contemporains en romans historiques. C'est ce qui est arrivé, entre autres, aux chefs-d'œuvre de A. Platonov, dont *Tchevengour, La Fouille* [13], etc. ont enfin atteint le lecteur soviétique. Cette prose difficile ne pouvait avoir le succès populaire des *Enfants de l'Arbat*, mais elle eut peut-être la même importance aujourd'hui que la découverte de Boulgakov dans les années soixante. Elle a permis de retrouver, dans les héros de Platonov, ce qu'a été l'esprit de l'utopie révolutionnaire, l'éveil à l'histoire d'hommes dont même la langue était nouvelle.

12. G. POPOV, article sur *La Nouvelle Affectation*, in *Nauka i jizn*, avril 1987.
13. A. PLATONOV, *Tchevengour*, in *Droujba narodov*, 3 avril 1988, *La Fouille*, in *Novy mir*, juin 1987.

Parmi les retours de chefs-d'œuvre depuis longtemps connus en Occident, il faut nommer *Le Docteur Jivago*[14]. Bien plus qu'un roman historique sur la guerre civile (même s'il est également cela), il redonnait au lecteur soviétique la possibilité de retrouver une tradition interrompue, un sentiment de la vie et de sa valeur intrinsèque. Mais, comme le souligne la critique M. Tchoudakova, on peut s'interroger sur la possibilité qu'ont ces grandes œuvres du passé de trouver un ancrage auprès du lecteur d'aujourd'hui : « Les vides dans notre mémoire et dans notre paysage spirituel sont énormes. Le tissu sur lequel devraient tenir les nouvelles valeurs culturelles (c'est-à-dire les anciennes valeurs que nous avons naguère rejetées) est troué en maints endroits et il pend lamentablement. Et quand les phénomènes les plus importants entrent dans notre vie, ils n'y trouvent pas toujours, loin de là, leur place ; il arrive qu'ils glissent sur nous sans nous concerner, comme l'eau sur les plumes d'un canard[15]. »

VÉRITÉS ET LIEUX COMMUNS

Au fur et à mesure que la *perestroïka* prenait tournure et consistance, et que l'aspiration à « dire toute la vérité » se faisait plus forte, les taches blanches auxquelles s'attaquaient les revues littéraires devenaient de plus en plus nombreuses, les sujets abordés de plus en plus brûlants. D'une année sur l'autre des affirmations « blasphématoires » devenaient la simple constatation d'une évidence. Ainsi que l'écrivait A. Latynina dès 1988 (et le mouvement n'a fait que s'accentuer depuis), ce qui était hier une « vérité courageuse est devenu un lieu commun[16] ».

Plusieurs romans dont les deuxièmes parties de *Paysans et paysannes* de B. Mojaev et des *Veilles*[17] de V. Belov

---

14. B. PASTERNAK, *Le Docteur Jivago*, in *Novy mir*, 1er avril 1988.
15. M. TCHOUDAKOVA, *Moskovskie novosti*, 31 janvier 1988.
16. A. LATYNINA, *Literatournaïa Gazeta*, 13 juillet 1988.
17. B. MOJAEV, *Paysans et paysannes* (2e partie), in *Droujba narodov*, 1er février 1988 ; V. BELOV, *Les Veilles* (2e tome), in *Novy mir*, août 1987.

montrent toute la violence de la collectivisation qui détruit la paysannerie. Cependant, malgré tout l'intérêt d'une problématique opposant le monde harmonieux de la commune villageoise à ses destructeurs, le livre de Belov n'est pas exempt, loin de là, d'une idéalisation de la campagne patriarcale (nécessaire à l'auteur pour mieux l'opposer au monde des communistes de la ville). Surtout, l'un et l'autre, comme l'a souligné V. Danilov, spécialiste de l'histoire de la paysannerie, ont attribué la collectivisation à Trotski, ce qui s'accorde assez mal avec ce que l'on croit savoir sur la période [18].

C'est ici que l'on touche d'ailleurs aux limites de cette découverte de l'histoire par le biais de l'œuvre littéraire, qui, sans avoir à se justifier de quelque manière, impose une vision, souvent très personnelle — marquée dans le cas présent par l'idéologie russophile —, des événements historiques.

Le thème des camps, si important dans la littérature soviétique du *samizdat* et du *tamizdat* [19], est enfin publié en URSS avec les œuvres de E. Guinsbourg, de V. Chalamov et d'autres, généralement connues depuis longtemps en Occident. Enfin, en 1989, la sortie de *L'Archipel du Goulag* [20] dont la possession pouvait naguère valoir cinq années de camp a été autorisée après de longues hésitations. Les atermoiements du pouvoir concernant ces ouvrages étaient moins dus, pensons-nous, au tableau accablant du système des camps staliniens qu'à la mise en cause explicite du rôle de Lénine dans leur établissement. Le tabou de Lénine, le plus fort car l'incrimination du fondateur du régime soviétique attentait à la légitimité du pouvoir en place, est tombé avec la publication de Soljenitsyne et des deux romans de V. Grossman, *Vie et destin* et *Tout passe...* Ces œuvres, ainsi

---

18. V. DANILOV, *op. cit.*, p. 22. L'idée de la responsabilité des juifs dans les crimes staliniens est également développée dans les articles de V. KOJINOV, de A. KAZINTSEV, etc., dans la revue nationaliste *Nach Sovremennik*.

19. C'est-à-dire réalisé hors de l'URSS, contrairement au *samizdat*.

20. A. SOLJENITSYNE, *L'Archipel du Goulag*, in *Novy mir*, 8 novembre 1989.

que, dans une moindre mesure, *La Disparition*[21] de You. Trifonov, posent de manière bien plus radicale que ne le faisait l'époque du dégel le problème du stalinisme, de la responsabilité des « vieux bolcheviks » et de Lénine dans la mise en place du système. L'idée qu'il ne se met pas en place en 1937 ou même en 1930, mais bien dès les débuts du pouvoir soviétique s'impose peu à peu.

Grossman, dans *Vie et destin* (achevé, comme *Tout passe*, en 1960), trace un parallèle entre le régime soviétique et le régime nazi, et c'est son roman qui permettra, en URSS, de recourir au concept de système totalitaire. Dans *Tout passe*, tableau terrible de la famine provoquée par la collectivisation en Ukraine, l'auteur s'interroge sur les origines du stalinisme, et il les voit dans l'histoire de la Russie avec son absence de démocratie, avec l'esclavage séculaire qui a conduit les hommes à la soumission. L'histoire russe, à l'inverse de celle des autres pays, a été celle non d'une accession à la liberté mais, au contraire, d'un mouvement vers toujours moins de liberté. Cette vision de Grossman (qui recoupe des essais historiques du type de ceux de Kliamkine ou Seliounine) a provoqué une levée de boucliers de la part du mouvement russophile, qui a voulu y voir un mépris pour le peuple russe (en soulignant au passage les origines juives de Grossman) et une manifestation de la *russophobie*[22].

Cette campagne, très violente, à laquelle participait I. Chafarevitch, s'est conclue par la décision de l'Union des écrivains de la RSFSR de démettre de ses fonctions le rédacteur de la revue *Octobre* qui a publié les deux œuvres de V. Grossman.

Ainsi, pendant la première période de la *perestroïka*, la littérature a été aux avant-postes de la redécouverte du passé historique. Comme dit l'historien A.M. Samsonov : « Il faut avouer que nous [les historiens] sommes très en retard [sur

---

21. V. GROSSMAN, *Vie et destin*, in *Oktiabr*, 1ᵉʳ avril 1988 ; *Tout passe*, in *Oktiabr*, juin 1989 ; You. TRIFONOV, *La Disparition*, in *Droujba narodov*, janvier 1987.

22. Voir par exemple le texte de I. CHAFAREVITCH, « Russophobie », *Nach Sovremennik*, juin et novembre 1989.

Portrait de Varlam Chalamov et monument exposés à la «semaine de la conscience» organisée par le *Mémorial* en 1988-1989.

la littérature] et d'un point de vue professionnel et d'un point de vue civique[23]. » Cependant, si la littérature a été et est indispensable et irremplaçable pour faire entendre le « bruit du temps », pour reconstituer la psychologie d'une époque (que l'on pense par exemple à la nouvelle *Sofia Petrovna* [*La Maison désertée* dans la traduction française] de Lydia Tchoukovskaïa et l'image qu'elle donne du stalinisme quotidien, ou bien, encore, *Une rue de Moscou*[24] de B. Yampolski qui donne une description saisissante de la peur qui envahit insensiblement le héros qui se sait surveillé), on peut remarquer qu'avec le temps les ouvrages proprement historiographiques ou, en tout cas, des essais historiques commencent eux aussi à trouver accès au lecteur ; on assiste à la publication d'archives et on en promet bien d'autres. On peut espérer que cette tendance va s'affirmer et qu'ainsi les débats pourront gagner en netteté et en rigueur. C'est à cette condition également que le « droit à la mémoire », revendiqué par A. Tvardovski dans un poème consacré à sa famille « dékoulakisée », pourra enfin s'exercer pleinement.

23. Cette idée est souvent reprise. Par exemple, E. AMBARTSOUMOV, lors d'une table ronde commune d'écrivains et historiens intitulée « Histoire et littérature », disait : « Faut-il s'étonner si c'est hors de ce système sclérosé de l'histoire officielle que l'histoire véridique s'est développée, en particulier grâce à nos écrivains Fedor Abramov, Youri Trifonov, Sergueï Zalyguine, Boris Mojaev, Victor Astafiev, Fazil Iskander, Anatoli Rybakov et Mikhaïl Chatrov ? » (*Voprosy istorii*, juin 1988, p. 83). L'idée même d'une telle rencontre témoigne de la symbiose entre écrivains et historiens.
24. L. TCHOUKOVSKAÏA, *Sofia Petrovna*, in *Neva*, février 1988 ; B. YAMPOLSKI, *Une rue de Moscou*, in *Znamia*, 2 mars 1988.

URSS

Les archives entrouvertes*

par Maria Ferretti

Question : « Comment est mort Meyerhold ? Tué ? »
Réponse : « Fusillé. J'ai vu le dossier Meyerhold [...]. J'y ai trouvé une lettre de Meyerhold déjà condamné, adressée à Vychinski. C'est un document bouleversant. Le dramaturge énumère les "méthodes d'instruction illégale" que Rodos [le juge] utilisait avec lui : par exemple, il lui avait cassé le bras gauche (pas le droit, pour qu'il puisse écrire)... Rodos lui fit boire de l'urine... Meyerhold pleurait, s'humiliait, littéralement à genoux, il rampait, et... il fut obligé de tout signer [1]. » C'est Dima Iourassov qui parle, un jeune d'à peine plus de vingt ans. Le silence se fait dans la salle de la Maison des écrivains.

On est au printemps 1987. La fièvre de l'histoire commence à s'emparer de l'Union soviétique. Effacée des livres d'histoire et bannie de la mémoire, la tragédie du passé stalinien est revenue à la surface dès les premiers signes de libéralisation culturelle, quand Gorbatchev a pris le pouvoir. C'est, rappelons-nous, l'époque de la polémique sur les mensonges de l'*histoire officielle* — depuis on parle d'histoire « au service de la propagande », instrument de domination d'un pouvoir qui s'est arrogé le monopole du passé, qui a privé la société de sa mémoire. C'est quand commence le processus, douloureux et contradictoire, de recomposition

---

* Traduit de l'italien par Jean-Yves POTEL.
1. « A propos de Staline », *L'Autre Europe*, 1987/14, p. 157.

444

de la mémoire sociale mutilée : le stalinisme longtemps refoulé entre enfin dans la conscience collective.

UN FICHIER PEU ORDINAIRE

Dima Iourassov est une figure emblématique. Son intérêt pour la répression stalinienne est né par hasard, d'une petite phrase incompréhensible lue à l'âge de onze ans dans une encyclopédie : « Réprimé illégalement, réhabilité après la mort. » Au lieu de demander des explications aux adultes, il la note dans un carnet. Un jeu ? Il n'a aucune idée du bain de sang qu'il découvrira. Né en 1965, il ne connaît pas Soljénitsyne, il ne connaît pas non plus *Novy mir* de Tvardovski. C'est la génération de la « stagnation ». Il s'inscrit à des bibliothèques différentes, et note patiemment les noms de tous ceux qu'il trouve dans les livres sans savoir qui ils sont. Leurs traces semblent se perdre dans le néant. Seuls quelques-uns apparaissent dans l'Encyclopédie ; et, comme par une extraordinaire coïncidence, les dates de mort sont toutes voisines, entre 1937 et 1939, plus rarement entre 1940 et 1941.

Dima veut savoir. Veut comprendre. Seules les archives peuvent fournir une réponse. C'est pourquoi à seize ans, l'école terminée, il se rend à Moscou. Il s'inscrit aux cours du soir de l'Institut d'État d'histoire et des archives, et dans la journée il travaille comme employé sur les archives de la révolution d'Octobre. Il recueille des informations, il constitue en passant d'un dossier à l'autre son propre fichier de « réprimés » : la passion du jeune homme inquiète, on le licencie. Lui, têtu, recommence ailleurs. Il travaille sur les archives spéciales de la Cour suprême et du Tribunal militaire. Des milliers de cas de répression datant des années du « culte de la personnalité » passent entre ses mains. En notant avec précision toutes les données trouvées, il a rempli plus de cent mille fiches.

Maintenant il parle. Il répond aux questions que les autres ont laissées sans réponse. Dans la salle, le dramaturge

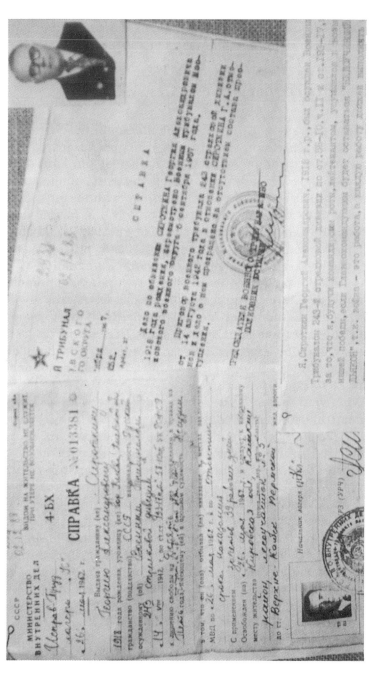

«Attestations» délivrées à des détenus politiques.

Mikhaïl Chatrov écoute. Il n'a jamais réussi à savoir comment son père avait disparu. Dima pourra le lui dire. Le choc provoqué par les révélations de Dima est considérable. Avec ses petites fiches, ce jeune homme a sauvé des fragments de mémoire destinés à l'oubli[2].

La direction de l'Union des écrivains proteste. Un mois après, bien que muni d'une invitation réglementaire, Dima se voit interdire l'accès à la salle. C'est trop tard : désormais tout Moscou connaît Dima. Son téléphone n'arrête pas de sonner. Un écrivain raconte : « J'observe ces dates, je relis la formule : "Le cas est archivé pour non-lieu." Je voudrais en extraire une *sensation du père*, me sauver du vide qui traîne derrière moi — en vain. Je ne parviens pas à voir, à sentir. Je ne sais rien. Quelqu'un m'a parlé de Iourassov. Je l'ai rencontré et lui ai seulement cité mon nom de famille. Il a trouvé dans son fichier la même date de réhabilitation que celle figurant sur mon certificat (sans erreur !), en revanche la date de condamnation ne coïncidait pas. Il m'a indiqué le lieu de détention, et probablement de mort, de mon père. Il y avait dans le dossier de réhabilitation des dépositions et des témoignages, on y appelait mon père "le bibliothécaire". Je ne sais s'il s'agissait d'un surnom de camp ou d'une occupation quelconque, mais ce simple fait changeait quelque chose. Un homme émergeait de la masse anonyme aux vêtements gris. Un homme unique, particulier, distinct — ils ne s'appelaient pas tous bibliothécaires. Un père ! J'ai un père[3] ! »

Un demi-siècle après la grande terreur stalinienne, les archives demeurent obstinément closes, sourdes aux cris de douleur de toute une société. « Comment chercher à Magadane ou dans l'Oural les tombes de parents anéantis, dénigrés, condamnés et innocents ? Où aller ? Où donner de la tête ? A qui demander pour connaître toute la vérité[4] ? » Lettres de doléances des survivants à la fureur stalinienne,

---

2. V. ČALIKOVA, « Arhivnyj junoša », *Neva*, 1988/10, p. 155 ; D. JURASOV, « Vernite pravo na pamjat' ! » *Sobesednik*, 1988/22.

3. V. ČALIKOVA, *op. cit.*, p. 155.

4. *Ibid.*, p. 152.

âmes en peine à la recherche d'un signe, d'une *trace* qui leur permette de retrouver les aimés, de retrouver leur identité ; enfants en bas âge dont les parents ont été arrêtés la nuit, sans laisser une photographie, un objet personnel — journaux, cahiers, livres (les « ennemis du peuple » se voyaient confisquer tous leurs biens) ; enfants condamnés à subir l'humiliation de l'oubli forcé, à se contenter des déclarations laconiques soutirées à l'occasion de la réhabilitation — où l'on indique simplement que, suite à la révision du procès, la condamnation a été annulée. Pas un mot sur les raisons de la condamnation, ni sur la date ni sur le lieu de la mort.

UN ENJEU MORAL

Au temps de Brejnev, non seulement il eût été déplacé d'évoquer cette tragédie, mais on falsifiait les dates de mort des victimes : une manière de « décongestionner » la fin des années trente et de réduire la responsabilité de Staline en imputant ces morts à la guerre [5]. Aussi, sous Gorbatchev, veut-on savoir. Savoir par exemple ce que signifiait la peine « *dix ans sans droit de correspondance* [6] ». Elle correspondait, pense-t-on généralement (on le disait déjà à l'époque), à un passage immédiat par les armes ; il s'agirait d'un « euphémisme » pour éviter une panique généralisée (si, dix ans plus tard, une famille s'inquiétait du devenir de son parent on lui communiquait une date fictive de mort par maladie [7]).

Savoir comment ses proches ont vécu leurs derniers jours, leurs dernières heures ; de quoi ils étaient inculpés,

5. V. ŠUBKIN, « Vosstanovit' spravedlivost », *Ogonek*, 1988/44 ; « A propos de Staline », *op. cit.*, p. 155.

6. V. ŠUBKIN, *op. cit.* ; voir aussi la lettre de N.S. POPOVIČ, *Ogonek*, 88/46, p. 3, et l'interview de Mikhaïl CHATROV, « Neodolimost' istiny », *Ogonek*, 88/45 ; en français, cf. « A propos de Staline », *op. cit.*, p. 155.

7. A. VAKSBERG, « Processy », *Literaturnaja gazeta*, 1988/18 ; « A propos de Staline », *op. cit.*, p. 156.

comment ils ont réagi aux interrogatoires[8]. Savoir pour rendre concrète cette « sensation du père » dont parlait l'écrivain moscovite. Questions angoissées dont les réponses sont recluses dans les dossiers jalousement gardés par le KGB.

La bataille pour les archives est avant tout une bataille *éthique* pour le droit au souvenir, une mémoire devenue un *devoir* moral envers les victimes de la répression stalinienne. Seule l'ouverture des archives permettra, en fait, de reconstituer la liste complète de *toutes* les victimes de la répression stalinienne (« Je voudrais toutes les appeler par leur nom, / Mais on m'a pris la liste — et où la demander ? » avait dit Anna Akhmatova dans son *Requiem*) et de leur rendre finalement justice[9]. C'est dans ce contexte qu'il faut comprendre la proposition de préparer un livre blanc sur le régime stalinien, proposition formulée à l'automne 1988 par l'Institut d'État d'histoire et des archives de Moscou dirigé par Iouri Afanassiev — lequel a joué, durant ces années, un rôle de premier plan dans la bataille contre les falsifications du passé imposées par l'*histoire officielle*[10]. Rendre public le nom de *toutes* les victimes de la répression, les restituer à la mémoire collective et, dans le même temps, faire sortir des archives la foule des petits délateurs, bourreaux et autres exécuteurs devient une forme de *repentir* ou de *purification* collective ; véritable *catharsis* pour libérer la société d'un passé oppressant[11].

8. G. GUKASOV, « Za sem' ju pečatjami. Esli syn hocet znat', čto proizošlo s ego roditeljami, repressirovvannye v tridcatye gody... », *Moskovskie novosti*, 1989/29.

9. E. BELTOV, « Est' ''gde uznat''' », *Moskovskie novosti*, 1988/48 ; V. ŠUBKIN, « Vosstanovit' spravedlivost' », *Ogonek*, 1988/44 ; B. ILIZAROV, « Bezmolvie specchranov », *Moskovskie novosti*, 1989/18. Le *Requiem* d'AKHMATOVA est cité ici d'après la traduction française de J. et F. Rude, Paris, 1982.

10. Sovet Moskovskogo Gosudarstvennogo Istoriko-Archivnogo Instituta, « Nužna ''Belaja kniga'' », *Moskovskie novosti*, 1988/48. Ju. AFANAS'EV, « Dviženie sovesti », *Vedomosti Memoriala*, janvier 1989.

11. B. ILIZAROV, « Dal'nejšee sochranenie ''tajn'' arhivov amoral'no », *Sobesednik*, 1989/34 ; B. VOL'TER, « Prozrenie idet sliškom medlenno », *Moskovskie novosti*, 1988/45.

LE RÔLE DE *MÉMORIAL*

Cette lutte est surtout menée par l'association *Mémorial* fondée en 1988 ; elle s'est fixé l'objectif de construire un monument aux victimes du stalinisme et un centre d'étude et de documentation indépendant [12]. Dans ce centre, on devra trouver des archives rassemblant les documents relatifs à la répression disponibles dans les archives d'État (photocopies ou microfilms) et toutes sortes de témoignages sur les victimes et l'appareil de répression. Ainsi, les archives de *Mémorial* devraient réunir tous les matériaux disponibles.

La collecte a déjà commencé. Dima Iourassov a fourni son fichier, diverses expéditions ont été organisées pour rassembler des matériaux et des données. On ne disposait pas encore, fin 1989, d'un inventaire précis des informations recueillies. Pour se faire une idée du travail accompli, on peut affirmer que la section de Moscou avait rassemblé plus de 20 000 dossiers, celle de Krasnoiarsk 10 000 après quatre expéditions (« Chaque dossier est un destin vivant [13] »). Ces chiffres sont encore plus impressionnants si l'on tient compte du fait qu'il s'agit d'un travail bénévole et que *Mémorial* n'était toujours pas, fin 1989, enregistré légalement dans la majorité des villes ; il ne disposait pas non plus de locaux et se trouvait constamment dans une extrême précarité.

Les fonds recueillis sont assez divers. Ce sont avant tout des lettres, photographies, fragments de journaux, mémoires et autres témoignages sur la répression, fournis par des survivants ou leurs proches ; il y a aussi des interviews sur bandes magnétiques, recueillies par le groupe d'histoire orale, et des films tournés au cours de toutes sortes d'expéditions organisées (une des premières l'a été au camp de Soloski — l'un parmi les plus anciens, ouvert en 1923 —, et où a

---

12. Voir la résolution adoptée par la Conférence préparatoire, où, à propos de la préparation de la loi sur les archives, on demande au Soviet suprême d'établir le libre accès à tous les fonds d'archives concernant les répressions. « Rezoljucii podgotovitel'noj konferencii », *Vedomosti Memoriala*, janvier 1989.

13. N. BELJAEVA, « "Memorial" — smotr sil », *Moskovskie novosti*, 1989/43.

été inauguré un monument aux victimes du stalinisme). On trouve des données particulièrement intéressantes dans les réponses aux questionnaires distribués systématiquement aux survivants ou à toute personne pouvant fournir des informations ; ces questionnaires posent notamment une série de questions précises sur les camps et leur organisation, qui devraient permettre de reconstituer le plus minutieusement possible les conditions de vie dans l'univers concentrationnaire (on trouve, par exemple, des témoignages sur les révoltes dans les camps).

La constitution de ces archives du *Mémorial* est essentielle. D'une part, comme les archives de l'État demeurent inaccessibles, l'existence de ce fonds offre une base d'information alternative pour le travail des groupes de recherche du centre — lequel représente la première tentative concrète de briser le monopole de l'État sur l'histoire (« Le passé n'appartient à personne. C'est le patrimoine des générations présentes et futures », lit-on dans la « déclaration des principes moraux du *Mémorial*[14] »). D'autre part, parce que nées de la base et indépendantes de l'État, les archives du *Mémorial* constituent pour les victimes de la répression un lieu de référence jusque-là inexistant, où elles peuvent soit obtenir des informations soit déposer leurs témoignages. Face à l'arrogance de l'État qui prétend monopoliser le passé, la mémoire de la société commence à s'organiser de manière autonome. Les archives du peuple sont en train de naître.

LA *GLASNOST* DU KGB

Pour répondre aux attaques dont il est l'objet, notamment en matière d'archives, le KGB (*glasnost* oblige !) a dû répondre aux revendications de l'opinion et s'engager dans une délicate opération de relations publiques en ouvrant carrément une sorte de bureau d'information à la Lubianka,

---

14. *Zajavlenie o nranstvennyh principach « Memoriala »,* Moskva, 29 janvier 1989.

La Loubianka siège du KGB à Moscou, place Dzerjinski avec la statue de l'organisateur de la Tcheka.

son siège. Ainsi, en se rendant à la tristement célèbre prison de Moscou (où le *Mémorial* voudrait installer un musée de la répression), on peut remplir un formulaire pour obtenir des nouvelles de parents ou d'amis proches disparus. On a toutes chances d'obtenir une réponse un peu moins laconique — et surtout un peu plus précise — que celles des années cinquante. En revanche, il est absolument interdit de consulter le dossier. Grant Gukasov, qui avait quatre ans lorsque ses parents ont été arrêtés (son père est mort fusillé, sa mère est revenue brisée des camps), a obtenu du KGB de Bakou, après beaucoup d'insistance, la possibilité qu'on *lui lise* une partie de l'instruction (ne fût-ce que pour connaître le chef d'inculpation de son père...), avec l'interdiction d'*enregistrer* la conversation et de photographier des pièces de dossier — pauvres objets rescapés du temps où vivait sa famille. Ils ont fini par lui concéder le droit de photographier la dernière photo de son père après avoir méticuleusement effacé son numéro de prisonnier [15].

Les déclarations régulières du KGB quant à l'ouverture prochaine de ses archives et sa collaboration dévouée aux réhabilitations font également partie de ces opérations de relations publiques. Fin 1989, le vice-directeur des archives du KGB, Vinogradov, s'est vanté dans une interview à la *Pravda* de la sollicitude avec laquelle ont été restituées à l'Union théâtrale les pièces du dossier de Meyerhold — mieux vaut tard que jamais, surtout après les révélations de Dima Iourassov ! — et de la restitution de vers autographes de Mandelstam à la commission chargée de son héritage littéraire [16].

Plus embrouillées encore ont été les déclarations du même Vinogradov à propos de la destruction des archives. Ce genre de nouvelles alarmantes remonte régulièrement à la surface. Déjà, durant l'été 1987, Dima Iourassov avait lui-même dénoncé le fait que l'on venait de brûler des documents de la répression des années 1930-1950, documents

---

15. G. GUKASOV, *op. cit.*
16. « Spechran bez grifa ''sekretno'' », *Pravda*, 26 septembre 1989.

issus du fonds spécial unifié des archives du Collège militaire et de la Cour suprême de l'URSS [17] ; mais, du moins
à ma connaissance, on n'en a plus rien su. Puis, il y eut en
1988 des rumeurs sur la destruction massive de documents
de l'appareil répressif après le XXᵉ (1956) et le XXIIᵉ
(1961) Congrès du PCUS. A cette époque, craignant l'heure
des règlements de comptes, ceux qui étaient impliqués d'une
manière ou d'une autre dans la terreur (et ils étaient encore
nombreux en poste) auraient décidé d'en détruire les preuves [18]. Il est difficile de savoir ce qu'il en fut. Il est vrai
que les réponses affectées de Vinogradov sont un peu trop
bien agencées pour chasser les doutes [19].

L'ORGANISATION DES ARCHIVES

Si telle est la situation des archives centrales, au niveau
local elle est plus diversifiée. Il n'est pas rare que le KGB
collabore avec le *Mémorial*, en aidant ses militants à trouver des fosses communes ou en leur fournissant des informations [20]. De même, les archives locales sont un peu plus
perméables et accessibles que celles du centre. Par exemple, en travaillant sur les archives du tribunal régional de
Novosibirsk, deux militants du *Mémorial*, Zamira Ibragimova et Ilia Kartuchin, ont reconstitué pas à pas l'affaire
d'une paysanne condamnée en 1942 à six ans de camp. Les
preuves : la délation. A travers le montage des documents,
les deux auteurs montrent de l'intérieur le terrible fonctionnement d'un appareil de répression fondé sur la délation et
sur la présomption de culpabilité : ils mettent côte à côte les

17. L'article de IOURASSOV a été publié dans le deuxième numéro de la revue *samizdat Glasnost* en juillet 1987. Pour la traduction française, voir D.G. YOURASSOV, « Destructions des dernières archives judiciaires des années 30-50 », *Libération*, 5 octobre 1987.
18. B. ILIZAROV, Bezmolvie specchranov, *op. cit.*
19. « Specchran bez grifa "sekretno" », *op. cit.*
20. Cf. V. KUROČKIN, « Nazvat' vseh poimenno », *Moskovskie novosti*, 1988/48 ; MIL'ČAKOV, *Press-reliz [Memoriala]*, 1989/3.

témoignages des voisins, les expertises médicales et psychiatriques, les comptes rendus des interrogatoires[21].

Cependant, la question des archives ne concerne pas seulement la répression stalinienne. Selon des données relativement récentes, environ la moitié du fonds d'archives est fermée au public, qu'il s'agisse de chercheurs ou de simples mortels[22]. Et cela pour différentes raisons. Avant tout, il n'existe pas jusqu'à aujourd'hui de loi réglementant le fonctionnement des archives, unifiant les normes d'accès, d'utilisation des matériaux, et fixant les critères pour le dépôt de documents aux archives correspondantes. En fait, les archives se trouvent dans une situation paradoxale qui date de l'époque stalinienne, puisqu'elles souffrent à la fois de centralisation et de décentralisation. Centralisation, car les archives des républiques sont rigoureusement subordonnées à celles de l'Union qui en unifie le traitement général (pour la complémentarité entre fonds, la destruction des matériaux, etc.), un traitement forcément inadapté à des réalités aussi diverses. De sorte qu'il étouffe tous les avantages offerts par une politique de décentralisation.

Les archives souffrent également de décentralisation, non par rapport à la périphérie, mais au regard des grands ministères qui se sont arrogé le droit, à l'époque de Staline, de créer leurs propres archives *séparées* du fonds unique de l'État, constitué en 1918. En imposant l'unification des archives de l'État, la Révolution avait d'ailleurs réussi là où les diverses réformes engagées depuis la seconde moitié du XIXe siècle avaient échoué.

Le ministère de la Défense, celui des Affaires étrangères, celui de l'Intérieur et le KGB lui-même disposent de leurs archives *privées*, avec des centres d'études annexes où travaillent des individus sûrs, chargés de vanter les gloires de ces institutions. Il n'y a aucune loi qui établit le fonctionnement de ces archives : il est exclusivement réglé par des

---

21. Zamira IBRAGIMOVA et Il'ja KARTUŠIN, « Matrenin grech », *Ogonek*, 1989/5.

22. B. ILIZAROV, « Ob archivach i tajnoj bor'be za sochranenie ich "tajn" », *Ogonek*, 1989/2.

circulaires *internes*. Au secret d'État se superpose ainsi le secret de ses appareils qui agissent comme un véritable « État dans l'État », qui retire aux autorités centrales quelques-unes de leurs prérogatives principales.

Dans ce système les archives du Parti occupent une place spécifique. Elles jouissent de tous les privilèges des archives ministérielles du plus haut niveau, mais sans aucun contrôle. Seuls peuvent y accéder les membres du Parti qui ont toutefois besoin d'autorisations spéciales : accéder aux archives n'est pas un droit du membre mais une concession aimable qui lui est faite. La situation prend toute sa gravité si l'on considère que dans les archives du Parti il n'y a pas seulement des documents relatifs à son activité (qui se confond avec celle de l'État). On y trouve également — on ne sait pas très bien sur quels critères — tous les fonds estimés les plus importants : par exemple, le fonds des *Izvestia*, organe du Soviet suprême, a échoué dans les archives du Parti (donc inaccessible), de même que celui du libéral Petr Struve, et probablement la moitié des matériaux de la commission extraordinaire d'enquête du Gouvernement provisoire, qui a mystérieusement disparu des archives centrales de la révolution d'Octobre [23].

L'ÈRE DU SECRET

Plus grave est l'existence des tristement célèbres *spechrany*, ces fonds « spéciaux » auxquels on ne peut accéder qu'au moyen d'autorisations spéciales qui ne sont accordées qu'à des personnes spéciales (c'est-à-dire sûres). Il est évidemment impossible d'obtenir l'inventaire de ce qu'ils contiennent, puisqu'ils sont sous scellés et à strict usage interne. Les *spechrany* constituent l'élément central (et ici révélateur) du système du *secret*, de non-*publicité* au sens habermassien du terme, sur lequel, dans les années trente, a été construit

---

23. Voir l'intervention de K.F. ŠACILLO *in* « "Kruglyj stol" : istoričeskaja nauka v uslovijah perestrojki », *Voprosy Istorii*, 1988/3, p. 31.

l'État soviétique ; ils en sont d'une certaine manière l'arrogant et tangible symbole (les *spechrany* existent non seulement dans les archives mais aussi dans la majorité des bibliothèques [24]). C'est pour cela qu'à la fin des années quatre-vingt ils étaient sévèrement mis en question.

En fait, les principales caractéristiques des archives soviétiques ont été mises en place dans les années trente. Juste après la révolution d'Octobre, le domaine historique jouissait d'un relatif pluralisme, et la politique pour les archives était plus libérale. Avec le « grand tournant » stalinien de la fin des années vingt et l'affirmation dans les années trente d'une *histoire officielle*, la situation change radicalement. L'accès aux archives devient difficile, des autorisations sont nécessaires, et au sein même des archives sont constitués comme dans les bibliothèques les *spechrany* qui rassemblent tous les documents considérés « dangereux », « secrets », ou jugés tels par des archivistes zélés.

L'image de l'ennemi qui se répand dans les années trente renforce le sentiment d'insécurité de la société et fournit le prétexte pour l'instauration d'une atmosphère de secret. A la publicité proclamée par la Révolution se substitue le secret. Il dissimule les faits, les statistiques ; toutes sortes d'informations deviennent des secrets d'État. Les ministres qui, à partir de la seconde moitié des années vingt, se sont vu reconnaître le droit d'avoir leurs propres archives peuvent dorénavant apposer sur un dossier la simple mention « à usage interne » et le soustraire pour toujours aux yeux indiscrets de l'étranger. En 1938, date à laquelle les archives nationales passent sous le contrôle du ministère de l'Intérieur (NKVD), c'est-à-dire sous le haut patronage de Beria, le processus est achevé. De lieu de conservation de la mémoire historique d'une collectivité, lieu d'identité, les

---

24. Toutefois, au cours de l'année 1988, on a considérablement limité les *spechrany* dans les bibliothèques. Cf. « Vozvraščeno iz specfondov », *Sovetskaja kul'tura*, 22 mars 1988 ; Ju. MAKSIMOV, « Specfondy otkryvajut dveri », *Nedelja*, 88/25. L'existence des *spechrany* fut mise en cause pour la première fois dans la presse au printemps 1987, à l'occasion d'une table ronde sur le destin de la bibliothèque Lénine.

archives se sont transformées en un lieu de ségrégation, d'occultation.

Après la mort de Staline (1953), les archives se sont entrouvertes sous la pression des historiens. Des mesures favorables à l'historiographie soviétique ont été adoptées, des matériaux publiés [25]. Puis en 1961, sous Khrouchtchev, elles sont soustraites au contrôle du ministère de l'Intérieur et passent directement sous celui du Conseil des ministres. On ne remet cependant pas en cause l'organisation par ministères : on ne constitue pas de fonds unique. En fait, ces mesures se limitent à une rationalisation du système hérité de Staline, sans reconsidérer les principes de non-publicité et de secret de l'information. Avec Brejnev, l'accès aux archives est limité, voire découragé [26]. On instaure une nouvelle catégorie de documents « à consultation limitée ». Pour vingt millions de dossiers, c'est-à-dire 10 % de l'ensemble, toute copie est interdite.

OUVERTURE DES ARCHIVES OU... D'UN DÉBAT

En 1989, les archives n'avaient pas encore beaucoup profité des changements provoqués par la *perestroïka*, notamment en ce qui concerne leur organisation interne. L'annonce de l'ouverture des archives a donné lieu à une large publicité. Dans le cours de 1988, on a mis à la disposition du public certains fonds jusqu'ici considérés « secrets » relatifs essentiellement à la période pré-révolutionnaire, à l'émigration blanche et au mouvement des Gardes blancs. Parmi ceux-

---

25. Sur ces thèmes, voir J. KEEP (ed.), *Contemporary History in Soviet Mirror*, London, 1964, et en particulier les essais de M. FAINSOD, *Historiography and Change*, G. KATKOV, *Soviet Historical Sources in the Post-Stalin Era*, et S.V. UTECHIN, *Soviet Historiography after Stalin*.

26. A ce propos, il est intéressant d'observer les données concernant la présence de chercheurs dans les archives : en 1940, un peu plus de 2 000 travaillèrent dans les archives, en 1955 12 000 et en 1962 plus de 41 000 ; dans les années suivantes, ce chiffre n'a pas été dépassé : il y a en moyenne, chaque année, 40 000 personnes qui fréquentent les archives. Voir B.S. ILIZAROV, *Rol' dokumental'nych pamjatnikov v obščestvennom razvitii*, Moskva, 1988, p. 71-72.

ci se trouvent — nous indiquons cela à titre d'exemple pour donner au lecteur une idée de ce que peuvent être les fonds « secrets » — les « archives de Prague » où l'on trouve les documents de l'émigration blanche (ces matériaux avaient été offerts à l'URSS, en 1948, par la République tchécoslovaque) ; et quelques matériaux tirés des fonds des partis « contre-révolutionnaires » (Cadets, Socialistes révolutionnaires, etc.) [27].

Plus prometteuse apparaît l'ouverture, à la fin de 1989, de fonds d'archives centrales de la République russe (CGA-RSFSR) concernant les premières années de la Révolution. Ce sont des fonds maintenus jusqu'à présent dans le secret absolu : le fonds de l'Office central des statistiques et du Bureau d'État de la planification *(Gosplan)*. Des documents indispensables pour reconstituer et analyser l'histoire sociale de l'Union soviétique sont également disponibles avec l'ouverture, début 1990, des archives de certains ministères (Santé, Assistance publique, Éducation, Travail). Enfin, et surtout, l'accès à plusieurs fonds du ministère de la Justice (en particulier celui concernant la question religieuse) et au fonds de l'Inspection ouvrière et paysanne *(Rabkrin)* met à la disposition de tous des matériaux décisifs pour l'analyse de la formation de l'appareil d'État soviétique et la naissance de la politique répressive. On envisageait même, début 1990, l'ouverture des archives « ultra secrètes » du Conseil des ministres.

En ce qui concerne les archives du Parti, nombre de fonds ont été mis à la disposition des chercheurs chargés de récrire l'histoire du PCUS, et une série très riche de documents a été publiée. Pourtant les archives du Parti demeurent un système à part.

Enfin, contrairement à l'époque de Khrouchtchev, le statut et la structure des archives sont discutés. Un projet de loi, annoncé par la direction des archives d'État en 1988

---

27. T.F. PAVLOVA, L.I. TJUTJUNNIK, « CGAOR SSSR. Krug istočnikov rassirjaetsja », *Voprosi istorii KPSS*, 1989/4 ; B. ILIZAROV, « Ob arhivah i tajnoj bor'be za sohranenie ih "tajn" », *op. cit.*

ouvre une discussion politique au sens large du terme, laquelle implique une redéfinition des rapports entre le citoyen et l'État, et pose, par là, le problème du *secret*.

En effet, la question des archives est soulevée en termes d'une *mémoire sociale de la collectivité*, « patrimoine de toute la société » *(obščenarodnyj)* » qui, en tant que tel, devrait lui être restitué et rester accessible dans son intégrité. Cela implique, d'une part, la constitution d'un fonds unique où se retrouveraient non seulement les archives des ministères, mais celles du Parti lui-même, et, d'autre part, la démocratisation de l'accès aux fonds qui devrait être définie par la loi et non abandonnée à l'arbitraire des circulaires [28]. Dans ce contexte, la bataille pour la démocratisation des archives est dans le même temps une bataille pour la démocratisation de la société, car elle vise à *éliminer le secret* des appareils de l'État, à les subordonner au contrôle du corps social. Le pouvoir passant à travers le contrôle de l'information contenue dans les archives, celles-ci doivent être autant que possible *publiques* [29].

Ces principes constituent la base du projet de loi alternatif à celui du gouvernement préparé sous la direction de Boris Ilizarov à l'Institut d'État d'histoire et des archives de Moscou. Le projet a reçu l'adhésion de nombreux chercheurs (parmi lesquels Sergueï Averintsev, le spécialiste du monde byzantin) et a été présenté au Soviet suprême par Iouri Afanassiev et Viaceslav Ivanov — tous les deux élus députés aux élections de mars 1989.

---

28. O.A. SILAEVA, « Vnov' otkrytye archivnye fondy », *Voprosy istorii*, 89/11.

29. « Spasti službu social'noj pamjati », *Sovetskaja kul'tura*, 31 mai 1988. Il s'agit d'un document du conseil scientifique de l'Institut d'histoire et des archives de Moscou, où pour la première fois l'on définit les principes d'une « réorganisation dans un esprit démocratique du système d'archives étatiques ». Il faut rappeler que le directeur de l'Institut est, dès fin 1986, Iouri Afanassiev, personnage de premier rang dans la bataille contre *l'histoire officielle*, et que Boris Ilizarov, l'un des premiers historiens qui s'est occupé du problème de la mémoire historique en URSS, fait aussi partie du conseil scientifique de l'Institut.

Hiver à Moscou, place de la Révolution en 1928-1929.

LES ARCHIVES POPULAIRES

Le monopole du pouvoir sur les archives est également mis en question par un autre phénomène tout à fait inédit : la naissance d'archives indépendantes. Le cas de *Mémorial* n'est pas isolé. En 1989, à l'initiative d'Ilizarov et de certains de ses collaborateurs, les « Archives populaires » *(Narodnyj Arhiv)* ont été constituées à Moscou. Il s'agit d'un centre indépendant de documentation et de recherche, mais strictement lié à l'Institut d'État d'histoire et des archives où il a ses locaux. Grâce au financement de l'organisation américano-soviétique « Initiative culturelle », née d'un accord entre le fonds soviétique pour la Culture et un milliardaire américain George Sores, le centre dispose d'un système d'archivage informatisé absolument unique en URSS.

Les Archives populaires se proposent de recueillir cette partie de la mémoire sociale laissée en friche par les archives d'État : c'est ici que l'on voit l'apport majeur d'Ilizarov qui est un des rares historiens soviétiques à s'être intéressé à la problématique de la mémoire sociale. En effet, selon lui, les archives se sont jusqu'à présent limitées à la mémoire « d'État » et « bureaucratique », c'est-à-dire à celle qui émane des institutions et des organes dirigeants. Elles laissaient de côté la mémoire issue de la société ou, pour employer ses propres termes, de l'homme ordinaire *(malenkij čelovek)* — la mémoire du vécu quotidien[30].

Deux sections des Archives populaires lui sont consacrées. La première recueille les archives personnelles constituées de documents familiaux, de lettres, de photographies, de journaux, de mémoires, de souvenirs. La seconde rassemble systématiquement les lettres expédiées à une quarantaine de journaux soviétiques ; elle les répertorie grâce au système informatisé et les conserve sous forme de microfiches. En effet, les centaines de milliers de lettres reçues par les

---

30. B. ILIZAROV, « Dal'nejšee sohranenie ''tajn'' arhivov amoral'no », *op. cit.*

journaux sont habituellement jetées, seule une infime partie est publiée. Les matériaux réunis dans cette section devraient à l'avenir, selon Ilizarov, permettre une étude de la mentalité et de la psychologie sociales [31].

Revalorisation de la mémoire individuelle par rapport à la mémoire institutionnelle, mais aussi — et c'est le second volet des Archives populaires — de la mémoire *informelle*, clandestine, par rapport à la mémoire d'État. Une autre section des Archives est consacrée aux matériaux des mouvements informels. Dans ces fonds encore en voie de constitution à la fin 1989, sont représentés la dissidence et le mouvement informel des dernières années avec une riche collection de petits bulletins, revues, documents, tracts ; mais aussi de photographies, de badges et autres signes distinctifs. On y trouve également plusieurs fonds de journaux clandestins, comme la revue *Glasnost*, une des plus célèbres. Une contre-mémoire s'est organisée en s'opposant à la mémoire du pouvoir. Ces archives deviennent en ce sens un lieu symbolique.

La dernière section des Archives populaires concerne l'histoire orale. Les matériaux sont recueillis de diverses manières, sur divers thèmes. A l'origine, on a appelé les gens, par voie de presse et de télévision, à raconter leur propre histoire ; puis un plan plus systématique a été élaboré et organisé autour de sujets précis (par exemple la mort de Staline) ou de problèmes plus généraux (un programme est consacré à des expéditions historico-ethnographiques sur les paysans). Cette section ne se limite cependant pas au passé. Elle recueille également des témoignages à chaud sur la situation actuelle. Dans ce cadre, il existe un projet de

---

31. Voir *Vestnik Akademii Nauk SSSR*, 1989/10. Il faut remarquer que l'on se réfère du moins implicitement au décret de juin 1918. Le projet de la direction générale des Archives n'avait pas été publié fin 1989, bien que différentes versions aient circulé. Voir l'interview à ILIZAROV, « Začem narodu archiv ? » *Moskovskij avtotransportnik*, 1989/29. J'aimerais à ce propos exprimer ici toute ma reconnaissance à Boris Semenovič Ilizarov et ses collaborateurs pour la disponibilité et la gentillesse dont ils ont fait preuve en m'aidant à recueillir les informations dont j'avais besoin.

recueillir systématiquement des souvenirs de soldats envoyés en Afghanistan, et de groupes marginaux (prostituées, détenus). La mémoire se transforme en engagement social pour changer le présent.

On ne saurait sous-estimer l'importance de ce qui est en train de se passer, son enjeu. La naissance des archives indépendantes brise le monopole d'État sur les sources d'informations et sur la mémoire historique. Elle constitue par conséquent un élément de rupture à l'intérieur du système puisque, par sa seule valeur symbolique, elle finit par représenter un embryon de la contre-organisation de la société, une forme de contre-pouvoir.

Tchécoslovaquie

L'historiographie indépendante depuis 1968*

par Berthold Unfried

Prague, 28 octobre 1989 : les rues sont partout pavoisées de deux drapeaux accouplés, dans un agencement précis, impeccable : l'un rouge-blanc-bleu, l'autre rouge. Pavoiser selon les normes prescrites est la tâche la plus importante (et souvent la seule activité) dévolue au concierge pragois ; c'est aussi un travail convoité, pour les intellectuels.

Rien n'illustre mieux que ce cérémonial les prétentions formulées par les communistes, dès leur accession au pouvoir, d'être les « héritiers de la grande nation tchèque ». En ce 28 octobre, jour anniversaire de l'indépendance de l'État tchécoslovaque, se manifeste une nouvelle fois place Venceslas cette volonté de mettre à l'unisson histoire nationale et histoire du Parti. Comme toujours en pareilles circonstances, les orateurs se succèdent interminablement à la tribune pour des discours de circonstance, on passe en revue quelques troupes, quelques fusées obsolètes — l'ambiance n'est pas vraiment à l'enthousiasme. Le triste slogan qui s'étale au-dessus de la tribune : « Servons la patrie socialiste ! » donne le ton.

Même lieu, en début d'après-midi : l'opposition a appelé à une manifestation. Partout, des uniformes et des personnages en civil qui contrôlent inlassablement l'identité des promeneurs. Brusquement, à l'heure dite, une foule

---

* Traduit de l'allemand par François Roux et Alain Brossat.

465

s'assemble autour du monument de Saint-Venceslas, au centre de la place, là précisément où, il y a vingt ans ,Jan Palach s'est immolé par le feu. En quelques minutes, la place est noire de monde. Une banderole est déployée, sur laquelle est inscrit, par dérision, le fameux mot d'ordre de Gottwald[1] : « Nous ne laisserons pas détruire la République ! » On brandit aussi le drapeau national. Mais les symboles historiques sont aussi dans les slogans lancés par la foule : on réclame, bien sûr, la libération des prisonniers politiques, mais on scande également le nom de Dubček, et celui de Masaryk[2], le fondateur de la République, le « président libérateur ». « C'est *notre* commémoration, *notre* fête nationale ! » crie la foule. La police du parti au pouvoir, campée dans le rôle de l'héritier légitime, ne semble pas de cet avis : elle charge les manifestants qui entonnent l'hymne national *Kde domov juv ?* (« Où est mon foyer ? »), les coups de matraque pleuvent.

On ne saurait s'empoigner plus clairement autour d'un lieu historique, d'un lieu de mémoire — la place Venceslas, chargée de tous ses symboles.

Cet affrontement autour du jour anniversaire de la fondation de la République constitue un parfait reflet du caractère mouvementé de l'histoire tchèque. Le 28 octobre a été, de 1918 à 1938, puis de nouveau à partir de 1945, fête nationale. Pourtant, symbole de la Première République bourgeoise, ce jour était suspect aux yeux des communistes ; ils en firent donc, à partir de 1951, le « jour de la nationalisation de l'industrie » ! A l'heure de la « renaissance nationale » incarnée par le printemps de Prague, le 28 octobre redevint, tout naturellement, la fête nationale célébrant

---

1. Klement Gottwald (1896-1953) : ouvrier, membre du PC tchèque dès sa fondation, président du Conseil en 1946, organisateur du coup de force qui met les communistes à la tête du pays en 1948, succède à Beneš à la tête de la République.
2. Tomas Garrigue Masaryk (1850-1937) : professeur de philosophie à Prague, s'exile en 1914, combat la monarchie austro-hongroise aux côtés des Alliés. Président de la République tchécoslovaque indépendante en 1918. Renonce au pouvoir en 1935 pour des raisons de santé.

la création de la République tchécoslovaque. Tout aussi naturellement, il fut à nouveau déclassé au temps de la « normalisation » ; la date demeurant vacante, on trouva un événement de substitution à fêter : la mise en place du système fédéral tchécoslovaque, en 1968, avec l'attribution d'un statut autonome à la Slovaquie. Toutes ces variations, pourtant, n'ont pu effacer de la mémoire collective la signification fondamentale du 28 octobre. En 1988, à l'occasion du soixante-dixième anniversaire de la naissance de la République, le pouvoir sentit le danger que l'opposition, en manifestant, « récupère » cette date et son contenu symbolique. Le 28 octobre fut donc précipitamment rétabli une nouvelle fois dans son statut de célébration de la création de l'État.

En 1989, le même jour, une gerbe est déposée sur la tombe de Masaryk au nom du gouvernement.

Trois semaines plus tard, le 17 novembre, nouvelle commémoration : il y a cinquante ans, les étudiants organisaient la première manifestation de masse contre l'occupant nazi. L'un d'entre eux, Jan Opletal, fut alors tué. A l'occasion de ce cinquantenaire, le mouvement officiel des étudiants a prôné une marche silencieuse ; l'événement commémoré est une date officiellement reconnue. Et pourtant, la manifestation va se transformer en démonstration contre le pouvoir. La répression est sévère, on compte de nombreux blessés et la rumeur se répand que, comme en 1939, un étudiant est mort. Surtout, ces événements déclenchent un mouvement de masse qui débouche sur la « révolution tranquille » de l'automne 1989.

Une semaine plus tard, Prague est, pour ainsi dire, méconnaissable. La Narodni Trida (rue de la Nation) où, une semaine auparavant, pleuvaient les coups de matraque s'est transformée en un véritable boulevard de l'information, un lieu de pèlerinage. Les vitrines des magasins sont couvertes d'affiches faites à la main, de tracts, de graffiti, de photos. Des appareils vidéo repassent les images des affrontements des jours précédents. Place Venceslas, comme en 1968, la statue du saint est drapée dans le drapeau national, et entièrement recouverte d'affiches. Surtout, des milliers de bougies sont allumées autour des photos de Masaryk et Dubček, ces *saints* de l'histoire nationale ; la célébration de la victoire prend une allure de fête religieuse populaire. La statue s'y présente comme un autel devant lequel la foule s'en vient en procession lente déposer pêle-mêle fleurs, bougies et drapeaux tricolores, dédiant des offrandes à « toutes les victimes des pratiques illégales des quarante dernières années ». Tous portent des cocardes aux couleurs nationales ; à la fin de chaque rassemblement, on chante l'hymne national — que tous semblent connaître par cœur. Tout se passe comme si une insurrection nationale venait de mettre fin à une domination étrangère.

DEUX FIGURES SYMBOLIQUES

Dubček et Masaryk dont les photos sont omniprésentes incarnent de façon symbolique deux orientations fondamentales du mouvement populaire. Le premier représente le socialisme démocratique, le socialisme à visage humain qui est l'image de référence du printemps de Prague ; le second est l'emblème de l'avant-communisme. Mais que peuvent représenter ces hommes politiques pour la plupart de ces jeunes qui brandissent leurs portraits et scandent leurs noms ? Ils ont grandi en un temps où leurs idoles étaient *personae non gratae* ; et quand on demande à ceux-là même qui sont les animateurs du mouvement ce qu'incarnent pour eux ces personnages historiques, leurs réponses sont assez vagues. Masaryk et Dubček sont les symboles d'une pureté morale atemporelle, de tout ce qu'il y a d'éminent, de sublime dans l'histoire nationale. Les slogans de l'opposition faisant référence à l'histoire sont aussi vides de contenu que ceux de la mémoire historique officielle, constate le philosophe de Bratislava Milan Šimečka[3]. Cette dernière a dégénéré en une série de commémorations et d'anni-

---

3. Milan ŠIMEČKA, « Black Holes. Concerning the Metamorphoses of Historical Memory », in *Kosmas* III, I/IV (1984-1985), p. 26.

versaires officiels qui, dans le « socialisme réel », jouent le rôle d'ersatz à bon marché à l'histoire elle-même. « Si nous nous rallions à cette façon d'en user avec l'histoire, nous ne ferons que copier l'a-historicité de ce régime », continue Šimečka.

Et d'ajouter pourtant : on a pu constater que l'on peut fort bien aller au combat avec des débris de conscience historique réduits au statut de purs symboles, émergeant dans le paysage dévasté de l'oubli organisé comme des météores (presque) éteints. Simplement, on constate que, pour ce qui est de la *connaissance* du passé, surtout du passé récent, les choses se présentent presque aussi mal qu'aux États-Unis. Deux décennies de « normalisation » ont produit d'énormes « trous noirs » dans le cosmos de l'histoire nationale, si énormes qu'ils finissent par occuper plus de place que les espaces « éclairés ». Ces « trous noirs » ont des effets dévastateurs sur la mémoire historique et la conscience nationale, constate Šimečka.

Milan Kundera, lui, voit dans les fréquents changements de noms de rue, la « valse » des monuments qu'a connue Prague au fur et à mesure que se succédaient les régimes, le symbole même de l'oubli, d'une histoire assassinée : « Dans les rues qui ne savent pas comment elles se nomment rôdent les spectres des monuments renversés. Renversés par la Réforme tchèque, renversés par la Contre-Réforme autrichienne, renversés par la République tchécoslovaque, renversés par les communistes ; même les statues de Staline ont été renversées[4]. »

On pourrait poursuivre à l'infini la litanie de Kundera : bientôt, ce sont les monuments à Gottwald qui seront renversés, les rues, les usines portant son nom qui seront débaptisées, tandis que seront restaurés et rétablis les bustes de Masaryk... Les bouleversements et catastrophes dont est tissée l'histoire de la Tchécoslovaquie ont eu pour effet la disparition de pans entiers de la population qui ont profondément marqué de leur empreinte la culture de Prague

---

4. Milan KUNDERA, *Le Livre du rire et de l'oubli*, Gallimard 1979, p. 184.

et de la Bohême : les juifs, les Allemands dont les cultures se recoupaient largement.

Le vieux ghetto juif, déjà victime au début du siècle d'une politique radicale de « rénovation », a totalement disparu lorsque les nazis ont anéanti la communauté juive de Prague. Ce faisant, ils ont aussi ruiné une culture allemande enracinée en ces lieux depuis des siècles. A l'anéantissement des juifs et aux persécutions dont fut victime, sous le joug nazi, l'intelligentsia tchèque a succédé l'expulsion des populations allemandes, en 1945, et la chute de la Tchécoslovaquie dans un monoethnisme provincial. Nombreux sont les cimetières à l'abandon qui témoignent de ces saignées successives, tout comme une littérature de plus en plus portée sur le bizarre, le morbide et le goût de la mort...

Et pourtant : l'histoire des persécutions et de l'oubli n'allait pas s'arrêter là :

« En février 1948, le dirigeant communiste Klement Gottwald se mit au balcon d'un palais baroque de Prague pour haranguer les centaines de milliers de citoyens massés sur la place de la vieille ville. Ce fut un grand tournant dans l'histoire de la Bohême. Un moment fatidique comme il y en a un ou deux par millénaire.

« Gottwald était flanqué de ses camarades, et à côté de lui, tout près, se tenait Clementis. Il neigeait, il faisait froid et Gottwald était nu-tête. Clementis, plein de sollicitude, a enlevé sa toque de fourrure et l'a posée sur la tête de Gottwald.

« La section de propagande a reproduit à des centaines de milliers d'exemplaires la photographie du balcon d'où Gottwald, coiffé d'une toque de fourrure et entouré de ses camarades, parle au peuple. C'est sur ce balcon qu'a commencé l'histoire de la Bohême communiste [...].

« Quatre ans plus tard, Clementis fut accusé de trahison et pendu. La section de propagande le fit immédiatement disparaître de l'histoire et, bien entendu, de toutes les photographies. Depuis, Gottwald est seul sur le balcon. Là où il y avait Clementis, il n'y a plus que le mur vide du palais. De Clementis, il n'est resté que la toque de fourrure sur la tête de Gottwald [...].

« Ni Gottwald ni Clementis ne savaient que Franz Kafka avait emprunté chaque jour pendant huit ans l'escalier par lequel ils venaient de monter au balcon historique, car sous l'Autriche-Hongrie ce palais abritait un lycée allemand [...]. Si Gottwald, Clementis et tous les autres ignoraient tout de Kafka, Kafka connaissait leur ignorance. Prague, dans son roman, est une ville sans mémoire. Cette ville-là a même oublié comment elle se nomme. Personne là-bas ne se rappelle et ne se remémore rien... [5] »

Kundera a surnommé Husák le « Président de l'oubli ». 1984 a été l'année du « grand oubli », constatait de son côté la Charte 77 dans un document intitulé *Le Droit à l'histoire*. « Lorsque nous nous engageons en faveur du respect des droits de l'homme et du citoyen, pouvait-on lire dans ce texte, cela concerne aussi sans restriction la réanimation de la mémoire historique. »

DÉRATISEURS ET CHAUFFAGISTES

Sous la domination des « maîtres de l'oubli », les historiens intègres vont basculer dans l'opposition. Sous Husák — lui-même écarté de la scène politique à une certaine époque et devenu historien pendant cette période — un coup mortel fut porté à la vie intellectuelle ; le « pogrom contre les historiens » en fut une des manifestations les plus spectaculaires.

On le sait : les partis communistes au pouvoir attribuent à leur histoire un rôle pour ainsi dire magique dans le présent lui-même et ils sanctionnent en conséquence tout ce qui s'écarte de la présentation ou l'interprétation « correctes » de cette histoire. Ils compensent leur manque de légitimité dans le présent par cette revendication d'une légitimité fondée sur l'histoire. Et pourtant : il y a pour nous quelque chose de profondément déconcertant à voir des historiens qui, comme leurs livres, ont disparu de la vie publique depuis vingt ans, « recyclés » en chauffagistes, veilleurs de nuit, dératiseurs, pompeurs d'eau... L'ampleur de cette répression apparaît démesurément et étrangement exagérée ; au fond, tout historien occidental se sentirait en quelque

---

5. Milan Kundera, *op. cit.*, p. 9, 183.

471

sorte flatté et rehaussé par une telle marque d'intérêt... Les Tchèques, il est vrai, sont « malades de leur histoire », et cela a pour effet qu'un rôle particulier est dévolu à ceux qui incarnent la conscience historique comme à ceux dont c'est le métier d'écrire l'histoire dans ce pays. Avec la Charte 77, on voit des historiens jouer, dans des conditions de répression particulièrement sévères, le rôle qui, en principe, reviendrait à des hommes politiques.

Il est rare de trouver ailleurs un médiéviste qui, devenu le dirigeant de l'opposition dans la troisième ville du pays, finit par se retrouver en prison. Mais comment ce spécialiste passionné, qui, des années durant, n'avait exprimé ses opinions politiques qu'en privé et tranquillement exploré les arcanes de la diplomatie, est-il devenu un opposant de premier plan ? Jaroslav Meznik [6] — c'est son nom —, soucieux d'échapper au carcan politique dans ses recherches historiques, s'était réfugié dans le Moyen Age, entreprenant un travail sur les débuts de l'exploitation minière en Bohême. Et voici que, peu après, il se retrouve lui-même à travailler dans une mine. Catalogué comme « peu sûr » au plan social comme politique, il se retrouve, pendant son service militaire, dans une compagnie disciplinaire affectée au travail minier. Mais ce n'est qu'avec le printemps de Prague et les grandes espérances qu'éveille en lui le mouvement des réformes qu'il se décide à renoncer à son quant-à-soi politique et à s'engager sur ce terrain. La politique l'a rattrapé et ne l'a plus lâché. La « normalisation » a fait de lui un opposant, lui valant la perte de son travail, puis l'arrestation. Bien que, à la différence de la plupart des historiens qui se trouvèrent alors en butte aux persécutions, son travail d'historien n'ait eu aucun rapport avec ses activités politiques, ses livres se retrouvent à l'index et ne

6. Les interviews d'historiens tchécoslovaques qui constituent la matière de cet article ont été réalisées avant les événements de novembre 1989. Il va sans dire que la situation (générale et personnelle) qu'ils y évoquent s'est fondamentalement modifiée depuis lors. Conformément à leur souhait, je n'ai mentionné que les noms de certains d'entre eux. Je tiens à remercier tout particulièrement Vilem Prečan et Karel Bartošek pour l'aide qu'ils m'ont apportée.

peuvent pas même être cités. Sorti de prison, le distingué médiéviste a travaillé, sans déplaisir, il se plaît à le souligner, comme ouvrier sans qualification dans une usine d'ascenseurs...

Le 28 octobre 1989, tandis que l'opposition célèbre sur la place Venceslas la fondation de la République, l'historien Milan Hübl meurt à Prague. Ses obsèques ont lieu le 7 novembre, jour de l'anniversaire de la révolution d'Octobre. Tout l'horizon d'une génération d'historiens a oscillé entre ces deux dates, ces deux pôles de l'histoire tchèque des cinquante dernières années. Hübl incarnait de la manière la plus caractéristique qui soit l'unité de l'historiographie et de la politique. Historien de formation, il s'est trouvé, à la fin des années cinquante, à la pointe de l'aile réformatrice parmi les intellectuels du PCT. En 1964, il s'engage en faveur de la réhabilitation politique complète d'un homme qui a connu, dans les années cinquante, la prison pour « nationalisme slovaque » et qui, en attendant de pouvoir revenir sur l'arène politique, a fait un travail d'historien sur l'insurrection slovaque de 1944. Cet engagement a valu à Hübl d'être chassé de son poste de vice-recteur de l'université du Parti.

L'homme qu'il a ainsi défendu s'appelle Gustav Husák. De fait, grâce à ses efforts et à ceux d'une commission d'historiens, ce dernier se trouve réhabilité politiquement et connaît la rapide ascension que l'on sait. Elle ne profitera vraiment ni à son protecteur ni à la plupart des autres historiens qui se sont activés en sa faveur...

Pendant le printemps de Prague, Hübl retrouve son poste de vice-recteur ; il le perd à nouveau lors de l'intervention des troupes du pacte de Varsovie. Aux heures sombres de la « normalisation », il passe près de six ans dans les prisons de son ancien protégé.

Empêché la moitié de sa vie durant d'exercer son métier, incarcéré pendant un dixième de son existence, Hübl a payé au prix fort sa tentative de trouver une articulation entre historiographie et politique.

UNE TÂCHE COMME UNE AUTRE

Pour cette génération d'historiens, tout commence en février 1948. Dans la Tchécoslovaquie renaissante, les partis politiques se livrent à une véritable surenchère pour se présenter comme les héritiers et les exécuteurs testamentaires de l'histoire nationale. Dans un premier temps, l'historiographie du PCT n'échappe pas à la règle, exaltant la « voie nationale vers le socialisme ». Cette version stalino-nationale de l'histoire tchèque présente la classe ouvrière comme le véritable promoteur de l'indépendance tchécoslovaque en 1918, sous l'effet direct de la révolution bolchevique ; elle présente le PCT comme son seul véritable tuteur, après la trahison des petits bourgeois, en 1938 ; elle met l'accent sur le rôle de l'Union soviétique comme garante d'un développement socialiste sur la base des traditions nationales.

Lorsque Staline abandonne la formule de la « voie nationale », l'historiographie du PC renoue avec les accents « internationalistes ». Demeurent le dogmatisme et la langue de bois staliniens.

L'épuration systématique de tous les « courants bourgeois » qu'a connue l'historiographie tchèque à partir de 1948 a livré les chaires laissées vacantes à toute une génération de jeunes historiens communistes. Pratiquement tous les historiens liés par la suite au mouvement des réformes, dans les années soixante, ont alors œuvré dans un cadre rigoureusement stalinien : « L'historiographie, c'était une tâche comme une autre dans le cadre du Parti », explique Milos Hajek, aujourd'hui historien de l'Internationale communiste, jouissant d'une réputation internationale, et tête de file des communistes réformateurs. En 1945, il était sorti fervent stalinien de la geôle nazie où il attendait l'exécution.

« J'étais stalinien sur un plan émotionnel, dans le registre de la foi, se souvient Milan Otahal, un des premiers signataires de la Charte 77, et je sentais que l'historiographie pouvait et devait apporter sa contribution à la construction du socialisme. »

En Tchécoslovaquie, la déstalinisation a été très étroitement liée à la question des procès politiques du début des années cinquante. La répression stalinienne de l'après-guerre y avait été plus brutale et durable que partout ailleurs. Des exécutions y ont encore eu lieu après la mort de Gottwald et celle de Staline. La direction du Parti fit tout pour retarder la déstalinisation et « oublier » les procès. Et pourtant, « le cadavre grandissait, grandissait, traversant les murs, et son odeur fétide se répandait dans le pays entier », écrit Antonin Liehm à ce propos, reprenant à bon escient une formule d'Ionesco [7].

Entravée au plan de la politique, la déstalinisation se développa avec d'autant plus de vigueur dans d'autres secteurs de la vie sociale. Au début des années soixante émerge un milieu intellectuel progressiste où les historiens jouent les premiers rôles, avec les écrivains, les économistes, les cinéastes. La question des parodies de procès des années cinquante devient, dans ce climat nouveau, un enjeu de taille. Des commissions d'historiens sont mises en place pour examiner les différents « cas » concernés. A nouveau, les historiens jouent un rôle politique éminent — mais pour travailler, cette fois, à la liquidation du stalinisme. Pour les historiens qui, jusqu'alors, ont encore « cru » aux procès, le travail dans les « commissions de réhabilitation » constitue un tournant décisif. L'étude des documents d'archives ne peut laisser subsister aucun doute quant au caractère entièrement fabriqué des accusations ; à l'évidence, ces machinations ne peuvent être rapportées à des « erreurs » imputables à tel ou tel dirigeant, mais bien à un système perverti.

De ce point de vue, l'historien Karel Kaplan a joué un rôle décisif dans l'établissement d'une « vérité historique » documentée sur la terreur stalinienne, et dont les effets sur le présent ne furent pas minces [8]. Il fut le maître d'œuvre d'un certain nombre de publications découlant de ce

---

7. Antonin LIEHM, *Ideologie und Moral*, in *Der Prager Frühling*, sous la direction de Z. MLYNAŘ, Cologne, 1983.

8. Voir, à ce propos, Karel KAPLAN, *Dans les archives du Comité central*, Albin-Michel, 1978.

travail d'investigation — à propos, notamment, du procès Slansky — et ces documents constituèrent pendant le printemps de Prague le fondement du réquisitoire contre le système stalinien. La direction Novotný[9], elle, ne ménagea aucun effort pour retarder la publication des conclusions des commissions de réhabilitation ainsi que les travaux d'historiens qui les entourèrent.

« Ce fut pour nous un véritable événement », se souvient, un quart de siècle plus tard, Jan Křen qui appartint à une commission de réhabilitation. Une année durant, celle-ci s'activa dans les locaux de l'ancien couvent de Saint-Barnabé, à Prague, explorant toutes les archives, devant se battre pour obtenir l'ensemble des pièces et pouvoir travailler sans tutelle. Křen, lui, avait perdu la « foi » depuis longtemps. Mais pour un certain nombre de ses collègues qui étaient encore « croyants » lorsqu'ils s'attelèrent à ce travail, ce fut tout un monde qui s'effondra alors. Les documents étaient là, irréfutables pour les historiens professionnels. Cette découverte entraîna nombre d'entre eux sur la voie de l'engagement dans le mouvement réformateur ; en tant qu'historiens, ils étaient également perdus pour une historiographie conçue comme simple « valeur d'usage » politique. Examinant les archives avec une extrême minutie, les historiens engagés dans ce travail renouaient avec le sens même de leur activité professionnelle, redevenant les porteurs d'une véritable mémoire historique. Quelles qu'aient été les raisons plus ou moins obscures — liées à des batailles de fractions au sommet de l'appareil du Parti — pour lesquelles le pouvoir avait donné le feu vert à ces investigations, elles n'en furent pas moins l'occasion pour ces historiens de conquérir leur autonomie et d'arracher à l'oubli un chapitre essentiel de l'histoire récente. Pour eux, il était désormais clair que l'on ne saurait séparer une historiographie sérieuse de l'engagement en faveur d'une politique réformatrice.

---

9. Antonin Novotný (1904-1975) : dirigeant communiste, premier secrétaire du Comité central à partir de 1953, président de la République de 1957 à 1968. Relevé de ses fonctions au sein du Parti et de l'État en 1968.

UNE GUÉRILLA CONSTANTE

Un vaste mouvement en faveur de réformes dans le domaine culturel, apparu au début des années soixante, a précédé le printemps de Prague. Des cercles d'intellectuels jouèrent un rôle précurseur dans l'élaboration d'un projet de libéralisation et de démocratisation de la société. Ils apparurent comme la « conscience » de la nation et furent perçus par leurs contemporains comme les forces motrices de la réforme. Les Soviétiques le comprirent également, qui concentrèrent leurs attaques sur ces milieux intellectuels. Comme l'exprimait une anecdote qui circulait alors à Prague, ils estimèrent qu'il fallait envoyer 2 000 tanks pour combattre 2 000 mots [10]. Ceux parmi les historiens qui ressentaient un besoin d'indépendance et étaient gagnés aux idées de la politique de réforme prirent en charge la reconstruction de la « mémoire collective ». Ils s'attaquèrent aux mythes de l'historiographie stalinienne qu'ils avaient eux-mêmes contribué à bâtir. Ils se concentrèrent sur quelques thèmes : Masaryk et la Première République, Beneš et l'émigration à l'Ouest, la Résistance, en particulier la résistance non communiste à l'occupation nazie, le soulèvement national des Slovaques en 1944 ainsi que celui de Prague en mai 1945. Malgré la menace de la répression, ils commencèrent à détruire la vieille vision stalinienne de l'histoire, à apporter des éléments nouveaux, à remplir les « pages blanches », concourant de la sorte à remettre en cause la légitimité du système existant. Le gouvernement de Novonỳ tenta de contrer l'érosion de son autorité morale en multipliant les tracasseries, les interdictions et les actes de répression. Mais l'ancien régime — déjà fortement ébranlé de l'intérieur — ne pouvait imposer aucun coup d'arrêt décisif au mouvement en faveur des réformes. Dans cette guérilla constante avec les autorités, les intellectuels

---

10. Manifeste des « 2 000 mots » rédigé par l'écrivain Ludvik VACULIK, exigeant une démocratisation radicale et immédiate de la vie publique.

purent remporter un grand nombre de petits succès, voire restreindre pas à pas le contrôle du Parti.

De même que la « renaissance nationale » au XIXᵉ siècle fut accompagnée de l'émergence d'une « société civile » tchèque, la résurrection de la « société civile » en 1968 conduisit à un retour vers les traditions nationales. Ces traditions nationales ont de tout temps constitué pour les petites nations de la « Mitteleuropa » les « quartiers d'hiver », sous les régimes les plus divers, de leur fragile « société civile ». C'est là que les courants sociaux en faveur de réformes venaient puiser leurs symboles, leurs références.

En 1968, plusieurs anniversaires de l'histoire tchèque se croisèrent : le cinquantième anniversaire de la fondation de l'État, le trentième anniversaire des tristement célèbres accords de Munich et le vingtième anniversaire de l'État communiste. Autant d'occasions qui permettaient aux historiens mobilisés autour de ces anniversaires de réviser de façon radicale l'écriture de l'histoire nationale à partir de ses événements fondateurs. La Première République, Masaryk et le mouvement ouvrier non communiste furent alors réhabilités. On balaya définitivement la légende selon laquelle l'État tchécoslovaque serait redevable de sa naissance à la révolution d'Octobre et, en revanche, l'accent fut mis sur le rôle prépondérant de l'Entente, de la politique de l'émigration et des légions[11]. L'indépendance tchécoslovaque ne fut plus considérée comme l'enfant de la révolution d'Octobre mais comme le résultat de l'Entente et de la politique extérieure menée en direction de l'Ouest par Masaryk. Le congrès des historiens de 1966 avait déjà voté une résolution exigeant que le 28 octobre — jour anniversaire de la fondation de la République en 1918 — soit de nouveau un jour férié. En 1968, pour le cinquantième anniversaire de la République, cela fut admis et des historiens parvinrent à faire de nouveau de la politique avec la mémoire nationale. Le retour aux traditions nationales et

---

11. Les légions tchécoslovaques furent constituées pendant la Première Guerre mondiale afin de lutter au côté des Alliés.

la tentative de leur redonner vie eurent parfois de bien curieuses conséquences. Milan Šimečka se souvient d'une scène qui lui a laissé une impression bizarre : Alexandre Dubček, le premier secrétaire du parti communiste, entouré de vérérans de la Légion revêtus de leurs vieux uniformes français, italiens, russes... Les anciens symboles ainsi que les institutions de l'histoire nationale (l'association des *Sokol*[12] par exemple) refaisaient brusquement surface. Les images de Prague de l'automne 1989 rappellent celles du printemps de Prague : l'emblème principal, c'est le drapeau national.

LE CAMP DES RÉFORMATEURS

La réinterprétation de l'histoire nationale par l'historiographie indépendante n'a toutefois pas abouti à l'élaboration d'un nouveau mythe national. Au contraire les historiens indépendants se sont engagés dans une réévaluation des relations entre les Tchèques et les Slovaques, ainsi qu'entre les Tchèques et les Allemands. Pour les premières, la solution politique proposée trouva son expression dans la nouvelle Constitution fédérale votée de façon symbolique le 28 octobre 1968.

En 1968 l'historiographie se situait, à quelques exceptions près, dans le camp des réformateurs. La plupart des historiens appartenaient même à l'aile radicale du mouvement en faveur d'une révision de l'écriture de l'histoire. Stimulés par une mauvaise conscience, les historiens mettaient un point d'honneur à réparer leurs « péchés de jeunesse » staliniens. Pour beaucoup, comme Miklos Hajek, 1968 ne fut pas tant le moment où l'on décida de récrire l'histoire que celui de la faire entrer dans la politique. La publication du *Livre noir de Prague* par l'Institut d'histoire de l'Académie des sciences, qui relate les « 7 jours de Prague » (du 21 au

---

12. Voir à ce propos — dans cet ouvrage, p. 229 — l'article de Valentin PELOSSE : *Le mémorial de Josip Broz Tito.*

28 août 1968) fut l'expression la plus achevée de cette convergence entre l'histoire et la politique. L'idée de rassembler une telle documentation naquit le matin même du 21 août 1968, lorsque les collaborateurs de l'Institut d'histoire virent leur lieu de travail, situé dans la citadelle de Prague, occupé par les troupes d'intervention et qu'ils décidèrent de travailler dans la rue afin de rassembler les sources documentaires de toute sorte, journaux, tracts, résolutions, discours et jusqu'aux témoignages oraux et aux slogans inscrits sur les murs. L'Institut insista sur le fait qu'il était de son devoir de continuer à accomplir ses obligations en tant qu'organisme de recherche, nia toute intention politique et réaffirma ses motivations professionnelles. Pour les historiens qui avaient pris part à l'élaboration du *Livre noir*, il était évident qu'il ne pouvait s'agir là que d'un seul travail scientifique. Cette collecte documentaire fit l'objet d'une protestation énergique de la part du gouvernement soviétique auprès des autorités tchécoslovaques. Le *Livre noir* déclencha un scandale qui mena aux premières persécutions d'historiens dans le processus de « normalisation » qui suivit le printemps de Prague.

En 1968 les historiens étaient parvenus à former un bloc presque homogène. Deux ans plus tard, de même que les autres cercles intellectuels, ce bloc était détruit. Comment fut-il possible de diviser et d'éliminer en un laps de temps aussi court un milieu soudé tant par des relations intellectuelles que personnelles ? La méthode fut simple et guère différente de celle employée pour mettre au pas la société et « épurer » le Parti d'un demi-million de membres. Les commissions chargées de l'« épuration » du Parti posèrent des questions simples. Que pensait-on de la politique qui avait conduit à l'aide fraternelle des pays frères ? Qu'avait-on fait pendant cette période, qu'avait-on écrit ? Avait-on écrit de son propre chef ou (par hasard) à l'instigation d'une tierce personne ? Et dans ce cas, qui vous avait induit en erreur ? Que pensait-on de la nouvelle politique du Parti ? « L'histoire, surtout s'il s'agit de l'histoire contemporaine, exige beaucoup de caractère », dit Jan Křen, formulant ainsi ce qu'on doit attendre de l'historien. Et c'est exactement ce type d'hommes que visait l'épuration et qui ne lui a pas survécu. Selon Milan Šimečka, l'épuration dans le Parti s'effectuait bien moins en fonction de faits concrets qui pouvaient être reprochés que des habitudes de comportement des personnes concernées. Le Parti n'avait besoin que d'un certain type de personnes et il pouvait maintenant se permettre de sélectionner un « noyau sain ». En ce qui concerne les intellectuels, le processus fut le même. Ou bien ils s'étaient déjà trop exposés politiquement, ou bien la porte du Parti leur était ouverte au prix d'un désaveu public, de la dénonciation des collègues qui les avaient « entraînés dans l'erreur », bref au prix de la corruption morale et du renoncement à son propre passé.

Une fois mise en route, la vague d'épuration menée par les historiens engendra sa propre dynamique et surpassa vraisemblablement les objectifs initiaux de la « normalisation ». Le résultat fut tel qu'on est en droit de s'interroger sur sa rationalité du point de vue de ceux-là même qui l'avaient souhaitée. La répression dont furent victimes les historiens ne fut-elle pas démesurée au regard du rôle que leurs travaux avaient joué dans la société ? Assurément, il y a une logique dans l'évolution de ces historiens qui, de propagandistes du stalinisme, se sont transformés en apôtres du mouvement réformateur pour finir victimes désignées d'une « normalisation » dont le nom est associé à celui de Husák qui, on l'a vu, fut un temps historien. En 1968, les historiens s'étaient engagés résolument dans la politique. La répression fut à l'image de leur engagement. Ce qui prouve au moins qu'on les prit au sérieux. « Les historiens de Bohême sont entrés dans l'histoire » dit Karel Bartošek, un homme qui, comme toute sa génération, contribua dans sa jeunesse à l'écriture d'une histoire utilitaire typiquement stalinienne et qui fut dans les années soixante un des partisans — les moins enclins au compromis — d'une réforme pour laquelle il luttait encore dans les années 1969-1970.

Qui sait si les intellectuels ne se seraient pas laissés

La roulotte à Kralupy, en 1982. De haut en bas : J. Seydler, auteur dramatique, traducteur, journaliste; J. Tichy, écrivain de contes pour enfants, critique littéraire; J. Dvorak, meunier, nationalisé après 1948; V. Safranek, «chef d'équipe», ingénieur de formation; Karel Bartosek, historien.

acheter en plus grand nombre si on leur en avait fait l'offre ? Mais leur persécution, telle qu'elle fut menée par la police, prit également un cours routinier et irrationnel. Elle frappa particulièrement les historiens. Un document publié en 1975 dresse une liste de 145 noms d'historiens licenciés de leur poste. Le double est plus vraisemblable. Dans presque tous les cas, le licenciement signifiait l'interruption de l'activité professionnelle. Ce fut l'époque des « historiens-ouvriers » qui, avec d'autres intellectuels, formèrent « la classe ouvrière la plus qualifiée du monde ». En un certain sens, le travail de l'historien est plus précaire que celui de l'écrivain. Ce dernier peut, s'il le faut, être chauffagiste et continuer à écrire. Mais « un historien sans archives ni matériel documentaire est comme un cycliste unijambiste ». Les réactions à cette « ouvriérisation » forcée furent diverses, allant du sentiment de libération à celui d'un échec personnel catastrophique. « En ce qui me concerne, ce fut un soulagement. Pour la première fois j'avais le sentiment d'être vraiment libre : je ne devais plus ''calculer'' — il le fallait même dans les années soixante —, manœuvrer, etc. Tout d'un coup, j'étais libéré de tout cela. » Telle fut la première réaction de l'historien réputé Křen, après son licenciement. « Enfin nous étions des gens libres », résume un de ses anciens collègues. Tous deux eurent de la chance : ils purent retrouver une situation qui leur permit de poursuivre leurs travaux dans un cadre privé.

Les intellectuels se retrouvaient dans certains corps de métiers. Parmi les équipes de travail chargées de la recherche de sources d'eaux souterraines, en Bohême, il y en avait qui étaient entièrement composées d'historiens. Cela permettait de poursuivre les discussions scientifiques... Tout au long de cette période, Jan Křen put, par exemple, poursuivre sa collaboration avec son collègue de longue date, Vaclav Kural, qui aboutit à la parution d'une œuvre monumentale sur l'histoire des relations entre l'Allemagne et la Tchécoslovaquie, l'un des principaux travaux de l'historiographie *samizdat*. Ce ne fut pas, hélas, le cas de tout le monde. La plupart des historiens licenciés se retrouvèrent dans une situation difficile. Obligés de travailler dans des conditions auxquelles ils n'étaient pas habitués et pénibles, ils perdirent rapidement le sentiment de leur propre valeur, voire de leur identité. Pour survivre en tant qu'historiens, ils payèrent souvent de leur santé, durent affronter des crises familiales. D'autres, en revanche, se sont forgé dans le travail manuel une sorte d'identité nouvelle, racontent avec fierté comment ils ont acquis la maîtrise de leur nouvel outil de travail. Si certains de ces « ouvriers » sont restés des historiens, d'autres ont été littéralement brisés et sont devenus de simples ouvriers.

« JE VOUS CROYAIS MORT ! »

Sous la pression de la normalisation, l'historiographie s'est brisée en deux. Demeurait une discipline officielle, représentée par ceux qui étaient restés dans les centres de recherche et instituts d'études, mais qui ne produisit aucune vision de l'histoire cohérente, attachée à la normalisation ; un pur et simple retour aux vieilles thèses staliniennes n'était pas possible, l'historiographie liée au mouvement des réformes leur avait, sur le plan scientifique, porté le coup de grâce. En termes de personnel, en revanche, l'épuration de l'historiographie dans le courant de la normalisation fut un franc succès : pour ce qui était de la tutelle de l'État, on en revint à la situation des années cinquante. Mais au plan des contenus, on ne parvint pas à remettre en place une historiographie de la normalisation qui formât un véritable bloc. La seule image de l'histoire qui appartienne en propre à la normalisation, c'est l'oubli. Les représentants de l'historiographie réformatrice et leurs travaux furent tout simplement rejetés de l'espace public. Les livres de ces historiens disparurent des bibliothèques. On n'avait même plus le droit de les citer.

Au milieu des années quatre-vingt, Jan Křen reçoit la visite d'un étudiant, un des meilleurs de sa promotion ; le jeune homme travaille sur le sujet auquel se consacrait

Křen avant d'être victime de la répression. Et pourtant : il ne connaît pas un seul des livres s'y rapportant et écrits dans les années soixante ; il a vaguement entendu parler de Křen : « Je pensais que vous étiez mort », lui avoue-t-il.

A partir de la moitié des années soixante-dix, lorsqu'il apparaît que la situation rendant impossible toute recherche indépendante risque de se prolonger durablement, un certain nombre d'historiens réformateurs — et non des moindres — s'en vont rejoindre la diaspora intellectuelle tchèque à l'étranger. En un sens, cette « internationalisation » contrainte de l'historiographie tchèque contribue à son enrichissement, en un autre, ce milieu indépendant se réduit comme une peau de chagrin à l'intérieur du pays.

Ce n'est qu'au milieu des années soixante-dix que les historiens, atomisés par la répression et la politique de l'oubli, commencent à se rassembler pour tenter de faire connaître leurs travaux à un public réduit par des canaux inofficiels ou semi-légaux. C'est ainsi que paraît début 1978 le premier d'une série de volumes collectifs collationnant les travaux d'historiens non officiels (*Historičke Studie*, Études historiques).

Ainsi, après près d'une décennie de silence forcé, un milieu d'historiens indépendants tente de se reconstituer face au monopole historiographique d'État. Bien que certains protagonistes de ce cercle réduit comptent parmi les premiers signataires de la Charte 77, l'« historiographie indépendante » ne se définit pas comme partie prenante de l'opposition politique. L'État, lui, ne s'arrête pas à ces distinguos : pour lui, tout ce que produit la recherche indépendante est « politique » et tombe sous le coup de la loi. Ceux qui prennent part à un débat sur l'expulsion des Allemands des Sudètes en 1945, ou encore l'historien slovaque Josef Jabloniöky qui se permet de développer une analyse « non scientifique » de l'insurrection slovaque d'octobre 1944 ne vont pas tarder à l'apprendre à leurs dépens. Tout historien indépendant jouit du privilège douteux de voir l'État s'intéresser à lui dès l'instant où ses travaux contreviennent aux principes de la science officielle et sont communiqués à plus d'une personne. L'historiographie indépendante a toujours un pied dans les activités criminelles.

THÈSES ET THÈMES

Les thèmes abordés par le *samizdat* historiographique sont d'une telle diversité qu'il est difficile d'en trouver le dénominateur commun. Notons cependant que les débats les plus importants ont tous plus ou moins porté sur le *sens* de l'histoire tchèque.

A la fin des années soixante-dix, les thèses de « Danubius » et « Bohemus » (derrière ces pseudonymes se cachent un collectif d'auteurs et l'historien Jan Mlynarik) sur l'expulsion des Allemands après 1945 ont touché pour la première fois à l'un des tabous majeurs de l'histoire tchèque. Pour la première fois, l'expulsion y était qualifiée d'erreur et la manière dont elle fut menée de crime. Un violent débat s'ensuivit, élargi au problème des relations germano-tchèques, auquel la police d'État ne manqua pas de prendre également part.

Dans la revue tchèque éditée à Paris *Svedečtvi* s'est également développé un débat à propos de la naissance de l'État tchèque indépendant, discussion à l'occasion de laquelle les traditions nationales tchèques se trouvèrent sur la sellette. De la même manière, le débat lancé par Milan Kundera à propos de l'identité centre-européenne porte en filigrane la déception face à une histoire tchèque dont l'aboutissement se présente comme aussi sinistre. Le concept de l'Europe centrale auquel se réfère Kundera est directement emprunté à Palacký [13] et Masaryk, il s'inscrit dans la tradition d'une intelligentsia tchèque depuis toujours tournée vers l'Occident et se revendique d'une culture tchèque qui tournerait délibérément le dos à la Russie. Ainsi,

---

13. František Palacký (1798-1876) : historien, pionnier de la « renaissance nationale » tchèque au XIXe siècle.

Un historien «pompiste», Karel Bartosek.

Deux historiens et leur roulotte. Karel Pichlik (debout) Karel Bartosek (assis).

l'Europe centrale, « culturellement à l'Ouest et politiquement à l'Est », défendrait son identité culturelle « occidentale » face au totalitarisme russe — forte de son
appartenance millénaire à la culture latine.

Le concept de l'Europe centrale s'est également retrouvé
au centre du débat lancé par le document de la Charte 77
intitulé *Le Droit à l'histoire*. Une forte coloration catholique
universaliste s'y fait jour, dans la tentative faite pour redé-
finir les lignes de force de l'histoire tchèque en rupture non
seulement avec le credo de l'historiographie normalisatrice,
mais, plus généralement, avec l'historiographie marxiste
prévalant depuis 1948. A la notion d'un État-nation tchèque qui se serait révélé être une impasse, on opposait celle
d'une intégration tchèque dans une Europe centrale identifiée à la monarchie des Habsbourg. Du coup, le rôle de
Masaryk, l'un des liquidateurs de cet empire, était rééva-
lué. La réaction à ce texte des historiens indépendants de
sensibilité « communiste réformatrice » fut plutôt vive.

La génération des historiens de 1968 a vieilli, les épreu-
ves des vingt dernières années l'ont usée. Deux décennies
durant, ces historiens, confinés dans un milieu restreint,
coupé du reste de la société, ont contribué à entretenir une
mémoire historique d'opposition. Le mouvement populaire
les a rattrapés après qu'ils l'ont si longtemps attendu.
Comme souvent, ce sont les intellectuels qui ont joué un rôle
prépondérant dans ce mouvement, en attendant que des
professionnels de la politique viennent les remplacer.

La normalisation a frappé toute une génération. Le mouvement qui a pris son essor à la fin de l'année 1989 est un
mouvement de « grands-pères » et de « petits-enfants ».
Simplement, entre ceux qui ont fait 68 et ceux qui sont nés
en 1968, l'écart est grand... Aujourd'hui, les traditions
démocratiques, le sentiment de l'identité nationale se réveillent, tandis que les courants religieux connaissent un certain essor. « Le plus difficile, prédit Jan Křen, ce sera la
renaissance du socialisme. » En ce sens, la « victoire » des
historiens de 68 est aussi leur défaite, et leur succès, leur
échec.

URSS

Wilno, Vilné, Vilnius, capitale de Lituanie

par Catherine Goussef

Vilnius, capitale de la Lituanie : mais quelle Lituanie ?
quelle Vilnius ? Cinquante ans après le Pacte germano-
soviétique, et surtout depuis la reconnaissance de ses protocoles secrets, la Lituanie ne peut plus être une « république balte librement intégrée à l'URSS en 1940 ». Elle
affirme une nouvelle identité. Or, à Vilnius cette mutation
est moins simple qu'il n'y paraît ; elle réveille des mémoires collectives qui en se retrouvant... s'affrontent.

Les passés mis à nu occupent immédiatement, au-delà de
l'actualité politique, un demi-siècle d'oublis (ou de tru-
quage), reconstituent une, ou des identités — ce « nous »
longtemps bâillonné. Réactivées, les mémoires rejaillissent
là où elles furent taboues. L'aspiration nationale, pour avoir
été assimilée à une force négative, fonde sa légitimité sur
le silence qui l'a entourée pendant cinquante ans : un silence
qu'elle a rompu et dont elle entend restituer l'histoire en
l'inscrivant dans ses lieux les plus évidents.

« Berceau de la nation lituanienne », Vilnius a été désigné comme le premier d'entre eux. En proie aux bouleversements toponymiques, à la réhabilitation des églises, à la
remise en scène de tous les symboles nationaux, la capitale
de la Lituanie révèle au grand jour l'histoire de ses pierres.
Sur la rive gauche du Néris, elle se déploie dans une juxtaposition anarchique de styles où se mêlent le baroque tardif d'un duché sur le point de disparaître (XVIIIe), et les
coupoles pompeuses du temps des derniers tsars. Les

Vilnius, vue générale.

quelques vestiges de la cité médiévale se fondent dans l'ancienne citadelle de la Contre-Réforme aux confins de l'Europe latine. Mais les confins ont toujours désigné le carrefour plus que la frontière. Vilnius est restée une ville multinationale où, aux côtés des Lituaniens, vivent des Polonais, des Russes, des Biélorusses, des juifs, des Karaïtes et des Tatars [1]. Les mémoires de ces minorités, leurs références symboliques rejaillissent tout aussi brusquement et se heurtent à la « re-lituanisation » de la capitale.

Vilnius, se souviennent les Russes, fut le refuge des populations slaves fuyant les Tatars avant d'être la Vilna de l'empire au XIXe siècle. Vilnius, disent les Polonais, c'est la capitale de l'Union polono-lituanienne des temps modernes, la patrie de Mickiewicz et de Pilsudski, la Wilno polonaise de l'entre-deux-guerres, la cité de la Vierge miraculeuse de l'Ostra Brama. Et Vilnius, ne fut-ce pas aussi Vilné, la « Jérusalem de Litwakie » comme la surnommait la communauté juive d'Europe centrale ? Un yiddishiste, membre de l'Association des Vilnois de Paris, rappelle la spécificité de ce lieu où la *Haskala* [2] connut son âge d'or au XIXe siècle, c'est là que le yiddish devint une langue littéraire consacrée ; que les juifs fondèrent le *Bund* ou le célèbre *Yivo*.

Cette ville s'offre à la mémoire de tous, s'en porte garante. Peu détruite pendant la Seconde Guerre mondiale, elle a conservé les territoires symboliques de chacun, les a chargés d'un sens amplifié par le jeu des analogies cher à l'histoire. Après des années de neutralisation culturelle, ces minorités investissent à nouveau leurs lieux, les chargent de

---

1. La répartition de la population locale par nationalités était la suivante, selon les résultats provisoires du recensement du 12 décembre 1989 : Lituaniens 50 % (contre 80 % à l'échelle nationale), Russes 21 %, Polonais 19 %, Bielorusses 5 %, autres 5 % (dont environ 10 000 juifs et 300 familles karaïtes selon les données de l'Institut de philosophie et de sociologie de Vilnius).

2. *Haskala* ou « mouvement des Lumières juif », d'abord développé en Allemagne, servira de matrice à la sécularisation de la communauté juive à Vilnius. Le *Bund*, premier parti ouvrier juif, socialiste. Le *Yivo* désigne en abrégé l'institut scientifique juif fondé à Vilnius en 1925 et transféré à New York après la guerre. Voir H. MINCZELES, *La Jérusalem de Litwakie*, DEA, EHESS, Paris, 1986.

sacré, les érigent en temples du souvenir et, dans le même temps, défient la « lituanité » de la ville. Vilnius est donc placée au cœur d'un enjeu qui engage la mémoire lituanienne bien au-delà de ce demi-siècle soviétique.

La « dé-soviétisation » de la ville, selon les termes d'un jeune juriste de *Sajudis*[3], s'est effectuée le jour où l'on a reconquis le cœur historique de Vilnius, c'est-à-dire la place de la cathédrale. Cette place s'étend au pied de la colline de Gedymin et de la colline des Trois-Croix. Ici, convergent les principales rues : la rue de Gedymin (hier encore rue Lénine), la rue de l'Université et, en retrait, la rue du Château (ex-rue Gorki). L'immense esplanade balayée par les vents, aux dalles brisées — œuvre des chars allemands ou soviétiques, on ne sait plus —, est ouverte à tous. On s'y retrouve pour flâner dans les parcs alentour ou sur les rives du Néris. Mais c'est surtout un lieu privilégié des manifestations religieuses ou politiques, le « parvis de tous les chambardements », souligne un jeune étudiant, encore ému au souvenir des premiers rassemblements du réveil lituanien. L'espace s'y prête.

Entouré des monuments qui témoignent d'une histoire ancienne, ce lieu, où s'est concentré l'orgueil national, s'expose naturellement à la superposition de ses référents ; il porte en lui-même l'histoire de son occultation. Et dans l'allégresse des réhabilitations, la mémoire du stalinisme retrouve un passé ancestral et... ses conflits.

LA COLLINE DE GEDYMIN ET LA CATHÉDRALE

Les regards se sont tournés vers la colline de Gedymin qui domine la place et qui fut — dit-on — la résidence du fondateur de la ville. Il n'en reste qu'une tour et des ruines laborieusement entretenues. Un sentier étroit nous y

---

3. Le Front populaire *Sajudis* (mouvement en lituanien) désigne le mouvement indépendantiste lituanien. Reconnu officiellement en septembre 1988, il était représenté au Parlement par 35 députés depuis mars 1989, avant de le dominer complètement (élections de février 1990).

mène. Là-haut, près de ces vestiges de la puissance lituanienne, la ville se donne tout entière aux regards : les plus
vieux quartiers bordent la place en dessinant une géomé-
trie compliquée qui rappelle les mouvements de son édification. Le fortin a suivi l'histoire. Il fut toujours le premier
désigné lors des multiples usurpations, puisque chaque
envahisseur parachevait sa conquête en venant y planter son
fanion. Il y eut les Teutons, les Suédois, les Russes, les Allemands et les Soviétiques, aucun n'a dérogé à la règle. Après
avoir arboré pendant plus de quarante ans l'emblème de la
Lituanie soviétique, la tour de la colline Gedymin a retrouvé
les « couleurs nationales de 1939 », me signale un militaire,
vétéran de la dernière guerre. La portée symbolique de cette
restitution ne réside pas seulement dans la brusque trans-
gression d'une prohibition : elle est aussi liée au contexte :
au moment du déploiement des couleurs s'est cristallisée
toute la charge émotionnelle de milliers d'autochtones, rassemblés sur la place pour commémorer le 49ᵉ anniversaire
du Pacte germano-soviétique, avec cette conscience d'incar-
ner une force et un consensus qui n'avait jamais pu s'exprimer en Lituanie soviétique. Ainsi, la remise en scène du
drapeau national, tout en se voulant symbole d'une restauration, s'est d'abord imposée comme l'« instant-genèse »
d'une renaissance lituanienne qui a, dans un premier
temps, polarisé les aspirations au changement.

Un an plus tard, en passant près de la colline, un jeune
Biélorusse ne manque pas de me parler avec dérision du
caractère sacré de « leur » drapeau. Il aurait sans conteste
préféré y voir figurer le blason de l'ancien duché, un
emblème que Lituaniens et Biélorusses partagent depuis
l'époque médiévale ; ce qui ne l'empêchera pas d'être « des
leurs » en 1988.

L'acte fondateur, le premier geste de l'identité restaurée
des uns, est devenu, pour d'autres, le symbole d'une hégémonie contestée...

La restitution de la cathédrale à la hiérarchie catholique
mit en évidence l'aboutissement d'une longue lutte pour
l'affirmation officielle de l'autorité ecclésiastique. L'évêque

a retrouvé droit de cité dans ce qui constitue un lieu « à part » pour beaucoup de Lituaniens. « Quand j'ai appris qu'ils rendraient la cathédrale, j'ai compris qu'une page de l'histoire était tournée », me confie un intellectuel pourtant peu versé dans la religion. La mise au ban du catholicisme lituanien remonte à 1951 lorsque cette cathédrale fut brusquement interdite au culte et transformée en musée des beaux-arts. « Elle resta longtemps close, raconte une vieille Vilnoise. Les statues du fronton avaient disparu et la place paraissait sans vie. Puis, ils transportèrent les reliques de saint Casimir (patron de la Lituanie) à l'église Saint-Pierre et Saint-Paul. »

Ce bâtiment rectangulaire et massif rappelle étrangement l'ancien hôtel de ville, lui aussi devenu un musée, mais avec son portique aux six colonnes doriques, il prend, pour les Lituaniens, la signification d'un panthéon national. A l'intérieur, le regard est saisi par la multiplicité des styles (renaissance, baroque, classique, etc.), par le nombre de toiles, de chapelles, un musée. A l'entrée, les sceaux du 600e anniversaire de la christianisation du pays. Plus loin, la fameuse chapelle de Casimir où, le 4 mars 1989, on rapatria solennellement les reliques du saint. Dans l'une des nefs latérales, les statues des rois de l'« ancien duché », corrige une jeune sociologue alors que je lui parlais de l'Union polono-lituanienne. Nous sortons et la visite commentée continue.

Il faut surtout considérer le lieu : la cathédrale s'élève à l'emplacement d'un autel païen, le dernier peut-être sur lequel furent exposés les corps des premiers ducs de Lituanie — on se doit de le savoir. Le syncrétisme religieux, m'expliquera plus tard un historien, reste très vivant. La longue tradition de résistance à la christianisation imposée par la Pologne a rendu très présents les symboles païens dans la culture nationale.

Un membre de l'Union culturelle polonaise [4] ne manquera pas de me le faire remarquer en m'emmenant, lui

---

4. L'Union culturelle des Polonais de Lituanie a été fondée en juin 1989 dans le but de protéger et de restaurer le patrimoine polonais de la ville.

aussi, dans la cathédrale. Il s'arrête devant la médaille de Mindog, l'un des premiers chefs du duché qui se serait converti juste le temps nécessaire pour éloigner le danger teuton, avant de s'en retourner honorer... Perkunas [5]. Poursuivant notre visite, il me raconte pourquoi cette église est l'un des hauts lieux du catholicisme polonais : de saint Wladislaw (patron de la Pologne) à qui elle fut dédiée, à la découverte du tombeau de la princesse Barbara Radziwill par Lorentz (un chercheur polonais) en 1931, toute l'histoire semble brusquement rattacher cette cathédrale à la polonité. Or, me signale mon interlocuteur, cette identité est occultée ; il recense et me montre les emplacements où les inscriptions polonaises ont été effacées — celles datant de l'Union polono-lituanienne ou des plus récentes (XXᵉ siècle). Ensuite, il se dirige vers l'une des façades extérieures du bâtiment, ralentit le pas devant l'emblème de l'Union — un double blason sculpté dans le mur, représentant l'aigle polonais et le chevalier lituanien « Vytes » —, et il pointe son doigt vers l'aigle. Sa couronne est brisée...

Les contentieux sont multiples dans cette cathédrale. Le plus grave concerne les langues de messes : ici les Polonais doivent choisir entre le lituanien et le latin. Le plus symbolique se rapporte aux trois statues du fronton, abattues dans les années cinquante. Leur reconstruction n'a rencontré, dans un premier temps, que l'assentiment général, puis, à l'examen, il a semblé qu'il n'était peut-être pas du meilleur goût que sainte Hélène (mère de Constantin, surtout vénérée chez les chrétiens d'Orient) trône entre saint Wladislaw et saint Casimir. Doit-on restaurer l'hégémonie de la religion orthodoxe ? Faire figurer au fronton du panthéon lituanien le plus fameux représentant du catholicisme polonais ? Le débat fait rage entre les diverses communautés nationales...

---

5. Perkunas, divinité païenne balte.

LA COLLINE DES TROIS-CROIX

Plus à l'est, dans la perspective de la cathédrale, se profile la colline des Trois-Croix qui, jusqu'au début 1989, n'en portait que le nom. Les croix avaient disparu dans les années cinquante. « Je me rendais au musée quand je vis, un matin, qu'elles n'étaient plus là », confie un historien d'art. Le jour, le mois, l'année même de l'événement ne sont pas restés gravés dans sa mémoire : « C'était sous Staline. Ils les ont démolies en l'espace d'une nuit, puis ils ont abandonné les morceaux restants au pied du socle. On allait les voir, certains déposaient des fleurs ; elles nous parlaient peut-être davantage », précise son épouse.

Ces trois croix étaient, en effet, un haut lieu de martyrologie locale. On les voit souvent représentées sur les gravures, de celles que l'on remarque dans les appartements des Vilnois ou des « rapatriés » polonais de Varsovie, d'Olsztyn...

Quant à leur histoire, peu s'en souviennent précisément. Il semble qu'elles aient toujours été là. Les livres disent qu'elles furent édifiées au XVIᵉ siècle pour commémorer l'assassinat de seize moines franciscains. Mais elles ne se sont vraiment posées en symbole des martyrs locaux qu'à l'époque des insurrections romantiques du siècle passé ; et c'est le soulèvement de 1863 qui détermina leur destruction, ordonnée alors par le général Mourawiev, le fameux « pendeur de Wilno ». Rebâties en béton par Wiwulski en 1916, elles ont à nouveau disparu de l'horizon en 1951, avant de réapparaître pour la deuxième fois au printemps 1989. Elles représentent aujourd'hui le « Golgotha lituanien » comme le suggère l'hebdomadaire *Renaissance* qui consacra plusieurs de ses pages aux témoignages d'anciens déportés[6].

En effet, l'inauguration des trois croix fut l'occasion de commémorer pour la première fois les victimes des répressions staliniennes. La cérémonie s'est déroulée le 14 juin

---

6. *Vozrojdienie*, bulletin d'information du Mouvement lituanien pour la *perestroïka*, 9 juin 1989.

1989 en souvenir de cette fameuse semaine qui, du 14 au 21 juin 1941, a marqué les premières grandes déportations en Sibérie. Les témoins s'en souviennent avec précision. Parce qu'elles furent massives, réalisées « au grand jour », parce qu'elles ont concerné, pour beaucoup, les pères de ceux qui prennent la parole aujourd'hui, ces déportations marquent le début de la terreur stalinienne. Les trois croix s'en font à présent les témoins. Et c'est à la suite de leur inauguration que fut décidé le rapatriement des corps de ceux qui périrent en Sibérie.

Le jeune étudiant russe qui cette fois m'accompagne sur ces hauteurs reconnaît la nécessité de rappeler les purges staliniennes, même s'il n'est pas très sensible aux énormes croix blanches qui les symbolisent. En revanche, en dévalant la colline, il est attiré par la présence de cette pierre légèrement surélevée et dédiée à la bataille de Grunwald, comme l'indique l'inscription qui s'y trouve gravée en lituanien et en russe. « Nous avons tout de même une histoire commune », précise-t-il. Or cette bataille — plutôt singulière parce qu'elle a réuni de façon insolite trois États si rivaux — constitue également une des grandes (et rares) victoires de l'histoire polonaise... et la Pologne ne figure pas dans la dédicace, rappellera plus tard un journaliste de *Czerwony Standar* [7].

À l'ombre de l'espace boisé qui prolonge la place en bordure de la colline, l'étudiant s'arrête devant le buste de Pouchkine qu'il me présente en déclamant les premiers vers d'*Eugène Onéguine*. Est-ce un dernier hommage au poète, avant le probable déplacement du monument ? Mais en quoi, demande l'admirateur de Pouchkine, faut-il associer l'écrivain à Staline ? Le Fonds culturel lituanien répond en faisant valoir que le buste fut installé par le gouvernement tsariste et que, après avoir été emmené par les Russes lors de leur départ en 1915, il fut réexposé sous Staline. L'étu-

---

7. *Czerwony Standar* (le Drapeau rouge) : ce titre reprend celui du journal clandestin du SDKPIL, Parti social-démocrate de Pologne et Lituanie, fondé, entre autres, par Rosa Luxemburg ; quotidien polonais vilnois et organe du CC du PC de Lituanie, paraissant depuis 1953.

diant n'est pas moins perplexe : le fils de Pouckhine n'a-
t-il pas résidé à Vilnius, comme le rappelle à quelques kilomètres de là cette demeure où il passa tant d'étés ? Les Russes ne sont-ils pas, eux aussi, présents depuis longtemps
dans la ville puisque l'un de ses plus vieux quartiers porte
leur nom ? Indigné, le jeune mathématicien s'en prend à la
pierre qui, quelques dizaines de mètres plus loin, commémore le 650e anniversaire de la fondation de Vilnius par
Gedymin (dont on construit actuellement le monument pour
la place). Or, poursuit l'étudiant, les Slaves s'installèrent
dans la ville dès la seconde moitié du XIIIᵉ siècle, après
avoir fui l'invasion tatare... Qu'on fasse appel à l'archéologie ! — justement, on l'appelle...

La place, il faut encore en parler. En l'observant attentivement, l'œil s'attarde devant ces palissades qui l'entra-
vent au nord et en léger retrait de la cathédrale. On s'en
approche même au vu des cierges et des pancartes dressés
contre elles, rappelant en russe, en anglais et en lituanien
que la Lituanie perdit 8 % de sa population pendant la
période stalinienne. Mais les palissades, elles, n'ont pas été
installées afin de servir d'adossoir. Elles masquent la présence d'un chantier archéologique, récemment entrepris
pour retrouver les fondations de l'ancien château, dit d'en
bas (par opposition à celui de Gedymin), qui faisait la fierté
du grand duc Vitold. La fortune de ce personnage est
immense en Lituanie et il est, de toute la panoplie des
grands chefs nationaux, le plus populaire : cousin et ennemi
juré du grand duc Jagellon — celui qui signa la première
union avec la Pologne en 1386 —, Vitold incarne la défense
de l'indépendance et la protection des intérêts lituaniens.
Il n'est pas d'institutions à caractère mémorial, des bibliothèques aux musées, qui ne lui fassent pas hommage en présentant une copie du célèbre tableau de Matejko (l'original
se trouve à Cracovie) qui le montre à l'avant-scène dans la
bataille de Grunwald. Un jeune archéologue, guide à ses
heures, retrace méticuleusement l'étape des fouilles qui
s'engageront jusqu'au milieu de la place, prélude à la
reconstruction du château dont il ne reste, depuis le

XVIIᵉ siècle, que des ruines... Dans les vastes collectes patriotiques actuellement entreprises, on peut se demander, sans ironie, à quelle fin les bourses seront le plus rapidement remplies, pour le rapatriement des morts de Sibérie ou la réédification du château de Vitold ?

Les interactions de la mémoire lituanienne, dans l'espace temporel, le sens des lieux de son incarnation sont significatifs à plus d'un titre de l'ambivalence qui la caractérise. Ici, dans cette place se trouvent mêlés par l'analogie fatale et volontaire deux temps de l'histoire à la portée inversée ; d'une part la mémoire négative des cinquante dernières années, que l'on aurait pu associer à celle, « traditionnelle », de l'ancienne domination russe, d'autre part la mémoire éminemment positive de l'époque médiévale où la Lituanie s'affermissait dans ses conquêtes et par les trophées de ses multiples victoires. Celle-là se fait le réceptacle de celle-ci comme pour l'exorciser et restaurer la conviction que la nation n'est pas du côté des vaincus. La mémoire nationale se veut souveraine avant de panser ses plaies. Elle se déploie, exclusive et maîtresse, dans le lieu des origines d'où elle fonde son nouveau pouvoir et sa légitimité. Mais, outre l'affirmation d'une identité qui n'aurait pas été entravée par un demi-siècle d'occultation, le seul message qu'elle délivre semble être contenu dans ce constat : nous existons et nous en témoignons par notre foi commune dans nos mythes.

LE PACTE GERMANO-SOVIÉTIQUE

Le traumatisme du passé récent s'exprime essentiellement à partir du Pacte germano-soviétique, qui s'inscrit à la source de ces cinquante dernières années. Et sa « révélation » l'a institué en lieu de mémoire. Mais le sens de celle-ci ne se laisse pas aisément déchiffrer. La révélation désigne-t-elle seulement cet aveu public du mensonge perpétré de l'histoire officielle sur la genèse de la Lituanie soviétique ? Et, partant, la dénonciation d'une illégitimité fondamentale du point de vue de l'éthique politique ? N'incarne-t-elle pas aussi le choc d'une population qui découvre son histoire ? « La spoliation a été dénoncée aux yeux du monde entier », commente, pour définir le poids de l'événement, un député de *Sajudis*. Effectivement, la commémoration du cinquantième anniversaire du Pacte s'est voulue avant tout spectaculaire. Qui ne se souvient de cette immense chaîne balte faite de millions de mains nouées pour dénouer ? Un instant émotionnel infiniment puissant que les photos ont fixé pour l'histoire à venir. Les clichés ont pris soin d'identifier toutes les organisations présentes, qu'elles soient lituaniennes, russes, polonaises.

Et on les trouve sur les panneaux de toutes les administrations, les usines et jusqu'aux cadres d'affichages publics qu'elles recouvent partout dans la ville. Devenue ouvertement clé de lecture de toute l'histoire contemporaine de la Lituanie, l'existence des protocoles du Pacte relève désormais de l'évidence du « toujours su », de l'acquis incontestable de la mémoire semi-séculaire, de celle du père ou de l'homme lui-même qui, aujourd'hui, parle. Elle s'offre justement en témoin de cette mémoire. C'est pourquoi il est si difficile d'appréhender « quand » et « comment » s'est transmise, à titre privé, l'information. Les réponse imprécises, elliptiques laissent persister le doute. Et par quels indices mener l'enquête ? Sans en revenir au procès de Nuremberg où fut mentionnée, semble-t-il pour la première fois, l'existence des protocoles, on cherche vainement des repères à travers l'histoire de l'opposition lituanienne. La pétition balte contre le Pacte germano-soviétique, en 1979 notamment, est inconnue de la plupart des interlocuteurs, hors du cercle restreint des fidèles lecteurs d'*Ausra* et de la *Chronique* de l'Église lituanienne, les deux principaux *samizdat* de la période brejnévienne.

Parfois, plus simplement, certains racontent : « C'était en 1987. Il y avait eu le 23 août une messe à l'église Sainte-Anne et à la sortie de l'office les gens se sont rassemblés sur la petite place de Mickiewicz pour protester. Il y avait à peu près 300 personnes, selon une radio occidentale que j'écoutais lors de mon voyage en Pologne, celle qui m'apprit comment la Lituanie fut annexée » ; le propos de cette jeune bibliothécaire se rapporte à la première manifestation publique contre le Pacte, à Vilnius. Révélation : le caractère éminemment conflictuel des regards aujourd'hui portés par les mémoires nationales sur le contexte historique du Pacte paraît la confirmer. Confrontée à une histoire qui se reconstitue par aveux successifs, la mémoire locale se fractionne. Elle devient plurielle, contradictoire, agressive parce que menacée — et se définit surtout par le rejet absolu d'un destin commun à tous. Or, le Pacte est objet de révélation. En premier lieu, il dresse un décor, la guerre, puis il raconte le déroulement de l'action faisant apparaître dans le schéma de l'histoire nationale la spécificité de l'histoire locale, sa dimension tragique, parce que là, comme me l'a dit Czeslaw Milosz, la vérité n'y est agréable pour personne[8].

Venons-en donc aux faits.

Vilnius, en 1939, était une ville polono-juive essentiellement[9] qui comprenait aussi de nombreuses minorités. A 30 kilomètres de la frontière lituanienne, hermétiquement close, elle constituait, avec sa région, la Wilenszczyzna, cette enclave polonaise dans les anciennes terres des confins. Occupée dès 1920 par Zeligowski, elle fut intégrée à la Deuxième République polonaise en 1922, en dépit des protestations du gouvernement lituanien qui revendiquait lui aussi le territoire. Le 23 août 1939, Hitler et Staline signaient, en annexe du Pacte, des protocoles secrets par lesquels ils décidaient du partage des nations baltes, polonaise et partiellement roumaine. La Lituanie, dans la première délimitation des frontières, revenait au Reich. Le 18 septembre 1939, les troupes soviétiques occupèrent Vilnius, tandis que s'y réfugiaient de nombreux Polonais et juifs de

8. Entretien du 27 octobre 1989, à Paris.
9. Le dernier recensement polonais de 1931 établit les pourcentages de la population par nationalités comme suit : Polonais 63 %, juifs 29 %, Russes 3,7 %, Biélorusses 3 %, Ukrainiens 0,1 %, Allemands 0,2 %, autres 1 % [sous-entendu Lituaniens]. Voir *Maly rocznik statystyczny*, Warszawa, 1939.

la Pologne centrale fuyant l'arrivée des Allemands [10]. Le 28 septembre 1939, Hitler et Staline signaient une deuxième série de protocoles qui modifiaient l'attribution des territoires. La Lituanie rentrait dans la sphère d'influence soviétique en échange de la région de Lublin qui passait sous tutelle de l'Allemagne. Il fut admis entre les deux parties que Vilnius serait définitivement détachée de la Pologne et reviendrait à la Lituanie. Le 10 octobre 1939, le gouvernement soviétique concluait un accord avec le chef de l'État lituanien (neutre dans la guerre) pour la rétrocession de la Wilenszczyzna à la Lituanie. En retour, le gouvernement de Kaunas acceptait l'implantation de bases militaires soviétiques sur son territoire.

L'occupation soviétique de Vilnius prit fin : le 28 octobre 1939, les troupes lituaniennes prenaient possession de la ville. Le 14 juin 1940 l'État soviétique, sous le prétexte d'incidents relatifs à ses bases militaires stationnées en Lituanie, intervint dans le pays et occupa une seconde fois Vilnius. Le gouvernement lituanien fut destitué par étapes et, le 3 août 1940, la République socialiste de Lituanie était proclamée. Le 22 juin 1941, les armées du Reich pénétraient à Vilnius, obligeant les troupes soviétiques à un repli rapide. L'occupation de la Lituanie par l'armée nazie dura trois ans. Ce fut la plus longue de la guerre. Le 13 juillet 1944 l'Armée rouge, après sept jours de combat, reprit Vilnius aux Allemands. La République de Lituanie fut solennellement restaurée en mai 1945.

QUAND LA GUERRE A-T-ELLE COMMENCÉ ?

A Vilnius, les monuments qui commémorent la guerre sont érigés en hommage à ses héros et à ses victimes, tels que les uns et les autres ont été désignés par l'histoire

---

10. Le nombre des réfugiés polonais et juifs installés depuis le début de septembre 1939 se serait élevé à 150 000 d'après L. TOMASZEWSKI, in *Kronika Wilenska 1939-1941*, Warszawa, 1989, p. 36.

soviétique. Le plus remarquable, par sa situation dans la ville, est celui dédié au général Tcherniakowski, libérateur de Vilnius. A quelques pas de la place Lénine et en léger retrait de la rue Gedymin, la place Tcherniakowski est dominée par l'imposante statue du général au pied de laquelle repose son corps. Mais, la notion de « libération » faisant, à la lumière du Pacte, l'objet d'ardentes controverses, il est question de déboulonner la statue du militaire. Une initiative qu'un historien lituanien encourage d'autant plus que la présence effective de Tcherniakowski dans la bataille de Vilnius paraîtrait, à l'analyse des faits, contestable [11]. Plusieurs membres du Fonds culturel lituanien proposent donc de transporter le monument et la tombe de Tcherniakowski dans le cimetière militaire soviétique, là où ils auraient, en revanche, toutes les raisons de siéger.

Le projet est très diversement reçu. Un jeune Russe de *Edinstvo* [12] s'y montre très opposé car Tcherniakowski, d'après lui, même s'il ne combattit pas à Vilnius, reste néanmoins l'un des grands généraux qui œuvra à la libération de l'Europe sous domination nazie. Un propos que l'on retrouve à la bouche de cette Lituanienne, membre du Fonds culturel. Mais pour elle, il ne s'agit pas tant de respecter une mémoire que de ne pas répéter, dans l'exacte inversion, les erreurs du passé, celles précisément qui ont consisté à l'occulter. L'histoire soviétique, disait-elle, doit entrer dans notre patrimoine. Vers les bords du Néris, se profile au milieu d'un espace boisé le monument dédié aux partisans. Il représente des visages d'hommes et de femmes (on y compte néanmoins plus d'hommes que de femmes) aux regards durs, émergeant d'un énorme bloc de pierre aux contours façonnés par les corps et les armes des résistants. Enfin, il faut aussi mentionner Ponary, un nom de très sinistre mémoire qui rappelle, à quelques kilomètres de

---

11. L'historien n'a pas fourni ses sources et je n'ai pu vérifier ses dires. Je ne fais donc que présenter les arguments.

12. Le mouvement *Edinstvo* (Unité) de soutien à la *perestroïka* a été fondé à l'automne 1988 et regroupe essentiellement des Russes, des Biélorusses ainsi qu'une partie de la minorité polonaise de Vilnius.

la ville, ce lieu où furent assassinés des milliers de juifs et une partie de la population civile engagée dans la résistance anti-nazie. Ici, un ensemble architectural agencé par deux pans de pierres massives commémore, dans l'anonymat, les « citoyens soviétiques victimes de l'occupation nazie », comme on peut le lire sur le réceptacle du monument. Des bouquets de fleurs fanées ornent par endroits la vaste pierre tombale qui lui fait face. Autour d'elle, le silence.

Ponary, ce nom apparaît anecdoctiquement dans les récits des Polonais, il ne constitue qu'un maillon secondaire de cette trame que fut la guerre. Les témoins, ceux qui parlent, sont essentiellement des « rapatriés » d'après guerre [13] installés à Varsovie, mais plus encore à Olsztyn, Torun, Gdansk, là où le départ de la population allemande a laissé, à son tour, par son « rapatriement », des places vides... Or, pour tous ces ex-Vilnois, la guerre se raconte au gré des occupations successives qui en marquent le déroulement. « Le 17 septembre 1939, les Russes ont déplacé notre frontière à l'est et ils sont entrés à Wilno dans la nuit du 18 au 19. La première occupation soviétique se caractérisait par la présence d'une administration militaire. Ils ont procédé à l'expropriation des biens, ils ont démantelé les entreprises. En rendant Wilno aux Lituaniens, les Soviétiques se sont efforcés de dépouiller au maximum la ville », raconte un ancien mécanicien. Le 17 septembre 1989, les Polonais furent effectivement nombreux à manifester en souvenir de cette première occupation. Pourtant dans les récits se dessinent une hiérarchie d'agressions. Ainsi M. D., une ancienne communiste — par réaction à l'Endecja [14] et à la politique des nationalistes en Pologne —, affirme que la guerre s'est vraiment imposée comme telle au moment de

---

13. Ces rapatriés ont fondé au printemps 1989 deux associations dont le but est de préserver et faire connaître le patrimoine de Wilno entre 1920 et 1940 et de soutenir les entreprises culturelles des Polonais de Lituanie. Il s'agit de la Société des amoureux de Wilno et de la région vilnoise et de la Société des amis de Grodno et Wilno. Cette dernière a entrepris l'édition d'un journal, *Goniec Kresowy* (Le courrier des confins) dont le 1er numéro est sorti en juin 1989.
14. Démocratie nationale, parti d'extrême droite, nationaliste et antisémite.

l'occupation lituanienne : « La situation des nationalités à l'époque s'est profondément dégradée et compliquée. Il y avait beaucoup de nouveaux Lituaniens et la langue officielle était devenue le lituanien [que très peu pratiquaient à Vilnius]. J'ai travaillé pendant deux mois à la commission nationale pour l'enseignement, mais j'ai démissionné du jour au lendemain à cause du conflit polono-lituanien. Les Lituaniens menaient une politique brutale de "lituanisation" en introduisant par exemple l'obligation de parler leur langue dans les écoles polonaises. » Un des *leitmotive* de cette période, sur laquelle beaucoup s'attardent, fut celui du chômage qui s'accrut rapidement parce que les offres d'emploi étaient désormais réservées aux citoyens lituaniens [15]. « Vendre ma conscience pour un million, passe encore, mais pour cinq centimes... », commentait cette ancienne résistante de l'Armée du pays (AK, résistance nationale polonaise) à qui on avait alors proposé une place de contrôleuse. Parfois les propos se font plus modérés : « Après les Soviétiques, les Lituaniens sont arrivés, et les Polonais les ont accueillis avec soulagement, un gouvernement plutôt normal s'est mis en place », raconte un autre résistant.

Le deuxième « temps fort » de la guerre fut pour la plupart cette semaine du 14 au 22 juin 1941, date des premières grandes déportations : « On voyait des camions circuler dans la ville, un officier du NKVD était assis à côté du chauffeur avec la liste des familles. Ils commençaient à l'aube et faisaient leurs tournées jusqu'au soir, sans se cacher. On prenait les gens dans leur maison et on les embarquait vers la gare de marchandises à Nowa Wilejka. Parfois, ils les emmenaient à la prison de Lukiszki. Puis ils les mettaient dans des wagons à bétail dans des conditions inhumaines. Cela a duré jusqu'à l'arrivée des Allemands. Ce jour-là, un dernier transport attendait encore à la gare,

---

15. La nationalité lituanienne pouvait être obtenue si l'intéressé était majeur et en mesure de prouver qu'il résidait à Wilno avant le 6 octobre 1920, soit avant l'occupation puis l'intégration de Wilno à la Pologne. (Voir L. TOMASZEWSKI, *op. cit.*, p.41.)

les gens ont pu se sauver. » Il n'est pas dans mon propos de m'interroger sur les causes de ces déportations et les raisons qui les déterminèrent au seuil stratégique de la guerre, quand Hitler se retourna contre Staline. Néanmoins, cette conjoncture troublante est mise en relief par les témoignages.

Les récits de la répression soviétique rendent d'ordinaire plus neutres ceux de l'occupation allemande : « Au début on ne sentait pas tellement de différence entre l'occupation russe et l'occupation allemande parce qu'il y avait une administration militaire dans les deux cas », dit ce résistant. « D'abord, on a vu les Allemands avec soulagement car les déportations avaient cessé, et tout le monde craignait de faire partie du lot... Lorsque l'administration allemande s'est installée avec la Gestapo, les conditions sont devenues plus dures ; cependant à Wilno, la situation n'a jamais été aussi dure qu'à Varsovie », précise cette catholique plus tard envoyée en Sibérie pour ses activités para-religieuses. L'arrivée des Soviétiques en 1944 est rarement détaillée car cette période représente surtout celle des départs vers la Pologne. Le choix entre la citoyenneté soviétique ou polonaise a été pour les uns déterminant. D'autres invoquent surtout le retour définitif de Wilno à la Lituanie. Mais dans tous les cas, on souligne les rapatriements massifs de 1945, qui se prolongèrent par vagues jusqu'en 1958. Les Polonais qui vivent à Vilnius aujourd'hui sont très peu représentatifs de la population de l'entre-deux-guerres. Ils viennent pour la plupart des zones rurales de l'ancienne Wilenszczyzna[16].

A l'écoute des anciens juifs vilnois (que l'on retrouve à Varsovie, Paris, ou en Israël), la guerre a suivi un tout autre scénario. « De 1939 à 1941 la Lituanie a été, pendant une certaine période, autonome bien que l'armée russe fût à

---

16. En Pologne, comme en Lituanie, on reconnaît peu d'héritage du Wilno polonais d'avant-guerre dans la communauté actuelle. Plusieurs articles consacrés au sujet dans la presse polonaise reconnaissent implicitement que la minorité actuelle est issue des milieux ruraux de la Wilenszczyzna. Voir notamment « Nie szkodzcie nam », *Tygodnik powszechny*, 24 septembre 1989.

Wilno. Car, en fait, les Soviétiques l'ont rendue à la Lituanie et les Allemands ne sont arrivés que le 22 juin. C'est
à ce moment que pour nous a commencé la guerre »,
raconte une ancienne militante du *Bund*. Un récit que
d'autres répètent avec leurs propres mots, et comment
pourrait-il en être autrement puisque les juifs furent les premiers ennemis nommément désignés par les nazis ? « Les
nazis, je ne les ai pas vus, je les ai fuis », annonce cet ancien
partisan, comme pour éviter une narration pénible.

L'histoire de la guerre, pour ces témoins, c'est avant tout
l'histoire du ghetto, créé le 6 septembre 1941, liquidé le
23 septembre 1943, puis celle de leur fuite et parfois de leur
résistance aux côtés des partisans soviétiques. « Pourquoi
revenir à ce temps puisque tout a disparu ? » lance ce vieux
communiste vilnois en désignant du doigt les limites de
l'ancien ghetto. Nous sommes à sa frontière qui, ironie de
l'histoire toponymique, s'appelle rue des Allemands (en
référence à l'ancienne communauté prussienne de la ville).
Et nous entrons dans l'ancien quartier juif que le *Guide bleu*
(1939) décrit comme « un réseau très dense d'étroites ruelles
mal pavées, aux trottoirs presque inexistants, aux passages
couverts ». Aujourd'hui, il n'y a pour ainsi dire plus de
rues, seulement des espaces mi-terrain vague, mi-chantier,
théoriquement abrités des regards par des palissades aussi
piteuses que les ruines qu'elles sont censées masquer. Ces
lambeaux de murs sont toujours, quarante-cinq ans plus
tard, en leur état d'après guerre, comme s'ils devaient être
ces témoins obligés de l'irréparable. Ici, sur ce pan, jadis
mur de force d'un immeuble, une étoile de David gravée
dans la pierre ; là, une inscription indéchiffrable. Et combien savent dans la ville que le ghetto ne fut pas détruit par
les Allemands, mais par les Soviétiques [17] ? Lui, cet
homme qui regarde à mes côtés, ne comprend pas le besoin
de savoir. Il a ses lieux, sa mémoire, et celle-ci, dit-il,

---

17. Le seul témoignage documentaire qui existe sur cette question est constitué par des photos qui auraient été prises à la fin de juillet 1944 et qui montrent effectivement peu de destructions dans le ghetto.

« ne s'y rattache pas » ; car elle demeure dans l'espace immatériel de l'inconcevable.

UNE VASTE MACHINATION

Les Lituaniens qui vivent à Vilnius présentent encore une lecture différente de la guerre et ils commencent par remémorer les événements de juin 1940. La mise en place du gouvernement soviétique de Lituanie est, en effet, unanimement qualifiée d'acte d'usurpation. « Ils sont entrés avec leurs chars et nous ont fait voter avec leurs chars », dit un sexagénaire lituanien, vilnois depuis toujours. Ce qui concrétise le Pacte, c'est cette « vaste machination », comme la désigne son épouse, qui a présidé à l'intégration de la Lituanie à l'URSS[18]. Une machination dont les Lituaniens ont commémoré la genèse, de concert avec les minorités nationales, le 23 août 1989. Mais cette date emblématique du Pacte constitue plutôt le rappel au temps « théorique » des partages, par opposition à son temps « effectif » pour l'histoire lituanienne : le 28 septembre 1939, soit ce jour où le pays fut « troqué » (selon les termes d'un historien local) contre une région polonaise pour entrer dans la sphère d'influence soviétique et non plus allemande. Le 28 septembre 1989, un grand défilé dominé par des croix, des drapeaux, des chants en lituanien parvenait de la rue Gedymin à la place de la Cathédrale où des centaines de familles s'étaient réunies pour l'accueillir, malgré la brume et l'humidité d'un automne raté. Des discours (en lituanien exclusivement) se sont succédé devant une foule silencieuse. Les cierges brûlaient mal, mais ils brûlaient.

Jusqu'en juin 1940, néanmoins, les événements prennent un caractère positif dans la bouche des témoins : « En

---

18. L'illégitimité de l'instauration du nouveau gouvernement a été symboliquement dénoncée par le changement toponymique de la rue du 21-Juillet [1940] (jour où le nouveau conseil demanda l'intégration de la Lituanie à l'URSS) qui est devenue la rue du 16-Février [1918] (date de déclaration de l'indépendance lituanienne).

novembre 1939, nous avons quitté Kaunas pour Vilnius, Kaunas n'était que la capitale temporaire de la Lituanie et là, nous retrouvions la capitale éternelle — raconte la mère d'un musicien —, mon mari qui était fonctionnaire a été nommé dans l'administration locale. » Et les Lituaniens célèbrent aujourd'hui la rétrocession de Vilnius à la nation comme l'un des moments importants de l'histoire contemporaine. Ce cinquantenaire fut dignement fêté à en juger d'après le programme [19] : défilé, concert, animations diverses, affiches... Le 28 octobre 1939 est donc devenu une date mémorable dans le patrimoine national. Pourtant, et ce n'est maintenant plus un secret pour personne, Vilnius a été rendue à la Lituanie par l'entremise des Soviétiques, à la suite d'un accord lituano-soviétique et plus encore selon les termes stipulés par le Pacte germano-soviétique. « Ils nous ont rendu la main pour mieux nous couper le bras », commente cette jeune photographe qui retraduit avec cette image un avis généralement partagé [20]. Néanmoins, on fête cette « main rendue » ou plutôt « reconquise », car ce n'est pas à l'accord lituano-soviétique (10 octobre 1939) que l'on fait référence, mais au moment où les troupes lituaniennes prirent possession de la ville. La dichotomie entre la lecture de l'histoire nationale et celle de l'histoire locale apparaît, ici, criante. Elle traduit le poids de l'enjeu identitaire de Vilnius dans la conscience nationale.

Au côté du jugement porté sur le contexte de cette rétrocession coexiste « fatalement » la nécessaire référence à l'année 1939, grâce à laquelle les Lituaniens furent les derniers maîtres de la ville avant l'intégration du pays à

---

19. Les manifestations du cinquantenaire ont été prises en charge par le Fonds culturel lituanien de Vilnius.

20. Dans son article « Le pacte noir » (*Tchiorny Pakt*, in *Vozrojdienie*, 22 juin 1989), Victoras JALIS reprend l'histoire diplomatique de la Lituanie depuis 1920 et réaffirme que, lors des négociations du 10 octobre 1939, la Lituanie n'a pas eu la possibilité de refuser les propositions soviétiques, qu'elle fut mise devant le fait accompli. Voir également l'article de V. VADAPALAS et V. JALIS, *Primenina li davnost k anneksi*, in *Vozrojdienie*, 15 septembre 1989.

l'URSS. Toute la « re-lituanisation » de Vilnius est engagée dans la perspective de sa restauration, telle qu'elle existait en 1939 [21]. Aussi cette courte année a valeur d'attestation. Dès lors, les Lituaniens furent également les témoins locaux de la guerre [22]. « A cette époque-là [juin 1940-juin 1941] il y a eu des arrestations, mais elles concernaient surtout les anciens membres du gouvernement ; et puis il y a eu les déportations de juin 1941. Mon père qui dirigeait un bureau postal a été emmené un matin à l'aube, le 14 ou le 15 juin, je ne sais plus, et ma mère l'a suivi », raconte une sociologue née en Sibérie. « Ces quatre jours de juin furent réellement les plus terribles de l'histoire de la nouvelle Lituanie », écrivent d'anciens déportés [23]. Partout les récits inscrivent cette semaine comme la première véritable image de l'agression. Le 14 juin 1941 consomme une rupture dans le temps. En lui se confondent deux moments-genèse : celui de la guerre et celui du stalinisme. Cette perception domine le plus souvent le champ des mémoires, détermine une durée qui s'étend au-delà des limites objectives du conflit. L'occupation allemande n'en constitue généralement qu'une étape, appréhendée dans l'extériorité de la problématique plus vaste du stalinisme. « En juin 1941, ils sont venus arrêter mon mari. Alors pour moi la guerre, c'est surtout son absence : elle a duré plus de dix ans », confie encore la femme du fonctionnaire. « Sous l'occupation allemande, j'ai continué d'enseigner. Quand ils ont fermé l'université en 1943, je suis devenu inspecteur dans les écoles polonaises et puis les bol-

---

21. Bien que Vilnius ne fût occupée par la Pologne qu'à la fin de l'année 1920, il semble que les initiatives de « lituanisation » de la ville n'aient pas été entreprises à l'époque. La restitution de la toponymie lituanienne est réalisée notamment en référence à l'année 1939. J. Jurkstas, qui a établi le recensement des noms de rues depuis 1550, ne mentionne aucun changement entre 1913 et 1920. C'est sur la base de son travail que sont réalisées les modifications actuelles.

22. 31 000 Lituaniens se seraient installés à Vilnius en 1939 selon P. Lossowski (*Litwa a sprawy polskiej 1939-1940*, « La Lituanie face à la question polonaise », Warszawa, 1985, p. 56).

23. Voir l'article de I. Godunavitchenie et A. Skaisgiris « Le golgotha lituanien », *Litevskaia Golgofa*, in *Vozrojdienie*, 9 juin 1989.

cheviks sont revenus. Beaucoup ont fui[24], l'arrivée de l'Armée rouge a semé la panique. On se souvenait de la première occupation, des déportations dont personne n'était à l'abri », raconte un vieil historien. De fait, hors de Ponary, il n'existe ni lieu ni date pour commémorer l'occupation de Vilnius par les Allemands au cours de laquelle la ville perdit au moins 40 % de sa population locale.

L'histoire de la guerre à Vilnius reste à écrire ; tous les arguments existent pour n'en définir que des versions sujettes à l'arbitraire. Mais on peut néanmoins dresser quelques constats, le plus évident étant que ces trois mémoires nationales se rejoignent peu. La guerre commence dans un temps différent pour chacune d'entre elles ; sa perspective reste appréhendée selon la lecture faite de ce qu'il en est résulté : pour les uns, la perte, pour les seconds, la disparition, pour les troisièmes, la soumission. De fait, les Polonais sont partis. Les juifs ont été exterminés et ceux qui purent fuir se sont rarement réinstallés à Vilnius. S. B., un des animateurs du mouvement littéraire *Jung Vilne*[25], quitta finalement la ville en 1958, « parce qu'il ne subsistait plus rien du Wilno juif ». « La mémoire juive de Wilno, disait-il, c'est le yiddish. Or, les juifs d'après guerre ne connaissaient pas cette langue. Ils étaient des étrangers. » Les Lituaniens n'arrêtent pas leurs récits de la guerre en 1945. Ils racontent aussi la « normalisation » qui a suivi. Mais, de la guerre en elle-même, on rencontre également peu de témoins vilnois. Combien s'installèrent en 1939 et demeurèrent à Vilnius jusqu'en 1945 ? Combien furent déportés en 1941 (les estimations varient entre trente et cinquante mille à l'échelle nationale) et combien s'enfuirent derrière

---

24. On ne peut évaluer l'importance de ces fuites derrière l'armée allemande que par les données que fournirent les comités de réfugiés lituaniens constitués en Allemagne à la fin de la guerre. Ils ont recensé à peu près 200 000 personnes, mais en comptant ceux des Lituaniens qui avaient été déportés ou envoyés en Allemagne pour le travail obligatoire. Voir la publication des documents réalisée par B. KLAMAS in *La Lituanie dans la Seconde Guerre mondiale*, Paris, 1981.

25. *Jung Vilne*, école poétique yiddish fondée dans les années trente avec notamment A. Suztkever.

les armées allemandes en 1944 ? Comparables, ces mémoires ne le sont que dans la mesure où elles parlent toujours au nom d'une collectivité impuissante, agressée. L'ennemi est défini dans la mesure où il s'est lui-même désigné en tant que tel. Neutres, donc, les civils polonais et lituaniens revendiquent cette position au milieu des occupations militaires allemande et soviétique. Ils se situent dans la fatalité des enjeux stratégique et géopolitiques dont ils furent l'objet, ignorant de ce fait la dimension idéologique des affrontements qu'ils subirent sur leur sol. Pourtant, aujourd'hui, les mémoires des résistances se réveillent aussi avec celles de la guerre et ouvrent de fait le débat sur une possible et réelle neutralité des autochtones.

LES MÉMOIRES DE LA RÉSISTANCE POLONAISE

Sur la rive droite du Néris, après avoir dépassé le stade qui occupe l'espace de l'ancien cimetière juif, la route bifurque vers l'emplacement de l'ancienne église Saint-Raphaël, dominé par d'imposants bâtiments administratifs, ternes et tristes comme il se doit. Dans le terrain vague qui s'étend derrière eux jusqu'au lit de la rivière, on retrouve les traces du cimetière qui jouxtait l'église. Ils furent tous deux supprimés au début des années cinquante. Mais les Polonais de Lituanie [26] ont entrepris de réhabiliter les lieux, « à leur manière », en y installant les tombes de trois éminents membres de la résistance nationale, de la région de Vilnius.

Les porte-parole de la résistance polonaise entrent donc en scène et laissent clairement entendre qu'ils n'ont pas oublié la liquidation de l'Armée du pays (AK) à la fin de la guerre. A quelques kilomètres de Vilnius, dans ces champs où se déroulèrent les derniers affrontements avec l'armée allemande alors en retraite, se trouve un autre monument commémoratif de l'AK, celui dédié à la résis-

---

26. *Zwiazek Polakow na Litwie*, principale organisation nationale polonaise.

tance anti-nazie. Krawczune, ce lieu-dit où sont venues se nicher quelques rares maisons, est donc partie intégrante depuis le 1er septembre de ce vaste pèlerinage que représente, pour nombre de Polonais, un voyage touristique à Vilnius. On peut lire sur le pan de béton qui constitue le principal corps du monument la dédicace aux régiments tombés lors de la bataille de Krawczune « contre les divisions hitlériennes ». Ainsi, ces hommages encore inconcevables dans un passé très proche font brutalement rejaillir l'existence d'une résistance dont on n'avait jamais mentionné publiquement les faits d'armes. Par le choix de ces lieux, les Polonais rappellent les frontières d'avant 1939.

R. Korab Zebryk, le principal historien de l'AK vilnoise, les défend ouvertement [27]. La riposte lituanienne est cinglante : « Il ne faut pas oublier que les partisans polonais ont combattu avec les Soviétiques, qu'une partie de leurs régiments collabora avec le pouvoir d'occupation nazi, qu'ils pillèrent nombre d'habitants pacifiques de nationalités diverses [28]. » Puis l'article aborde en détail certaines opérations de l'AK, qui mettent en relief d'importants assassinats collectifs commis fanatiquement contre des Lituaniens, vers la fin de l'occupation allemande (janvier-juillet 1944). L'historien Arounas Boubnis ouvre donc la polémique de façon radicale, condamnant sans retour les menées d'une AK tout à la fois alliée à l'ennemi, collaboratrice avec l'occupant et plus simplement criminelle. Une accusation lancée à la mesure du prestige que connaît l'AK en Pologne et dont l'insurrection de Varsovie constitue en quelque sorte l'emblème. La répression de la résistance polonaise après guerre, comme le silence si longtemps imposé sur son rôle dans la guerre expliquent pour une part le caractère nettement consensuel du jugement porté, en Pologne, sur la résistance nationale [29].

---

27. R. Korab Zebryk, *Operacja Wilenska*, AK, Warszawa, 1988.

28. A. Boubnis, *Armia Krajova v vostotchnoe Litvie*, « L'Armée du pays dans la Lituanie de l'Est », *Vozrojdienie*, 9 juin 1989.

29. Il suffit pour s'en convaincre de rappeler le scandale que produisit en Pologne l'ouvrage de Mackiewicz *(O tym nie trzeba glosno mowic)* très critique à l'égard de l'AK et dénonçant différentes compromissions avec l'occupant.

Lors d'un récent colloque sur le sujet, R. Korab Zebryk répondit aux accusations dont l'historien A. Boubnis s'est fait le porte-parole et, pour ne pas nier l'existence des règlements de comptes, a fait valoir l'existence de tribunaux militaires destinés aux collaborateurs...[30]. Cette vaste controverse repose d'un côté et de l'autre sur des arguments très généralisés. Les partisans de l'AK se définissent comme les seuls résistants locaux organisés, rappellent l'existence de *Saoguma*, la version lituanienne de la *Gestapo*, et de toutes les institutions pro-nazies qui se sont développées alors, ils écrivent enfin l'histoire du mouvement, s'affirment partie prenante dans la libération de Vilnius en juillet 1944. À Vilnius, en revanche, l'AK fait l'objet d'une condamnation unanime dans la presse indépendante lituanienne[31]. Les arguments invoqués vont du rappel du contentieux entre l'AK vilnoise et le gouvernement de Londres (opposé à la réunification de la Wilenszczyzna à la Pologne) à celui du puissant parti ultra-nationaliste de l'Endecja, bien connu pour avoir beaucoup sévi à Vilnius au cours des années trente[32]... Comme l'écrit T. Venclova[33], « les responsabilités sont certainement partagées et le sujet mériterait d'être soumis à l'examen de l'histoire ». De toute évidence, l'information est loin d'avoir été suffisamment divulguée.

VILNIUS OU WILNO ?

Dans l'ordre des faits, le contentieux polono-lituanien à propos de Vilnius s'inscrit dans les vingt années qui

---

30. Deuxième colloque sur l'AK vilnoise, Olsztyn, 2 juin 1989.

31. Les accusations lituaniennes contre l'AK concernent notamment diverses campagnes de terreur menées par l'AK en Wilenszczyzna, qui expliqueraient que nombre d'autochtones y parlent encore polonais. Cette thèse est notamment soutenue par le linguiste Czekman, spécialiste des dialectes périphériques de la région.

32. Les campagnes violemment antisémites de l'Endecja sont rappelées par de nombreux contemporains. C. MILOSZ en donne un bon témoignage dans *Une autre Europe*, Paris, 1964.

33. T. VENCLOVA, *Lit otwarty do Litwinow i Polakow na Litwie*, « Lettre ouverte aux Lituaniens et aux Polonais en Lituanie » *Kultura*, mars 1989.

séparent les deux guerres. Après avoir été reconnue territoire de l'État lituanien par le gouvernement soviétique le
12 mars 1920, la Wilenszczyzna fut occupée par l'armée
polonaise dès le 6 octobre en vertu de la présence nettement
majoritaire de la population polonaise dans cette région[34].
Tous les ex-Vilnois polonais, qu'il s'agisse de C. Milosz,
de T. Konwicki, se montrent convaincus de la « polonité »
de Vilnius à cette époque[35]. La communauté juive s'est
alors peu située dans le débat parce qu'elle formait dans sa
diversité une micro-société très intégrée et autonome[36].
L'intelligentsia de langue russe se trouvait de fait hors
des enjeux culturels de la Pologne ou de la Lituanie. Dans
l'ordre du droit international, la question de Wilno fut
ardemment controversée car la thèse d'une annexion illégitime de la région par l'État polonais se heurtait au fameux
droit des peuples. Les deux parties eurent leurs défenseurs
comme en témoigne l'importante mais médiocre bibliogra-
phie relative au sujet.

Finalement, quel que soit le jugement qu'il faille porter

---

34. Devant l'importance de la controverse sur la question de Vilnius, *Tiesa*
(*Pravda* lituanienne du 2 septembre 1989) a cru bon de republier les pourcentages de la population par nationalités à Vilnius même et dans la région en 1987.
Les Polonais constituaient 39 % de la population urbaine contre 12,1 % de la
population rurale, les Lituaniens 35 % en Wilenszczyzna contre 2 % à Vilnius.
Mais les juifs représentaient aussi 40 % de la population vilnoise, d'où beaucoup de Lituaniens concluent que la ville n'était pas polonaise mais juive.

35. Certains des rapatriés présentent Wilno comme une ville polonaise,
d'autres comme une ville polono-juive. Le consensus est absolu sur l'infime présence des Lituaniens dans la ville. Lors d'un récent colloque (*Wilno-Wilenszczyzna
jako krajobraz i srodowisko wielu kultur*, Bialystok, 21-24 septembre 1989), les participants ont présenté le cosmopolitisme de la ville par différentes interventions
sur les Tatars, les Karaïtes, une communication sur la Wilno juive. Voir également l'article de S. STOMMA *Z uczuciem ale rozumnie*, in *Tygodnik Powszechny*,
juin 1989. La question de l'identité nationale du lieu fait en revanche l'objet
d'un doute ultérieur. L'interrogation est rétroactive. Elle est centrée sur la légitimité de la rétrocession de Vilnius à la Lituanie qui est presque toujours
admise, par nécessité et au vu de la conjoncture des années quarante.

36. D'après les études faites dans l'entre-deux-guerres (cf. notamment
H. de CHAMBON, *La Lituanie moderne*, Paris, 1933. Il reprend les arguments
présentés à la SDN), la communauté juive aurait boycotté le plébiscite du 8
janvier 1922 pour l'intégration de Wilno à la Pologne. L'autonomie de la communauté juive est particulièrement mise en valeur dans les mémoires de L.
DAWIDOWICZ, *That place and that time*, New York, 1988.

sur la politique de Pilsudski, la question de Wilno représentait de toute façon un dilemme inextricable parce qu'elle
relevait autant du mythe que de la réalité. Enracinée dans
l'idéal de deux nations aux penchants nationalistes exacer-
bés, Wilno catalysa tous les antagonismes polono-lituaniens.
Or, elle constitue bien pour les uns et les autres un mythe
paradoxal. Capitale historique du duché de Lituanie, Vilnius illustre la lituanité, surtout dans ses ruines médiévales. Sa situation géographique aujourd'hui incongrue (à
trente kilomètres de la frontière biélorusse à l'est) rappelle
néanmoins les glorieux siècles d'or où la ville se trouvait au
centre des terres ducales. Le lituanien n'y a jamais été la
langue d'État sinon en 1939-1940 et ceux qui eurent la
parole dans l'histoire locale l'ont prise, à quelques exceptions près, en polonais. Les fonds d'archives, jusqu'à la
seconde moitié du XIXᵉ siècle, révèlent l'ampleur de la
polonisation (issue de l'Union polono-lituanienne), dans la
culture urbaine et nobiliaire vilnoise. Les archives semblent
donc donner raison aux Polonais lorsqu'ils soutiennent
l'importance de ce lieu dans leur patrimoine national. Mais
Vilnius n'a jamais fait intrinsèquement partie de l'État polonais. La ville est toujours restée le centre du Grand Duché,
avant de devenir chef-lieu de gouvernement de la province
de l'Ouest de l'Empire russe. Pourtant c'est à cette époque
que Vilnius devint l'un des hauts lieux d'élection de la polonité. Les premières résistances nationales contre la domination russe sont apparues là, dans ce creuset forgé par une
noblesse appauvrie qui allait donner le ton à une culture
urbaine naissante.

La polonisation du Duché exprima alors la réalité d'une
classe nobiliaire déshéritée, qui recueillait avec ferveur les
derniers fruits de l'ancienne République : sa nostalgie de la
« Grande Pologne » idéalisée dans la perte. L'union politique des deux États prit la forme d'une heureuse symbiose
qui permettait d'affirmer le « nous » polonais. Le grand
défenseur de la fédération des peuples, Mickiewicz, a justement célébré la terre de Wilno parce qu'elle donnait corps
à son intuition de la polonité qui, soutenait-il, ne résultait

pas du déterminisme des frontières mais de l'immanence de la conscience. A la périphérie de la Pologne, Wilno incarnait d'autant plus le lien fondateur de la communauté nationale que celle-ci se trouvait déterritorialisée [37]. Et l'œuvre du poète ne s'offrait-elle pas comme l'illustration même du concept ? La formule *gente lituanus, natione polonus* acquit la force d'une évidence, confirmée par les idéaux insurrectionnels du XIXᵉ siècle [38], nourrie par les écrivains polonais vilnois, de Slowacki à Kondratowicz. A la fois opprimée dans les faits et hégémonique dans ses prétentions, la culture nobiliaire de Wilno ne laissait pas de choix entre la pleine adhésion et le rejet. Le mouvement national lituanien est né dans le ressentiment des oubliés de l'histoire. Brusquement sortie des villages où elle était alors considérée comme un dialecte, la langue lituanienne est devenue l'enjeu d'un combat pour affirmer une identité autonome et majoritaire. A la faveur des promotions sociales offertes par les séminaires, les premières générations lituanomanes, qui se sont affirmées au carrefour du siècle, ont défini une histoire par réaction à une hégémonie contestée. Construite sur l'exacte inversion de son pendant polonais, elle a fait de l'Union polono-lituanienne la grande période de l'oppression nationale, après une indépendance féconde. Démunie de documents, elle a glorifié une culture rurale orale multiséculaire, dans laquelle elle a défini une spécificité nationale. Corps homogène parce que issu essentiellement de la paysannerie, la nation lituanienne a édifié son passé sur des clivages inavoués.

Or, cette histoire est encore celle qui est véhiculée aujourd'hui. Basanevicius, le patriarche de la grande renaissance nationale du début du siècle, n'a pas à remuer dans sa tombe : les disciples sont fidèles. Et ils l'honorent dans

---

37. Voir *Les Confins de l'ancienne Pologne. Ukraine, Lituanie, Biélorussie XVIᵉ-XXᵉ siècles.* Actes du colloque du 5 juillet 1987 présentés par D. BEAUVOIS, PUF, 1989.

38. Les insurrections de 1830 et 1863 avaient inscrit à leur programme la restauration de la Pologne selon ses frontières de 1772, comprenant le duché de Lituanie.

ce même cimetière de Rossa où les Polonais, de leur côté, viennent chaque jour par centaines pour saluer le grand chef : Pilsudski. Le lieu ne réunit que pour réaffirmer l'exclusion de l'autre. Traduit-il le *fatum* historique d'une ville qui, pour être encore une ville de carrefour entre plusieurs nations, exacerbe les prétentions de chacune à la totalité ? Doit-on encore considérer « ces gens dont les noms étaient devenus lituaniens et les âmes polonaises ? et ceux dont les noms étaient devenus polonais et les âmes lituaniennes [39] » ? Faut-il remonter aux origines pour démontrer les droits d'une cité qui est passée par toutes les couleurs des étendards nationaux ? La capitale de la Lituanie soviétique, après plus de quarante années, revient-elle à ce non-lieu où histoire et mémoire se confondent parce que l'une n'existe que pour conforter l'autre, parce que, à défaut de toute dimension critique, l'histoire devient la proie exclusive de la sacro-sainte nation ? La renaissance lituanienne, comme les nationalismes réactifs qu'elle suscite révèlent le gouffre béant d'une société qui ne sait pas se nommer. Vilnius, une ville désertée au sortir de la guerre [40], a vu affluer, en l'espace de trente ans, les plus gros contingents d'un exode rural massif [41]. Sa population a quintuplé en quatre décennies, constituant un paysage social nouveau où les Lituaniens, sans avoir tous les postes clefs, représentent néanmoins la majorité de cette intelligentsia — au sens technique que lui reconnaît la terminologie soviétique — proche des pouvoirs [42].

---

39. T. KONWICKI, *Chronique des événements amoureux*, Paris, 1982, p. 117.

40. Il n'existe pas de recensement pour cette période et les premières statistiques de population dont dispose l'Institut de sociologie de Vilnius datent de 1959. Néanmoins, à l'appui des témoignages, au su des départs et des disparitions, la vacance de la ville ne fait pas de doute. C'est d'ailleurs l'une des raisons pour lesquelles elle ne fut pas l'objet de constructions importantes dans les années cinquante.

41. Les proportions des populations rurales et urbaines se sont rigoureusement inversées entre 1959 (39 % d'urbains) et 1979 (61 %). En 1989, 68 % de la population nationale est urbaine.

42. On assiste à un véritable renversement des distributions sociales des communautés lituanienne et polonaise, comparé aux chiffres fournis plus haut sur l'entre-deux-guerres.

Et pourtant, quels que soient les clivages sociaux que recouvrent les nationalismes à Vilnius, tous s'esquivent devant le champ des réalités sociales qui restent informulées. L'héritage du passé soviétique est évidemment partie prenante de ce constat puisque sa négation se manifeste par le rejet de l'idéologie de classes à laquelle est assimilée toute introspection dans le champ social. Et d'ailleurs, quels moyens ont été offerts au cours de ces quarante dernières années pour la favoriser ? Les bouleversements historiques et sociologiques du demi-siècle ont façonné cette carence identitaire : la mémoire nationale s'offre comme substitut à l'absence de toutes filiations linéaires, elle masque naturellement le déracinement propre à cette transition brutale du milieu rural au contexte urbain.

L'entrée en scène des mémoires nationales, qui a présidé à l'irruption de l'histoire du Pacte, montre à quel point le contentieux lituano-soviétique ne constitue qu'un aspect des conflits et des défis. La levée du rideau sur le décor de la guerre révèle l'existence d'un vaste champ de bataille où la mise en perspective des enjeux nationaux n'autorise plus la neutralité. Les camps se sont démultipliés, fractionnant l'apparent consensus de la population locale. L'affirmation de l'être national, parce qu'il suppose l'unicité d'un destin, nie l'altérité, la condamne nécessairement. Mais les Vilnois, aujourd'hui, connaissent-ils les rôles que jouèrent les communautés qu'ils défendent, les conflits qu'elles nourrissaient ?

La confrontation des mémoires ne masque pas seulement le doute porté sur la probité des engagements, elle révèle peut-être le doute périlleux de ne pas savoir, de n'être pas à même de savoir ce qu'il s'est, alors, réellement passé. Ces mémoires n'ont-elles donc pas l'obscure intuition de leur non-être parce que, comme l'écrit si justement Paul Celan, « personne ne peut témoigner pour le témoin » ? — et surtout pas la minorité juive, absente de cette nouvelle bataille de Wilno, alors qu'elle en constituait également l'âme.

Yougoslavie

La bataille de Kosovo

par Zoran Kacarevic

Dès les jours d'été, dans les villes méridionales de Yougoslavie, le *Korzo*, survivance ottomane du « marché aux
fiancés », bat son plein. A la tombée du jour, jeunes gens
et jeunes filles arpentent les rues où des idylles s'ébauchent,
se nouent et se dénouent. A Pristina, ville principale du
Kosovo, le *Korzo* est pratiqué avec autant de ferveur qu'ailleurs. Avec une particularité : chaque groupe ethnique
déambule de « son » côté de la rue, comme si une frontière
invisible, mais cependant bien marquée, était tracée.
D'emblée, on peut visualiser un conflit latent. Deux communautés monolithiques se font face, s'affrontent sur tout :
sur le passé, le présent et l'avenir. Elles ont fait chacune du
Kosovo un point de fixation absolu, un lieu où tout
converge, un lieu sans partage où l'on écarte de la réflexion
tout élément qui ne conforte pas le déploiement des antagonistes. Le Kosovo, et tout ce qu'il recèle, est devenu un
lieu d'appropriation exclusive — d'appropriation de la
mémoire, de l'histoire, du territoire.

Même dans les périodes les plus paisibles — très cour-
tes il est vrai —, les relations entre Albanais et Serbes du
Kosovo n'ont jamais été simples. Et cela remonte à loin.

Ce 28 juin 1989, la Serbie commémore avec un faste inégalé les six cents ans de la bataille du Kosovo, reprenant
avec ferveur, ou l'amplifiant jusqu'à l'exaltation, cette fête
« si chère au cœur de chaque Serbe ». Ce *Vidovdan*-là [1] (le

---

1. C'est aussi un 28 juin, en 1914, que le nationaliste serbe Gavrilo Prin-
cip assassina François-Ferdinand, héritier de la couronne austro-hongroise.

de ce jour anniversaire) les plaines du Kosovo sont enva-
hies par des milliers de personnes, venues (ré)affirmer leur
attachement profond au Kosovo, cette terre considérée par
elles comme le « berceau » de la Serbie. Jamais aucune
manifestation n'aura attiré une foule aussi nombreuse et
aussi fervente.

Le 28 juin 1389, le puissant État serbe engagea une
bataille décisive contre les armées turques. Les troupes, de
part et d'autre, étaient bigarrées. On y trouvait aussi bien
des Serbes, vassaux du sultan Murat I, parmi les troupes
ottomanes que des Albanais combattant aux côtés des
Serbes.

Le sultan perdit la vie ce jour-là, et la Serbie son État ;
l'Empire ottoman s'empara de cette terre qu'il garda
jusqu'en 1912.

La défaite militaire et la fin de l'État serbe ont été ressenties comme une tragédie et ont donné lieu, à travers
l'histoire, à toute une mystique : légendes héroïques, culte
des héros, chansons pleurant la perte de la royauté, appels
à la revanche....

L'écrivain serbe Vuc Draskovic écrit à ce propos : « Du
28 juin 1389 jusqu'à l'automne 1912 — date à laquelle
l'armée serbe libéra le Kosovo pendant la première guerre
balkanique — les jeunes filles serbes portaient des foulards
noirs en signe de deuil pour la liberté perdue » (*Le Monde
diplomatique*, avril 1989). L'écrivain albanais Ismaïl Kadaré,
lui, s'étonne à ce propos que « le quatorzième siècle [soit]
jugé par les Serbes plus déterminant que le dix-neuvième,
lorsque le drame albanais eut justement pour théâtre principal le Kosovo » (*Le Monde diplomatique*, février 1989).

Cette tradition, ce souvenir de la bataille du Kosovo, a
nourri toutes les luttes de libération nationale qui aboutirent au XIXᵉ siècle à la restauration de la royauté serbe.

LA PÉRIODE OTTOMANE

L'étendue même des conquêtes obligeait l'Empire ottoman à contenir et à rallier à la fois les populations des

territoires conquis. L'islamisation, l'enrôlement de force dans les janissaires, la distribution de femmes aux soldats turcs, tout cela était monnaie courante. Le cruel « impôt de sang » y était pratiqué : tous les cinq ans, un certain nombre de jeunes garçons étaient arrachés à leur famille et conduits dans la capitale ottomane. Ils y étaient éduqués en fonction des besoins de l'Empire et devenaient fonctionnaires, soldats, ...

La devise « diviser pour régner » était la règle d'or de la Porte. Les conquis eux-mêmes surent très vite discerner ce qu'ils pouvaient tirer de l'Empire : en échange d'un sang neuf, l'Empire pouvait leur apporter carrière, prestige, puissance et cela à une vaste échelle — celle de l'Empire ottoman. Des postes très élevés furent ainsi confiés à des vaincus, parfois même des fonctions de chef d'armée ou de Premier ministre. A ces postes les Albanais s'illustraient particulièrement.

Cette situation favorable aux Albanais les a poussés à ne pas faire bloc avec les autres peuples balkaniques soumis. Au contraire.

Les conflits entre l'Autriche et l'Empire ottoman pour la mainmise sur les Balkans entraînèrent des vagues successives de déplacements, puis, la paix rétablie, de retours de populations. Après la défaite des armées turques devant Vienne en 1683, les populations serbes, alliées des Autrichiens, quittent l'Empire en masse par peur des représailles. Ces terres abandonnées sont repeuplées par des populations albanaises, poursuivant leur lente migration vers l'est, selon la logique propre aux pasteurs nomades. Dans les périodes d'accalmie, les populations serbes reviennent vers ces terres. Les tensions, l'intimidation, voire la lutte sanglante président à ces nouveaux partages. A la grande satisfaction de l'Empire. Les soulèvements nationaux serbes n'ont pas amélioré les relations des populations du Kosovo. De 1804, premier soulèvement national serbe, à 1878, qui marque la reconnaissance définitive par le congrès de Berlin de la royauté serbe, c'est l'état de guerre quasi permanent entre les troupes serbes et ottomanes. Non seulement les ennemis s'affrontent sur les champs de bataille, mais aussi à coups d'expulsion massive de populations hostiles, ou supposées telles.

Ces mouvements de populations, ces occupations successives de la terre du Kosovo ont profondément marqué les habitants et leurs générations futures. Chacun se réclame dorénavant d'un droit de propriété antérieure à celui de la nationalité adverse.

LA MONARCHIE SERBE

Dans l'espoir d'étouffer les aspirations nationales des populations soumises, les autorités turques ont dressé les peuples les uns contre les autres, les manipulant par des promesses d'autonomie future au sein de l'Empire. La réalisation des aspirations nationales dans les Balkans a été un processus très lent et s'est faite dans des conditions plus difficiles que dans les autres parties de l'Europe. Ce développement historique tourmenté et tardif résulte de cinq siècles de pouvoir ottoman et de l'antagonisme de deux puissants États — les Empires austro-hongrois et ottoman. Dès sa création, la monarchie serbe, dominée par une jeune bourgeoisie d'autant plus avide que ses appétits ont été longtemps contenus, affiche une volonté d'expansion et de conquêtes. Tour à tour minorité au sein de l'Empire ottoman puis majorité dans son État, la nouvelle royauté n'avait rien à envier à son ex-suzerain. Absolutisme, mépris et négation des droits les plus élémentaires des minorités du royaume sont les traits dominants du régime. L'Empire avait fait école.

Dimitrije Tucovic, l'un des fondateurs et aussi dirigeant du Parti social-démocrate serbe, fustigeait dès 1914 la bourgeoisie serbe et ses ambitions territoriales. L'espoir suprême, c'était l'ouverture du pays vers l'Adriatique ; pour ce faire, la monarchie serbe était prête à annexer l'Albanie. Le prix à payer pour réaliser ce but importait peu. La monarchie n'avait le souci ni de sa propre population ni de ses soldats. Encore moins se préoccupait-elle du sort des populations albanaises.

D. Tucovic décrit la situation après les guerres balkaniques : « [...] la population serbe a été profondément meurtrie, appauvrie par la guerre, la bourgeoisie s'est octroyé de nouvelles terres à piller, le militarisme s'est renfloué et pavoise [...]. La Serbie a agrandi son territoire mais aussi le nombre de ses ennemis... [2]. »

Plus loin, D. Tucovic décrit la rage de la soldatesque livrée à elle-même et encouragée dans ses exactions à tous les échelons militaires et politiques [3].

Menaçant d'utiliser la force, la conférence des ambassadeurs ordonne le retrait des troupes serbes d'Albanie et confirme la création d'une Albanie indépendante sous la protection des grandes puissances. L'accord de Londres du 30 juin 1913 octroie en contrepartie à la royauté serbe l'actuel territoire du Kosovo.

Pour la première fois depuis quatre cent cinquante ans, le Kosovo fait à nouveau partie intégrante de l'État serbe. Mais la structure de la population s'est profondément modifiée : le Kosovo compte désormais une importante population albanaise [4].

Tandis que les troupes serbes font leur entrée triomphale dans le Kosovo, apportant la liesse à leurs compatriotes, la majorité de la population albanaise, surtout musulmane, ne se sent pas libérée du tout. Les nationalistes albanais avaient créé en juin 1878 la Ligue Prizren (ville du Kosovo). L'objectif des membres de la Ligue était de maintenir l'intégrité du territoire considéré par eux comme albanais sous l'Empire ottoman déclinant, et cela en vue d'obtenir l'autonomie future de l'Albanie. Ses membres ressentent la

---

2. D. TUCOVIC, *Srbija i Albanci* (livre 1er), Casopis, Ljubljana, avril 1989, p. 32.
3. *Ibid.*, p. 32.
4. De 44 % à 60 % selon les circonscriptions. Notons que les chiffres font l'objet d'âpres controverses entre Serbes et Albanais, qui s'affrontent aussi sur ce terrain. Les pourcentages et chiffres avancés ici ne peuvent être pris que comme indicateurs de tendances.

présence serbe au Kosovo comme une nouvelle domination, obstacle à leurs propres aspirations nationales.

Là est le véritable point de départ de toutes les difficultés ultérieures entre Albanais et Serbes. L'État serbe règne de façon autoritaire. L'ordonnance royale relative à la sécurité publique, édictée en octobre 1913, réprime sévèrement toute forme de résistance. Celle sur la colonisation, prise à la même date, précipite une partie importante de la population vers ces « nouvelles terres ». La structure de la propriété ottomane, rendue plus floue encore par le départ des Turcs après leur défaite, crée des situations de conflit inextricables entre nouveaux arrivants et occupants des lieux. Départs forcés, déplacements de population, pillages et meurtres sont monnaie courante.

L'abîme entre les Albanais et les Serbes se creuse.

Au cours de la guerre 1914-1918, départs de nouveaux venus et retours des anciens sur cette même terre se succèdent au rythme des victoires et des défaites des uns et des autres. Albanais et Serbes s'affrontent pour reprendre ces terres que chacun revendique.

A la fin de la guerre, une partie de la population albanaise, fortement armée par les Autrichiens et politiquement radicalisée, s'oppose par la force au retour des autorités serbes. Face à ce refus déterminé, la royauté des Serbes, Croates et Slovènes répond par l'envoi de troupes à l'automne 1918 et renforce les garnisons existantes.

La colonisation, entamée dès 1913, reprend en 1918 et se poursuit jusqu'en 1941. Le royaume des Serbes, Croates et Slovènes, devenu l'Union des Slaves du Sud ou Yougoslavie en 1931, poursuit deux objectifs principaux à travers sa politique coloniale. D'abord différer — sinon empêcher — la révolte sociale qui gronde dans le royaume. Ensuite, assurer la sécurité des frontières de l'État en peuplant les zones frontières par des éléments sûrs (Serbes, Monténégrins, Slovènes...), fût-ce au détriment des droits les plus élémentaires des populations albanaises.

La chute de la royauté en avril 1941 a été accueillie par la population albanaise avec soulagement : elle y a vu

Représentation de la bataille de Kosovo où les troupes turques de Murat Iᵉʳ vainquirent le 15 juin 1389, la chevalerie serbe.

l'avènement de sa liberté. Chute tout aussi bien accueillie par les opposants les plus radicaux au régime, dont le parti communiste de Yougoslavie.

Dès l'effondrement rapide d'avril 1941, la vieille Yougoslavie (par opposition à la Yougoslavie d'après 1945, dite Yougoslavie nouvelle) est morcelée par ses différents occupants.

Sous la protection des troupes fascistes italiennes se crée la « Grande Albanie », englobant une partie importante du territoire yougoslave, dont le Kosovo. Les relations déjà exacerbées virent au drame.

L'Italie fasciste, aidée par les notables albanais, mobilise une grande quantité de soldats dans le Kosovo. Le « Comité pour la défense du Kosovo » et d'autres organisations créées plus tard par la Wehrmacht, regroupées sous l'autorité de chefs traditionnels albanais, pourchassent tout ce qui est serbe par les armes jusqu'en 1945.

LE POUVOIR COMMUNISTE FACE AUX NATIONALITÉS

Sous l'impulsion du parti communiste se constitue, dès 1941, un vaste mouvement populaire d'opposition à l'envahisseur étranger. En même temps, le Parti pose, au sein du mouvement de libération nationale, les jalons d'une société nouvelle qui sera à l'ordre du jour une fois la guerre finie. Les Albanais du Kosovo n'ont pas accueilli favorablement le mouvement de libération nationale. Pour eux, il n'y avait aucune différence entre la vieille Yougoslavie et celle qui était en train de se faire. Les partisans de Tito étaient assimilés aux hordes de la royauté. Celui qui promettait l'effondrement de la Yougoslavie avait de fortes chances d'être écouté. Parler aux Albanais des droits et de l'égalité dans la Yougoslavie nouvelle à édifier, c'était peine perdue. « Plutôt le diable que le maintien de la Yougoslavie », pouvait-on entendre parmi les Albanais.

Les positions internationalistes du PC yougoslave, et particulièrement les orientations progressistes et égalitaires des communistes du Kosovo, n'ont pu, en une période si courte, abattre le mur de haine érigé tout au long des siècles entre les deux communautés.

Cependant, dès 1943 apparaissent des frictions entre PC yougoslave et albanais quant à l'avenir du Kosovo. En octobre 1943, Tito notifie[5] aux communistes albanais son refus de toute modification des frontières. « Le temps de guerre, dit-il, n'est pas propre à ces modifications. »

Les communistes albanais du Kosovo prônaient, pour leur part, le rattachement du Kosovo à l'Albanie.

Pensées et arrière-pensées des communistes albanais et yougoslaves, traversés eux-mêmes par des courants différents, sont difficiles à cerner. Aujourd'hui encore, la polémique fait rage. Deux grandes occasions de régler l'avenir du Kosovo sur de solides bases ont été manquées. La première, c'est la contre-révolution (de décembre 1944 à mars 1945), où une partie de la population albanaise s'insurge contre le nouveau pouvoir. Le sort du Kosovo est définitivement réglé par les instances du parti communiste : en juillet 1945, le Kosovo fait partie intégrante de la Serbie. La seconde, c'est le projet de Fédération balkanique qui prévoyait un remodelage des frontières permettant un regroupement de population. La rupture Staline-Tito en 1948 fera capoter cette initiative. La Yougoslavie se barricade derrière ses frontières et le rideau tombe sur le Kosovo.

Et après quarante-quatre ans de nouveau pouvoir, qu'en est-il ? Comment le problème du nationalisme a-t-il resurgi, avec tant d'acuité et de violence, après quatre décennies d'édification d'une société à orientation socialiste et autogestionnaire ?

DES DISCOURS PASSIONNÉS

Dans un passé récent, tout discours politique prononcé en Yougoslavie puisait son inspiration et tirait sa légitimité

---

5. *Kosovo, Proslost i sadasnjost*, Medjunarodna politika, Belgrade, 1989, p. 134.

de la guerre de libération nationale. Imperceptiblement depuis 1980 — année de la mort de Tito — un glissement s'est produit. Cette « source » d'inspiration, d'abord vidée de son contenu, a ensuite éclaté. Désormais, elle sert de référence purement rituelle, quand elle n'est pas tout simplement délaissée. Ou alors, chaque République, chaque nationalité se prétend l'héritière exclusive du mouvement de libération et de la pensée de Tito.

Symptomatiquement, on trouve, dans l'article de Vuc Draskovic cité plus haut et qui exprime si bien la « radicalisation » d'une certaine mémoire serbe, une violente attaque contre Tito : « Tito ne s'est pas opposé à l'anéantissement de la Yougoslavie et au morcellement de la Serbie. Il était croate et, en 1914, il a combattu, comme sergent, dans l'armée autrichienne, contre la Serbie [...]. Les Serbes ont gagné les deux guerres mais ils ont perdu le tiers de leur population. En outre, un régime totalitaire, qui sanctionnait sévèrement toute tentative d'opposition, leur a été imposé en 1945 [...]. A part quelques communistes serbes qui suivaient aveuglément Tito, le peuple entier a été frappé d'impuissance et de dépression, et il n'a commencé à se réveiller et à protester qu'à la mort de Tito. »

Sur une toile de fond de crise tant institutionnelle qu'économique, les tensions ethniques sont plus vives que jamais — particulièrement entre Serbes et Albanais, mais aussi entre Serbes et Slovènes. De même que resurgit entre Serbes et Croates le lourd contentieux hérité de la Seconde Guerre mondiale — les exactions de l'État indépendant de Croatie. Le conflit ouvert entre Serbes et Albanais est le plus virulent et constitue à cet égard un « conflit-test » pour l'ensemble de la Fédération. Le Kosovo est la contrée la plus déshéritée : les troubles se déroulent dans une région où le sous-emploi est massif (118 emplois pour 1 000 habitants ; 259 pour 1 000 de moyenne yougoslave) et touche surtout les jeunes (90 %), alors que la scolarité y est très développée. L'université de Priština occupe la troisième place du pays en nombre d'étudiants (certains disent la deuxième place et avancent le chiffre de soixante mille étudiants). La croissance démographique, la plus importante d'Europe — environ 3,4 % —, amplifie et aggrave les problèmes (51 % de la population a moins de vingt et un ans).

Désormais, les discours des antagonistes se réfèrent au passé lointain, riche de rivalités. De l'homme de la rue aux plus prestigieuses institutions culturelles et intellectuelles, toutes les énergies des combattants s'emploient et s'usent à réactiver les blessures anciennes. Kadaré rappelle que, pour les Albanais, « il fut un temps où les Serbes étaient absolument absents des Balkans, avant le VIIIᵉ siècle, à une époque où les Albanais y étaient déjà solidement implantés ». Draskovic lui rétorque que l'affirmation selon laquelle les Albanais descendent des Illyriens n'a jamais été sérieusement documentée ; il serait plutôt porté à penser que « leur présence est remarquée pour la première fois au XIᵉ siècle par les chroniqueurs » et que leurs origines se trouvent plutôt du côté de... l'Azerbaïdjan. Il n'est donc pas tout à fait surprenant que ces Asiates, devenus bergers, « descendent des montagnes à la fin du XVIᵉ siècle, après la disparition des derniers restes de l'empire serbe, et commencent, sous la bannière de l'Islam, leur soudaine expansion. Les maisons serbes et grecques, les propriétés, les jeunes filles, les vies : tout est à leur disposition [...]. Ils ont anéanti plus de 90 % des monuments culturels serbes ». Ainsi, historiens, linguistes, hommes de science, écrivains s'épuisent à établir qui est, des Serbes ou des Albanais, « le plus ancien peuple des Balkans ». Querelle byzantine s'il en est. Mais curieusement, ce qui pourrait n'être qu'une divergence de doctes savants se transforme en question brûlante. Le ton monte très vite et devient vengeur, cassant, définitif. Les médias l'amplifient, puis l'homme de la rue reprend à son compte la querelle ; le contenu de la controverse s'estompe mais demeure le sentiment qu'un gouffre d'incompréhension, voire de haine s'installe. La grande presse, prise dans la spirale passionnelle, déforme autant, sinon plus, qu'elle n'informe. Et les voix dissonantes sont, le plus souvent, noyées dans l'hostilité générale. Évoquer ces questions avec les Albanais et les Serbes eux-mêmes pose problème. Les premiers refusent tout dialogue (surtout si leur interlocuteur est serbe, car rompre le mur de méfiance et de haine est une tâche ardue) ou répondent qu'ils ne connaissent rien au problème. Les Albanais qui acceptent d'évoquer le sujet, sous couvert d'anonymat, énumèrent, en remontant à la nuit des temps, les griefs et avanies qu'ils ont subis, dont le principal est : « Nous ne sommes pas chez nous. D'autres [les Serbes — *NdA*] nous disent ce que nous devons faire, ne pas faire. Ils décident pour nous, nous imposent ci et ça : le type d'industrialisation, le nombre d'enfants que l'on doit avoir [...]. Ils nous exploitent et nous répriment. Ils envoient la police et l'armée et organisent des commémorations [les six cents de la bataille du Kosovo — *NdA*] fastueuses alors que la crise bat son plein... »

Les seconds, sûrs de leur bon droit, s'exclament d'un ton indigné : « Nous leur avons tout donné, nous les avons délivrés des Turcs, libérés de leurs féodaux et des fascistes. Nous leur avons apporté l'industrialisation, donné des écoles et des universités, des hôpitaux. Et ils nous remercient en nous chassant de nos terres, en portant atteinte à nos biens, à nos personnes, en détruisant nos monastères et en profanant nos cimetières... »

Dans cette guerre des mémoires comme dans bien d'autres, les stéréotypes fantasmatiques et émotionnels s'imposent : de chaque côté, on accuse l'adversaire de « violences sexuelles » à l'égard des femmes de sa prope ethnie, de dessein génocidaire, de vandalisme culturel ; Draskovic réussit, par exemple, un beau travail de « concentration » en mettant en relief, dans une même phrase, la barbarie titiste et la sauvagerie albanaise : « A Djakovica, le pouvoir titiste détruit, le 27 janvier 1950, l'église où étaient inhumés les corps de cinq mille enfants serbes morts de faim durant la Première Guerre mondiale : et avec ces ruines, les Albanais équipent la ville de cabinets publics. »

A l'évidence, ces discours — à la fois les plus typés et les plus fréquents — s'opposent de manière irréductible. Dans le quotidien, ils induisent des comportements analogues. Ainsi, dans les garderies, les enfants de nationalités différentes sont séparés tandis que, dans les rues, l'irrédentisme des uns s'oppose au chauvinisme des autres. Chaque communauté exalte ses héros et ses mythes du passé : anniversaire de la création de la Ligue de Prizren (évoquée plus haut), mort du héros Skenderbeg pour les Albanais, commémoration grandiose de la bataille du Kosovo pour les Serbes en guise de réponse.

Tout ce qui divise est mis en avant. Représentant plus de 80 % de la population du Kosovo, les Albanais en tirent argument pour revendiquer, sans partage, le territoire entier et la libre disposition de celui-ci. Les Serbes fondent leurs prétentions sur le passé : le Kosovo est pour eux l'« épicentre de leur culture, de leur foi et de leur mémoire nationale » et est devenu le « symbole de la tragédie nationale mais aussi celui d'une aspiration séculaire à chasser les Turcs[6] ». Et, par extension, à chasser tous les ennemis. C'est dans un tel état d'esprit que la commémoration des six cents ans de la bataille du Kosovo s'est préparée.

Pendant plus d'un an, le gouvernement, les universités, les Académies des arts et des sciences, les écoles de tous niveaux, la télévision, les écrivains ont préparé la grande messe du 28 juin. Avec le concours d'un nouveau venu sur la scène : l'Église, qui, longtemps décriée et tenue à l'écart, opère un retour en force spectaculaire et se retrouve au cœur des célébrations commémoratives. La fête fut un triomphe. De tous les coins du pays, d'Europe et des Amériques en passant par l'Australie, les Serbes affluent vers le Kosovo pour y savourer leur revanche et sceller les retrouvailles sur la tombe du souverain Lazare. L'espace d'un bref instant, tous les échecs, toutes les frustrations furent abolis. La victoire — symbolique du moins — sur les difficultés du présent fut totale. Aussi absolu fut le refus des Albanais de s'associer à cette manifestation qu'ils qualifient de provocation nationaliste. Hormis les officiels, peu d'Albanais ont participé à la cérémonie. Le président de l'Union des

---

6. *Le Monde diplomatique*, avril 1989, p. 8.

écrivains albanais, Ibrahim Rugova, n'hésite pas à qualifier cette célébration de « chauvine [7] ».

Ces commémorations, face à un présent difficile, créent
et entretiennent la confusion entre la situation objective des
individus et des groupes, et l'image illusoire qu'ils puisent
dans leur passé. Le discours nationaliste, chargé d'entretenir
une mémoire collective aliénée, envahit le quotidien. Ce discours, déclaré ou inavoué, offre et de l'histoire et de la réalité de la vie sociale une image simpliste, peu scrupuleuse
des nuances, accusant au contraire les contrastes et mettant
l'accent sur les antagonismes. En lieu et place de l'égalité
et de la fraternité, on propose l'idéologie du « sang et du
sol », on exhume les oripeaux du passé qui sèment la haine
et le chauvinisme. La Yougoslavie est un des pays qui
comptent le plus de nationalités différentes au monde et,
lorsque les dirigeants nationaux s'appuient sur « leur » peuple, le pire est à craindre. L'histoire toute récente en témoigne : insurrection armée de décembre 1944 à mars 1945,
affrontements violents en 1968 entre populations et forces
de l'ordre, et leur répétition en 1981, 1988 et début 1989.

Dans une atmosphère aux relents de guerre civile larvée,
les rencontres entre Albanais et Serbes ne sont pas favori-
sées. Au contraire, les anathèmes, de part et d'autre, pleuvent sur ceux qui s'efforcent, dans ce climat de haine, de
réfléchir sans passion. Qui s'efforce de parler le langage de
raison est traité de nationaliste chauvin ou, pire, de traître
à son peuple. De rares intellectuels des deux bords s'efforcent, ensemble ou séparés, de réfléchir à la question. « Le
sentiment qui domine, disent-ils, est que nous sommes tous
victimes d'une manipulation, d'une conspiration fomentée
par nos bureaucrates, qui jouent, dans un environnement
favorable, la carte de l'intérêt national [8]. »

---

7. *Der Spiegel*, n° 26, 1989.
8. Darko HUDELIST, *Kosovo, bitka bez iluzija*, Zagreb, 1989, p. 92.

Pologne

Le camp-musée d'Auschwitz

par Jean-Charles Szurek

A la fin de l'année 1989, se tenait à Auschwitz une conférence des responsables du musée qui, partant du constat que celui-ci portait les traces de l'époque stalinienne, proposaient de le modifier en profondeur en mettant notamment l'accent sur les dimensions suivantes : spécificité du camp d'Auschwitz dans l'extermination des juifs, création d'une exposition sur le sort des Tsiganes au cours de la Seconde Guerre mondiale, lutte des déportés pour leur survie [1]. La probable modification du musée mettra-t-elle un terme à une entreprise durable d'*occultation* dont ces quelques aspects ne donnent qu'un aperçu ?

LE MUSÉE DANS LA VILLE

A Oswiecim, ville polonaise située entre Cracovie et Katowice, devenue Auschwitz sous l'occupation allemande, le camp de concentration fut installé dès le mois de juin 1940 dans les locaux d'une ancienne caserne, située en dehors de l'enceinte de la ville. Ce camp, appelé Auschwitz-I, comptait une trentaine de bâtiments demeurés intacts jusqu'à aujourd'hui. La moyenne des prisonniers y oscillait entre 13 000 et 16 000 [2]. En 1941, Himmler décida de

---

1. Przyszlosc muzeum w Oswiecimiu (« L'avenir du musée d'Auschwitz »), in *Tygodnik Powszechny*, n° 2/1990.
2. Kazimierz SMOLEN, « Le camp de concentration d'Auschwitz », in *Problèmes choisis de l'histoire du KL Auschwitz* (ouvrage collectif), édition du musée d'État à Oswiecim, 1979, p. 6.

535

faire construire un nouveau camp, situé à trois kilomètres de là, à proximité du village de Brzezinka, appelé Birkenau ou Auschwitz-II, qui compta jusqu'à 120 000 déportés en 1943-1944. On y construisit environ 250 baraques. Un troisième camp, Buna-Monowitz ou Auschwitz-III, érigé autour de l'usine de l'IG-Farben pour laquelle travaillaient les prisonniers, regroupait, avec 39 camps auxiliaires, environ 25 000 détenus. Tous ces effectifs fluctuaient en fonction de la très haute mortalité et de l'arrivée de nouveaux convois. L'ensemble du camp, nommé *Interessengebiet*, s'étalait sur environ 40 km². Ce vaste complexe concentrationnaire et industriel était dirigé par le commandant d'Auschwitz-I, supérieur hiérarchique des commandants des autres camps [3].

Le musée, en tant qu'institution dépendant du ministère polonais de la Culture, englobe exclusivement Auschwitz-I et Auschwitz-II. Alors que le premier est concentré sur 20 hectares, le second (Birkenau) couvre 175 hectares, dont 24 hectares de bois, ces bois qui abritaient les premières chambres à gaz et les clairières où brûlaient les cadavres.

L'activité essentielle du musée, son administration, ses expositions se trouvent à Auschwitz-I ; à Birkenau, laissé en l'état, le visiteur est davantage livré à lui-même, d'autant que les maisons, fermes ou usines alentour n'empiètent pas sur l'espace du camp. Tel n'est pas le cas d'Auschwitz-I, pour lequel une « zone de silence » avait été exigée en 1978, en raison des invasions diverses : d'un côté, des blocs d'habitation jouxtent quasiment le camp-musée, d'un autre, diverses entreprises y affirment leur présence (une station d'autobus, une manufacture de tabac, une entreprise agro-alimentaire, un garage, des unités militaires). Certains de ces bâtiments existaient d'ailleurs pendant la guerre.

D'une certaine façon, cette permanence du passé est saisissante : on peut, comme le faisaient les déportés, accomplir à pied le trajet d'un camp à l'autre, les noms des villages environnants (Babice, Rajsko, Harmeze...) sont les

---

3. *Ibid.*, p. 12.

mêmes — pourquoi auraient-ils changé d'ailleurs ? —, il n'est jusqu'aux trains — omniprésents, puisque Oswiecim-Auschwitz était et reste un centre ferroviaire important (le site fut même dans une grande mesure choisi pour cela) — dont les sirènes rappellent jour et nuit le passage, les rails, toujours en activité, se trouvant à peine à 400 mètres de l'entrée de Birkenau.

Les noms de rues qui enserrent le musée rappellent soit la mémoire communiste (rue Finder [4], rue du Manifeste-de-Juillet [5], rue de la Colonie-de-Lénine), soit la mémoire du camp (rue des Détenus-d'Oswiecim, rue du Camp, rue de la Dernière-Étape [6]) soit la mémoire catholique-nationale (rue Maximilien-Kolbe [7]), mais celle-ci n'occupe qu'une rue...

Le musée est inséré dans un tissu urbain vivant et industriel, sillonné par les autobus : la population y était de 44 000 habitants en 1987 pour 12 000 en 1939 [8]. Il y a à Oswiecim un hôpital, quatre pharmacies, neuf restaurants, une patinoire, deux cinémas, trois hôtels, deux stades, un court de tennis [9]. Il n'y a qu'un musée, celui du camp d'Auschwitz, qui attire chaque année des centaines de milliers de visiteurs.

---

4. Pawel Finder (1940-1944) fut en 1943-1944 secrétaire général du PPR (Parti ouvrier polonais), communiste. Il fut assassiné par la Gestapo en 1944.

5. Dans ce manifeste, en date du 22 juillet 1944, le nouveau pouvoir indiquait les grandes lignes de son programme.

6. Le célèbre film de Wanda JAKUBOWSKA sur le camp d'Auschwitz, réalisé peu après la guerre, s'appelait *La Dernière Étape*.

7. Maximilien Kolbe (1894-1941), prêtre catholique polonais qui mourut dans le camp après avoir échangé sa vie contre celle d'un détenu condamné à mort.

8. Les juifs constituaient environ 50 % de la population de la ville avant la guerre.

9. Situé bizarrement entre Auschwitz-I et Auschwitz-II, rue des Détenus-d'Auschwitz.

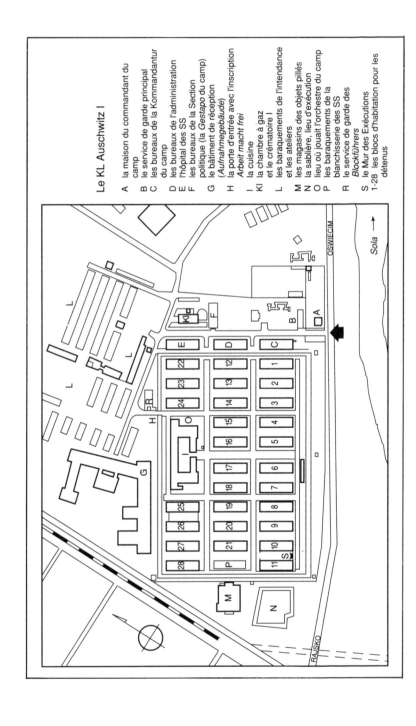

Le KL Auschwitz I

- **A** la maison du commandant du camp
- **B** le service de garde principal
- **C** les bureaux de la Kommandantur du camp
- **D** les bureaux de l'administration
- **E** l'hôpital des SS
- **F** les bureaux de la Section politique (la *Gestapo* du camp)
- **G** le bâtiment de réception (*Aufnahmegebäude*)
- **H** la porte d'entrée avec l'inscription *Arbeit macht frei*
- **I** la cuisine
- **Kl** la chambre à gaz et le crématoire I
- **L** les baraquements de l'intendance et les ateliers
- **M** les magasins des objets pillés
- **N** la sablière, lieu d'exécution
- **O** lieu où jouait l'orchestre du camp
- **P** les baraquements de la blanchisserie des SS
- **R** le service de garde des *Blockführers*
- **S** le Mur des Exécutions
- **1-28** les blocs d'habitation pour les détenus

LE MUSÉE DANS L'ESPACE DU CAMP

Auschwitz-I

Le musée s'est « physiquement » installé à Auschwitz-I : les bâtiments y étaient solides, contrairement à Birkenaü où les baraques en bois avaient été pour la plupart démontées par les paysans à la Libération. Il se compose de 28 blocs, ceux-là même où demeuraient les déportés. Cinq blocs sont affectés à une exposition générale sur le camp (les blocs 4, 5, 6, 7, 11), les autres à des expositions dites nationales. Les pays suivants sont représentés : RDA et Danemark (bloc 13), URSS (bloc 14), Pologne (bloc 15), Tchécoslovaquie (bloc 16), Yougoslavie et Autriche (bloc 17), Hongrie et Bulgarie (bloc 18), France et Belgique (bloc 20), Italie et Hollande (bloc 21) ; il existe aussi un bloc appelé « Martyrologie et lutte des juifs » (bloc 27).

De façon générale, la réutilisation des bâtiments d'Auschwitz-I, pour qui les imaginerait abandonnés, étonne. L'ex-bureau du camp (G), celui où étaient recensées les entrées, abrite, après transformations, le centre d'accueil des visiteurs et des guides, un bureau de poste, des chambres d'hôte — où peuvent résider chercheurs, visiteurs, délégations diverses —, une salle de cinéma où est projeté le film sur la libération du camp, un self-service [10], des bureaux. Dans le bloc 1 se trouvent les archives de la ville d'Oswiecim ; les blocs 2, 3, 8, 10, 28 sont affectés à des dépôts divers ; les ateliers de réparation et d'entretien se trouvent dans le bloc 12 ainsi que dans l'ancienne cuisine ; dans les blocs 9, 19, 25, 26 sont stockés et conservés les objets ayant appartenu aux déportés. Les archives, la bibliothèque et le bureau d'information sur les détenus sont dans le bloc 24 ; les blocs 22 et 23 sont vides, réservés le plus souvent à des tournages. Dans l'ancien hôpital des SS (bâtiment E) travaillent aujourd'hui la direction du musée,

---

10. Self-service indispensable pour le public souvent présent dès 8 heures du matin, venu de loin la plupart du temps pour une visite éprouvante de plusieurs heures.

une partie de l'administration, des chercheurs. Curieusement, les blocs C et D (l'ancienne Kommandantur et l'administration du camp) ont été transformés en logements pour le personnel du musée[11]. L'ancienne maison (A) de Rudolf Höss, commandant du camp entre 1940 et 1943, avec le jardin tant apprécié de sa femme, appartient aujourd'hui à des ayants droit. Il ne faut pas oublier bien sûr dans cette énumération l'ancien théâtre (M), dépôt d'objets ayant appartenu aux déportés assassinés, devenu le carmel d'Auschwitz, ni l'ex-lieu d'exécutions (N) qui le côtoie et où est plantée une croix de 7 mètres...

Le sens de la visite, tel que le suggèrent les organisateurs, est le suivant : blocs de l'exposition générale d'abord, expositions nationales ensuite, puis visite du crématoire/chambre à gaz. Un examen attentif du musée, bloc par bloc, peut durer plusieurs heures ; la plupart des groupes toutefois achèvent le périple en deux heures. Un tiers des visiteurs d'Auschwitz-I se rendra encore à Birkenau. L'immensité de Birkenau, l'absence de communication entre les deux lieux — il faut s'y rendre à pied —, des visites rarement prévues pour une durée si longue, une concentration des « mémoires » surtout à Auschwitz-I, autant de raisons qui provoquent la désaffection de Birkenau.

La conception de pavillons nationaux répond à la logique inaugurale du musée fondé comme lieu « de la martyrologie de la nation polonaise et des autres nations ». A la fin des années cinquante et au début des années soixante, toute « nation » qui souhaitait installer une exposition permanente dans le musée pouvait présenter sa « candidature » et la voir acceptée par les autorités compétentes si une

---

11. Il s'agit, pour beaucoup, d'anciens déportés d'Auschwitz revenus après la guerre se consacrer au musée. L'effet visuel de ces habitations atténue l'épreuve de la visite : avec leurs rideaux et fleurs, ces deux bâtiments donnent une touche d'humanité à l'univers particulièrement lugubre de cet emplacement où se trouvent également, à quelques dizaines de mètres, la chambre à gaz et l'échafaud où fut pendu le commandant du camp Rudolf Höss. Reste cependant à se demander comment on peut passer toute une vie à Auschwitz, y élever des enfants, les voir déambuler entre les blocs...

condition était remplie : l'exposition devait nécessairement montrer le *lien* entre l'occupation allemande dans le pays concerné et le camp d'Auschwitz. Si le lien n'était pas établi, la direction du musée avait le droit de récuser l'exposition, mais elle ne pouvait évidemment s'immiscer dans les formes des pavillons nationaux.

Les premières expositions nationales furent celles de la Tchécoslovaquie (1960) et de la Hongrie (1960), suivies de la RDA (1961) et de l'URSS (1961), de la Belgique (1965), du Danemark (1968), de la Bulgarie (1977), de l'Autriche (1978), de la France (1980), de l'Italie (1980), de la Pologne (1985) et de la Yougoslavie (1988). Une seule exception à cette « règle » nationale : l'exposition « Martyrologie et lutte des juifs » (1978) est le fait de l'État polonais, et non de l'État d'Israël ou d'une organisation juive.

Birkenau

Laissé à lui-même, non modernisé, le camp de Birkenau paraît inchangé depuis 1945. Bien que la plupart des baraques aient disparu, la dimension du camp est attestée par les cheminées en brique de chaque baraque qui, elles, ont résisté. N'ont subsisté qu'une vingtaine de baraques en bois, largement reconstruites, et autant en dur, édifiées dans le premier secteur du camp (BI). En 1989-1990, les sanitaires de ce secteur étaient en cours de réfection : il s'agit d'une dizaine de bâtiments où alternent robinets et latrines collectives (effroyable alignement d'une cinquantaine de trous dans ces blocs).

Immense étendue silencieuse, peu fréquentée, il faut bien une journée pour la parcourir. La plupart des visiteurs se bornent à franchir à pied — quand ce n'est pas en voiture, bien que ce soit interdit — le demi-kilomètre qui sépare l'entrée du camp (A) des crématoires II et III, séparés par le monument international aux victimes du fascisme édifié en 1967. La visite du bois situé à l'arrière du camp, dominé par les bouleaux, chargé d'horreur — c'est là que furent expérimentées les premières chambres à gaz, là que se

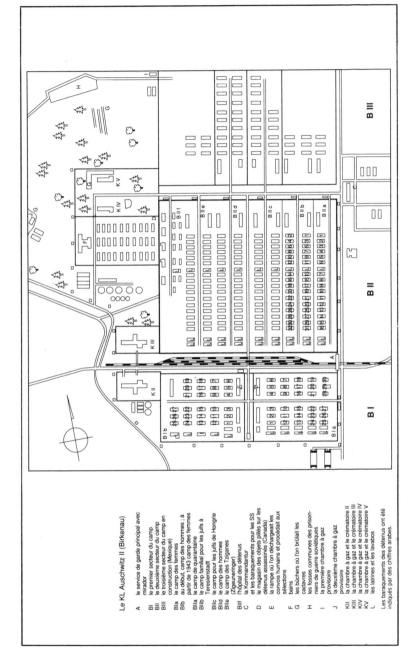

Le KL Auschwitz II (Birkenau)

A   le service de garde principal avec mirador
BI   le premier secteur du camp
BII   le deuxième secteur du camp
BIII   le troisième secteur du camp en construction (Mexique)
BIa   le camp des femmes
BIb   au début, camp des hommes ; à partir de 1943 camp des femmes
BIIa   le camp de quarantaine
BIIb   le camp familial pour les juifs à Theresienstadt
BIIc   le camp pour les juifs de Hongrie
BIId   le camp des hommes
BIIe   le camp des Tziganes (Zigeuneriager)
BIIf   l'hôpital des détenus
C   la Kommandantur et les baraquements pour les SS
D   le magasin des objets pillés sur les détenus assassinés (Canada)
E   la rampe où l'on déchargeait les convois humains et procédait aux sélections
F   bains
G   les bûchers où l'on brûlait les cadavres
H   les fosses communes des prisonniers de guerre soviétiques
I   la première chambre à gaz provisoire
J   la deuxième chambre à gaz provisoire
KII   la chambre à gaz et le crématoire II
KIII   la chambre à gaz et le crématoire III
KIV   la chambre à gaz et le crématoire IV
KV   la chambre à gaz et le crématoire V
L   les latrines et les lavabos

Les baraquements des détenus ont été indiqués par des chiffres arabes.

trouvent les fosses géantes où brûlaient les cadavres, l'étang où étaient déversées les cendres —, amplifie, par sa simplicité, le pouvoir évocateur du lieu [12].

Les problèmes d'entretien et de conservation de Birkenau sont considérables. Le musée ne peut, par ses moyens propres, contenir la croissance sauvage du bois ni tenir à un niveau « visitable » l'herbe du camp. Des agriculteurs avoisinants, avec qui le musée a passé contrat, sont notamment chargés de ce nettoyage : le camp est régulièrement traversé de charrettes, de chevaux, de tracteurs qui soulignent l'impression d'immobilité. Mais un trop parfait entretien, une « américanisation » des moyens, avec tondeuses, tronçonneuses, coupe rase, lignes droites, ne créeraient-ils pas précisément un espace artificiel ?

Certains bâtiments en dur posent des problèmes difficiles : mal conçus, mal construits — parfois volontairement, c'étaient des actes de résistance de la part des déportés —, leurs toits sont trop lourds et il n'est guère aisé à l'équipe de conservation du musée d'y faire face. Par ailleurs, il a fallu commander à un artisan les tuiles de ces toits, introuvables aujourd'hui. Les miradors du camp, si lugubrement caractéristiques, sont également d'un entretien mal commode : les planches en bois doivent être régulièrement renouvelées, sans parler des vitres, fréquemment cassées par les intempéries. Depuis la fin des années soixante-dix, il faut même surveiller les crématoires dont quelques murs commençaient à s'affaisser et les arroser de produits chimiques contre les insectes [13]. De même, l'usure atteint les barbelés qui doivent être changés, les isolateurs, commandés spécialement à une entreprise, car eux aussi n'existent plus.

La direction du musée fait appel à des concours bénévoles pour accomplir de gros travaux (débroussaillage, nettoyage, etc.). De jeunes Allemands, dans le cadre d'une « action d'expiation » (organisation interallemande *Sühnenzeichen*), y

---

12. Les trous creusés régulièrement par des visiteurs nocturnes en quête d'or ne sont pas étrangers à ce sentiment.

13. Toutes ces informations ont été recueillies en octobre 1989 auprès de M. Smrek, responsable du secteur conservation au musée.

viennent ainsi chaque année, de même que des lycéens de toute la Pologne. L'armée également répond parfois favorablement à la demande [14].

Mais toutes ces aides ne peuvent combler un espace où les problèmes concrets d'un camp-musée le disputent à une infinitude propre.

ORGANISATION DU MUSÉE

D'après ses statuts, le musée a pour but :
— d'accumuler des archives et autres pièces à conviction ayant appartenu notamment au camp d'Auschwitz-Birkenau ;
— d'inventorier, conserver et préserver les objets ainsi que l'emplacement du camp ;
— de mener une activité scientifique et de vulgarisation sur l'histoire du camp et de l'occupation allemande dans les années 1939-1945 et d'en publier les résultats importants ;
— de fournir des informations sur les détenus du camp [15].

L'activité du musée est répartie en onze sections : histoire du camp, histoire de la résistance dans le camp, vulgarisation, publications, archives, bibliothèque, entretien,

---

14. Par une sorte d'invraisemblable logique bureaucratique, le musée obtint même l'aide en 1967, dans le cadre de la réalisation de leur peine, de détenus de droit commun (de la prison de Wadowice, éloignée de quelques dizaines de kilomètres, ville où est né Jean-Paul II). L'expérience fut vite abandonnée, car les familles de ces détenus en profitaient pour effectuer des visites non réglementaires, mais personne à ma connaissance ne souleva la question du choc symbolique que constituait l'entretien du camp de Birkenau par des prisonniers de droit commun vingt-cinq ans plus tard.

15. Cf. Kazimierz SMOLEN, « KL Auschwitz-Birkenau 1940-1945 oraz Panstwowe Muzeum w Oswiecimiu » (Le camp d'Auschwitz-Birkenau 1940-1945 et le musée d'État d'Oswiecim), *Informator Towarzystwa Opieki nad Oswiecimiem* (Bulletin d'information de l'Association de protection d'Oswiecim), Varsovie, 1985. Il s'agit d'une association créée à l'initiative d'anciens déportés polonais d'Auschwitz qui, malgré une sensibilité politique proche des communistes encore récemment au pouvoir, a voulu associer des générations plus jeunes à la conservation et à la transmission du camp. L'entretien de la mémoire n'est nullement un phénomène exclusivement occidental.

conservation, ainsi que trois sections administratives. En tout 186 personnes y travaillent [16], dont une quinzaine de chercheurs, des gardiens [17], des maçons, des électriciens, des magasiniers, des menuisiers, des femmes de ménage, etc. Une partie du personnel (40 individus environ) assure également la fonction de guides du musée, relayée par des personnes recrutées à l'extérieur, formées à l'histoire du camp. En tout, 120 guides assurent pendant 365 jours par an la présentation du musée.

Celui-ci doit en effet faire face à un afflux croissant de visiteurs, notamment de l'étranger. Si en 1947, leur nombre total était de 170 000, dont 9 000 étrangers, ces chiffres étaient respectivement de 590 077 et de 219 215 pour 1988 [18]. Presque vingt millions de personnes ont visité le camp-musée depuis 1946, dont près de 4 millions en provenance du monde entier. Les jeunes (moins de 18 ans) constituent 20 % de ce public. Les pavillons les plus visités ont été, pour 1988, le pavillon polonais (105 433 entrées, dont 24 487 de l'étranger), « juif » (56 207 entrées, dont 29 003 de l'étranger), soviétique (51 508 entrées, dont 40 803 de l'étranger), yougoslave (42 807, dont 34 207 de l'étranger), tchécoslovaque (37 525, dont 27 240 de l'étranger) [19]. La fréquentation des autres pavillons est moindre, avoisinant les 10 000 entrées annuelles. Ces chiffres varient bien sûr d'une année à l'autre et, en l'absence d'enquête sociologique, leur interprétation peut prêter à discussion. De

---

16. Toutes étaient syndiquées à *Solidarnosc* en 1980-1981, à l'exception du directeur.

17. Les gardiens sont sept au total, aidés par des conscrits qui y font leur service militaire. Le directeur administratif du musée estimait que ce chiffre était notoirement insuffisant, notamment pour protéger le site de Birkenau. La faible rémunération des gardiens, émargeant au budget de l'État, rend ce poste peu attirant, comparé à ceux de l'industrie. Si l'autonomie des entreprises publiques devient réelle, ce que le directeur souhaite, et qu'il a la possibilité de fixer les salaires à discrétion, peut-être y aura-t-il moyen de mieux protéger le musée. [Entretien réalisé en novembre 1989.]

18. Les années record sont 1972 (béatification du père Kolbe), 807 000 visiteurs, et 1979 (visite du pape), 739 775 visiteurs, en majorité polonais.

19. Chiffres fournis par l'administration du musée.

plus, ces statistiques ne concernent que les groupes car il est impossible de recenser les visiteurs individuels, l'entrée du musée étant libre. Il semble bien cependant que la prédominance de visiteurs de l'Est s'explique autant par une mémoire forte de la guerre que par la proximité de ces pays avec la Pologne.

Le musée a également organisé depuis 1947 des dizaines d'expositions itinérantes dans le monde entier, dont certaines ont connu un certain retentissement : au Japon par exemple, plus d'un million et demi de personnes ont visité les différentes expositions, en RDA près de 800 000...

Le musée possède sa propre maison d'édition, produit sa propre revue, *Zeszyty Oswiecimskie* (« Les Cahiers d'Auschwitz »), dont il existe également une version allemande, *Hefte von Auschwitz* [20] (y figurent surtout les travaux des chercheurs du musée). Les principaux ouvrages — publiés par des éditeurs à plus large diffusion — sont le *Guide* [21], rédigé par Kazimierz Smolen, l'actuel directeur du musée, en place depuis 1956, ancien déporté d'Auschwitz, et *Oswiecim* [22], livre écrit par les historiens du musée à l'usage du grand public. Le guide a été traduit en neuf langues et a connu plusieurs éditions. Ces deux publications sont celles qui sont le plus massivement achetées, notamment par les écoliers. Le musée a publié, jusqu'à la fin 1989, 266 ouvrages, dont de nombreux mémoires — sollicités par des concours réguliers —, des manuscrits trouvés des membres des *Sonderkommandos*, les dépositions des SS du camp [23]... Depuis sa création, le musée est responsable de la diffusion de plus de cinq millions d'exemplaires, dont un million pour le seul guide.

L'entretien et la gestion des objets ayant appartenu aux déportés, et n'ayant pas été acheminés à l'intérieur du

---

20. A la fin 1989, il en existait 19 numéros.
21. Kazimierz SMOLEN, *Auschwitz 1940-1945, guide du musée*, éd. Krajowa Agencja Wydawnicza, 1979, 120 p.
22. *Oswiecim, hitlerowski oboz masowej zaglady* (Auschwitz, camp hitlérien d'extermination de masse), 4e édition, éd. Interpress, Varsovie, 1987, 188 p.
23. *Auschwitz vu par les SS*, Musée d'Oswiecim, 1974.

Reich constituent également une activité essentielle du personnel du musée. Stockés, rangés, conservés, ils servent tant à l'exposition fixe d'Auschwitz qu'aux expositions itinérantes. Au gigantisme du camp correspond la présence *massive*, incluse dans le musée, de ces objets répartis en trois bâtiments, occupant à temps plein pas moins de cinq personnes. Ces objets ont été classés, répertoriés, enregistrés. S'y trouvent ainsi 79 m³ de chaussures, cuillers, couteaux, fers à repasser, fils à coudre ; 2 479 kilos de rasoirs, boutons, bigoudis, lunettes, morceaux de tissus, boutons de manchette, manches de parapluie ; 87 476 objets divers dont 3 500 valises, 29 000 brosses à vêtements, 5 669 brosses à dents, 2 400 brosses à chaussures, 2 000 blaireaux, 700 boîtes de Zyklon B, 1 805 boîtes à cirage, 202 cintres, 370 vêtements rayés, 460 prothèses, 900 paniers, 410 ouvre-boîtes, plus des milliers d'objets qu'il serait fastidieux d'énumérer exhaustivement. Certains d'entre eux parlent, d'autres moins. Il y a ainsi plus de 1 500 tableaux et dessins réalisés par des déportés, dont certains en cachette, d'autres à la demande des SS — ce qui augmentait les chances de survie. On trouve aussi un volet musical : les partitions jouées par l'orchestre du camp, des morceaux composés et griffonnés sur des bouts de papier. Peu d'objets peuvent être attribués à des noms, à part les valises, provenant surtout de juifs de Theresienstadt en 1943-1944.

D'innombrables plaques mortuaires, amenées par des familles du monde entier, sont aussi entreposées là, sans que personne ne sache qu'en faire. En effet, pour garder au lieu son caractère « muséographique » unique, les responsables se sont refusé à le transformer en cimetière, même international.

ORGANISATION DES MÉMOIRES

Aux sources du musée, l'antifascisme

Massivement visités, l'exposition générale et les pavillons nationaux forment un message essentiel du musée. Ce message n'a guère varié depuis les années cinquante, si bien que les expositions, malgré les changements apportés par les organisateurs, en perpétuent le sens, celui d'un « antifascisme progressiste », qui associe le combat contre le nazisme à la victoire du communisme.

C'est dans cet esprit, rappelons-le, que le musée est né en 1947, à l'initiative d'anciens déportés du camp, sous la responsabilité de l'État polonais, comme lieu de la « martyrologie de la nation polonaise et des autres nations ». Dans l'idéologie antifasciste, la lutte des nations opprimées par Hitler se confond avec la lutte sociale pour un ordre « populaire », démarche qui conduit à réduire, minimiser, voire nier tant des pans entiers de ces histoires nationales que des aspects spécifiques de l'occupation nazie. C'est ainsi par exemple que l'historiographie polonaise de l'époque stalinienne nie systématiquement la lutte de l'Armée du pays (AK) au profit de la résistance communiste ou que l'historiographie soviétique compte les juifs exterminés de Wilno ou de Kiev parmi les victimes soviétiques.

L'approche muséographique, entretenant dans les expositions et les publications un flou délibéré, relève de la même logique, conduisant notamment au conflit judéo-polonais à propos d'Auschwitz, dont l'affaire du carmel n'est qu'un symptôme.

En effet, pourquoi une conception nationale du musée ?

Dès le début de la guerre, le camp d'Auschwitz s'est inscrit dans la mémoire polonaise comme le symbole de la politique nazie à l'égard de la Pologne, surtout de l'éradication de ses élites. « Créé à l'origine pour eux, comme le note H. Langbein, [...] ils y restèrent seuls pendant longtemps [24]. » « Durant toute la guerre, il en arriva sans cesse de nouveaux et, malgré une mortalité supérieure à la moyenne, ils constituaient sans doute le groupe national le plus important [25]. »

Faire d'Auschwitz un musée tout à la fois polonais et

---

24. Hermann LANGBEIN, *La Résistance dans les camps de concentration nationaux-socialistes 1938-1945*, éd. Fayard, 1981, p. 179.

25. Hermann LANGBEIN, *op. cit.*

international paraît alors évident, puisque s'y trouvaient aussi des Soviétiques, des Yougoslaves, des Français, des Italiens, des Hollandais, presque toutes les nationalités européennes.

A partir de 1942, le camp d'Auschwitz-Birkenau devient aussi un camp d'extermination pour les juifs européens. Comment en rendre compte ? La lecture antifasciste du nazisme s'en accommode mal et préfère d'autant plus englober les victimes juives dans les pertes des nations que, s'agissant du cas polonais, elle permet d'évacuer le délicat problème des relations judéo-polonaises durant la guerre. Elle permet aussi de confondre les juifs morts avec les victimes de la nation polonaise. Elle permet enfin, pour les communistes au pouvoir, dont une partie notable d'origine juive, de favoriser l'assimilation des juifs revenus dans la « nouvelle société ». Bref, qui aurait eu intérêt à souligner l'ampleur du génocide juif ?

Reste évidemment à s'interroger ici sur la validité de la démarche antifasciste, toujours présente sous des formes moins idéologiques : à quoi bon diviser les morts, dit-elle, ne pèsent-ils pas d'un même poids face à la machine nazie ? Assurément, mais pourquoi alors accepter une exposition bulgare au musée, alors que le lien entre la Bulgarie et le camp d'Auschwitz est ténu ? Et pourquoi ne pas dire clairement, comme l'a fait Claude Lanzmann dans le film *Shoah*, que convergeaient vers les chambres à gaz d'Auschwitz des millions de juifs européens, ce qui n'enlève rien à la mortalité des non-juifs — Polonais, Russes, Français et mêmes Tsiganes — qui ne subissaient pas les sélections à l'arrivée[26] ? L'omission de ce fait dans l'historiographie

---

26. S'il y a bien une spécificité à la solution finale, c'est la sélection à la rampe d'Auschwitz : « Pour reconnaître les travailleurs et les bouches inutiles, on pratique la sélection : d'une part, dès la descente du train sur la rampe même, et d'autre part, à l'intérieur du camp pour reconnaître les travailleurs devenus inaptes au travail par suite des conditions qu'on leur impose. La première était réservée spécifiquement aux convois de déportés juifs. La seconde visait de préférence les juifs, mais également les non-juifs devenus *arbeitsunfähig* ("inaptes au travail"). » (Cité d'après Georges WELLERS : « Essai de détermination du nombre de morts au camp d'Auschwitz », *Le Monde juif*, n° 112, 1983, p. 132-133.)

soviétique, est-allemande, polonaise intrigue. Pour la Pologne, il s'agit davantage d'une *occultation*, c'est-à-dire de la superposition d'une mémoire sur une autre, parfois d'une fusion. Ce qui ne signifie pas qu'une information rigoureuse sur les camps n'ait pas existé en Pologne, loin de là, comme l'ont souligné dès 1946 les publications spécialisées [27]. En revanche, les livres de masse, les manuels scolaires en traitaient autrement. Voici par exemple comment sont présentés les camps de la mort dans un manuel de 1949 :

> « De nombreux camps d'extermination, appelés camps de la mort, sont nés. Les plus grands étaient : le camp de concentration d'Oswiecim, où 3 millions de personnes ont péri, le camp de Maïdanek à côté de Lublin et celui de Treblinka, où les hitlériens ont assassiné environ deux millions de personnes. Des transports spéciaux amenaient constamment de nouvelles victimes de la sauvagerie fasciste. Des Polonais et des juifs, des Russes, des Français, des Grecs et des Yougoslaves périrent étouffés dans d'abominables chambres à gaz. Leurs corps étaient brûlés. Les crématoires fumaient nuit et jour [28]. »

Pourquoi ne pas dire que Treblinka fut un camp d'extermination pour juifs, que les Grecs, Yougoslaves, Polonais, Russes, Français morts dans les chambres à gaz étaient également juifs ? Comment ne pas mentionner ici que le musée d'Auschwitz naît un an après le massacre de Kielce [29], le

---

27. Le premier numéro du « Bulletin de la Commission centrale d'investigation des crimes allemands en Pologne » *(Glowna Komisja Badan Zbrodni Niemieckich w Polsce)*, paru en 1946, constitua vraisemblablement, avec les premiers écrits de la Commission d'histoire juive *[Zydowska Komisja Historyczna]*, la première publication élaborée qui présentait les « fonctions » des différents camps nazis et l'étendue du massacre des camps d'extermination.

28. J. BARBAG, J. LIDER, W. NAJDUS, K. MARIANSKI, E. SLUCZANSKI (sous la direction de), *Nauka o Polsce i swiecie wspolczesnym, ksiazka do uzytku szkolnego* (« Enseignement sur la Pologne et le monde contemporain, livre à usage scolaire »), Varsovie, PZWS, 1949, p. 75.

29. Dans la ville de Kielce, le 4 juillet 1946, une foule de plusieurs milliers de personnes, excitées par une rumeur qui affirmait que « les juifs » s'étaient livrés à des meurtres rituels sur des enfants polonais, avaient pris d'assaut l'immeuble qui abritait des rescapés juifs, rapatriés d'URSS. Il y eut 42 tués, une cinquantaine de blessés. Le pogrom déclencha une vague massive d'émigration.

seul pogrom de masse effectué après guerre dans un pays européen sur des juifs, donc dans un contexte où l'antisémitisme en Pologne resurgit, phénomène incompréhensible vu d'Occident, faisant l'objet d'une discussion publique en 1947, notamment entre l'intelligentsia laïque et l'intelligentsia catholique ?

L'exposition générale

Parmi les cinq blocs de l'exposition générale (4, 5, 6, 7, 11), la plus massivement visitée, souvent selon l'ordre suggéré par les organisateurs, les blocs 4 (appelé l'*extermination*) et 5 (*pièces à conviction*) sont centraux dans le dispositif muséographique, non seulement parce qu'ils s'adressent au cœur du symbole d'Auschwitz, mais aussi parce que s'y trouvent rassemblées ces montagnes de lunettes, valises, prothèses, blaireaux et peignes, images que chaque visiteur emportera à tout jamais avec lui.

C'est l'*anonymat* délibéré des victimes qui forme ici le mécanisme de l'occultation. La plupart des salles du bloc 4 contiennent sur les murs de gigantesques photos montrant les sélections sur la rampe de Birkenau : y figure seulement l'inscription « sélection » sans que l'on sache de qui il est question. Qu'il s'agisse d'une grande carte de l'Europe posée au milieu d'une salle montrant des flèches en provenance de tous les pays convergeant vers Auschwitz avec pour commentaire « Les convois arrivent », ou d'une autre carte avec l'inscription suivante :

> « Des convois entiers étaient directement dirigés vers les chambres à gaz ou bien, après sélection, une partie des individus plus sains et plus forts étaient laissés en vie pendant quelque temps. Les autres étaient assassinés : mères avec enfants, vieillards, invalides étaient en général tués sur place. Sur la rampe, on leur prenait leurs biens »,

le parti pris de ne pas nommer les victimes paraît clair. Sentiment renforcé par la seule inscription du bloc 5, rédigée en polonais, français, anglais et russe :

> « Dans ce bloc est réunie une partie des objets qui avaient jadis appartenu aux *gens* morts dans les chambres à gaz et qui ont été retrouvés après la libération du camp. »

Qui sont ces *gens* ? S'agissant de ce bloc 5, Pierre Vidal-Naquet avait déjà observé le non-dit qui entourait les objets exposés et dont il fallait *deviner* l'appartenance [30].

Certains responsables du musée, le reconnaissant implicitement, font valoir cependant que de nombreux documents présentés sur des tables du bloc 4 se réfèrent clairement à la politique antijuive des nazis.

C'est exact, mais les problèmes n'en sont pas pour autant évacués. Par exemple, sur l'une des tables intitulées « Correspondance relative à l'utilisation des biens pillés aux condamnés à l'extermination », il faut prendre connaissance avec précision des lettres échangées pour savoir que ces « condamnés à l'extermination » le sont dans le cadre de la *Judenumsiedlung* à Auschwitz. Même occultation sur une autre table intitulée « Directive organisant le pillage des gens tués au KL d'Auschwitz » : la lecture attentive de ces papiers met en évidence qu'il s'agit là exclusivement de juifs. Petites occultations, dira-t-on ? Mais, pour tout comprendre, encore faut-il connaître l'allemand ou le polonais, car seules ces deux langues sont utilisées sur ces tables, et disposer de temps ; or les groupes, souvent pressés, se bornent à écouter les guides et observer les photos.

Les photos, les maquettes, les grosses inscriptions sont donc naturellement déterminantes, bien plus que tout texte lu sur un bout de table mal éclairé. A côté des photos de sélections et du plan des chambres à gaz se trouve une photo de paysans polonais expulsés par les Allemands de la région de Zamosc, région que ceux-ci ont voulu coloniser avec des *Volksdeutsche*, et qu'ils ont sauvagement « pacifiée » ; « Départ pour la colonisation à Oswiecim », dit la légende. La juxtaposition de toutes ces photos suggère que ces pay-

---

30. Pierre VIDAL-NAQUET, « Des musées et des hommes », préface au livre de Richard MARIENSTRAS, *Être un peuple en diaspora*, Maspero, 1975, p. 1.

sans pouvaient aussi se trouver dans la sélection, ce qui, on le sait, est peu vraisemblable.

Au premier étage de ce même bloc 4 se trouvent une maquette de crématoire/chambre à gaz (avec l'inscription : « Les détenus allaient au gaz persuadés qu'ils allaient à la douche... »), une toile de crin de cheveux, des lettres diverses de l'administration nazie sur l'utilisation des cheveux, les aveux de Rudolf Höss, des boîtes de Zyklon B, les photos des *Sonderkommandos* brûlant les cadavres ou celles des femmes nues allant vers le gaz. L'anonymat reste toujours entier.

Les blocs 6 (la vie du prisonnier) et 7 (conditions d'habitation et sanitaires), inchangés depuis 1955, décrivent le sort des mères et des enfants au camp, les expériences médicales, les travaux forcés, l'organisation SS, la mortalité par le travail pour les firmes allemandes, les assassinats par le phénol, les journées des déportés, les uniformes rayés, les désignations des différentes catégories (triangles rouges, jaunes, verts, roses, etc.), la famine. Dans les couloirs de ces deux blocs se trouvent plusieurs centaines de photos de détenus polonais, avec leur date d'arrivée et de décès[31].

Le bloc 11, le cachot du camp, appelé par les détenus « Bloc de la mort », ne se distingue pas extérieurement des autres bâtiments, mais dans ses caves figurent des cellules minuscules où les détenus mouraient soit accroupis, soit debout. Au fond de la cour qui sépare le bloc 10 du bloc 11 se trouve le « Mur de la mort » où 20 000 prisonniers furent fusillés. C'est dans les caves de ce bloc que se déroula le 3 septembre 1941 le premier gazage réalisé sur 600 prisonniers de guerre soviétiques et 250 détenus politiques polonais, ainsi que le rappelle une plaque commémorative apposée en 1987. C'est également dans une des ces caves que périt le père Kolbe, comme le rappelle une autre plaque : « Dans cette cellule, périt en martyr le détenu n° 16670, prêtre polonais franciscain, Maksymilian Maria

---

31. Photos prises par les Allemands durant la première période du camp. Il n'existe pas de photos d'identité pour les autres catégories de déportés.

Kolbe, béatifié le 17-10-1971, canonisé le 10-10-1982. » La
plaque montre Kolbe entouré de prêtres, une croix a également été accrochée dans la cellule. Le bloc 11 constitue
le symbole de la martyrologie polonaise, d'autant que
« l'écrasante majorité de ceux qui furent fusillés devant le
Mur noir à Auschwitz étaient polonais », comme le rappelle
H. Langbein [32]. Devant la cellule du père Kolbe, des bougies sont allumées tous les jours.

Telle est la visite minimale du camp, très fréquente pour
les nombreux groupes dont le programme prévoit la visite
en une journée du musée d'Auschwitz, de la ville natale du
pape (Wadowice) et de Cracovie.

Le bloc 11 et ses pourtours (le Mur, les blocs 6 et 7 avec
leurs 825 photos de détenus polonais, le carmel proche à
quelques dizaines de mètres, juste de l'autre côté des barbelés, la grande croix plantée à côté) territorialisent et sacra-
lisent une mémoire polonaise d'Auschwitz. Tel était
d'ailleurs le sens de la fameuse homélie du cardinal Glemp
le 26 août 1989 (« Le terrain sur lequel elles [les carméli-
tes] se trouvent est l'endroit où les chrétiens ont été marty-
risés »), qui ajouta à l'intention de la mémoire juive :
« Distinguons Oswiecim-Auschwitz où périssaient surtout
les Polonais et d'autres nations, d'Auschwitz-Birkenau, distant de quelques kilomètres, où mouraient surtout les
juifs [33]. » La conception territorialiste du camp, nécessairement présente dans la plupart des expositions puisqu'il fallait bien parler de Birkenau, est amenée par la logique
concrète, physique de sacralisation des lieux. Elle invite
d'autres acteurs, les juifs en l'occurrence, avec qui elle est
entrée en conflit, à partager la même procédure, territoriale,
religieuse — voire nationale, encore que le cardinal Glemp
semble mécaniquement associer à Auschwitz-I les autres
nationalités [34] —, ne décelant pas qu'elle entame l'unité

32. Hermann LANGBEIN, *op. cit.*, p. 191.
33. *Lad*, n° 37, 10 septembre 1989, p. 2. Hebdomadaire officieux de la démocratie chrétienne renaissante.
34. Au regard de la précision historique, il est malaisé de trouver des chif-fres sur ce point. H. LANGBEIN note, sans distinguer Auschwitz de Birkenau :

symbolique d'un lieu perçu comme tel dans le monde entier et souvent en Pologne même. Il y a là une opposition très nette entre une démarche de mémoire qui, parce qu'elle *œuvre sur place*, espère donner du sens tant au passé qu'au présent et une mémoire pour qui Auschwitz demeure le *cimetière*. Rappelons que non seulement l'ancien théâtre (devenu le carmel) a été transformé en lieu de culte, mais également, sinon surtout, l'ancienne *Kommandantur* de Birkenau en église. De même, on a planté des croix dans le bois de Birkenau. Quel peut bien être le sens de cette « christianisation » ? Dans la vaste redistribution des valeurs et des symboles politiques opérée dans la décennie 1970-1980 entre le pouvoir communiste et l'Église, celle-ci a voulu, semble-t-il, investir ces lieux chargés de *sacré consensuel* que sont les camps de concentration nazis dans la société polonaise. En « reprenant » ces camps au pouvoir, l'Église lui retirait l'un des derniers instruments de légitimation et, de façon symptomatique, il n'eut guère les moyens de s'y opposer. Que cela se fît, plus ou moins discrètement, sous la bannière d'une lutte contre l'athéisme — il ne fallait pas que Dieu fût absent de ces camps gérés par des héritiers illégitimes — est conforme aux conflits entre l'Église et l'État depuis 1945. Que cela se fît sur les lieux d'extermination des juifs est conforme à la fois à la méconnaissance répandue du génocide en Pologne et à une tradition antisémite de l'Église elle-même. Il est notoire que le cardinal Glemp, sans que l'on puisse toutefois réduire

---

« Deux rapports de la Résistance, conservés à Cracovie, décomposaient en éléments nationaux la population concentrationnaire. [...] Les Polonais constituaient le groupe national le plus influent. A l'origine, ils étaient les plus nombreux, mais une fois Auschwitz devenu camp d'extermination, leur pourcentage diminua, passant de 30,1 % en mai 1943 à 22,3 % en août 1944. Le 11 mai 1943, 57,4 % de tous les détenus étaient catalogués juifs, et 64,6 % le 22 août 1944 ; chez les femmes, 68,2 %. Ces chiffres ne comprennent ni ceux qui étaient ''mis sur la glace'' ou ''Mexique'', ni ceux qui travaillaient à l'extérieur ; dans ce dernier cas le pourcentage était encore plus élevé. » (H. LANGBEIN : *Hommes et femmes à Auschwitz*, éd. Fayard, 1975, p. 52.) De même, Primo Levi signale que « la population d'Auschwitz, à partir de 1943, était constituée de juifs à 90-95 % » (Primo LEVI, *Les Naufragés et les rescapés, quarante ans après Auschwitz*, éd. Gallimard, 1989, p. 51).

l'Église de Pologne à sa figure principale, compte parmi les admirateurs du Parti national-démocrate d'avant-guerre, dirigé par Roman Dmowski, théoricien du nationalisme et de l'antisémitisme dans ce pays.

En fait, signe des temps, à l'ancienne mémoire, antifasciste et polonaise, s'est imposée une nouvelle mémoire, catholique et toujours polonaise.

Mais la mémoire antifasciste reste largement présente dans les expositions nationales.

Les expositions nationales

Tous les pavillons nationaux de l'Est intègrent, utilisent Auschwitz, dans un message qui légitime toujours le pouvoir politique communiste, voire des histoires nationales fort éloignées de la réalité du camp. Rares sont les expositions fidèles à la règle de leur « admission » dans le musée : exprimer leur présence « nationale » à Auschwitz-Birkenau à partir de leur occupation propre. L'illustration la plus caricaturale en est fournie par l'exposition bulgare qui raconte amplement l'histoire du communisme dans ce pays depuis la fin du XIXe siècle jusqu'aux années soixante-dix sans mentionner Auschwitz une seule fois ni même y faire allusion. C'est la seule exposition où les visiteurs trouveront une citation de Brejnev.

Semblablement détournée est l'exposition tchécoslovaque qui, de façon étrange, associe une forme moderniste d'occupation de l'espace (jeux de lumière, création d'escaliers) à une langue de bois des plus rigides, écrite d'ailleurs surtout en tchèque, moins en polonais, et en aucune autre langue. Manifestement, c'est le public de ce pays, assez nombreux, qui est visé. A lui non plus l'histoire du parti communiste et de son indéfectible alliance avec l'Union soviétique ne sera épargnée, ni même une photo de Staline, la seule, là aussi, dans tout le musée ! L'exposition, après avoir évoqué l'histoire tchécoslovaque depuis 1918, notamment le démembrement du pays et l'occupation nazie, s'achève par une citation de... Gustav Husák. L'espace consacré à

Auschwitz y est faible et concerne évidemment Theresien-stadt. La plupart des déportés de Theresienstadt, camp prévu pour les juifs du *Protektorat* et pour les invalides de guerre juifs du Reich, moururent à Auschwitz ; la moitié provenait des territoires tchécoslovaques[35]. S'agissant pré-cisément de ce camp, l'exposition n'échappe pas non plus à l'« occultation antifasciste ». Juives à Theresienstadt, les victimes se retrouvent tchécoslovaques à Birkenau. On peut y lire ainsi : « Dans la nuit du 8 au 9 mars 1944, a eu lieu la liquidation du camp des familles à Auschwitz — 3 800 déportés tchécoslovaques y périrent dans les chambres à gaz », ou encore : « A Auschwitz, des millions d'hommes périrent, dont cent mille citoyens tchécoslovaques. »

Le pavillon est-allemand, inauguré en 1961, démonté à la fin des années quatre-vingt[36], constitua aussi un chef-d'œuvre d'occultations (ici le pluriel s'impose) et de propa-gande. On conçoit la difficulté d'une présentation/représen-tation allemande d'Auschwitz ; la présence d'une Allemagne met d'ailleurs en relief l'absence de l'autre[37]... Dans cette exposition, dominait un enchaînement d'images et de signes antifascistes : le procès Dimitrov, la guerre d'Espagne, la lutte des dirigeants antifascistes allemands (W. Ulbricht, W. Pieck), la naissance de la RDA — « bastion de la paix, de la démocratie et du socialisme » —, la frontière Oder-Neisse, des photos de W. Ulbricht et de Gomulka. Sur les Allemands à Auschwitz même ? Pas grand-chose. En revan-che, sur les Allemands de Bonn, on trouvait une photo du Bundestag avec, pour légende, la fameuse phrase de Brecht : « Le ventre est encore fécond, d'où vient la chose immonde. » Une histoire antifasciste de l'Allemagne, donc,

---

35. Cf. Paul Hilberg, *La Destruction des juifs d'Europe*, Fayard, 1988, p. 376.

36. Le pavillon est-allemand attendait une nouvelle exposition lorsque ces lignes étaient écrites, en décembre 1989. Les éléments d'information sur les expositions anciennes sont présentés à partir de leurs plans et maquettes qui se trouvent dans les Archives du musée.

37. Mentionnons qu'une mémoire nazie, discrète, fut longtemps présente au camp-musée d'Auschwitz : pendant des années, l'échafaud où fut exécuté, en 1947, Rudolf Höss, était recouvert de fleurs par des mains anonymes (des touristes allemands, selon les guides du musée).

mais une histoire aux « pages blanches » nombreuses : rien sur la solution finale, rien sur les déportations des Tsiganes allemands, rien sur le Pacte germano-soviétique, rien sur Richard Sorge, rien sur l'Orchestre rouge, rien sur la trahison par Staline des communistes allemands livrés aux nazis, rien sur l'attentat du 20 juillet 1944 contre Hitler.

Les autres expositions de l'Est (URSS, Pologne, Yougoslavie, Hongrie), conçues dans les années quatre-vingt, atténuent déjà considérablement le moule idéologique fondateur.

L'exposition soviétique par exemple, créée à la fin du brejnévisme, présente une liste des prisonniers soviétiques du camp, leurs photos, celles des résistants ; elle raconte la libération d'Auschwitz par les soldats de l'Armée rouge — sans que le visiteur y perçoive une rationalité extérieure excessive. L'antifascisme-programme y est donc modéré, mais les « taches blanches » abondent. Ainsi, une photo mentionne l'accueil chaleureux des soldats de l'Armée rouge par les habitants du quartier Praga de Varsovie en septembre 1944, mais aucune ne rappelle le lourd contentieux polono-soviétique surgi à propos de l'insurrection de la capitale polonaise[38]. L'exposition évoque, documents à l'appui, les atrocités commises par les Allemands sur les populations civiles (paysans, citadins) et les prisonniers de guerre après l'invasion de l'Union soviétique le 21 juin 1941 (à Minsk, Kharkov, etc.), mais reste totalement silencieuse sur les *Einsatzgruppen*, ces troupes SS qui, dans le sillage de l'armée, se sont livrées à des massacres inouïs sur la population juive.

Dans l'exposition polonaise (qui date de 1985) — et où l'accent sur les « Polonais dans le camp » est également peu mis —, l'antifascisme de combat a aussi fait place à une histoire nationale de l'occupation. Mais certaines « taches blanches » sont encore bien là : rien sur l'attaque soviétique du 17 novembre 1939, alors que l'agression allemande est fort

---

38. Lire, à ce propos, dans ce même ouvrage, l'article d'Anna SIANKO sur les monuments de Varsovie, p. 246.

détaillée[39], survalorisation de la presse de gauche, sous-estimation de l'Armée du pays (AK) au profit de la résistance communiste. Cela étant, l'exposition présente des aperçus de l'occupation que le visiteur étranger ignore souvent : arrestations d'enseignants et de lycéens, obligation de déclarer les vélos aux forces d'occupation, interdiction aux Polonais d'entrer sur les stades, obligation de rendre les appareils radio. Le sort des juifs polonais est également mentionné, notamment la naissance des ghettos en Pologne, la peine de mort encourue par les Polonais pour les sauver, les camps d'extermination mais, à dire vrai, ces données doivent être appréhendées avec celles du pavillon « juif » (cf. *infra*).

L'exposition yougoslave, présentée au public à partir de 1988, a ceci de caractéristique qu'elle montre de façon détaillée la résistance des partisans de ce pays contre les nazis et l'ampleur des répressions contre les populations civiles. En revanche, bien que les organisateurs aient fait figurer la liste de tous les Yougoslaves envoyés à Auschwitz, ils ne parviennent pas à communiquer les « traces » de ce que fut « leur » présence au camp. Peut-être est-ce d'ailleurs impossible ?

Tel n'est pas le cas de la nouvelle exposition hongroise de 1980 (la précédente datait de 1960) qui a en charge, si l'on peut dire, la déportation des 400 000 juifs hongrois vers Auschwitz au cours de l'été 1944. Malgré une inscription frontale semblable aux occultations des exposants-frères (« *To the memory of 400 000 Hungarian victims of Auschwitz* ») — legs concédé à l'exposition précédente ? —, elle n'évacue pas ce chapitre de son histoire, en faisant même son point central. « Ceci n'est pas une exposition sur le destin juif, elle représente un fragment de l'histoire hongroise », dit en exergue une seconde inscription. Ce qui est remarquable dans l'exposition hongroise, c'est qu'elle souligne à

---

39. Une maquette montre ainsi les armées allemandes s'arrêtant au fleuve Bug, ligne de partage entre l'occupation allemande et l'occupation soviétique. Tout écolier curieux pourrait se demander qui a contenu l'avance allemande sur les territoires orientaux de la Pologne.

la fois la dimension génocidaire à l'égard des juifs et des Tsiganes de l'entreprise nazie, tout en ne l'enfermant ni dans la conception antifasciste classique (toutes les nations sont sœurs) ni dans l'inclusion ethnique (ou vous êtes des nôtres ou vous n'en êtes pas). Mentionnant les déportations de Budapest, par exemple, elle indique que les pertes ont touché les « personnes considérées comme juives », laissant la porte ouverte à toutes les intelligibilités. Dans cette formulation, peuvent se retrouver les juifs assimilés, les juifs non assimilés, ceux pour qui importe l'irréductibilité de la solution finale, et il y a même place pour un antifascisme authentiquement fraternel.

Quant aux expositions des pays occidentaux, peu de choses les distinguent, en dehors des conceptions esthétiques. L'exposition italienne étonne car elle se présente, en dehors de deux inscriptions (une citation de Primo Levi et une statistique sur les déportés italiens), comme vide de contenu : contraignant le visiteur à parcourir un tunnel, elle se veut suggestive. Les expositions française et belge sont honnêtes. La première, organisée par le ministère des Anciens Combattants, exprime la logique qui a conduit la France à l'armistice, la collaboration, la Résistance, et le chemin qui a mené des Français, juifs ou non, à Auschwitz [40]. La seconde, plus succincte, suit la même démarche [41]. Ainsi que l'exposition hollandaise qui montre un film saisissant sur le départ pour Auschwitz d'un train de Westerbork, le Drancy hollandais. Enfin, dans l'exposition autrichienne [42], réalisée en 1978, donc avant l'affaire Waldheim et du temps de Kreisky, c'est clairement une option anti-

---

40. On notera, simple curiosité hexagonale, que la mémoire gaulliste y est plus présente que la mémoire communiste.

41. Avec, cependant, une innovation : c'est la seule exposition qui reconstitue un intérieur petit-bourgeois (un calendrier au mur avec la date du 3 août 1942, une table ronde, 4 chaises, un piano ouvert, une petite bibliothèque, un buffet en coin, des tableaux, une fenêtre avec des rideaux) avec le commentaire suivant : « Un intérieur banal, le vôtre peut-être. La vie paisible s'est arrêtée. Brutalement, la famille est arrachée à cette quiétude. »

42. Il ne m'a pas été donné de voir le pavillon danois qui était en réfection lors de cette enquête en octobre 1989.

fasciste qui domine. Certes, on y avance d'emblée que l'Autriche fut la première victime du nazisme, mais cette assertion ne cherche pas à induire une quelconque présomption d'innocence : les SS autrichiens d'Auschwitz ne sont pas plus oubliés que les Tsiganes et juifs autrichiens. Mais que serait une exposition qui ne se réduirait pas à la seule mémoire des antifascistes autrichiens, assurément essentielle ? Celle-ci, remarquablement agencée, avec une information qui ne cache rien, ne répond pas tout à fait à la question.

Un musée sans mémoire ?

Paradoxalement, le musée d'Auschwitz est un lieu sans mémoire. La conception antifasciste-internationale a dilué la mémoire concrète de la déportation.

Une mémoire polonaise ? Plus enracinée dans des lieux sacralisés que dans une histoire évocatrice, elle ne transmet pas vraiment de messages signifiants d'une réalité polonaise d'Auschwitz, alors que, tant parce qu'elle gère ces lieux qu'en raison de l'importance de la présence polonaise dans le camp, elle est la mieux à même de le faire. On n'apprend pas qui furent les Polonais à Auschwitz [43].

Les Russes ? Si on trouve dans le pavillon soviétique des noms de résistants ou de libérateurs, on serait bien en peine d'y apprendre ces histoires vraies et tristes, peut-être gaies, qui firent certainement la réalité du camp [44].

Les Tsiganes ? Ils sont peut-être les plus oubliés, peu de photos les rappellent. Ils n'ont pas de pavillon à leur disposition, car ils n'ont pas d'État qui pût inscrire leur mémoire dans la logique muséographique en vigueur. Un

---

43. De ce point de vue, les ouvrages de H. LANGBEIN ici mentionnés (notamment le chapitre « Les Polonais » de *La Résistance dans les camps de concentration nationaux-socialistes, op. cit.*), même s'ils suscitent des désaccords, sont autrement suggestifs.

44. Telle celle que raconte Primo Levi à propos d'un verre d'eau non partagé avec un ami…, Primo LEVI, *op. cit.*, p. 79.

petit monument, érigé en 1973 dans la partie de Birkenau où ils se trouvaient (« le camp des Tsiganes »), rappelle leur sort, monument financé — une plaque le rappelle — par l'Union des Tsiganes en Allemagne. Deux autres plaques, privées celles-là, écrites l'une en tchèque, l'autre en allemand, y ont été apposées par leurs familles respectives. Peu de visiteurs, en dehors de Tsiganes provenant d'Allemagne, parviennent jusqu'à ce monument[45].

Les juifs ? Présents dans la plupart des expositions — parfois avec les mêmes photos —, ils ne parlent pourtant pas en leur nom. Comme si un excès apparent d'informations et de signes aboutissait au résultat inverse. Ils n'ont pas de plaque commémorative, mais ils disposent de tout un pavillon, construit pour eux par l'État polonais.

Il y a bien un problème juif au musée d'Auschwitz. Le pavillon « juif », ou plus exactement l'exposition « Martyrologie et lutte des juifs » (bloc 27) est déjà, curieusement, localisé à part, ni dans l'exposition générale ni parmi les nations. Créée en 1968, remaniée en 1978, l'exposition évoque le sort de la population juive en Europe et en Pologne durant l'occupation. Elle raconte l'histoire des ghettos, montre la participation des juifs à la résistance polonaise et soviétique, présente la révolte du *Sonderkommando* du 7 octobre 1944, mettant notamment en évidence les manuscrits retrouvés des membres des *Sonderkommandos*. C'est la seule exposition qui, par des photos insoutenables, rappelle l'action des *Einsatzgruppen*, photos qui auraient dû logiquement se trouver dans le pavillon soviétique. De même, contrairement à l'anonymat de l'exposition générale, les photos des « sélections » sont ici clairement explicitées. Comme pour prévenir toute critique, l'exposition insiste amplement sur les cas de solidarité des Polonais à l'égard des juifs, mais ne s'exprime pas sur l'antisémitisme répandu pendant la guerre. Bref, malgré l'abondance de documents,

---

45. Pour aller jusqu'au monument des Tsiganes, il faut demander la clef au gardien du secteur BIIe et y aller en longeant par la droite le secteur BII. Bref, il y faut bien deux heures.

malgré une certaine qualité formelle, elle ne communique au visiteur ni un regard juif sur Auschwitz ni un regard juif sur l'occupation.

La mémoire juive nourrit d'autant plus de méfiance à l'égard de l'organisation muséographique du camp que sont venues s'ajouter aux occultations initiales de l'antifascisme — inconscientes ? car l'antifascisme pouvait-il concevoir la catégorie « Juifs » autrement que comme des citoyens de leur pays ? — des attaques qui visaient carrément à minimiser le génocide. Au cours des années 1967-1968-1969, rappelons qu'une fraction dominante du pouvoir communiste en Pologne se lança, afin de légitimer son emprise dans le Parti et dans l'État (dans la nation ?), sous couvert de campagne antisioniste, dans une campagne antisémite qui provoqua le départ de quelque vingt mille juifs. La polémique qui entoura l'inauguration du « Monument international aux victimes du fascisme » à Auschwitz le 16 avril 1967 en fut symptomatique. Si, par ses inscriptions, ce monument, construit au bout de la rampe à Birkenau, perpétue l'« anonymat international », il donna surtout lieu à un discours du Premier ministre J. Cyrankiewicz qui s'employa à mentionner toutes les catégories de victimes d'Auschwitz sauf les juifs. A la tribune officielle se trouvaient le général Moczar, ministre de l'Intérieur, et Kazimierz Rusinek, vice-ministre de la Culture, ceux-là même qui dirigeront la campagne antijuive de 1968. Rusinek notamment, préfigurant le style des purges, accusera, à la fin de 1967, les rédacteurs de la Grande Encyclopédie universelle polonaise de sous-estimer les pertes polonaises pendant la guerre au profit des pertes juives[46].

Cela explique que, quand l'Église de Pologne investit aujourd'hui les lieux-symboles de la *Shoah*, la mémoire juive perçoive cette démarche comme une énième tentative d'occultation. Ce sont toutes ces raisons qui ont plaidé en

---

46. Michel BORWICZ, *Auschwitz selon Varsovie ou chambres à gaz déjudaïsées*, Association indépendante des anciens déportés et internés juifs de France, Paris, 1970, 27 p.

faveur d'un dénombrement des morts — « se compter », comme le disait de façon prémonitoire Richard Marienstras [47] —, aussi détestable que cela pût paraître. Les historiens, en fonction des sources actuellement disponibles, s'accordent pour estimer qu'il y eut *à Auschwitz-Birkenau au moins 1 600 000 victimes* réparties en quatre grandes catégories : environ 100 000 Polonais, environ 1 500 000 juifs de diverses nationalités, 21 665 Tsiganes, 11 780 prisonniers de guerre russes [48].

Fort heureusement, il n'y a pas de batailles de chiffres dans ces enjeux de mémoire et il est d'ailleurs peu probable que ces chiffres soient, en dehors d'un petit cercle d'historiens, connus en Pologne. On ne les trouvera pas dans les publications du musée d'Auschwitz au moins pour cette raison que l'option antifasciste incluait les juifs dans leurs nationalités.

L'occultation était si enracinée dans l'opinion polonaise que seules deux préoccupations y subsistaient : celle que le monde n'oublie pas Auschwitz, celle que l'opinion allemande s'y intéressât. Dans les années soixante, un dialogue fécond entre chrétiens polonais et allemands se noua à propos d'Auschwitz, à Auschwitz même, qui fit dire récemment à l'un des principaux responsables catholiques polonais : « Pour nous, Auschwitz, c'est le lieu où se concentre le mal satanique, c'est aussi le lieu de naissance d'un bien servant l'avenir [49] » — phrase difficilement compréhensible, voire inadmissible, d'un point de vue juif.

Juste après la guerre, pour des raisons qui tiennent vraisemblablement autant aux obligations de la reconstruction économique qu'à la distance nécessaire de l'oubli, les anciens déportés n'éprouvaient guère le goût d'agir active-

---

47. Richard MARIENSTRAS, *Être un peuple en diaspora, op. cit.*, p. 41-59.

48. Cf. Georges WELLERS, *Essai de détermination du nombre de morts au camp d'Auschwitz, op. cit.* ; Yehuda BAUER, « Attention aux mythes », in *Regards* n° 239/1989, p. 9 ; les autres catégories peuvent être par conséquent évaluées à plusieurs dizaines de milliers.

49. Stefan WILKANOWICZ, *Problem Oswiecimia* (« Le problème d'Auschwitz »), in *Tygodnik Powszechny*, n° 45/1989.

ment pour la préservation muséographique des camps. Ce phénomène — perceptible en France — l'était également en Pologne : « Déportés d'Auschwitz, où êtes-vous ? » titrait un journal d'anciens combattants en 1948, déplorant la désaffection des survivants à l'égard de leurs camarades morts [50]. Cette désaffection a-t-elle facilité la « mainmise » antifasciste ?

Quoi qu'il en soit, les responsables polonais du musée, même s'ils déplorent les polémiques liées au carmel — qu'ils ne comprennent pas toujours, à mon avis —, ont pris conscience que le monde s'intéressait à Auschwitz et qu'Auschwitz appartenait au monde. Gardiens exclusifs de la mémoire du camp, ils ont fait une place croissante à l'historiographie venue de l'extérieur : la plupart des guides du musée ont lu ou connaissent les ouvrages de W. Laqueur [51], R. Hilberg, M. Gilbert [52] et *tous* ont vu *Shoah*, le film de Claude Lanzmann. Sous leur influence d'ailleurs, ces guides corrigent fréquemment la version anonyme des expositions.

Signe des temps : alors que l'État polonais, fier de ses prérogatives, n'aurait jamais sollicité, pour la conservation du musée, des financements extérieurs dans le passé, il les accepte maintenant. Et l'on voit également quelques fondations juives se mobiliser à cette fin.

Il est vraisemblable que le musée sera repensé dans les années à venir.

Pourquoi ne pas transformer l'antifascisme d'occultation et de propagande en antifascisme réellement fraternel et authentiquement international ? Il ne faudrait pas en effet que, par un travers inverse, l'antifascisme soit à son tour occulté. Chaque mémoire, respectée, y gagnera.

---

50. A. WOYCICKI, « Gdzie sa Oswiecimiacy ? » (Où sont ceux d'Auschwitz ?), in *Za Wolnosc i Lud*, 15 avril 1948.
51. Walter LAQUEUR, *Le Terrifiant Secret*, Paris, Gallimard, 1981.
52. Martin GILBERT, *Auschwitz and the Allies*, Londres, Michael Joseph, 1981.

Table

III — LA MÉMOIRE DISPUTÉE

Composition Facompo, Lisieux (Calvados)
Achevé d'imprimer en avril 1990
sur les presses de l'Imprimerie Mame, Tours (I.-et-L.)
Dépôt légal : avril 1990
Numéro d'imprimeur :
Premier tirage : 3 000 exemplaires
ISBN 2-7071-1942-3